國立中央圖書館出版品預行編目資料

陳騤<文則>新論論 / 蔡宗陽著. -- 初版. --臺北
市: 文史哲, 民82
14,638面 ; 21公分. -- (文史哲學集成 ; 278)
參考書目:面617-638
ISBN 957-547-202-0(平裝) NT$ 480

1. (宋)陳騤 - 學識 - 中國語言 2. 中國語言 - 修辭

802.7 82001527

文史哲學集成 (278)

陳騤《文則》新論

著者：蔡宗陽
出版者：文史哲出版社
登記證字號：行政院新聞局局版臺業字五三三七號
發行人：彭正雄
發行所：文史哲出版社
台北市羅斯福路一段七十二巷四號
郵撥〇五一二八八一二彭正雄帳戶
電話：三五一一〇二八
印刷者：文史哲出版社

實價新台幣六五〇元

中華民國八十二年三月初版

ISBN 957-547-202-0

文則上

甲 凡九條

六經之道既曰同歸六經之文容無異體故易文似詩詩文似書書文似禮中孚九二曰鳴鶴在陰其子和之我有好爵吾與爾靡之使入詩雅孰别爻辭抑二章曰其在于今興迷亂于政顛覆厥德荒湛于酒女雖湛樂從弗念厥紹罔敷求先王克共明刑使入書誥孰别雅語顧命曰牖間南嚮敷重篾席黼純華玉仍几西序東

㈠元惠宗至正十一年（一三五一）海岱劉庭幹金陵刊本《文則》上卷首頁，原書現藏國立中央圖書館。

陳眉公訂正文則卷之下

宋　天

明　　沈元亮校

明繡水　沈啟先

已

凡七條

觀檀弓之載事言簡而不疏旨深而不晦雖左

氏之富艷敢奮飛於前乎略舉二事以見

世子申生爲驪姬所譖或令辯之左氏載其

㈡明神宗萬曆年間（一五七三至一六一九）陳繼儒（號眉公）寶顏堂秘笈繡水沈氏尚白齋刊本《文則》下卷首頁，原書現藏國立中央圖書館。

文則卷之上

宋　天台　陳騤　著

日本南紀　山鼎句讀

甲　凡九條

六經之道既曰同歸六經之文容無異體故易文似詩詩文似書書文似禮中孚九二曰鳴鶴在陰其子和之我有好爵吾與爾靡之使入詩雅孰別爻辭抑二章曰其在于今興迷亂于政顛覆厥德荒湛于酒女雖湛樂從弗念厥紹罔敷求先王克共明刑使入書誥雜列雅語顧命曰牖間南嚮敷重蔑席黼純華

㈢日本中御門天皇十三年（一七二八年，相當於清世宗雍正六年）刊本《文則》上卷首頁，原書現藏國立臺灣大學研究圖書館。

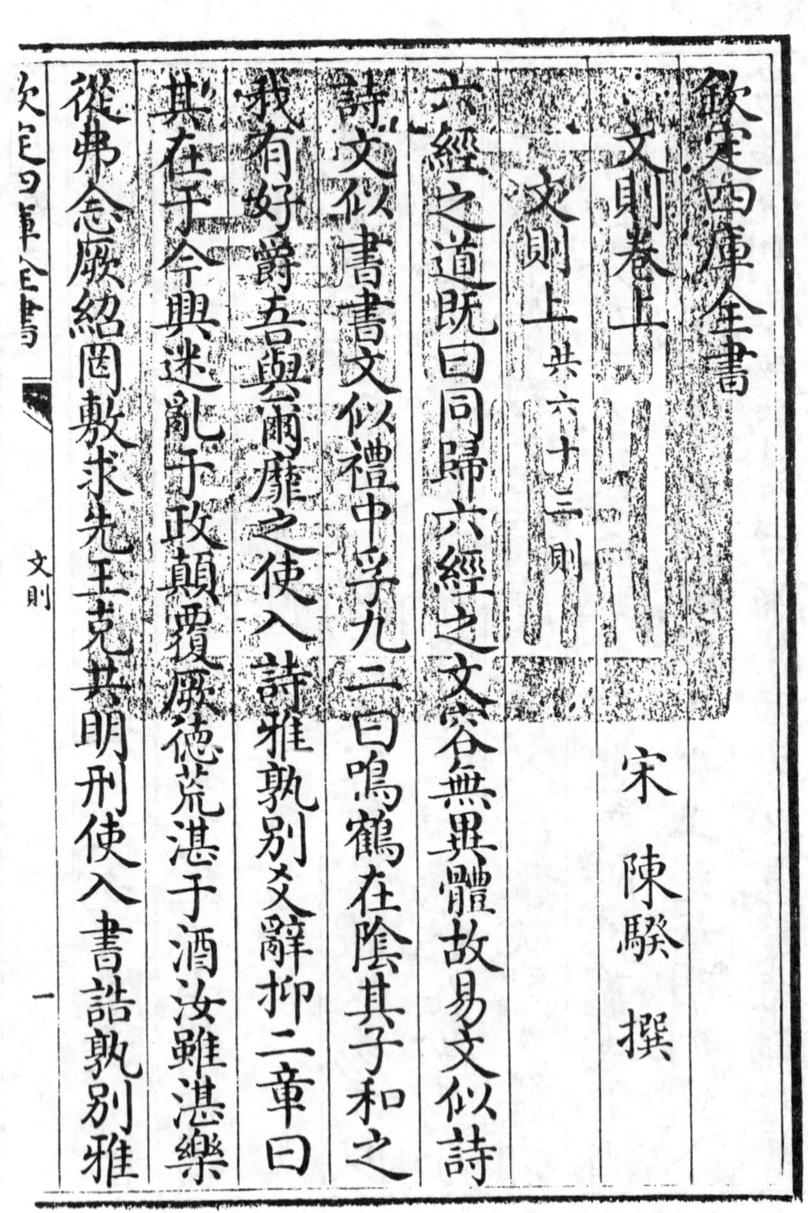
欽定四庫全書

文則卷上　　　　宋　陳騤　撰

文則上　共六十三則

六經之道既曰同歸六經之文容無異體故易文似詩詩文似書書文似禮中孚九二曰鳴鶴在陰其子和之我有好爵吾與爾靡之使入詩雅孰別爻辭抑二章曰其在于今興迷亂于政顛覆厥德荒湛于酒汝雖湛樂從弗念厥紹罔敷求先王克共明刑使入書誥孰別雅

欽定四庫全書　　文則　　一

㈣清高宗乾隆四十六年（一七八一）文淵閣四庫全書本《文則》上卷首頁，原書現藏國立故宮博物院。

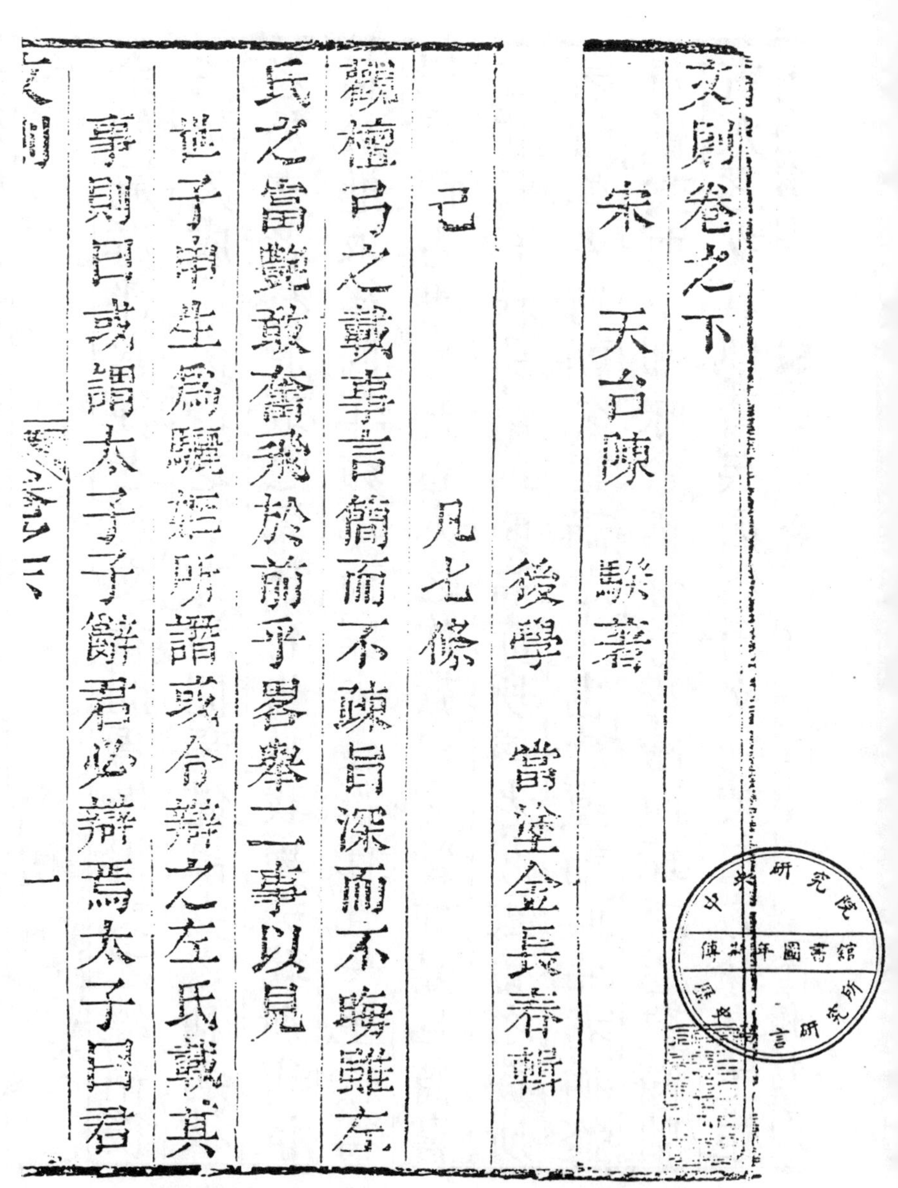
文則卷之下

宋　天台陳　騤著

後學　當塗金長春輯

己　凡七條

觀檀弓之載事言簡而不疎旨深而不晦雖左氏之富艷敢奮飛於前乎畧舉一二事以見

世子申生爲驪姬所譖或令辯之左氏載其事則曰或謂太子子辭君必辯焉太子曰君

文則　卷之下　一

㈤清仁宗嘉慶十八年（一八一三）金長春詒經堂藏書本《文則》下卷首頁，原書現藏中央研究院歷史語言研究所傅斯年圖書館。

序

余始冠游泮宮從老於文者問焉僅得文之端緒後三年入成均復從老於文者問焉僅識文之利病彼老於文者有進取之累所有告於我與夫我所得惟利於進取後四年竊第而歸未獲從仕凡一星終得以恣閱古書始知古人之作歎曰文當如是且詩書二禮易春秋所載丘明高赤所傳老莊孟荀之徒所著皆學者所朝夕諷誦之文也徒諷誦而弗考猶終日飲食而不知味余竊有考焉隨而錄之遂盈簡牘古人之文其則著矣因號曰文則或曰方今宗工鉅

文則卷上　二　臨海宋氏

㈥清仁宗嘉慶二十二年（一八一七）宋世犖台州叢書本四集之一〈文則序〉首頁，原書現藏中央研究院歷史語言研究所傅斯年圖書館。

重刊文則序

文林郎陝西鳳翔府扶風縣知縣宋世犖撰

堯典舜典經點竄以文成避馬避車詑擬摹而句就畫葫蘆之樣未免雷同刻楮葉之形難期月異所以貴出於己勿矜獺祭之工蓋傍於人斯免虎蒙之誚也然而薰香摘豔首重別裁鼇殿螭坳尤嚴體要如吾鄉宋陳參政騤文則之作抑亦操觚之定律珥筆之初桄乎 世犖幼睹是書於同邑陳桂里處士文燮處輒鈔一冊弆之篋笥洎官關中適郭石齋秀才叶寅以鈔本見寄亟付棗梨既而 兒子曾眗以舊鈔冊

(七)民國五年（一九一六）周鍾游文學津梁本〈重刊文則序〉，原書現藏國立中央圖書館。

刊文則序

夫文以則名何也文乃道之顯則猶法也道之大原出於天天不變而道隨之歷萬世其罔弊也古之聖聖相授而守一道其修詞立誠不下於帶而藻采絢麗至道攸存自足以為天下後世之法故曰風行乎水上渙天下之至文先聖後聖其揆一其文渙此文之所以為可則者則是道也緣若文也苟徒馳騁於絺繪之末鏗鏘乎視聽之外於道乃支離焉藝焉爾矣又奚可以為則噫弊也久矣不能不啟我陳夫子類摘經傳以詔後之學者遏其末流之趨而挽之以就則也其深於斯道協諸文而協也乎不然盍不曰則道而曰文者厥旨微矣故孔子曰文莫吾猶人也文不在茲乎是故陳夫子之取爾焉若夫志學之士靜專於內嚅嚌道真但於微處索之彼亦有所合之也則亦庶乎其有獲

嘉靖戊申歲春元宵穀旦知嘉興府事前山西按察司僉事奉

敕整飭嵩嵐石隰兵備關中趙瀛文海甫識

㈧民國十一年（一九二一）覆刊明神宗萬曆年間寶顏堂秘笈本〈刊文則序〉，原書現藏中央研究院歷史語言研究所傅斯年圖書館。

序

陳騤《文則》是中國第一部有系統而完整的修辭學專著①，對後世修辭學有莫大的影響力②。因此，筆者在前人研究成果的基礎上，潛心鑽研，全面探究，不論是陳騤的生平、著作，或是《文則》的版本、校注③及論修辭原則、修辭方法、文體、風格等④，都逐一探討。爲方便研究，附錄校補後的《文則》全文⑤。《文則》原文雖不多，卻十分可觀。⑥本論文凡八章，除緒論不分節外，有二十五節，共四十三萬字，茲依次撮述其要：

第一章緒論，首先闡述陳騤《文則》之前，已有各類古籍論修辭，洎乎《文則》，才成爲有系統而完整的第一部修辭學專著⑦。其次闡析研究《文則》的梗概。最後闡論筆者全面探研陳騤《文則》的寫作動機，並簡述本論文分爲基礎篇、論述篇、資料篇的用意。

第二章陳騤的生平與著作，內分二節。先闡述陳騤的生平，並論述其著作的內容梗概，再從陳騤〈文則序〉中，析論《文則》的三個寫作動機：㈠讀書不如寫書，㈡闡揚古文軌範，㈢參閱古文指南。

第三章《文則》的版本，內分三節。首先舉例闡述《文則》的刻本有四種：㈠元至正十一年金陵本，㈡明萬曆年間寶顏堂秘笈本，㈢清嘉慶十八年詒經堂藏書本，㈣是台州叢書本。此外，又比較《唐宋叢書》、《說郛》兩種刻本，此兩種刻本收錄《文則》部分原文，繪表比較二者異同。其次舉例闡明《文則》的手鈔本有四種：㈠日本享保十三年刊本，㈡清高宗乾隆四十六年文淵閣四庫全書本，㈢民國五年周鍾游文學津梁本，㈣民國十一年覆刊明萬曆年間寶顏堂秘笈本。又其次舉例詮證《文則》的排印本有三種：㈠叢書集成初編本，㈡萬有文庫薈要本，㈢國學基本叢書本。最後將臺灣現藏《文則》的各類版本，繪一簡表，以便研究。

第四章《文則》的校注，內分二節。校的部分，以元朝《至正》本爲底本，參稽各本，比較文字的異同，考訂文字的是非，匡正諸本的訛失，補證諸本的不全。注的部分，參閱經傳原典及有關書籍，以典故注爲主，僅簡述見於何書何篇，以便研究。

第五章《文則》論修辭的原則，內分五節。修辭的原則有五端：㈠自然，㈡簡潔，㈢通俗，㈣恰當，㈤明確。前人僅論其中數項，又只是略述，本章旁徵博引，加以詳盡地闡析論證。

第六章《文則》論修辭的技巧，內分十一節。前十節是本論，末一節是小結。第一至七節，逐節舉例闡論取喻、援引、繼踵、對偶、析字、答問、倒語，並各列一覽表，既可知源流，又方便研究。第八節類字、交錯、曲折、重複、同目，相當於黃師慶萱《修辭學》所謂的「類疊」⑨，各項都舉例加以闡析、比較，並列一覽表，便於研究。第九節助詞、句法屬於語法修辭⑩，數人行事、章法屬於篇章修辭⑪，資料較少，因此合併舉例論證，並加以比較。第十節「蹈襲」與「仿擬」、「目人」與

「列氏」，性質相似，而「蓄意」資料很少，所以合併一節，加以詮證。第十一節將陳騤研究修辭的方法，分為比較法、歸納法，分別舉例論述。本章篇幅最長，蓋涉及十多種修辭技巧，旁徵博引各家說法，加以會通、比較，並抒己見，又前八節各繪一覽表，分類也有新見，併列在各表上。

第七章《文則》論風格與文體，內分二節。第一節風格的意義與分類。先闡析古今中外的風格意義，再比較《文則》與各家論風格分類的異同。第二節文體的起源與分類。首先比較《文則》與各家論文體起源的異同，並繪一覽表，以便研究。其次闡述《文則》從不同的角度，析論文體的分類。

第八章結論，先總結各章，再分二節闡論。首先闡述陳騤《文則》在中國修辭學史上占有相當重要的地位，其次舉例詮證《文則》對後世修辭學的影響，是至深且鉅。

有關《文則》的資料，雖廣事蒐羅，但仍有遺珠之憾，正如陳望道說：「無論如何淵博的修辭學家必不能把古今中外一切的模式盡行搜集了來，……羅列在一書之中。」⑫筆者也認為「無論如何淵博的修辭學專家學者必不能將古今中外一切有關《文則》的資料全部蒐集齊全，論列在一書之中。」學海無涯，惟勤是岸，這時才體悟《莊子·養生主》所說：「吾生也有涯，而知也無涯」的眞諦。因此，筆者致力於有關《文則》資料的蒐羅與鑽研，雖費時甚久，用力頗深，但才力有限，自知識在缾管，不足探驪，井鼃陋見，罣漏、舛訛之處，猶恐難免，凡所論述，不敢專輒，尚祈學界先進，博雅碩彥，匡我不逮，以解一曲之蔽，則幸甚矣。

本論文能順利完成，得師友指導激勵良多，承文史哲出版社負責人彭正雄先生鼎助出版，陳淑娟小姐協助校對，在此一併敬致萬分謝悃。

中華民國八十二年三月一日伯龍蔡宗陽謹識

【附註】

①劉明暉、譚全基、宗廷虎、李金苓、鄭子瑜（詳見第二章第二節附註①）、黎運漢、張維耿、胡性初（詳見第八章第一節正文）、沈謙（詳見第八章第一節附註①）都認爲陳騤《文則》是中國第一部有系統而完整的修辭學專著。

②陳騤《文則》對後世修辭學有莫大的影響力，詳見第八章第二節。

③本論文分爲基礎篇、論述篇、資料篇三項。第二至四章是基礎篇，包括陳騤的生平、著作，以及《文則》的版本、校注。

④本論文第五至七章是論述篇，包括《文則》論修辭原則、修辭技巧、文體、風格，也是本論文的核心。

⑤本論文的資料篇，是附錄校補後的《文則》全文。

⑥《文則》原文雖僅一萬多字，但其自注部分也一萬多字，自注多半是舉例詮證，可視同原文，僅極少數是純注釋，因此共二萬多字。其實，《文則》猶如麻雀雖小，五臟俱全，有關修辭學的內涵，都能兼容並包；正如同老子《道德經》雖僅五千多言，但卻能自成哲學體系。因此，原文不在多，而在精；宛如生命不在長，而在好。

⑦張靜、鄭遠漢主編《修辭學教程》說：「《文則》結束了以往修辭論述無專著的局面。」（見該書頁三一六，河南教育出版社、香港文化教育出版社印行，民國七十八年十二月初版。）

⑧《文則》的日本享保十三年（一七二八，相當於清世宗雍正六年）刊本，比清高宗乾隆四十六年（一七八一）文淵閣全書本早五十三年，因此日本《享保》本排在《四庫》本之前。

⑨詳見第六章第八節。

⑩詳見第六章第九節。

⑪詳見同⑩

⑫陳氏之言，見於鄭子瑜《中國修辭學史》，文史哲出版社印行，民國七十九年二月初版，頁七一一引；該書同頁鄭子瑜也說：「無論如何淵博的修辭學史家必不能把古今一切的修辭理論盡行搜集了來，論列在一書之中。」陳、鄭二氏，都認爲「瓜無滾圓，人無十全」，只是盡力而爲，於我心有戚戚焉。

陳騤《文則》新論目次

第一章　緒　論

修辭是一門很早的學問。在甲骨、金文中，就已談到修辭，誠如鄭子瑜《中國修辭學史》說：「中國修辭思想的萌芽，應該從先秦諸子推溯至商、周的甲骨、金文。」①甲骨、金文時代之後，在經傳以及儒、道、墨、法各家，或多或少，亦論修辭②。兩漢學者如董仲舒《春秋繁露》論《春秋》的用辭，賈誼〈陳政事疏〉論避諱，王符《潛夫論》論譬喻，劉向、司馬遷、桓寬、揚雄、班固、荀悅、王充都有論述修辭。③洎乎魏晉南北朝，曹丕〈典論論文〉、陸機《文賦》、摯虞〈文章流別論〉、李充〈翰林論〉、蕭統〈文選序〉、劉勰《文心雕龍》，都有闡論修辭。④尤其是《文心雕龍》，專設單章討論，如〈聲律〉、〈章句〉、〈麗辭〉、〈比興〉、〈夸飾〉、〈事類〉、〈練字〉、〈隱秀〉等篇，其他修辭理論隻言片語地遍布全書。至唐朝劉知幾《史通》，亦論修辭⑤，尤其〈模擬〉中的「貌同心異」、「貌異心同」，是他的眞知灼見。還有杜甫、皎然、司空圖、白居易、柳宗元、皇甫湜等，也論修辭。⑥又值得一提的，是日僧弘法大師空海所編《文鏡秘府論》對中國修辭學的影響，既深且鉅。⑦迨及有宋一代，最值得一提的，是陳騤《文則》。《文則》是中國第一部修辭學的專著⑧，它對後世修辭學的影響，既廣且遠⑨。與陳騤《文則》同書名者，有明朝張雲路所編的《文則》。⑩此外，陳師新雄〈文則論〉，是單篇論文。⑪雖然名同，但實異。

陳騤《文則》雖是中國最早的一本修辭學專書，但目前研究者不多。研究《文則》成書者，如譚全基《文則研究》⑫，劉明暉的《文則》點校本⑬，劉彥成的《文則注譯》⑭；其他在修辭學書有專設章節論《文則》，如宗廷虎、李金苓《漢語修辭學史綱》⑮，鄭子瑜《中國修辭學史》⑯，周振甫《中國修辭學史》⑰；不設章節論《文則》，如黎運漢、張維耿《現代漢語修辭學》⑱，張靜、鄭遠漢主編《修辭學教程》⑲，胡性初《實用修辭》⑳。還有在修辭學書或論文引用《文則》，加以闡述，如陳介白《修辭學講話》，陳望道《修辭學發凡》、鄭業建《修辭學》、傅師隸樸《脩辭學》、徐芹庭《修辭學發微》、黃師慶萱《修辭學》、張嚴《修辭論說與方法》、董季棠《修辭析論》、趙克勤《古漢語修辭簡論》、季紹德《古漢語修辭》、沈謙《修辭學》、蔡宗陽〈論譬喻的分類〉。㉑不論成書或單篇、單章、單節討論，或引用加以闡述，皆有貢獻。筆者在各位先進研究成果的基礎上，再進一步作全面探索，諸如第二至四章，雖然是屬於基礎篇，但第二章陳騤的生平與著作，專門探討者罕見。陳騤的生平，由於資料有限，不能暢所欲言，但陳騤的著作，一般只知有《文則》、《南宋館閣錄》、《中興館閣書目》，而很少知道有《古學鉤玄》、《政鑑錄》，尤其是《古學鉤玄》與《文則》有關。《古學鉤玄》第一卷就選錄《文則》部分重要的內容，其他九卷選錄句法、古文，都與修辭、作文有密切關係。至於《文則》的寫作動機，也是本章的特點。第三章《文則》的版本，專門研究者亦不多。《文則》的善本書，多半珍藏在國立中央圖書館、中央研究院、國立故宮博物院㉒，僅少數善本書現藏北京圖書館㉓。除了闡述各版本的內容之外，並繪製版本一覽表，以知源流，便於研究。第四章《文則》的校注，雖然有明朝陳繼儒的校訂本、民國劉明暉的點校本，但筆者發現舛誤仍然不少，是以參稽各本，互通有無，再作校勘。至於注的部分，參閱經傳原典及劉彥成的《文則注譯》，但以典故注爲主，僅簡要注出見於何書何篇，方便研究。惟劉氏有些闕漏，筆者利用十三經引得、諸子引得，查出原書，對照原文，再作補充。

第五至七章屬於論述篇，是本論文的主要重點，也是《文則》論修辭的核心。第五章《文則》論修辭的原則，譚全基的《文則研究》，宗廷虎與李金苓《漢語修辭學史綱》都有論述，但各照隅隙，鮮觀衢路，茲綜合兩家說法，再參閱相關資料，並抒己見，使內容更豐富，闡析更詳實。第六章《文則》論修辭的技巧，是本論文重點中的重點，精華中的精華。第一至十節的論述，參閱書籍、資料最多，也是筆者心得最多，又是最得意的部分，尤其是旁徵博引，博採衆說之長，加以深入闡析，並繪製八張各辭格的分類一覽表，可以看出陳騤承先啓後的功力。第十一節小結，析論陳騤研究修辭的方法，雖然譚全基《文則研究》也有闡論，但側重於比較法，歸納法論述較少。宗廷虎、李金苓《漢語修辭學史綱》也有闡述比較法、歸納法，但同樣偏重比較法。因此，比較法參閱譚、宗、李三氏比較多，歸納法則有很多的補充闡論。第七章《文則》論風格與文體，雖然譚全基《文則研究》、宗廷虎《漢語修辭學史綱》、周振甫《中國修辭學史》、黎運漢《漢語風格探索》㉔，都有析論，但有關承先啓後的比較，各家論述不多，是以分爲兩節，詳加探討。

第八章結論，除了總結以上各章之外，並特別強調陳騤在中國修辭學史上的地位以及《文則》對於後世修辭學的影響。附錄校補後的《文則》全文，屬於資料篇，雖是資料，但劉明暉的《文則》點校本，有很多闕漏未補，筆者參稽各本，互通有無，加以校補，使其全文完美無缺，以利研究。

本論文不管是基礎篇、論述篇、資料篇，都採取古今所有的「成就」、「成說」㉕，略抒己見，悉心以赴，孜孜不倦地探討，至盼陳騤其人其書，能迸發出璀燦的光芒，照耀寰宇。誠如陳望道《修辭學發凡》所說：「我們生在現代，固然絕對沒有墨守陳例舊說的義務，可是我們實有採取古今所有成就作我們新事業的始基的權利。」㉖

【附　註】

①見鄭子瑜《中國修辭學史》，文史哲出版社印行，民國七十九年二月初版，頁一五。有關「甲骨、金文中談修辭」，見該書頁一六至二三。

②有關經傳以及儒、道、墨、法各家論修辭，見同①書，第三篇，頁二七至五八。

③以上見同①書，第四篇，頁六一至八一。

④以上見同①書，頁九四至一〇五。

⑤見同①書，頁一四七至一五七。

⑥見同①書，頁一六三至一七二。

⑦見同①書，頁一七三至一八七。

⑧鄭子瑜說：「陳騤的《文則》，是中國最早的一部專談修辭而又比較有系統的著作。」（見同①書，頁二一四。）

⑨陳騤《文則》對後世修辭的影響，詳見第八章結論。

⑩明朝張雲路所編《文則》，現藏國立中央圖書館，北京圖書館亦有珍藏，係明朝嘉靖四十三年當塗縣刊本，四卷四冊。第一卷是序與論。序的部分選錄程伊川〈易傳序〉等十一篇。論的部分，選錄韓非〈說難〉等七篇。第二卷是論與表。論的部分，選錄柳宗元〈封建論〉等十篇。表的部分，選錄諸葛亮〈出師表〉等三篇。第三卷是策，選錄賈誼〈治安策〉等五篇。第四卷是策、書、雜著。策的部分，選錄羅倫〈制科策〉等三篇。書的部分，選錄樂毅〈報燕惠王書〉等四篇。雜著的部分，選錄曾鞏〈戰國策目錄序〉等八篇。此書是文選性質，與陳騤《文則》專論修辭，其內容、形式皆迥異。

⑪陳師新雄〈文則論〉，見《鍥不舍齋論學集》，學生書局印行，民國七十三年八月初版，頁七八一至八〇一。陳師〈文則論〉闡述字法、句法、章法、篇法。字法有八項：同字疊用，以明旨之所重；同義異字，以避文之重複；斟酌文意，力避用字累贅；取字諧音，貴得和調之美；翻新出奇，以窮變化之妙；變化陳辭，襲用以濟其窮；遷俗就雅，以求字面穩妥；尋究虛字，用之應求其當。句法先論句的構成法，再論句的排比法。排比法分為對偶法、層疊法、承遞法、回文法、照略法五項，加以詮證。章法分為層疊法、開闔法、抑揚法、賓主法、擒縱法、雙關法、正反法、虛實法八項，加以論證。篇法分為起法、承法、轉法、結法四大類，又各分為若干小類，加以闡論。

陳師《文則論》雖是單篇論文，但卻頗有創見，極有參考價值。

⑫譚全基《文則研究》，（香港）問學社印行，民國六十七年十二月初版。

⑬劉明暉《文則》點校本，（北京）人民出版社印行，民國四十九年四月初版。

⑭劉彥成《文則注譯》，書目文獻出版社印行，民國七十七年二月初版。

⑮宗廷虎、李金苓《漢語修辭學史綱》，吉林教育出版社印行，民國七十八年五月初版。該書第六章第三節文論修辭（下），專談陳騤《文則》，頁二八九至三一四。

⑯鄭子瑜《中國修辭學史》，在第七篇第五章第一部修辭學的專著——《文則》，專論《文則》，頁二一四至二三七。

⑰周振甫《中國修辭學史》，（北京）商務印書館印行，民國八十年一月初版，頁二四一至二四六，專論陳騤《文則》。

⑱見黎運漢、張維耿《現代漢語修辭學》，商務印書館香港分館印行，民國七十五年八月初版，頁三二至三三。

⑲見張靜、鄭遠漢主編《修辭學教程》，河南教育出版社、香港文化教育出版社印行，民國七十八年十二月初版，頁三一六至三一八。

⑳見胡性初《實用修辭》，華南理工大學出版社印行，民國八十一年十一月初版，頁四五至四八。

㉑詳見第八章結論。

㉒詳見第三章《文則》的版本。

㉓見北京圖書館編《北京圖書館古籍善本書目》，書目文獻出版社印行，不著出版日期，頁二八九四。《文則》一卷，

宋陳騤撰，明成化刻本，弘治二年重修本，黃丕烈跋，一冊，十行，每行十九字，黑口，四周雙邊。又《文則》一卷，宋陳騤撰，明成化刻本，一冊，十行，每行十九字，小字雙行，黑口、四周雙邊。又《文則》一卷，宋陳騤撰，明朝屠本畯刻本，一冊，九行，每行十八字，白口，四周單邊。

㉔詳見第七章。

㉕鄭子瑜《中國修辭學史》說：「陳氏（指陳望道）採取古今所有「成就」（即修辭的諸現象）寫了那一部《修辭學發凡》；而我卻是採取古今所有的「成說」（即有關修辭的諸論著），寫了這一部《中國修辭學史》。」（見同①書，頁六六七。）

㉖見陳望道《修辭學發凡》，上海教育出版社印行，民國六十八年九月新一版，頁二八三；上海開明書店印行，民國二十一年四月初版，頁四三二；文史哲出版社印行，民國七十八年一月再版，頁二八〇。引文中「墨守陳例舊說」一句，原作「服從古說」。上海開明書店、文史哲出版社皆作「服從古說」，上海教育出版社作「墨守陳例舊說」，是新版。

第二章　陳騤的生平與著作

陳騤生平的主要文獻，是元朝脫脫奉敕編撰的《宋史》，在《宋史》卷三九三列有〈陳騤傳〉，以及昌彼得等編撰的《宋人傳記資料索引》所列有關的資料①。但陳騤著作的文獻，在《宋史》中並未言及，除了參閱《宋人傳記資料索引》之外，還有譚正璧的《中國文學家大辭典》②、李玉安與陳傳藝合編的《中國藏書家辭典》③及其他有關書籍的零星資料④。有關陳騤著作的文獻之中，或多或少，有涉及陳騤的生平，亦可以參閱。

由於有關陳騤的生平與著作，資料不多，文獻有限，因此就合併一節闡述。但本論文最主要的，是闡析《文則》一書，所以另專設一節論述《文則》的寫作動機。

第一節　陳騤的生平與著作

一、陳騤的生平

陳騤，字叔進，或作叔晉，宋朝台州臨海（即今浙江省臨海縣）人，生於南宋高宗建炎二年（一一二八），卒於南宋寧宗嘉泰三年（一二〇三），年七十六歲。

南宋高宗紹興二十四年（一一五四），試春官第一，秦檜當國，以秦塤居其上。歷知贛、秀、太平、袁四州。遷秘書監（即國家圖書館官員）⑤，兼崇政殿說書，經歷十餘年。由於陳騤深諳目錄學，擔任秘書監時，大規模清理編次國家藏書，於孝宗淳熙四年（一一七七）十月，上表請奏，編制國家圖書總目，便於「一覽皇館總書」。次年（一一七八）六月九日，進呈《中興館閣書目》七十卷，序例一卷；同年試中書舍人，兼侍講，同修國史。

南宋光宗時，召試吏部侍郎。紹熙元年（一一九〇），同知貢舉兼侍講。二年（一一九一）春，詔陳時政得失，應詔上疏三十條，如「宮闈之分不嚴，則權柄移；內謁之漸不杜，則明斷息；謀臺諫於當路，則私黨植；咨將帥於近習，則賄賂行；不求讜論，則過失彰；不謹舊章，則取舍錯；宴飲不時，則精神昏；賜予無節，則財用竭」，皆切中時弊。

南宋寧宗即位，知樞密院事兼參知政事。寧宗慶元二年（一一九六），知婺州。告老，授觀文殿學士、提舉洞霄宮。寧宗嘉泰三年（一二〇三）卒，贈少傅，謚文簡。

二、陳騤的著作

陳騤的著作，有《文則》、《古學鉤玄》、《南宋館閣錄》、《中興館閣書目》。此外，陳騤在〈敘古學鉤玄〉中說：「凡涉獵羣書，見一事一辭之美善者，則必錄之，積十有餘年，以冊記者三百餘，以紙記者莫知數。乙亥、壬午兩遭爵攸之厄，所存者僅十之二三，掇拾灰燼之餘，得治羣邑之善者千餘條，輯而名之，曰《政鑑錄》。」據〈敘古學鉤玄〉所述，陳氏應有《政鑑錄》，但此書似已亡佚，遍查各大圖書館，不見此書。《文則》一書於第二節論述，茲不贅及；其他依次闡述。

(一)《古學鉤玄》

《古學鉤玄》十卷四冊，元朝高恥傳校訂，明朝陳繼儒重校，國立中央圖書館藏有明朝崇禎十年新都潘虎臣刊本。陳騤花了五年的時光，纂輯《古學鉤玄》，其書名本乎韓愈〈進學解〉：「纂言者必鉤其玄。」正如他在〈敘古學鉤玄〉一文所說：「殫精五稔，纂輯此書，名曰《古學鉤玄》，蓋取韓昌黎文：『纂言者必鉤其玄』之謂也。」至於選文的標準及其編纂的主旨，誠如〈敘古學鉤玄〉所說：「文選諸古，句遴其精，典載其實，執柯取則，一以貫之，文章大要，備於斯矣。」他的選文標準是「文選諸古，句遴其精，典載其實」；編纂的主旨是「執柯取則，一以貫之，文章大要，備於斯矣」。

《古學鉤玄》十卷的內容：第一卷是選錄作者本身的《文則》，僅選甲至庚，並非全錄，甲二、甲八、乙四、乙六、丙二、丁一、丁三、丁四、丁六、戊一至戊七、戊九、戊十、己三至六、庚二皆不選，順序稍有更動，如庚一排在丁七之後，戊八排在己七之後。辛、壬、癸三項，皆不選錄。陳氏所選錄的，都是精華中的精華，可以作爲文章法則。

第二卷選錄《伏羲氏策辭》、《書經》「帝堯政典」、《周禮·考工記》、《周易·繫辭》、《禮記·檀弓》「杜蕢諫君」、《左傳》「悼公始政」、《國語》「諸大夫勉趙文王」、《孔子家語》「哀公問儒行」、《孟子》「齊人篇」、《戰國策》「蘇秦論留楚太子」等十篇文章，在文句旁評注，也作眉批，並在篇末作總評，可作古文章法的參考。

第三卷選錄二字句法甚多，如「可矣」、「從之」、「詩云」、「書云」、「美哉」、「誰居」、「克之」、「雖然」、「何則」、「難哉」、「信乎」、「夫然」、「禮與」、「善夫」、「傷哉」、「何故」、「何爲」、「其然」、「有諸」、「嗚呼」、「於戲」等等，不勝枚舉。另附二字典實，所謂典實，是註明典故出處，並加以解釋，或僅註明典故，或僅詮釋。如「堪輿」，地也，見於《藝文志》，詮釋、典故皆有；又如「曜靈、朱明、東君、燭龍，並日。」僅詮釋而已。又如「於乎，並出經傳《四書》。」僅註明典故。有典實者多，無典實者少。有典實者，具有更多的參考價值。

第四卷選錄三字句法，並附三字典實，選錄甚多，亦有參考價值。每一例句都有典實，如「如之何」、「何以哉」，皆出於《禮記·檀弓》；又如「雲從龍，風從虎」、「河出圖，洛出書」、「顯諸仁，藏諸用」、「崇效天，卑法地」、「陽卦奇，陰卦耦」、「莫益之，或擊之」、「不節若，則嗟若」、「過其祖，遇其妣」、「二多譽，四多懼」、「三多凶，五多功」、「不耕穫，不菑畬」，皆源於《周易》。這些例句，僅註明典故。此外，尙有僅詮釋者，如「飛將軍」，指李廣；「王鐵槍」，指王彥章。又有詮釋、典故俱全者，如「靈芝宮，龍宮也，出《東軒筆錄》；審兩堂，蟻穴也，見《異聞類事》。」

第五卷選錄四字句法，並附四字典實，選錄也很多。僅註明典故者，如「奉先思孝，接下思恭」、「牝雞之晨，爲家之索」、「好問則裕，自用則小」、「知之非艱，行之惟艱」、「治曆明時」、「廢時亂日」、「佑賢輔德」、「顯忠遂良」、「代虐以寬」、「偃武脩文」、「植璧秉珪」、「崇德象賢」、「三風十愆」、「有典有則」、「勗哉夫子」、「如虎如貔，如熊如羆」，皆出於《尙書》。又如「樂極則悲，酒極則亂」，見於《史書》。「十步之澤，必有芳草」，則源於《說苑》。僅詮釋者，如「文場元帥」，指張九齡。「醉吟先生」，指白居易。「藏六居士」，指趙德麟。詮釋、典故齊全者比較少，如「瓊艘瑤楫」，是仙丹，見於《抱朴子》。又如「風實雲子」、「玄霜絳雪」，都是仙藥，見《漢武內傳》。

第六卷選錄五字句法、五字典實、六字句法、六句典實，有參考價值。五字句法僅有典故者甚多，如「輕諾必寡信，多易必多難」，出於《老子》。又如「治生乎君子，亂生乎小人」，源於《荀子》。又如「毋以身試法」、「如尊乃勇耳」、「愛女甚於男」、「家有姦如山」、「願少聞風聲」，皆見於《漢書》。僅有詮釋者甚少，如「此山梁之秋」，比喻用人之時。六字句法有詮釋、典故者甚少，如「『天下無菜色者』，無餓莩也，出《荀子》。」又如「小荀酷於大荀」，意謂「小乃荀純，大荀晞」，出於《晉史》。僅註明典故者甚多，如「讀書不如寫書」，係張參說的話，見於《國史補》。又如「勞苦如平生歡」，見於《張耳傳》。「君子贈人以言，小人贈人以財」，出於《荀子》。「家貧則思良妻，國亂則思良相」，見於《魏文侯傳》。「士爲知己者用，馬爲知足者良」，出於《韓詩外傳》。「文學止於潤身，政事可以及物。」這是張芸叟說的名言。「無以嗜慾殺身，無以政事殺人。」這是劉皐說的金玉良言。

第七卷選錄七字句法、七字典實、八字句法，也有參考價値。七字句法註明典故者甚多，如「愛子教之以義方」、「天威不違顏咫尺」、「願結驩於二三君」、「三折肱知爲良醫」、「舍其舊而新是圖」，皆見於《左傳》。又如「善始者可以占終」，出於《禮記》。「詩人之賦麗以則，辭人之賦麗以淫」、「多聞則守之以約，多見則守之以卓」、「天地之爲萬物郭，五經之爲衆說郛」、「福事至則和而理，禍事至則靜而理」、「伯樂不可欺以馬，君子不可欺以人」、「賞僭則利及小人，形濫則害及君子」、「是是非非之謂智，非是是非之謂愚」，這些文句皆出於《荀子》。八字句法註明典故者甚多，如「天地者形之大者也，陰陽者氣之大者也」、「兩喜必多溢美之言，兩怒必多溢惡之言」，都是出於《莊子》。又如「善不積不足以成名，惡不積不足以滅身」，見於《周易》。「貧者不以貨財爲禮，老者不以筋力爲禮」，出於《禮記》。「良農不爲水旱不耕，良賈不爲折閱不市」，見於《荀子》。

第八卷選膾炙句、長短句法，也有參考價値。本卷陳騤所舉的膾炙句，字數多半是不整齊，因此也叫做長短句，又稱爲膾炙長短句。膾炙句有註明典故者，如「求忠臣於孝子之門」，這是韋彪的名言。「燕雀安知鴻鵠之志」，出於《陳勝傳》。「慨然有澄清天下之志」，見於《范滂傳》。「文章潄六藝之芳潤」，出於《文賦》。「威鳳一羽足以驗其五德」，這是梁簡文帝的金玉良言。陳騤也有舉句法整齊的膾炙句，但比較少，如「人物難知，愛憎難防，情僞難明。」這是晉朝陸毅的名言。又如「廊廟之材，非一木之枝；帝王之功，非一士之略。」見於《酈食其贊》。

第九卷選錄的是「名文摘段」，陳騤選的範圍很廣，有《蒙泉子》、《窮理論》、《淮南子》、《左傳》、《國語》、《爾雅》、《董子》、《荀子》、《春秋繁露》、《說苑》、《劉子》、《韓詩外傳》、《論衡》、《管子》、《列子》、《顏氏家訓》、賈誼《新書》、《文中子》、《鶡冠子》、《鄧析子》、《呂氏春秋》、《老子》、《史記》、《程子語錄》、《關尹子》、《墨子》等書，不勝枚舉，尙有很多。此卷的特點，是以段爲主，選錄以子書爲多。

第十卷選錄的是「名文摘段」，陳騤選的範圍也很廣，如《劉子》、《戰國策》、《子華子》、《抱朴子》、《呂氏春秋》、《列子》、《論衡》、《晏子春秋》、《吳子》、《禮記》、《愼子》、《國語》、《淮南子》、《曲江集》、《玉蟾集》、《盧曲城集》、《孔叢子》、《白虎通》、《文中子》、《聲隅子》、《酉陽雜俎》、《周禮》、《莊子》等等，尙有很多。此卷選錄與第九卷相同的書，如《列子》、《文中子》、《淮南子》、《論衡》，也有不同的書，如《曲江集》、《玉蟾集》、《盧曲城集》、《孔叢子》。雖然選錄的書有相同的，但內容卻不同。由於內容太多，所以作者分爲兩卷。

陳騤編纂《古學鉤玄》，從古文章法，一直到二字句法、三字句法、四字句法、五字句法、六字句法、七字句法、八字句法、膾炙句、長短句，甚至名文摘段，面面顧到，可供初學作文的最好參考資料，尤其名句也可供爲人處事治學作文的最佳指針。

陳騤在十卷之外，又附有外卷，纂輯《黃石公素書》，此書分爲六章：第一章係〈原始章〉，言道不可以無知；第二章係〈正道章〉，言道不可以非正；第三章係〈求人之志章〉，言志不可以妄求；第四章係〈本德宗道章〉，言本宗始可以立道德；第五章係〈遵義章〉，言遵而行之者，義也；第六章係〈安體章〉，言安而履之之謂禮。此書是論述哲理，屬於哲學，而非文學，因此陳騤列入外卷，良有以也。

(二)《南宋館閣錄》

《南宋館閣錄》十卷，係陳騤和他同事共同編纂而成。誠如李燾在〈南宋館閣錄序〉中說：「《館閣錄》十卷，淳熙四年（一一七七）秋，天台陳騤叔進與其僚所共編集也。」《南宋館閣錄》記載建炎元年（一一二八）至淳熙四年之事，內容分爲沿革、省舍、儲藏、修藏、撰述、故實、官聯（分上下）、廩祿、職掌九門，典故條格，無不具備，可以說是一代文獻的淵藪。另有《南宋館閣續錄》，不知作者是何人，亦有十卷，內容係依照《南宋館閣錄》的形式增加新的內容，記載淳熙五年（一一七八）至咸淳五年（一二六九）之事。社會上所傳的一本書，訛闕太多，只有《永樂大典》比較完整。現在互相考訂，補充脫漏的有三十一條，更正舛誤的有十六條，其中記載有些人的爵里與《宋史》稍異，也加以臚列，以資參考。只是《南宋館閣錄》中的「沿革」一門，《南宋館閣續錄》中的

「廩祿」一門，《永樂大典》已殘缺，無法補葺。

㈢《中興館閣書目》

《中興館閣書目》七十卷，序例一卷。書分五十二門，著錄圖書四四八六卷，爲南宋第一部官修目錄，早佚。近人趙士煒作有《中興館閣書目輯考》五卷。

趙士煒的《中興館閣書目輯考》，是從《玉海》、《山堂考索》、《直齋書錄解題》、《困學紀聞》、《漢書藝文志考證》、《詞學指南》、《小學紺珠》、《宋史藝文志》，這些書中去網輯，或稱《中興書目》，或稱《館閣書目》，或稱《淳熙書目》，或僅稱《書目》，凡是與《中興館閣書目》有關，趙氏都不遺餘力，加以蒐集，結果從《玉海》中獲得九百多條，從《山堂考索》中獲得將近二百條，從《直齋書錄解題》中獲得一百多條，其他從《困學紀聞》、《漢書藝文志考證》、《詞學指南》、《小學紺珠》、《宋史藝文志》中，或多或少，都有獲得，多則十多條，少則一二條。⑥共輯一千零十九家，原釋八百八十二條，考六百七十八條。⑦再依照《文獻通考》引用《中興藝文志》的分類，分爲五十二門：經部共十一類：《易》、《書》、《詩》、《禮》、《樂》、《春秋》、《孝經》、《論語》、經解、讖緯、小學。史部共十六類：正史、編年、起居注、別史、史抄、故事、職官、雜傳、儀注、謚法、刑法、目錄、譜牒、時令、地理、霸史。子部共二十一類：儒、道、釋、神仙、法、名、墨、縱橫、雜、小說、農、天文、曆譜、五行、蓍龜、雜占、形法、兵、醫、類書、雜藝術。集部共四類：《楚辭》、別集、總集、文史。詮解順序，多半按照《宋史藝文志》，再參考《文獻通考》，加以訂正舛訛。⑧有關書名卷帙，有闕漏者以《宋史藝文志》補足。再參閱歷代史志，諸家書目，比較異同，略加考證。原來沒有詮釋部分，參考各家說法，疏通其意義，常見的地方就省略不談，全書共分爲五卷，合編成書，書名叫做《中興館閣書目輯考》。⑨《中興館閣書目》完成於淳熙，《續目》完成於嘉定，已近宋朝末年，爲時未久，就遭遇戰亂，而亡佚。⑩由於《中興館閣書目》早已亡佚，趙士煒才撰《中興館閣書目輯考》，此書頗有價值。誠如陳垣在〈中興館閣書目輯考序〉中說：「今貴陽趙君孟彤（指趙士煒），復有《館閣書目》之輯，足與《崇文》（指《崇文總目》）媲美。」⑪

【附註】

①參閱昌彼得等編《宋人傳記資料索引》，鼎文書局印行，民國六十六年十二月增訂版，頁二五二四至二五二五。該書所列有關陳騤的資料甚多，如宋朝樓鑰《攻媿集》、陳傅良《止齋文集》，還有《宋史新編》、《南宋書》等書。

②參閱譚正璧《中國文學家大辭典》，河洛圖書出版社印行，民國六十七年五月臺景印初版，頁七一九。

③參閱李玉安與陳傳藝合編《中國藏書家辭典》，湖北教育出版社印行，民國七十八年九月初版，頁九〇。

④參閱脫脫等修、黃虞稷、倪燦等撰《宋史藝文志廣編》，世界書局印行，民國五十二年四月初版，該書下冊的〈宋史藝文志附編〉，頁四八九至四九五。〈陳垣〈中興館閣書目輯考序〉、趙士煒〈中興館閣書目輯考自序〉、〈後序〉，

亦見於嚴靈峰編輯《書目類編》，成文出版社印行，民國六十七年七月初版，第二冊第五九一至五九七頁。）其他有關陳騤的生平與著作，在現代修辭學書，或多或少，也有叙述，可以參閱。

⑤參閱同③。陳騤不止是國家圖書館官員，也是目錄學家。

⑥參閱趙士煒〈中興館閣書目輯考自序〉，見同④書，頁四九一。

⑦參閱趙士煒〈中興館閣書目輯考後序〉（以下簡稱〈後序〉），見同④書，頁四九三。

⑧趙士煒在〈後序〉中說：「《玉海》鈔錄最有倫序，竟與《宋志》暗合，然則《宋志》之次序，即《館閣書目》之次序矣。究無旁證，未敢論定。故此書編次，雖準《宋志》，亦未盡從。」（見同⑦，頁四九四。）

⑨參閱同⑥，頁四九一至四九二。

⑩參閱同⑦。

⑪見同④書，頁四八九。

第二節 《文則》的寫作動機

陳騤《文則》是一本我國最早修辭學的專著①，也是早期辭章學的重要論著，更是文論的名著③。《文則》最早的版本，是元朝至正十一年海岱劉庭幹金陵刊本（以下簡稱《至正》本），以《至正》而言，不分卷，《四庫全書》本也不分卷；但《寶顏堂》、《享保》、《詒經堂》、《台州叢書嘉慶刊》、《文學津梁石印》各本，卻分爲上、下兩卷，以甲至戊爲上卷，己至癸爲下卷。爲研究方便，本論文也分上下卷闡析。參稽各本，互通有無，綜計《文則》甲項有九條、乙項有六條、丙項有四條、丁項有八條、戊項有十條、己項有七條、庚項有兩條、辛項有八條、壬項有七條、癸項有一條，共六十二條。《文則》不僅有原文，亦有自注，其實自注多半可以視同原文，舉例部分有些列入原文，有些列入自注，眞正注解部分，少之又少。《文則》原文之前，有一篇作者自序。

《文則》的寫作動機，以陳騤《文則序》爲主，再參閱有關資料，如陳騤纂輯的《古學鈎玄》，在他《叙古學鈎玄》一文中，也表明著書立說的寫作動機。《文則》的寫作動機，經過條分縷析，約有讀書不如寫書、闡揚古文軌範、參閱古文指南三項。

一、讀書不如寫書

清朝張潮《幽夢影》說：「藏書不難，能看爲難；看書不難，能讀爲難；能讀不難，能用爲難；能用不難，能記爲難。」陳騤不僅勤於讀書，也勤於作筆記，他在《文則序》中說：

《詩》、《書》、《二禮》、《易》、《春秋》所載，丘明、高、赤所傳，老、莊、孟、荀之徒所著，皆學者所朝夕諷誦之文也；徒諷誦而弗考，猶終日飲食而不知味。余竊有考焉，隨而錄之，遂盈簡牘。

陳騤研讀了很多經書、子書，只有朗誦，正如食而不知其味，因此他認爲「讀書不如寫書」，就將廣博閱覽的羣書，隨時筆記，最後才寫了這本《文則》。陳騤在〈叙古學鈎玄〉一文中也說：

> 余不慧，僻嗜篇篇，孜孜記誦，每朝在而夕不存，因憶古人『讀書不如寫書』之語，遂銳意於筆札，幾涉獵羣書，見一事一辭之美善者，則必錄之，積十有餘年，以册記者三百餘，以紙記者莫知數。

其中「讀書不如寫書」一句，是張參的名言。這句名言，見於陳騤所編纂《古學鈎玄》卷六「六字句法」之中。陳騤之所以認爲「讀書不如寫書」，正如他在《古學鈎玄》引用揚雄〈解嘲〉說：「其身殁，其言立於後世，此之謂不朽。」④《左傳·襄公二十四年》也說：「太上有立德，其次有立言，其次有立功，雖久不廢，此之謂三不朽。」人的生命短促如曇花一現，渺小如滄海一粟，唯有美好的名聲，才能永垂不朽，誠如劉勰《文心雕龍·序志》說：「形甚草木之脆，名踰金石之堅。」但也唯有文章，才能得到美名，而永垂不朽，因此曹丕〈典論論文〉說：「蓋文章，經國之大業，不朽之盛事。年壽有時而盡，榮樂止乎其身，二者必至之常期，未若文章之無窮。」

若讀書而不寫書，如蜜蜂採花粉而不醞蜜，蠶喫桑葉而不吐絲，更何況寫書是不朽的盛事，所以「讀書不如寫書」，是陳騤《文則》的寫作動機之一。

二、闡揚古文軌範

古人說：「文無定法，文成法立。」文章的法則、規範，是經過後人董理而成，因此先有文學作品，後有文學理論。陳騤將古代的典籍，運用分析、比較的方法，歸納甚多古人的文章軌範、修辭技巧，正如他在〈文則序〉中所說：

古人之文，其則著矣，因號曰《文則》。或曰：方今宗工鉅儒，濟濟盈廷，下筆語妙天下，雖與日月爭光可也，奚以吾子《文則》爲？

陳騤不僅指出《文則》的書名由來，也說明《文則》的寫作動機，在於闡揚古文的典範。或許有些人會認爲在陳騤之前，已有古文指南，如陸機的《文賦》、劉勰的《文心雕龍》，或當時碩學鴻儒，人才濟濟，佳作如林，如洪邁、楊萬里、范成大、陸游、尤袤、周必大、張孝祥、朱熹、呂祖謙、陸九淵、辛棄疾、陳亮、葉適，但一代有一代的文學作品、文學理論，正如陳騤在〈叙古學鈎玄〉中所說：「上溯太古，下及近代，祇覺文風世運，互相推移，而典則章程，莫之或易。」所以，他將經傳的文章，條分縷析，有系統地完成一部辭章學的專書，也是最早修辭學的專著，誠如黎運漢、張維耿《現代漢語修辭學》所說：「宋代在修辭理論方面最有價值的著作要算是陳騤的《文則》。《文則》是中國最早的一部談文法修辭的專書，在漢語修辭學史上有重要的地位。」⑤張靜、鄭遠漢主編《修辭學教程》也說：「我國修辭學史上誕生了第一部修辭學專著，這就是南宋陳騤的《文則》。」⑥胡性初

《實用修辭》也說：「在宋代出現的許多有價值的修辭學著作中，最值得稱道的是陳騤的《文則》。它是我國最早的一部較爲系統專談文法修辭的專著，在我國修辭學史上占有重要的地位。」⑦

陳騤的《文則》，在前人探索的基礎上，將修辭學、辭章學、文學理論三方面作進一步探討，可以說是發揮承先啓後，繼往開來的精神。因此，闡揚古文軌範，是陳騤《文則》的寫作動機之二。

三、參閱古文指南

陳騤博覽羣書，隨時筆錄，再條分縷析，董理出一本中國最早的修辭學專著，那就是《文則》。《文則》一書，陳騤十分謙沖地表示此書僅供本身參閱，他在《文則》中說：

余曰：「蓋將所以自則也，如示人以爲則，則吾豈敢？」

陳騤不僅表明《文則》一書，僅供自己參閱之用，並不敢作爲別人參考的資料。殊不知陳騤《文則》一書，對後世修辭學有莫大的影響力。⑧

陳騤在《文則序》中，也表示「恣閱古書」，才領悟古人寫作的規律。他是通過對六經諸子文章的研究，來探討作文的法則。可是，《四庫全書提要》說：「其所標舉，神而明之，存乎其人，固不必以定法泥此書，亦不必以定法病此書也。」⑨所以，劉彥成也說：「文無定法，我們不必將《文則》視爲寫作指南；文有常法，《文則》所闡述的有關修辭章句的看法，對我們的寫作當不無啓示。」⑩其實，文章雖然沒有固定的方法，但「文成法立」，作文還是有方法可循。更何況陳騤《文則》闡述了句法、章法、修辭、文體、風格等等，不但可以視爲古文指南，也可以視爲修辭學專書，更可以視爲文學理論，甚至於《文則》所引用古文的範例，亦有助於閱讀古籍能力的提高。正如陳騤在〈叙古學鈎玄〉中所說：「夫有意於學古者，無事多求於此，而諷誦焉，玩索焉，則理洽心融，齟齬頓化，出語自然高古，自然合法，自然成章。」

陳騤的《文則》，提供了寫作的南針，既可以供作者本身參閱，又可以供別人研讀。誠如鄭子瑜《中國修辭學史》所說：「他雖自謙『蓋將所以自則』，其實書中所論，是大可以『示人以爲則』的。」⑪因此，參閱古文指南，是陳騤《文則》的寫作動機之三。

【附　註】

①陳騤《文則》是一本我國最早修辭學的專著，如劉明暉〈文則校點後記〉說：「陳騤所著《文則》，是最早的一部談文法修辭的專書。」（見陳騤《文則》，（北京）人民出版社印行，民國四十九年四月初版，頁八三。）譚全基《文則研究》也說：「宋人陳騤所著《文則》，在我國修辭學史上佔有非常重要的地位，因爲它是我國第一本修辭學專著。」（見該書頁一，（香港）問學社印行，民國六十七年十二月初版。）宗廷虎、李金苓《漢語修辭學史綱》也說：「南宋孝宗乾道元年（公元一一七〇年），我國歷史上第一部修辭學專著—陳騤的《文則》誕生了。」（見該書頁二八九，吉林教育出版社印行，民國七十八年五月初版。）（筆者按陳騤〈文則序〉說：「乾道庚寅正月既望，

天台陳騤序。」「乾道庚寅」，應該是乾道六年（一一七〇），而非乾道元年，可能是「六」、「元」形近致誤。）又如鄭子瑜《中國修辭學的變遷》說：「陳騤的《文則》，是中國最早的一部專談文法修辭而比較有系統的著作，成書於孝宗乾道六年（一一七〇）。」（見該書頁二〇，日本早稻田大學語學教育研究所印行，民國五十四年一月初版。）鄭子瑜《中國修辭學史》也說：「陳騤的《文則》，是中國最早的一部專談修辭而又比較有系統的著作。」（見該書頁二一四，文史哲出版社印行，民國七十九年二月初版。）

②劉彥成《文則注譯·前言》說：「南宋陳騤所著《文則》，是我國早期的一部重要的辭章學論著，也是一部有影響的文學理論批評專著。」（見該書頁一，書目文獻出版社印行，民國七十七年三月初版。）劉氏認爲陳騤《文則》不僅是一部早期的辭章學論著，也是一部文學理論、文學批評的專著。

③王松茂《文則注譯·跋語》說：「《文則》是中國傳統辭章學專著，也是我國文論名著。」（見同②書，頁二八三。）王氏以爲《文則》不止是一部辭章學專著，也是文論名著。

④見陳騤《古學鉤玄》卷八，國立中央圖書館珍藏明朝崇禎十年新都潘虎臣刊本，元朝高恥傳校訂，明朝陳繼儒重校。

⑤見黎運漢、張維耿編著《現代漢語修辭學》，商務印書館香港分館印行，民國七十五年八月初版，頁三三二。

⑥見張靜、鄭遠漢主編《修辭學教程》，河南教育出版社香港文化教育出版社印行，民國七十八年十二月初版，頁三一六。

⑦見胡性初《實用修辭》，華南理工大學出版社印行，民國八十一年十一月初版，頁四五。

⑧陳騤《文則》對後世修辭學的影響，詳見第八章第二節，茲不贅述。
⑨見清乾隆敕撰《四庫全書總目》，漢京文化事業有限公司印行，民國七十年十二月初版，下，頁一一一四。
⑩見同②書，頁碼相同。
⑪見鄭子瑜《中國修辭學史》，頁二一四。

第三章 《文則》的版本

研究《文則》，首先重視文字的校勘，而文字的校勘，必須以版本爲依歸。爲了方便敘述，今將其版本分爲刻本、手鈔本及排印本三類，各類依其時代先後排比。茲將各本存佚庋藏狀況，分節詳述之。

第一節 刻本

《文則》的刻本有四種：一是元至正十一年（一三五一）金陵刊本，二是明萬曆年間（一五七三至一六一九）寶顏堂秘笈本，三是清嘉慶十八年（一八一三）詒經堂藏書本，四是清嘉慶二十二年（一八一七）台州叢書本。茲分別闡述之。

一、元至正十一年金陵刊本

《文則》最早的版本，是元惠宗至正十一年（一三五一）海岱劉庭幹金陵刊本，現藏國立中央圖書館。不分卷一冊，共五十二葉，惟癸項目「晉趙衰辭卿語」以下闕。板匡半葉高二十二點七公分、寬十四點九公分，版面左右雙欄，版心白口，中縫刻雙逆魚尾，魚尾內刻有書名、葉次，每半葉九行，每行大字十八字，小字兩行也各十八字，大字是白文，小字是作者自己作注，字有些許模糊，間有闕誤。書前有楊翮序：

《文則》序

《文則》一編，宋參知政事陳忠簡公所著也。公名騤，字叔進，台州臨海人。蚤歲既以科第起家，復刻意文學，嘗考古爲文則，其書以甲乙爲次，分十類，總一百五十六條，其所自序謂「文當如是，因號文則」。海岱劉君庭幹頃得之公四世孫宛委先生如心父愛其書有俾學古之士，會官南臺都事將以刻之，金陵學官俾作者有所矜式，上元楊翮僭爲之序曰：「盈天地之間，自夫壇壝城郭宮室臺池杠梁之制，以及於冕服弓車彝器衡量槃鑑鼓籥刀劍洒削埏埴之物，工人之爲之也。未始有一焉無則者，而況於文乎？蓋天下之至難能者，莫如文矣。文見乎章，而章有體也；章成乎句，而句有法也。章句倡應乎一字，一□而一字一言有程也。析理欲其辨，載事欲其□，命辭欲其達，引譬欲其當，非古何則焉？公之於此，其考之精而見之審已，故獨采夫《六經》、《三傳》、《老》、《莊》、《孟》、《荀》之書，以爲是書外，此不錄也，誠以夫後世之文，刻雕藻繢之變多，而於古或戾彼蓋不皆取則於古，則亦無取焉爾，其所纂述論敘，確乎其可尚哉？學古之士，於是而有徵，將其於文惆焉，無難能者，然則是書之於作者，視夫規矩準繩之有裨於工人，益大矣，可蔽而弗傳哉？

至正十一年歲在辛卯二月初吉上元楊翮序

二、明萬曆年間寶顏堂秘笈本

此本係明神宗萬曆年間（一五七三至一六一九）陳繼儒寶顏堂秘笈繡水沈氏尚白齋刊本，現藏國立中央圖書館。此本還有藝文印書館印行百部叢書集成之十八寶顏堂秘笈第十五函、新文豐出版公司印行叢書集成新編第八十冊頁四一一至四一六，都是原刻景印，前者是線裝，後者是洋裝。另有一種手鈔本，容後詳述。

此本共二卷二冊。板匡半葉高二十點五分公、寬十二點五公分，左右雙欄，版心白口，中縫刻有書名、卷次、葉次，上卷有十九頁，下卷有二十三葉，全書四十二葉，每半葉八行，每行大字十八字，小字兩行也各十八字，大字是白文，小字是作者自己作注，字有些許模糊，大部分清晰可辨，間有闕誤。書前有刊《文則》序、《文則》序，茲迻錄於后：

刊《文則》序

夫文以則名，何也？文乃道之顯，則猶法也。道之大原於天，天不變而道隨之，歷萬世其網弊也。古之聖聖相授而守一道，其修詞立誠，不下於帶，而藻采詢麗，至道攸存，自足以爲天下後世之法，故曰：「風行乎水上，渙。」天下之至文，先聖後聖，其揆一其文渙；此文之所以爲可則者，則是道也，緣若文也。苟徒馳騁於絺繪之末，鏗鏘乎視聽之外，於道乃支離焉，藝焉爾矣，又奚可以則？噫！弊也久矣，不能不啓陳夫子類摘經傳，以詔後之學者，遏其末流之趨，而挽之以就則也。其深於斯道，協諸文而協也乎？不然，盍不曰則道，而曰文者，厥旨微矣。故孔子曰：「文莫吾猶人也，文不在茲乎？」是故陳夫子之取爾焉。若夫志學之士，靜專於內，嚅嚌道眞，但於微處索之，彼亦有所合之也，則亦庶乎其有獲。

嘉靖戊申歲春元宵穀旦，知嘉興府事前山西按察司僉事，奉敕整飭岢嵐石隰備關中趙瀛文海甫識

《文則》序

余始冠，游泮宮，從老於文者問焉，僅得文之端緒。後三年，入成均，復從老於文者問焉，僅識文之利病。彼老於文者，有進取之累，所有告於我與夫我所得，惟利於進取。後四年，竊第而歸，未獲從仕，凡一星終，得以恣閱古書，始知古人之作，歎曰：文當如是。且《詩》、《書》、《二禮》、《易》、《春秋》所載，丘明、高、赤所傳，老、莊、孟、荀之徒所著，皆學者所朝夕諷誦之文也；徒諷誦而弗考，猶終日飲食而不知味。余竊有考焉，隨而錄之，遂盈簡牘。古人之文，其則著矣，因號曰《文則》。或曰：方今宗工鉅儒，濟濟盈廷，下筆語妙天下，雖與日月爭光可也，奚以吾子《文則》爲？余曰：蓋將所以自則也，如示人以爲則，則吾豈敢？

乾道庚寅正月既望，天台陳騤序。

三、清嘉慶十八年詒經堂藏書本

此本係清仁宗嘉慶十八年（一八一三）金長春詒經堂藏書本，現藏中央研究院歷史語言研究所傅斯年圖書館。共二冊二卷。板匡半葉高十九公分、寬十二公分，左右雙欄，中縫刻畫單魚尾，魚尾下端刻有卷次、葉次，魚尾上端刻有書名。上卷有二十九葉，下卷有三十三葉，全書六十二葉，每半葉八行，每行大字十八字，小字兩行也各十八字，大字是白文，小字是作者自己作注，字有些許模糊，大部分清晰可辨，間有闕誤。書前沒有序。

四、清嘉慶二十二年台州叢書本

此本係清仁宗嘉慶二十二年（一八一七）宋世犖台州叢書四集之一，台州叢書二十冊，這是第一冊。現藏中央研究院歷史語言研究所傅斯年圖書館。共二卷一冊。板匡半葉高十七點五公分、寬十二點二公分。版面左右雙欄，版心白口，中縫刻畫單魚尾，角尾下端刻有書名、卷次、頁次，並有「臨海宋氏」四字。上卷有二十一葉，下卷有二十四葉，全書四十五葉，每半葉十行，每行大字二十字，小字兩行也各二十字，大字是白文，小字是作者自己作注，字大部分極爲清晰，僅校語有些許模糊，間有闕誤，注文闕漏尤多。書前有陳騤自序、文則校語附錄陳哲〈書天台陳先生文則後〉。校語部分詳見文學津梁手鈔本闡述，手鈔本比較清晰完整。至於陳哲〈書天台陳先生文則後〉，兹迻錄於後：

書《天台陳先生《文則》》後

《六經》之文，經緯天地，自餘諸子，亦多左右《六經》，其用字立言，初非爲文則設也。然文如聖賢，何等氣象；譬之一元磅礴，萬化流形，各極其妙，而一出於天然，眞文字之準則也。第則其文，而不求其所以文，吾恐口氣雖似，元氣索然；非善則者，能因言以求其道，使聖賢精神心術，躍然於心目間，則中有卓見，文亦偉然爛矣。斯固天台陳先生編輯之本旨，敢繹而申之於後。

弘治己酉秋八月望日，後學衡州府知府山陰陳哲識

此外，尚有《唐宋叢書》、《說郛》也是刻本，此二書各收錄有《文則》部分原文，但不收錄注文，現藏國立中央圖書館。此二書收錄《文則》情形，茲繪簡表如下：

書名	收錄情形	收錄項條	備註
《唐宋叢書》	全文	甲六、甲七、丁三、丁五	丁三有些字模糊，丁五有些闕誤。
	非全文	甲八、甲九、乙一、乙二、乙三、乙四、乙五、丙一、丁一、丁二、丁七	
《說郛》	全文	甲六、甲七、甲九、乙四、乙五、丁三、丁五、丁六、丁八	

	非全文	甲八、乙一、乙二、乙三、丙一、丁一、丁二、丁七

所謂收錄全文，係指原文而言，不包括注文。《說郛》字體比《唐宋叢書》清晰。

《文則》的刻本，另有明朝成化刻本，又有弘治二年（一四八九）重修本、明朝萬曆年間甬東屠本畯刻本，現藏北京圖書館。（以上三種版本，又見於北京圖書館編《北京圖書館古籍善本書目》，書目文獻出版社印行，不著出版日期。）明朝嘉靖二十七年（一五四八）趙瀛刻本，現藏華東師範大學圖書館。明朝焦竑刻本，現藏廣東中山圖書館。這些資料來源，都是筆者請大陸李正綱先生託其友人北京大學中文研究所博士班研究生徐醒生先生代查的資料，特此說明。但由於大陸善本書，管制比臺灣嚴格，不准影印，因此校勘《文則》時，無法參閱、運用這些彌足珍貴的資料，深以爲憾。

第二節　手鈔本

《文則》的手鈔本有四種：一是日本享保十三年（一七二八，相當於清世宗雍正六年）刊本，二是清高宗乾隆四十六年（一七八一）文淵閣四庫全書本，三是民國五年（一九一六）周鍾游文學津梁本，四是民國十一年（一九二二）覆刊明萬曆年間寶顏堂秘笈本。

一、日本享保十三年刊本

此本係日本中御門天皇享保十三年（一七二八年，相當於清世宗雍正六年）刊本，現藏國立臺灣大學研究圖書館。共二卷一冊，版匡半葉高二十點五公分、寬十六公分。版面左右雙欄，版心白口，中縫刻畫單魚尾，魚尾下端刻有卷次、葉次，魚尾上端刻有書名。上卷二十一葉，下卷三十二葉，全書五十三葉，每半葉大字二十字，小字一行也二十字，偏右書寫一行，大字是白文，小字是作者自己作注，字大部分清晰，間有闕誤。闕丁項第七、八、九、十條。書前有陳騤《文則》序，首頁款式爲：

文則卷之上　　　宋　天台　陳騤　著
　　　　　　　　日本南紀　山鼎句讀

甲　凡九條

陳騤《文則》序闕漏者甚多，正文書眉有校勘，如上卷頁五「埬」當作「埵」，丁果反。書後有茂卿與山君彝信函，字有些許模糊難辨，字外加□，以示存疑，全文如下：

足下荷疾歸南海邪？何其勞也！聞⿴囗殳陳騤《文則》欲上梓，是惠學者不淺，蓋歐⿴囗蘇⿴囗文名噪海內，古則蕩然，宋之弊也。陳騤生其間，必識其非，乃作爲此書，根極經子，可謂何⿴囗李之嚆矢矣。祇其書，一

取法於字句，而未及篇章，是其所以不及史漢故也。不佞欲爲作序，言此意，因枕三月，憊甚！不能已，它在面晤，不備。十一月

與山君彝　　茂卿

二、清高宗乾隆四十六年文淵閣四庫全書本

此本係清高宗乾隆四十六年（一七八一）文淵閣四庫全書本，《文則》在該書第六〇五六函中，現藏國立故宮博物院。國立臺灣師範大學圖書館亦藏有臺灣商務印書館影印文淵閣四庫全書本，《文則》在該書第一四八〇冊中。二卷一冊。板匡半葉高二十二點八公分、寬十五點四公分，版面雙欄，版心白口，上象鼻題書名「欽定四庫全書」，中縫單魚尾下有書名、卷次、葉次。封裏上端書有「詳校官右中允臣薩敏、主事銜臣徐以坤覆勘」，雙行並列，共十八字，另一行書「謄錄貢生臣吳壽康」，一行八字。封裏下端款式爲：

欽定四庫全書　　集部九

提要

文則二卷　　詩文評類

《文則》提要：

臣等謹案《文則》二卷，宋陳騤撰。騤有《南宋館閣錄》，已著錄。按《太平御覽》引摯虞《文

章流別論》曰：「古詩之四言者，『振鷺于飛』是也，漢郊廟歌多用之；五言者，『誰謂雀無角，何以穿我屋』是也，樂府用之；六言者，『我姑酌彼金罍』是也，樂府亦用之；七言者，『交交黃鳥止于桑』是也，於俳調倡樂世用之；九言者，『泂酌彼行潦挹彼注茲』是也，不入歌謠之章，故世希爲之。文章句法，推本六經，茲其權輿也。」劉知幾《史通》特出〈模擬〉一篇，於貌同心異，貌異心同，辨析特精，是又不以句法求六經矣。騤此書所列文章體式，雖該括諸家，而旨皆準經以立制，其不使人根據訓典，鎔精理以立言，而徒較量於文字之增減，未免逐末而遺本，又分門別類，頗嫌於太瑣太拘，亦不免舍大而求細，然取格法於聖籍，終勝摹機調於後人，其所標舉，神而明之，存乎其人，固不必以定法泥此書，以定法病此書也。乾隆四十六年九月恭校上

總纂官臣紀昀臣陸錫熊臣孫士毅

總　校　官　臣　陸　費　墀

四庫全書提要對《文則》先簡介，再批評，並引摯虞《文章流別論》、劉知幾《史通》加以闡論。《文則》的優點，在於所列文章體式，該括諸家，準經典以立制，鎔精理以立言。《文則》的缺點，在於徒較量文字之增減，逐末遺本；分門別類太瑣太拘，舍大求細。

書前有陳騤自序，其內容與明萬曆年間寶顏堂本大同小異，所異者如「余」字，四庫全書本都改爲「騤」字；「丘明」，四庫全書本改爲「邱明」；「古書」，四庫全書本改爲「故書」；「盈廷」，四庫全書本改爲「盈庭」。文末所附「乾道」庚寅正月既望，天台陳騤序」一行，四庫全書本刪掉。

本書首頁上端沿眉蓋有「文淵閣寶」，末頁同位處有「乾隆御覽之寶」，篆文方璽兩顆。上卷凡二十九頁，下卷凡十九頁，全書四十八頁，每半頁八行，每行大字二十一字，小字兩行各二十一字，大字是白文，小字是作者自己作注，通書毛筆端楷。依據四庫全書總目所載，此本乃採用江蘇巡撫採進本；此本之佳，僅次於元槧。

三、民國五年周鍾游文學津梁本

此本係民國周鍾游收錄十二種古人論修辭的著述，成文學津梁叢書（其中第二種即《文則》）；民國五年（一九一六）石印本，凡八冊，有正書局印行，現藏國立中央圖書館。二卷。板匡半葉高十四點八公分、寬十點六公分。版面雙欄，版心小黑口，上象鼻細墨線右方有書名，中縫無魚尾，然而上方有卷次、下方有葉次，下象鼻細墨線右方有「有正書局印」五字。上卷二十六葉，下卷二十四葉，全書五十葉，每半葉十行，每行大字二十字，小字兩行各二十字，大字係白文，小字是作者自己作注。此本行數、字數、內容與台州叢書本大部分相同，此本字清晰，台州叢書校語部分模糊，間有闕誤，可以和此本對照參閱。書前宋世犖撰重刊《文則》序，此序係台州叢書所無。茲迻錄如下：

重刊《文則》序　文林郎陝西鳳翔府扶風縣知縣　宋世犖撰

〈堯典〉、〈舜典〉，經點竄以文成，避馬避車，託擬摹而句就，畫葫蘆之樣，未免雷同，刻楮葉之形，難期月異。所以貴出於己，勿矜獺祭之工，羞傍於人，斯免虎蒙之誚也。然而薰香摘豔，首重別裁，鼇殿螭坳，尤嚴體要，如吾鄉宋陳參政（騤）《文則》文作，抑亦操觚之定律，珥筆之初桄？世犖幼睹是書於同邑陳桂里處士文叕處，輒鈔一冊，弆之篋笥。洎官關中，適郭石齋秀才葉寅以鈔本見寄，亟付棗梨，既而兒子曾昀以舊鈔冊至，則較廓本爲賅，而剞工已半，難於重梓，因另爲校語，付之帙末。憶往歲埋頭典籍，尙涯涘之未窺，媿今茲眯目簿書，並校讐之尠暇，所幸拾前人之賸馥，勿任塵埋，尙冀逮後學以知律，共依鍼指。

時嘉慶二十又二年歲在丁丑秋九月四日。

書前尙有陳騤序、《文則》校語附錄、陳哲撰〈書天台陳先生文則後〉一文，陳騤序於顏寶堂秘笈本已著錄，陳哲撰〈書天台陳先生文則後〉一文於台州叢書本已迻錄，茲錄《文則》校語於後：

文則校語附錄

甲

「六經之道」至「孰別命語」，陳本自爲一條。「或曰六經」至「小註以明天道」，陳本自爲一條。「師於禮也」下陳本小註。（鄭康成箋云：此皆椵之意。）郭本無。「東籠而退耳」下陳本小註。（詩禮之義，先儒注解備見，若莊子言，鬈卷，不敗披靡申舒之貌。傖囊，猶搶攘也。荀子所言，皆兵摧之貌也。）郭本無「詩禮」至「莊子言」十四字。「爲書作序」下陳本小註。（書序，總爲一篇，孔安國各分槩之篇首。）郭本無。

乙

「文無助則不順」下陳本小註。（唐有杜溫夫者，爲文不識助辭，疑之之辭如耶乎之類，決之之辭如耳矣之類，皆一用之，柳宗元所以深言其病，可不知哉？）郭本無。「文不健也」下陳本小註。（司馬長卿封禪文曰：「遐哉邈乎？」此雖知助辭，而遐邈同義，又失矣。）郭本無。「於風爲病也」下陳本小註。（說者曰：「凡可擒者，皆謂之禽。天宗伯以禽作六摯，而羔在其中。凡物氣和則潤，先言潤，則風之和可知矣。）郭本無。「魯國之人也」下，陳本小註。（毛萇傳云：「平，正也。指文王，言能正天下之王也。」鄭康成云：「魯鈍也。」）郭本無。

丙

「凡伯刺厲」條小註「此類是也」下，陳本大字。「或稱我聞曰」小註。（康誥曰：「我聞曰：『怨不在大，亦不在小。』此類是也。）郭本無。「凡伯刺厲」至「援引也」，陳本自爲一條。「小註悉明此體」下，陳本自爲一條。

丁

「有司失其傳也」，陳本小註。（觀孟子與許子陳相答問之事曰：「許子必種粟而後食乎？」曰：「然。」許子必織布而後衣乎？曰：「否。」許子衣褐，許子冠乎？曰：「冠。」曰：「奚冠？」曰：「冠素。」曰：「自織之與？」曰：「否，以粟易之。」曰：「許子奚爲不自織？」曰：「害於耕」。曰：「許子以釜甑乎以鐵耕乎？」曰：「然。」「自爲之與？」曰：「否，以粟易之。」此文但有一許子，以下許子字皆可廢，信乎答問之文爲難也。）郭本無。

戊

「夫論語」至「吠堯之罪歟」，陳本自爲一條。

己

「必有與也」下，陳本小註。（處與爲韻。）郭本無。「以素乎而」下，陳本小註。（著素爲韻。）郭本無。

「我馬瘏矣」下，陳本小註。（砠瘏爲韻。）郭本無。「抑縱送忌」下，陳本小註。（控送爲韻。）郭本無。

「迨其吉兮」下，陳本小註。（七吉爲韻。）郭本無。「雜佩以問之」下，陳本小註。（順問爲韻。）郭本無。

「曷又從止」下，陳本小註。（庸從爲韻，止即只，鄘柏舟詩亦用只，楚辭離騷有大招用只字，蓋法乎此。）郭本無。「遠條且」下，陳本小註。（聊條爲韻。）郭本無。

庚

「何恤於人言」下，陳本小註。（此逸詩，荀子引兮云：「禮義之不愆兮，何恤人之言兮。」）郭本無。「有如白水」下，陳本小註。（凡指物爲誓，語多類如此。）郭本無。「以相成也」下，陳本小註。（此文既於物協數，又於數協序，亦文之工者。）郭本無。

辛

「婉而當」下，陳本小註。（尙書有命十八篇。）郭本無。「謹而嚴」下，陳本小註。（尙書有誓八篇。）郭本無。「切而愨」下，陳本小註。（尙書武成有武王伐紂禱辭，自「惟有道曾孫周王發」至「無作神羞」，是其文也。）郭本無。

癸

「皆出親」下，陳本小註。（是故第五倫見光武詔書，歎曰：「此聖主也，一見決矣」。）郭本無。

四、民國十一年覆刊明萬曆年間寶顏堂秘笈本

此本係民國十一年（一九二二）三月文明書局印行，通書毛筆端楷，西湖伊蘭署「寶顏堂秘笈」，孝胥亦署此五字，是寶顏堂秘笈廣集第三函第十八冊，現藏中央研究院傅斯年圖書館。共二卷二冊，版匡半葉高十八點九公分、寬十二點二公分。版面左右雙欄，版心白口，中縫刻畫單魚尾，魚尾上端刻有書名，魚尾下端刻有卷次、葉次。上卷八葉，下卷九葉，全書十七葉，每半葉大字三十五或三十六字，小字各兩行、各三十五字，大字係白文，小字是作者自己作注。字頗清晰，間有闕誤。書前有趙瀛文撰刊《文則》序，見於明萬曆年間寶顏堂秘笈本；又有陳騤《文則》序，亦見於寶顏堂秘笈本。首頁款式爲：

文則卷之上

宋　天台陳　騤著　　明　繡水　沈元熙 沈德先　校

甲

書後有廖□□撰〈書刻文則後〉一文，此文陳繼儒輯寶顏堂秘笈本闕，藝文印書館印行百部叢書集成、新文豐出版公司印行叢書集成新編皆有此文，疑據此手鈔本補。全文間有闕文，茲錄於後：

書刻《文則》後

左山夫子蒞嘉禾，百年墜弛，皆克舉而新之。子大夫曰：「之嘉也之守之政之善，吾未之前聞，□而平成之績，民永賴焉。稽若造士，則重本篤□，抑浮崇雅，祠宇飭矣，科條餝矣。歸釋氏之侵地，屏以崇墉，而翼翼然改觀矣。猶於育材別館，論述羣籍，拳拳以明義理，淑身心，通達世務爲訓。」一日出宋少傅陳文簡公《文則》，曰：「是集也，取之乎六經，參之乎百子，體裁各具，允有俾于製作，非直可以式者。夫固所謂舉業合一之資也。夫今舉業之文，若非古也，古之明道，今亦以明道，道因詞顯，事以文載，雖善鳴者，其孰能外之？奈何馳辯鬥異異，肆其說而蔓衍于天下。□或博而寡要，或蕩而不法，或失則靡，或失則□，弗惠于道，文斯敝已。夫奚貴於言，若《文則》者，撮古人之要語，爲作者之法程，如衡誠懸而難欺以輕重，度誠設而難以欺短長，使修詞者，能會而通之，師其意無泥于迹，法其故有即乎新，則縱橫藝苑，範我馳驅，出之爲梓論，爲至言，爲則爲訓，蓋今之文猶古之文也。夫是之謂舉業□之一資，庸詎非多士之所當取則者乎？」因命魁也校正之，俾壽梓以傳，魁竊慶曰：「人惟學有淵源，斯論有準的。左山夫子，昔受學于平川王公，關洛相沿，其道脈文筌。夫固有所自焉也。茲多士協夫子嘉惠之心，取以自則，而會製作之大成，宣仲尼所謂齊變至魯，魯變至道。夫非一大機括乎？梓成敢贅數言，爲多士告。」嘉靖戊申春正月望秀水縣儒學訓導長沙廖□□拜書

第三節　排印本

《文則》的排印本有三種：一是叢書集成初編本，二是萬有文庫薈要本，三是國學基本叢書本。

一、叢書集成初編本

此本係民國二十六年（一九三七）十二月，上海商務印書館據寶顏堂秘笈本排印出版的叢書集成初編本。現藏國立臺灣師範大學圖書館。二卷一冊。叢書集成初編，王雲五主編。書前附印「本館叢書集成初編所選寶顏堂秘笈本及唐宋叢書皆收有此書唐宋本一卷係摘錄寶顏本二卷爲完書故據寶顏本排印」字樣，五行並列，共四十八字。書前又有刊《文則》序、《文則》序，二序見於寶顏堂秘笈本，茲不復贅。卷首款式爲：

文則卷上　　　　宋　天台陳　騤著

甲

全書四十頁，上卷十八頁，下卷二十二頁，每頁十四行，大字每行四十字，小字各兩行、各五十二字；內容雖然與寶顏堂秘笈本相同，但是本書卻有句讀，甚便初學。

二、萬有文庫薈要本

此本係民國五十四年（一九六五）十一月臺一版，臺灣商務印書館發行，也是王雲五主編，原書一千二百冊，《文則》在第六四六冊，現藏國立中央圖書館、國立故宮博物院、國立臺灣師範大學國文研究所圖書館等處。

此本版式、行款、字體、字數、內容等，都和叢書集成初編本相同。

三、國學基本叢書本

此本係民國五十六年（一九六七）六月臺一版，臺灣商務印書館股份有限公司發行，也是王雲五主編，是國學基本叢書四百種之一，現藏國立中央圖書館、國立故宮博物院、國立臺灣師範大學圖書館、師大國文學系圖書館等處。

此本版式、行款、字體、字數、內容等，都和叢書集成初編本相同。

此外，尚有大陸學者劉明暉校點《文則》排印本，此本係正體字（大陸稱繁體字），劉氏以《台州叢書重刊文則》爲底本，校以元至正己亥（一三五九）陶宗儀刻本、明弘治己酉（一四八九）陳哲刻本、萬曆間屠本畯刻本、顏寶堂秘笈本、宋世犖校記引陳本，整理出版。民國四十九年（一九六〇）四月初版（北京）人民出版社印行，現藏中央圖書館。民國六十八年（一九七九）三月，臺灣莊嚴出版社，依此本印行，版式、行款、字體、字數、內容等皆相同。《文則》全文十九頁。《文則》與宋朝李耆卿《文章精義》合刊。

書前有陳騤《文則》序，書末附錄〈文則跋語〉、〈書天台陳先生文則後〉、〈重刊文則〉序，後二文前已迻錄，前文〈文則跋語〉，茲臚列於後：

《文則》跋語

陶宗儀

此書始得陳天民本，錄於江陰，缺序及末一版；今五年矣，乃得莫景行本補足之於松江泗水之上，至正己亥六月也。陶宗儀志。

劉明暉於書末又有〈校點後記〉，茲移錄如下：

《文則》校點後記

劉明暉

陳騤，字叔進，宋台州臨海（今浙江臨海縣）人。紹興二十四年（一一五四）進士第一，權奸秦檜當國，抑居其孫秦塤之下。慶元年間，官至知樞密事，兼參知政事，由於觸犯了權貴韓侂胄，又貶了官。嘉泰三年（一二〇三）卒，年七十六，《宋史》有傳。

陳騤所著《文則》，是最早的一部談文法修辭的專書。儘管遠在齊梁時代，傑出的文論專家劉勰就在《文心雕龍》裏提出了很多有關文法修辭的問題，後來的討論和單篇論文的文章裏，也仍有論述，但一直沒有成系統的專門著作。陳騤此書，係就「《詩》、《書》、《三禮》、《易》、《春秋》所載，（左）丘明、（公羊）高、（穀梁）赤所傳，老、莊、孟、荀之徒所著」，鉤稽歸納，釐爲若干條，分別隸屬於甲、乙、丙、丁、戊、己、庚、辛、壬、癸十項。雖以事出創造，不無瑕疵，但可供我們借鑑的地方不少。清《四庫提要》說：「其所標舉，神而明之，存乎其人，固不必以定法泥此書，亦不必以定法病此書。」評價比較公允。書中偶然流露的論點，如像指出「古人之文，用古人之言也」，後人「強學焉，搜摘古語，撰叙今事」，就如「婢學夫人，舉止羞澀，終不似眞」，也有一定的意義。

本書以清《台州叢書重刊文則》爲底本，校以元至正己亥（一三五九）陶宗儀刻本（簡稱元本），明弘治己酉（一四八九）山陰陳哲刻本（簡稱明弘治本），萬曆間甬東屠本畯梓本（簡稱屠本），《寶顏堂秘笈》本（簡稱《秘笈》本），及宋世犖《校記》引陳本，整理出版。但《台州叢書》本和《秘笈》本分上下二卷，元本、明弘治本及屠本都不分卷，茲從之。

劉明暉　一九五九年三月

劉明暉參校元本，比臺灣元至正本晚，臺灣國立中央圖書館珍藏有元至正十一年（一三五一）刊本，比大陸元至正己亥（一三五九）刊本早八年。但劉氏參校元本、明治本、屠本等三種版本，目前臺藏圖書館皆無典藏。

爲方便研究，易於查閱，茲將臺灣現藏《文則》的各類版本，依時間先後，繪簡表如下：

臺灣現藏《文則》各類版本一覽表

版本名稱	時間	現藏處所
元《至正》刻本	一三五一	國立中央圖書館
明《寶顏堂》刻本	一五七三—一六一九	國立中央圖書館
日本《享保》手鈔本	一七二八	國立臺灣大學研究圖書館
清《四庫》手鈔本	一七八一	國立故宮博物院
清《詒經堂》刻本	一八一三	國立中央圖書館
清《台州》刻本	一八一七	中央研究院歷史語言研究所傅斯年圖書館
民國《津梁》手鈔本	一九一六	國立中央圖書館
民國覆刊《寶顏堂》手鈔本	一九二二	中央研究院歷史語言研究所傅斯年圖書館
民國《叢書集成初編》排印本	一九三七	國立臺灣師範大學圖書館
民國《萬有文庫薈要》排印本	一九六五	國立中央圖書館、國立故宮博物院、國立臺灣師範大學國文研究所圖書館
民國《國學基本叢書》排印本	一九六七	國立中央圖書館、國立故宮博物院、國立臺灣師範大學國文系圖書館

第四章　《文則》的校注

《文則》的版本，當今以中央圖書館典藏的元朝至正十一年海岱劉庭幹金陵刊本（以下簡稱《至正》本）爲最早。因此，《文則》的校注，以《至正》本爲底本，但癸項自「晉趙衰辭卿語」起闕文，以明朝陳繼儒《顏寶堂》本爲底本，並參酌《文則》的各種版本，比較文字的異同，考訂文字的是非，且闡述每條的主旨。

《文則》的校注，先列每條要旨，再列斠讎，並注明引文出於何書何篇。校勘以衍文、闕字、錯字爲主，異文、出處爲輔，旨在匡正諸本的譌失，補證諸本的不全；若有異說，難以定是非，就存疑。校勘中底本的闕文，就加□號，錯字、衍文一律保留，改正、增補的字句，在校注中闡述。

《文則》以《至正》本而言，不分卷，析爲甲、乙、丙、丁、戊、己、庚、辛、壬、癸十項。參稽各本，互補有無，綜計甲項有九條原文一四七一字，自注一八二字；乙有六條原文九一〇字，自注二〇三字；丙項有四條原文一三二三字，自注四四九字；丁項有八條原文一六二〇字，自注一五八八字；戊項有十條原文一〇三二字，自注七二一字；己項有七條原文一〇八〇字，自注四二七字；庚項有二條原文七〇二字，自注八二一九字；辛項有八條原文一四四三字，自注三一一字；壬項有七條原文九二五字，自注一四二字；癸項有一條原文五二六字，自注三八〇五字；綜計原文共六十二條一〇九三三字，自注共一〇五四八字，全書共二一四八〇字。

本章《文則》的校注，今爲方便研究，依《寶顏堂》、《詒經堂》、《台州叢書嘉慶刊》、《文學津梁石印》各本，分爲上、下兩卷，以甲至戊爲上卷，己至癸爲下卷；但《文則》全文仍以《至正》本爲主，若《至正》本有闕文、誆誤者，再參酌其他版本來校勘。

第一節　《文則》上卷的校注

《文則》上卷係自甲至戊。甲項有九條：第一條談《六經》文體相似，原文有一七六字，沒有自注；第二條論《六經》創意相師，原文有一四五字，自注三十五字；第三條談文章以自然和諧爲佳，原文有二一九字，沒有自注；第四條論文貴乎簡，原文有二六六字，沒有自注；第五條談敘事文以蓄意爲工，原文有二〇九字，沒有自注；第六條論詞語反復，表意曲折，原文有九十九字，沒有自注；第七條談對偶的修辭技巧，原文有八十四字，沒有自注；第八條論文章不宜「搜摘古語，撰叙今事」，原文有一六三字，自注四十字；第九條談「文士題命篇章，悉有所本」，原文有一一〇字，自注七十一字。甲項的原文共一四七一字，自注共一八二字。乙項有六條：第一條論助辭的作用，原文有三〇九字，自注七十二字；第二條談倒裝的修辭技巧，原文有一五一字，自注六十六字；第三條論析字的修辭方法，原文有一四八字，沒有自注；第四條談病辭、疑辭，原文有一一四字，自注六十五字；第五條論文辭依立意，有緩、急、輕、重的區別，原文有七十八字，沒有自注；第六條談文辭的雕飾，原文有一一〇字，沒有自注。乙項的原文共九一〇字，自注共二〇三字。丙項有四條：第一條論譬喻十法，原文有五六五字，自注有五十七字；第二條談援引的作用與方法，原文有五二六字，自注有一九一字；第三條論《國語》、《左傳》援引的方法，原文有一四八字，自注有二〇一字；第四條談《左傳》記載宴饗賦《詩》的方法，原文有八十四字，沒有自注。丙項的原文共一三二二字，自注共四四九字。丁項有八條：第一條論層遞的修辭技巧，原文有二四九字，沒有自注；第二條談複疊的修辭方法，原文有二二七字，沒有自注；第三條論記叙文有上下同目的方法，原文有五十五字，自注一二〇一字；第四條談「數人行事」的三種體例，原文有一七五字，沒有自注；第五條談記事文中論斷的兩種方法，原文有一八二字，沒有自注；第六條談重複與避重複，原文有三四一字，沒有自注；第七條論答問的修辭技巧，原文有二九八字，自注一一三字；第八條談稱舉姓氏的體例，原文有九十三字，自注二七四字。丁項的原文共一六二〇字，自注共一五八八字。戊項有十條：第一條談《禮記》使用「淺語」的例證，原文有八十四字，沒有自注；第二條論〈盤庚〉所用語言是當時民間的「通語」，原文有九十四字，沒有自注；第三條談《詩經》語言的地區色彩，原文有四十一字，自注十八字；第四條論《儀禮》、《論語》的語言特色，原文有九十五字，自注五十一字；第五條談《孝經》因襲他書的例證，原文有一三一字，自注一四一字；第六條論模仿《爾雅》、《謚法》的例證，原文有六十四字，自注一二四字；第七條談《論語》、《左傳》等書語言優劣的比較，原文有二五〇字，自注二九三字；第八條論反語的修辭技巧，原文有四十四字，自注二十八字；第九條談濫用古語，文必有失，原文有一五五字，沒有自注；第十條論套用陳詞，文章出醜，原文有七十四字，自注六十六字。戊項的原文共一〇三三字，自注共七二一字。因此，《文則》上卷的原文共六三五六字，自注共三一四三字，綜計九四九九字。

甲　凡九條

一①

《六經》之道，既曰同歸，《六經》之文，容無異體。故《易》文似《詩》，《詩》文似《書》，《書》文似《禮》。〈中孚〉②九二曰：「鳴鶴在陰，其子和之；我有好爵，吾與爾靡③之。」使入《詩》雅，孰別爻辭？〈抑〉④二章曰：「其在于今，興迷亂于政，顛覆厥德，荒湛于酒，女雖湛樂，從弗念厥紹，罔敷求先王，克共明刑。」使入《書》誥，孰別雅語？〈顧命〉⑤曰：「牖間南嚮，敷重蔑席，黼純，華玉仍几。西序東嚮，敷重底席，綴純，文貝仍几。東序西嚮，敷重豐席，畫純，雕玉仍几。西夾南嚮，敷重筍席，玄紛純，漆仍几。」使入〈春官·司几筵〉⑥，孰別〈命〉⑦語？

【校注】

①此條析論《六經》的文章體裁，是彼此類似的。作者列舉《易經》的文章類似《詩經》，《詩經》的文章類似《尚書》，《尚書》的文章類似《周禮》，加以詮證。　②〈中孚〉，是《周易》的卦名。以下引文是九二的爻辭。　③「靡」字，明朝陳繼儒寶顏堂秘笈萬曆刊本（以下簡稱《寶顏堂》）、日本享保十三年刊本（以下簡稱《享保》）、清朝金長春詒經堂藏書嘉慶十八年刊本（以下簡稱《詒經堂》）、宋世犖台州叢書嘉慶二十二年刊本（以下簡稱《台州》）各本皆誤爲「縻」，音同致訛。《周易》原文作「靡」，《至正》、《四庫全書》（以下簡稱《四庫》）、周鍾游文學津梁民國五年石印本（以下簡稱《津梁》）各本亦作「靡」，以「靡」爲是。　④〈抑〉，是《詩經·大雅》的篇名。　⑤〈顧命〉，是《尚書·周書》的篇名。　⑥〈春官·司几筵〉，是《周禮》的篇名。　⑦〈命〉，此指〈顧命〉。

二①

或曰：「《六經》創意，皆不相師。」試探精微，足明詭說。〈洪範〉②曰：「睿作聖，明作哲，聰作謀，恭作肅，從作乂。」〈小旻〉③五章曰：「國雖靡止，或聖或否，民雖靡膴，或哲或謀，或肅或艾。」此《詩》創意師於《書》也。（鄭康成箋曰：「詩人之意，欲王敬用五事，以明天道。」）《儀禮》曰：「皇尸命工祝，承致多福無疆，于女孝孫，來女孝孫，使女受祿④于天，宜祿④于田，眉壽萬年，勿替引之。」（此〈少牢〉嘏辭。）〈楚茨〉⑤四章曰：「工祝致告，徂賚孝孫，苾芬孝祀，神嗜飲食，卜爾百福，如幾如式。」此《詩》創意師於《禮》也。（鄭康成箋云：「此皆嘏辭之意。」）

【校注】

①此條闡論《六經》的創意，是互相效法。作者舉證《詩經·小旻》的創意，是師法《尚書·洪範》；《詩經·楚茨》的創意，是師法《儀禮·少牢饋食禮》。　②〈洪範〉，是《尚書》的篇名。原作「睿作聖，明作哲，聰作謀，恭作肅，從作乂」，《尚書·周書·洪範》原文、《寶顏堂》、《享保》、《詒經堂》、《台州》、《津梁》各本皆作「恭作肅，從作乂，明作哲，聰作謀，睿作聖」，今據改。　③〈小旻〉，是《詩經·小雅》的篇名。　④原作「祿」字，《儀禮·少牢饋食禮》原文、《寶顏堂》、《享保》、《詒經堂》、《台州》、《津梁》各本皆作「稼」，今據改。　⑤〈楚茨〉，是《詩經·小雅》的篇名。

三①

夫樂奏而不和，樂不可聞，文作而不協②，文不可誦。文協尚矣，是以古人之文，發於自然，其協也亦自然；後世之文，出於有意，其協也亦有意。《書》曰：「任賢勿貳，去邪勿疑，疑謀勿成，百志惟熙。」③《易》曰：「乾剛坤柔，比樂師憂，臨觀之義，或與或求。」④《禮記》曰：「玄酒在室，醴醆在戶，粢醍在堂，澄酒在下，陳其犧牲，備其鼎俎，列其琴瑟，管磬鐘鼓。脩其祝嘏，以降上神，與其先祖，以正君臣，以篤父子，以睦兄弟，以齊上下，夫婦有所，是謂承天之祜。」⑤若此等語，自然協也。《書》曰：「無偏無黨，王道蕩蕩；無黨無偏，王道平平。」《詩》曰：「不明爾德，時無背無側，爾德不明，以無陪無卿。」二者皆倒上句，又恊之一體。（楊⑥雄《法言》曰：「堯舜之道皇兮，夏殷周之道將兮，而以延其光兮。」讀之雖恊，而典誥之氣索然矣。）

【校注】

①此條闡述文章以自然和諧爲最好。作者列舉《尚書·大禹謨》、《周易·雜卦傳》、《禮記·禮運》，說明文章要自然和諧。又列舉《尚書·洪範》、《詩經·大雅·蕩》，闡明文章和諧的另一種體例。　②《文則》中的「恊」字，僅《享保》、《四庫》作「協」，其他各本皆作「恊」。「恊」、「協」皆從「劦」，偏旁相同，意義相通。《說文解字》：「協，同衆之龢也。」又「恊，同心之龢也。」「恊」、「協」，都有「龢」之意。「龢」，和也。段玉裁注：「言部曰調，龢也。此與口部和音同義別，經傳多假和爲龢。」（見段玉裁《說文解字》注，蘭臺書局印行，頁八六。）因此，仍以「協」爲是，以下仿此，不再贅述。　③見《尚書·大禹謨》。　④見《周易·雜卦傳》。　⑤見《禮記·禮運》。引文中「脩其祝嘏」的「脩」字，《寶顔堂》、《享保》、《詒經堂》、《台州》、《津梁》各本皆作「修」。《禮記》原文作「脩」，仍以「脩」字爲是。　⑥「楊」字，《四庫》、《台州》、《津梁》各本皆作「揚」。據李周龍《揚雄學案》（民國六十八年五月國立臺灣師範大學國文研究所博士論文）考證，以「揚」爲是。他說：「郫縣之楊姓，及天下之氏楊者，皆不與雄同姓，則子雲之姓爲从手之揚，而非从木之楊，明矣！」（見該論文頁七四）李氏之考證，詳見《揚雄學案》第二章第三節〈子雲姓氏考辨〉，茲不贅述。《文則》書中「揚雄」之「揚」，以下仿此，不復贅及。

四①

且事以簡爲上②，言以簡爲當。言以載事，文以著言，則文貴其簡也。文簡而理周，斯得其簡也。讀之疑有闕焉，非簡也，踈③也。《春秋》書曰：「隕石于宋五。」④《公羊傳》曰：「聞其磌然，視之則石，察之則五。」⑤《公羊》之義，經以五字盡之，是簡之難者也。劉向載泄冶之言曰：「夫上之化下，猶風靡草，東風則草靡而西，西風則草靡而東，在風所由，而草爲之靡。」⑥此用三十有二言而意方顯；及觀《論語》曰：「君子之德風，小人之德草，草上之風必偃。」⑦此減泄冶之言半，而意亦顯。又觀《書》曰：「爾惟風，下民惟草。」⑧此復減《論語》九言而意愈顯。吾故曰：是簡之難者也。《書》曰：「能自得師者王，謂人莫巳若者亡。」⑨劉向載楚莊王之言曰：「其君賢者也，而又有師者王；其君下君也，而羣臣又莫若君者亡。」⑩語意煩簡⑪，不如是，何以別經傳之文？

【校注】

①此條析論文章以簡明爲最可貴。作者列舉《春秋》與《公羊傳》比較、泄冶之言與《論語》、《尚書》與楚莊王之言比較，闡述文章最可貴的是簡潔。　②「且事以簡爲上」一條，原不分段，今據《寶顏堂》、《享保》、《詒經堂》、《台州》、《津梁》各本，自爲一條，始與九數合。　③「踈」字，一作「疎」《寶顏堂》、《享保》作「疎」字。疎、踈，二字意義相通。　④見《春秋·僖公十六年》。　⑤見《公羊傳·僖公十六年》。　⑥見《說苑·君道》。　⑦見《論語·顏淵》。　⑧見《尚書·君陳》。　⑨見《尚書·仲虺之誥》。引文中之「巳」字，宜作「已」字，形近致訛。今據《尚書》原文改。其他各本亦作「已」。　⑩同⑥。　⑪「語意煩簡」下，原闕「殊

迴」二字，今據《寶顏堂》、《享保》、《詒經堂》、《台州》、《津梁》各本補。

五①

文之作也②，以載事爲難；事之載也，以蓄意爲工。觀《左氏傳》載晉敗於邲先濟者賞③之事，但云：「中軍下軍爭舟，舟中之指可掬。」④則攀舟亂刀斷指之意，自蓄其中。又載楚師寒拊勉之事，但云：「三軍之士皆如挾纊。」⑤則軍情愉悅之意，自蓄其中。《公羊傳》載秦敗於殽之事，但云：「匹馬隻輪無反者。」⑥則要擊之意，自蓄其中。若《公羊傳》載齊使人迓郤克臧孫之事，則曰：「客或跛或眇，齊使跛者迓跛者，眇者迓眇者。」⑦《孟子》載天下歸舜之事，則曰：「天下諸侯朝覲者，不之堯之子而之舜，訟獄者不之堯之子而之舜，謳歌者不謳歌堯之子而之舜。」⑧凡此則意隨語竭，不容致思。

【校注】

①此條闡析記敘文以蓄意爲最佳。作者列舉《左傳·宣公十二年》、《公羊傳·僖公三十三年》、《孟子·萬章上》的文章，詮證記事的文章，以立意含蓄爲最好。　②「文之作也」一條，原不分段，今據《寶顏堂》、《享保》、《詒經堂》、《台州》、《津梁》各本，自爲一條，始與九數合。　③原有「先濟者賞」四字，今依上下文例，並據《寶顏堂》、《享保》、《詒經堂》、《台州》、《津梁》各本刪。　④見《左傳·宣公十二年》。　⑤同④。　⑥見《公羊傳·僖公三十三年》。　⑦見《公羊傳·成公二年》。　⑧見《孟子·萬章上》。引文末二字「之舜」，宜作「謳歌

舜」，今據《孟子》原文及《寶顔堂》、《享保》、《詒經堂》、《四庫》、《台州》、《津梁》各本改。

六①

《詩》、《書》之文，有若重複②而意實曲折者。《詩》曰：「云誰之思？西方美人。彼美人兮，西方之人兮！」③此思賢之意，自曲折也。又曰：「自古在昔，先民有作。」④此考古之意，自曲折也。《書》曰：「眇眇予未小子。」⑤此謙托之意，自曲折也。又曰：「孺子其朋，孺子其朋，其往。」⑥此告戒之意，自曲折也。

【校注】

①此條論述文章的詞語反復，表意卻曲折。作者列舉《詩經·邶風·簡兮》、《詩經·商頌·那》、《尚書·顧命》、《尚書·洛誥》的文章，雖然詞語重複，但表達意思卻曲折。　②「複」字，《寶顔堂》、《享保》、《詒經堂》、《台州》、《津梁》各本作「復」。　③見《詩經·邶風·簡兮》。　④見《詩經·商頌·那》。　⑤見《尚書·顧命》。　⑥見《尚書·洛誥》。

七①

文有意相屬而對偶者，如「發彼小豝，殪此大兕。」②「誨爾諄諄，聽我藐藐。」③「故謀用是作，而兵由此起。」④有事相類而對偶者，如「威侮五行，怠棄三正。」⑤「佑賢輔德，顯忠遂良。」⑥

此皆混⑦然而成，初非有意媲配。凡文之對偶者，如⑧此，則工矣。

【校注】

①此條析論對偶的修辭技巧。作者列舉《詩經·小雅·吉日》、《詩經·大雅·抑》、《禮記·禮運》、《尚書·甘誓》、《尚書·仲虺之誥》的文章，詮證對偶的修辭技巧。 ②見《詩經·小雅·吉日》。 ③見《詩經·大雅·抑》。 ④見《禮記·禮運》。 ⑤見《尚書·甘誓》。 ⑥見《尚書·仲虺之誥》。 ⑦「混」字，《寶顏堂》、《享保》、《詒經堂》、《台州》、《津梁》各本皆作「渾」字，以「渾」爲佳。 ⑧「如」字，《寶顏堂》、《享保》、《詒經堂》、《台州》、《津梁》各本皆作「若」。「如」、「若」，二字義通。

八①

古人之文，用古人之言也。古人之言，後世不能盡識，非得訓切，殆不可讀。如登峭險，一步九歎②。既而強學焉，搜摘古語，撰叙今事，殆如昔人所謂大家婢學夫人，舉止羞澁③，終不似眞也。今取在當時爲常語，而後人視爲艱苦之文，如《周禮》曰：「犬赤股而躁，臊；鳥皫色而沙，鳴貍；豕盲眡而交睫，腥；馬黑脊而般臂，螻。」④《詩》曰：「游環脅驅，陰靷鋈續。」⑤又曰：「鈎膺鏤錫，鞹鞃淺幭。」⑥《莊子》曰：「乃始臠卷傖囊而亂天下也。」⑦《荀子》曰：「按角鹿埵隴種東籠而退耳。」⑧（《詩》、《禮》之義，先儒注解備見，若《莊子》言。臠卷，不申舒之貌。傖囊，猶搶攘也。《荀子》所言，皆兵摧敗披靡之貌也。）

【校注】

①此條闡述作文不應該搜尋摘取一些古代語句，來記敘當今的事情，作者列舉《周禮》、《詩經》、《莊子》、《荀子》的文句，加以詮釋。②「歎」字，《寶顏堂》、《享保》、《詒經堂》、《台州》、《津梁》各本作「嘆」。「歎」、「嘆」意義相通。③「澁」字，《享保》、《台州》、《津梁》各本皆作「澀」字。「澁」同「澀」。④見《周禮·天官·內饔》。⑤見《詩經·秦風·小戎》。⑥見《詩經·大雅·韓奕》。⑦見《莊子·在宥》。⑧見《荀子·議兵》引文中「埵」，《至正》本作「埵」，《寶顏堂》、《享保》、《詒經堂》、《台州》、《津梁》各本皆作「埬」；今據《荀子》原文作「埵」，以《至正》本爲是。

九①

大抵文士題命篇章，悉有所本。自孔子爲《書》作序，（孔子〈書序〉，總爲一篇，孔安國各分繫之篇首。）文遂有序；自孔子爲《易》說卦，文遂有說；（柳宗元〈天說〉之類。）自有〈曾子問〉、〈哀公問〉②之類，文遂有問；（屈原〈天問〉之類）自有〈考工記〉、〈學記〉③之類，文遂有記；自有〈經解〉④、〈王言解〉之類，（〈王言解〉見《家語》。）文遂有解；（韓愈〈進學解〉之類。）自有〈辯政〉、〈辯物〉之類，（二辯見《家語》。）文遂有辯；（宋玉〈九辯〉之類。）自有〈樂論〉、〈禮論〉之類，（二論見《荀子》。）文遂有論；（賈誼〈過秦論〉之類。）自有〈大傳〉、〈小傳〉⑤之類，（二傳見《禮記》。）文遂有傳。

【校注】

①此條論述文人學士給文章命名，都有一定的根據，作者舉例加以詮證，像孔子作《書》序，後代文章就有「序」這種文體；相傳孔子作〈十翼〉以解說《易》卦，後代文章就有「說」這種文體；《禮記》有〈曾子問〉、〈哀公問〉，後代文章就有「問」這種文體；《周禮》有〈考工記〉、《禮記》有〈學記〉，後代文章就有「記」這種文體；《禮記》有〈經解〉、《孔子家語》有〈王言解〉，後代文章就有「解」這種文體；《孔子家語》有〈辯政〉、〈辯物〉，後代文章就有「辯」這種文體；《荀子》有〈樂論〉、〈禮論〉，後代文章就有「論」這種文體；《禮記》有〈大傳〉、〈間傳〉，後代文章就有「傳」這種文體。②〈曾子問〉、〈哀公問〉，都是《禮記》的篇名。③〈考工記〉，是《周禮》的篇名；〈學記〉，是《禮記》的篇名。④〈經解〉是《禮記》的篇名。⑤〈小傳〉，宜作「間傳」，今據《禮記》第三十七篇係「間傳」，檢視《禮記》四十九篇無以「小傳」作篇名，再檢視《大戴禮記》篇名，也沒有以「小傳」作篇名。因此，原作「小傳」，誤。又《寶顏堂》、《詒經堂》、《台州》各本也作「間傳」。《津梁》作「問」，形近致訛。《享保》作「閒」。古之「閒」，猶今之「間」。

乙　凡六條

一①

文有助辭，猶禮之有儐，樂之有相也。禮無儐則不行，樂無相則不諧，文無助則不順。（唐有杜溫夫者，爲文不識助辭，疑之之辭如「耶」、「乎」之類，決之之辭如「耳」、「矣」之類，皆一用之，柳宗元所以深言其病，可不知哉？」）〈檀弓〉②曰：「勿之有悔焉耳矣。」《孟子》曰：「寡人盡心焉耳矣。」③〈檀弓〉曰：「我弔也與哉？」④《左氏傳》曰：「獨吾君也乎哉！」⑤凡此一句而三字連助，不嫌其多也。《左氏傳》曰：「其有以知之矣。」⑥又曰：「其無乃是也乎？」⑦此二者，六字成句，而四字爲助，亦不嫌其多也。〈檀弓〉曰：「南宮縚之妻之姑之喪。」⑧〈樂記〉曰：「不知手之舞之足之蹈之也。」⑨凡此不嫌用之字爲多。《禮記》曰：「言則大矣美矣盛矣。」⑩此不嫌用矣字爲多。〈檀弓〉曰：「美哉奐焉！」⑪《論語》曰：「富哉言乎！」⑫凡此四字成句，而助辭半之，不如是文不健也。（司馬長卿〈封禪文〉曰：「遐哉邈乎！」⑬此雖知助辭，而「遐」、「邈」同義，又失矣。」）《左氏》曰：「美哉泱泱乎，大風也哉！表東海者，其太公乎！國未可量也。」⑭此文每句終用助，讀之殊無齟齬艱辛之態。《左氏傳》曰：「以三軍軍其前。」⑮欲見下軍字有陳列之意，則當用其字爲有力。《公羊傳》曰：「入其大門，則無人門焉者。」⑯欲見下門字有守禦之意，則當用焉者字爲有力。

【校注】

①此條論助詞的作用，作者列舉《禮記》、《孟子》、《左氏傳》、《論語》、《公羊傳》加以闡述。　②〈檀弓〉，是《禮記》的篇名。以下引文是〈檀弓上〉。　③見《孟子·梁惠王上》。　④見《禮記·檀弓下》。　⑤見《左傳·襄公二十五年》。　⑥見《左傳·昭公二年》。　⑦見《左傳·昭公元年》。　⑧同②。　⑨〈樂記〉，是《禮

記》的篇名。引文又見《詩經·周南·關雎》序。　⑩見《禮記·孔子閒居》。　⑪見同④。　⑫見《論語·顏淵》。　⑬見《史記·司馬相如傳》。　⑭見《左傳·襄公二十九年》。　⑮見《左傳·隱公五年》。　⑯見《公羊傳·宣公六年》。

二①

倒言而不失其言者，言之妙也，倒文而不失其文者，文之妙也。文有倒語之法，知者罕矣。《春秋》書曰：「吳子遏伐楚，門于巢，卒。」《公羊傳》曰：「門于巢卒者何？入巢之門而卒也。」②然夫子先言門，後言于巢者，於文雖倒，而寓意深矣。（何休曰：「吳子欲伐楚，過巢，不假塗，卒暴入巢門，門者以爲欲犯巢而射殺之，故與巢得殺之，若吳爲自死文，所以強③守禦也。」）仲山甫誠歸于謝，《詩》則曰：「謝于誠歸。」④隱，盜所得器，《左氏傳》則曰：「盜所隱器。」⑤於義皆不害也。《禹貢》⑥曰：「厥篚玄纖縞。」又曰：「雲土夢作乂。」用纖字不在玄上，土字不在夢下，亦一倒法也。（司馬遷作《夏本紀》⑦改曰：「雲夢土作乂。」烏足與知此？）

【校注】

①此條論倒裝的修辭技巧，作者列舉《春秋》、《公羊傳》、《詩經》、《尚書》、《史記》加以詮解。　②《春秋》、《公羊傳》引文，皆見魯襄公二十五年。《公羊傳》引文中的「入門乎巢」，原作「入巢之門」，今據《公羊傳》原文及《寶顏堂》、《享保》、《詒經堂》、《四庫》、《台州》各本改。　③「強」字，宜作「彊」，今據《公羊傳》注文及

《亨保》、《四庫》、《台州》各本皆作「彊」。「彊」、「強」義通。《寶顏堂》、《詒經堂》各本作「疆」，與「彊」字形近致誤。④引文見《詩經·大雅·嵩高》。⑤見《左傳·昭公七年》。⑥《禹貢》，是《尚書》的篇名。⑦《夏本紀》，是《史記》的篇名。

三①

字有偏旁，故文有取偏旁以成句；字有音韻，故文有取音韻以成句；皆所以明其義也。《周禮》曰：「五人爲伍。」②《中庸》③曰：「誠者自成也。」《孟子》曰：「征之爲言正也。」④《莊子》曰：「庸也者，用也。」⑤《檀弓》曰：「夫祖者，且也。」⑥《祭統》⑦曰：「銘者，自名也。」《表記》⑧曰：「仁者，人也。」凡此皆取偏旁者也。《鄉飲酒義》⑨曰：「秋之爲言愁也。」又曰：「冬者，中也。」《易》曰：「嗑者，合也。」⑩《樂記》⑪曰：「樂者，樂也。」《孟子》曰：「校者，教也。」⑫楊子曰：「禮以體之。」⑬凡此皆取音韻者也。

【校注】

①此條論析字的修辭技巧，作者列舉《周禮》、《禮記》、《孟子》、《莊子》、《周易》加以闡明。②引文見《周禮·地官·族師》。③《中庸》，是《禮記》篇名。④引文見《孟子·盡心下》。⑤引文見《莊子·齊物論》。⑥引文見《禮記·檀弓上》。⑦《祭統》，是《禮記》的篇名。⑧《表記》，是《禮記》的篇名。⑨《鄉飲酒義》，是《禮記》的篇名。⑩引文見《周易·序卦傳》。⑪《樂記》，是《禮記》的篇名。⑫引文

見《孟子·滕文公上》。　⑬「楊」字，《四庫》、《台州》、《津梁》各本作「揚」字，以「揚」爲是，詳見甲第三條注⑥。引文見《法言·問道》。

四①

夫文有病辭，有疑辭。病辭者，讀其辭則病，究其意則安，如《曲禮》曰：「猩猩能言，不離禽獸。」②《繫辭》曰：「潤之以風雨。」③蓋禽字於猩猩爲病，潤字於風爲病也。（説者曰：「凡可擒者，皆謂之禽。《大太宗伯》④以禽作六摯，而羔在其中。凡物氣和則潤生，言潤則風之和可知矣。」）疑辭者，讀其辭則疑，究其意則斷，如《何彼穠矣》⑤曰：「平王之孫。」《檀弓》曰：「容居魯人也。」⑥蓋平王疑爲東遷之平王，魯人疑爲魯國之人也。（毛萇傳云：「平，正也，指文王，言能正天下之王也。」鄭康成云：「魯，鈍也。」）凡觀此文，可不深考？

【校注】

①此條論病辭、疑辭，作者列舉《禮記》、《周易》、《詩經》加以闡析。　②引文見《禮記·曲禮上》。　③引文見《周易·繫辭上》。　④「大」下多「太」字，今據《寶顏堂》、《享保》、《詒經堂》、《四庫》各本刪。　⑤引文見《詩經·召南·何彼穠矣》。　⑥引文見《禮記·檀弓下》。

五①

辭以意爲主，故辭有緩有急，有輕有重，皆生乎意也。韓宣子曰：「吾淺之爲丈夫也。」②則其辭緩。景春曰：「公孫衍、張儀豈不誠大丈夫哉？」③則其辭急。「狼瞫於是乎君子。」④則其辭輕。「子謂子賤君子哉若人。」⑤則其辭重。

【校注】

①此條論文辭立意有緩、急、輕、重的分別，作者列舉《左傳》、《孟子》、《論語》，加以解析。②引文見《左傳·襄公十九年》。③引文見《孟子·滕文公下》。④引文見《左傳·文公二年》。⑤引文見《論語·公冶長》。

六①

文有雖成一家，而有已經雕斲與其否者。且《左氏傳》前載辛伯諫曰：「並后匹嫡，兩政耦國。」②後載狐突諫曰：「昔辛伯諗周桓公云：『內寵並后，外寵二政，嬖子配適，大都耦國。』」③則知前載已雕斲，而後載否矣。《內傳》曰：「所謂生死而肉骨也。」④《外傳》曰：「緊起死人而肉白骨也。」⑤則知《內傳》雕斲，而《外傳》否矣。

【校注】

①此條論文辭的潤飾，作者舉證《左傳》、《國語》，加以闡析。②見《左傳·桓公十八年》。③見《左傳·閔公二年》。④見《左傳·襄公二十二年》。⑤見《國語·吳語》。

丙　凡四條

一①

《易》之有象，以盡其意；《詩》之有比，以達其情。文之作也，可無喻乎？博采經傳，約而論之，取喻之法，大槩②有十，略條于後：

一曰直喻：或言猶，或言若，或言如，或言似，灼然可見。《孟子》曰：「猶緣木而求魚也。」③《書》曰：「若朽索之馭六馬。」④《論語》曰：「譬如北辰。」⑤《莊子》曰：「淒然似秋。」⑥此類是也。

二曰隱喻：其文雖晦，義則可尋。《禮記》曰：「諸侯不下漁色。」⑦（謂國君内取國中，象捕魚然，中網取之，是無所擇。）《國語》曰：「歿平公軍無秕政。」⑧（秕，穀之不成者，以喻政。）又曰：「雖蝎譖焉避之。」⑨（蝎，木蟲，譖從中起，如蝎食木，木不能避也。）《左氏傳》曰：「是豢吳也夫。」⑩（若人養犧牲。）《公羊傳》曰：「其諸爲其雙雙而俱至者與？」⑪（言齊高固及子叔姬來，其雙行匹至似獸。《山海經》有獸名雙雙。）此類是也。

三曰類喻：取其一類，以次喻之。《書》曰：「王省惟歲，師尹惟日，卿士惟月。」⑫歲日月⑬一類也。賈誼《新書》曰：「天子如堂，羣臣如陛，衆庶如地。」⑭堂陛地一類也。此類是也。

四曰詰喻：雖爲喻文，似成詰難。《論語》曰：「虎兕出於柙，龜玉毀於櫝中，是誰之過歟？」⑮《左氏傳》曰：「人之有墻，以蔽惡也，墻之隙壞，誰之咎也？」⑯此類是也。

五曰對喻：先比後證，上下相符。《莊子》曰：「魚相忘乎江湖，□相忘乎道術。」⑰《荀子》曰：「流丸止於甌臾，流言止於智者。」⑱此類是也。

六曰博喻：取以爲喻，不一而足。《書》曰：「若金，用汝作礪；若濟巨川，用汝作舟楫；若歲大旱，用汝作霖雨。」⑲《荀子》曰：「猶以指測河也，猶以戈舂黍，猶以錐飡壺也。」⑳此類是也。

七曰簡喻：其文雖略，其意甚明。《左氏傳》曰：「名，德之輿也。」㉑楊子曰：「仁，宅也。」㉒此類是也。

八曰詳喻：須假多辭，然後義顯。《荀子》曰：「夫耀蟬者，務在乎明其火，振其木而已，火不明，雖振其樹，無益也；今人主有能明其德，則天下歸之，若蟬之歸明火也。」㉓此類是也。

九曰引喻：援取前言，以證其事。《左氏傳》曰：「諺所謂『庇焉而縱尋斧焉』者也。」㉔《禮記》曰：「蛾子時術之，其此之謂乎？」㉕此類是也。

十曰虛喻：既不指物，亦不指事。《論語》曰：「其言似不足者。」㉖《老子》曰：「飂兮似無所止。」㉗此類是也。

【校注】

①此條論譬喻十法，作者列舉《周易》、《詩經》、《尙書》、《孟子》、《論語》、《禮記》、《國語》、《左傳》、《公羊傳》、

《新書》、《荀子》、《法言》、《老子》的文章，加以詮證。　②「槩」字，《台州》、《津梁》各本作「概」。「槩」同「概」。《寶顏堂》、《享保》、《四庫》、《詒經堂》各本亦作「槩」。　③見《孟子·梁惠王上》。　④見《尚書·夏書·五子之歌》。　⑤見《論語·爲政》。　⑥見《莊子·大宗師》。　⑦見《禮記·坊記》。引文中的「邑」，宜作「色」，今據《禮記》原文及《寶顏堂》、《享保》、《四庫》、《詒經堂》、《台州》、《津梁》各本皆作「色」。「色」、「邑」，形近致訛。下引注文中的「謂國君內取國中」，《禮記·坊記》鄭玄注作「國君而內取」。　⑧見《國語·晉語七》。引文中的「歿」，《國語》原文及《至正》、《四庫》各本作「歿」，但《寶顏堂》、《詒經堂》、《台州》、《津梁》各本皆作「沒」。「歿」、「沒」二字義通。　⑨見《國語·晉語一》。　⑩見《左傳·哀公十一年》。　⑪見《公羊傳·宣公五年》。　⑫見《尚書·周書·洪範》。引文中的「師尹惟日，卿士惟月」，宜作「卿士惟月，師尹惟日」，今據《尚書》原文及《寶顏堂》、《享保》、《詒經堂》、《台州》、《津梁》各本改。　⑬「歲日月」宜作「歲日月」，今據《寶顏堂》、《享保》、《詒經堂》、《台州》、《津梁》各本改。　⑭見《新書·階級》。　⑮見《論語·季氏》。　⑯見《左傳·昭公元年》。引文中的「墻」字，《左傳》原文及《寶顏堂》、《享保》、《詒經堂》、《台州》、《津梁》各本作「牆」，《至正》、《四庫》各本作「墻」。「墻」同「牆」。今據《左傳》原文改。　⑰同⑥。「相忘乎道術」上原闕，「人」字今據《莊子》原文及《寶顏堂》、《享保》、《四庫》、《詒經堂》、《台州》、《津梁》各本補。　⑱見《荀子·大略》。引文中的「臾」字，《寶顏堂》、《享保》、《詒經堂》各本作「叟」，形近致譌。《荀子》原文及《至正》、《四庫》、《台州》、《津梁》各本皆作「臾」。　⑲見《尚書·商書·說命上》。　⑳見《荀子·勸學》。引文中的「飧」字，《台州》作「飧」，《至正》、《寶顏堂》、《享保》、《四庫》、《詒經堂》、《津梁》各本皆作「飱」。王先謙《荀子集解》：「王念孫曰：『呂錢本作飡，元刻作飱。案《說文》：「飧，餔也。從夕食，思魂切。餐，呑也。從食𣦼聲，或從水作避，七安切。」《玉篇》、《廣韻》飧作飱，而飱餐二字，皆異音異義，古音餐屬寒部，飱屬魂部，……自《爾雅》、《釋文》始誤以餐爲飱，而《集韻》遂合餐飱爲一字矣。今俗書飱字作飱，而錢本作飡，自是滄之俗字，非飱字也。盧從元刻作飱，云飱同餐，非是。』」先謙案：王說是，今依呂錢本正作飡，以錐飡壺，言以錐代箸也。」由此可見，「飱」、「飱」不是「餐」，「飡」、「滄」才是「餐」。《說文》：「飡，餐，或从水。」「飡」是「餐」的或體字，「飡」是「湌」的俗字。今據王氏說法改作「飡」。㉑見《左傳·襄公二十四年》。㉒見《法言·修身》。「楊」字，《四庫》、《台州》、《津梁》各本皆作「揚」，以「揚」爲是，詳見甲項第三條注⑥。㉓見《荀子·致士》。引文中的「木」字，《寶顏堂》、《享保》、《詒經堂》、《台州》、《津梁》各本作「樹」，《至正》、《四庫》各本作「木」。「木」、「樹」義通。《荀子》原文作「樹」，今據《荀子》改。㉔見《左傳·文公七年》。㉕見《禮記·學記》。㉖見《論語·鄉黨》。㉗見《老子·第二十七章》。

二①

凡伯刺厲之詩，而曰：「先民有言。」（〈板〉三章曰：「先民有言，詢于芻蕘。」②鄭康成云：「此古賢者有言也。」）吉甫美宣之詩，而曰：「人亦有言。」（〈烝民〉五章曰：「人亦有言，柔則茹之，剛則吐之。」③此亦謂前人有言如此。）胤侯之征，乃舉《政典》。（《政典》曰：「先時者殺無赦，不及時者殺無赦。」④孔安國云：「《政典》，夏后爲政之典籍。」）盤庚之告，亦載遲任。（遲任有言曰：「人惟求舊，器非求舊惟新。」孔安國云：「遲任，古賢人。」）或稱古人言，（〈泰誓〉曰：「古人有言曰：「撫我則后，虐我則讎。」」⑤此類是也。）或稱我聞曰，（〈康誥〉⑥曰：「我聞曰：「怨不在大，亦不在小。」此類是也）是皆有所援引也。《詩》、《書》而降，傳記籍籍，援引之言，不可具載。且左氏采諸國之事以爲經傳，戴氏集諸儒之篇以成禮志，援引《詩》、《書》，莫不有法。推而論之⑦，蓋有二端：一以斷行事，二以證立言。二者又各分三體，略條于後：

《左氏傳》載「《詩》曰：『自詒伊戚。』⑧其子臧之謂矣。」⑨此獨引《詩》以斷之，是一體也。（此體多矣。）

《左氏傳》載「《詩》曰：『于以采蘩，于沼于沚；于以用之，公侯之事。』⑩秦穆有焉。『夙夜匪懈，以事一人。』⑪孟明有焉。『詒厥孫謀，以燕翼子。』⑫子桑有焉。」⑬此各引《詩》以合斷之，是二體也。（〈表記〉載「《詩》曰：『莫莫葛藟，施于條枚，豈弟君子，求福不回。』⑭其舜、禹、文王、周公之謂與？」⑮此又一詩總斷之體也。）

《國語》載「《詩》曰：『其類維何？室家之壺，君子萬年，永錫祚胤。』⑯類也者，不忝前哲之謂也；壺也者，廣裕民人之謂也；萬年也者，令聞不忘之謂也；胤也者，子孫蕃育之謂也。單子朝夕不忘成王之德，可謂不忝前哲矣；膺保明德，以佐王室，可謂廣裕民人矣。若能類善物以混厚民人者，必有章譽蕃育之祚，則單子必當之矣。」⑰此既引《詩》文，又釋其義以斷之，是三體也。

〈大學〉⑱載「〈康誥〉⑲曰：『克明德。』〈太甲〉曰：『顧諟天之明命。』⑳〈帝典〉曰：『克明峻德。」㉑皆自明也。湯之〈盤銘〉曰：『苟日新，日日新，又日新。』〈康誥〉曰：『作新民。』《詩》曰：『周雖舊邦，其命維新。』㉒是故君子無所不用其極。」此則采總羣言，以盡其義，是一體也。

〈緇衣〉㉓曰：「好賢如〈緇衣〉，惡惡如〈巷伯〉，則爵不瀆而民作愿，刑不試而民咸服。〈大雅〉曰：『儀刑文王，萬邦作孚。』㉔」此則言終引證，是二體也。（《孝經》諸篇，悉用此體。）

《左氏傳》曰：「〈周書〉所謂『庸庸祗祗』㉕者，謂此物也夫。」㉖又「〈太誓〉所謂『商兆民離，周十人同』㉗者，衆也。」㉘此乃斷析本文，以成其言，是三體也。

【校注】

①此條論援引的作用和方法，作者列舉《詩經》、《尚書》的文章，加以詮證。 ②引文見《詩經·大雅·板》。 ③引文見《詩經·大雅·烝民》。 ④引文見《尚書·胤征》。 ⑤引文見《尚書·周書·泰誓下》。「泰誓」，《寶顏堂》、《享保》、《詒經堂》、《台州》、《津梁》各本誤作「秦誓」，今據《尚書》原文出於《泰誓》，而非《秦誓》。引文中的「讎」字，《寶顏堂》、《享保》、《詒經堂》、《台州》、《津梁》各本作「讐」。「讐」同「讎」、「仇」。 ⑥〈康誥〉，是《尚書·周書》的篇名。 ⑦「搉而論之」，劉勰《文心雕龍·通變》有「搉而論之」一詞。其中「搉」字，《寶顏堂》、《享保》、《四庫》、《詒經堂》、《青州》、《津梁》各本誤作「推」，形近致訛。 ⑧見《詩經·小雅·小明》，引文中的「戚」字，《寶顏堂》、《享保》、《台州》、《津梁》各本皆作「慼」，今據《詩經》原文、《至正》、《四庫》、《詒經堂》各本皆作「戚」。《左傳》引文作「慼」。「戚」、「慼」義通。 ⑨見《左傳·僖公二十四年》。

⑩見《詩經·召南·采蘩》。 ⑪見《詩經·大雅·烝民》。 ⑫見《詩經·大雅·文王有聲》。引文中的「于」字，宜作「子」，今據《詩經》原文、《左傳》引文皆作「子」。「于」字，是形近致誤。《寶顏堂》、《享保》、《四庫》、《詒經堂》、《台州》、《津梁》各本亦作「子」。 ⑬見《左傳·文公三年》。 ⑭見《詩經·大雅·旱麓》。 ⑮見《禮記·表記》。 ⑯見《詩經·大雅·既醉》。 ⑰見《國語·周語下》。引文中的「胤也者」，《寶顏堂》、《享保》、《詒經堂》各本皆作「祚胤也者」，《台州》、《津梁》各本皆作「祚允也者」，今據《國語》原文作「胤也者」，《至正》、《四庫》各本亦作「胤也者」。 ⑱〈大學〉，是《禮記》的篇名。 ⑲同⑥。 ⑳見《尚書·商書·太甲上》。

㉑見《尚書·虞書·堯典》。 ㉒見《詩經·大雅·文王》。 ㉓〈緇衣〉，是《禮記》的篇名。 ㉔同㉒。

㉕見《尚書·周書·康誥》。 ㉖見《左傳·宣公十五年》。 ㉗見《尚書·周書·泰誓中》。「太」、「泰」，古代意義相通。《尚書》、《四庫》各本皆作「泰」，《至正》、《寶顏堂》、《享保》、《詒經堂》、《台州》、《津梁》各本皆作「太」。今據《尚書》、《四庫》改。 ㉘見《左傳·昭公二十四年》。

三①

夫取《詩》即云《詩》，取《書》即云《書》，蓋常體也。觀以〈康誥〉②爲先王之令，（《國語》稱「先王之令曰：『天道賞善而罰淫。』故凡我造國，無從非彝。」③此引〈湯誥〉文。）以〈周書〉爲西方之書，（《國語》稱西方之書，蓋《逸周書》。韋昭云：「《詩》言『西方之人兮』，則西方謂周也。」④）以〈咸有一德〉爲〈尹告〉，（《禮記》稱〈尹告〉曰⑤：「惟尹躬暨湯，咸有一德。」⑥康成云：「〈尹告〉，伊尹之誥。」）以〈大禹謨〉爲《道經》，（《荀子》稱《道經》曰：「人心惟危，道心惟微。」⑦楊倞云：「此在〈虞書〉，曰《道經》者，言有道之經也。」）不曰〈仲虺之誥〉，而曰〈仲虺之志〉，（《左氏傳》曰：「〈仲虺之志〉云：『亂者取之，亡者侮之。』」⑧）不曰〈五子之歌〉，而曰〈夏訓〉有之，（《左氏傳》曰：「〈夏訓〉有之：『有窮后羿。』」⑨）直言〈鄭詩〉、〈曹詩〉，（《國語》稱〈鄭詩〉曰：「仲可懷也。」又稱〈曹詩〉曰：「彼其之子，不遂其媾。」⑩）止稱〈汋〉曰，〈武〉曰，（《左氏傳》：「〈汋〉曰：『於鑠王師。』⑪〈武〉曰：『無競維烈。』⑫」⑬）或稱芮良夫，（《左氏傳》曰：「周芮良夫之詩曰：『大風有隧，貪人敗類。』⑭」⑮）或稱周文公，（《國語》：「周文公之頌曰：『載戢干戈，載櫜弓矢。』⑯」⑰）指〈那〉頌卒章爲亂辭，（《國語》曰：「其輯之亂曰：『自古在昔，先民有作。』⑱」⑲韋昭云：「凡作篇章義既成，撮其大要，以爲亂辭。」）摘〈小宛〉⑳首章爲篇目，（《國語》曰：「秦伯賦〈鳩飛〉。」㉑韋昭云：「〈小宛〉之首章，『宛彼鳴鳩，翰飛戾天』是也。」）數章之末章，既謂之卒章，（《左氏傳》曰：「賦〈綠衣〉㉒之卒章。」㉓此類是也。」）一章之末句，亦謂之卒章；（《左氏傳》曰：「作〈武員〉卒章曰：『耆定爾功。』㉔」㉕）凡此似亦略施雕琢，少變雷同，作者考焉，毋㉖誚無補。

【校注】

①此條闡述《國語》、《左傳》援引的方法，作者列舉《詩經》、《尚書》、《禮記》、《荀子》，加以詮證。　②〈康誥〉，宜作〈湯誥〉，依上下文意及《四庫》改。　③見《國語·周語中》。　④見《國語·晉語四》韋昭注文，注

文原作「西方謂周。《詩》云：『誰將西歸？』又曰：「西方之人」，皆謂周也。」《文則》引文中「西方謂周也」的「謂」字，《寶顏堂》、《享保》、《詒經堂》、《台州》、《津梁》各本皆作「爲」，《至正》、《四庫》作「謂」，依韋昭注文作「謂」。「爲」、「謂」，古代意義相通。又「西方之人兮」，見於《詩經·邶風·簡兮》。　⑤見《禮記·緇衣》。　⑥見《尚書·商書·咸有一德》。　⑦見《荀子·解蔽》。引文又見《尚書·虞書·大禹謨》。　⑧見《左傳·襄公三十年》。　⑨見《左傳·襄公四年》。　⑩見《國語·晉語》。　⑪見《詩經·周頌·酌》。　⑫見《詩經·周頌·武》。引文中的「維」字，《寶顏堂》、《享保》、《詒經堂》、《台州》、《津梁》各本皆作「惟」，《詩經》原文、《至正》、《四庫》各本皆作「維」。「惟」、「維」古代意義相通。　⑬見《左傳·宣公十二年》。　⑭見《詩經·大雅·桑柔》。　⑮見《左傳·文公元年》。　⑯見《詩經·周頌·時邁》。　⑰見《國語·周語上》。　⑱見《詩經·商頌·那》。　⑲見《國語·魯語下》。引文中的「輯」字，《寶顏堂》、《享保》、《詒經堂》、《台州》、《津梁》各本皆作「戢」，《國語》原文、《至正》、《四庫》各本皆作「輯」。「戢」字音同義近致譌。　⑳〈小宛〉，是《詩經·小雅》的篇名。　㉑見《國語·晉語四》。　㉒〈綠衣〉，是《詩經·邶風》的篇名。　㉓見《左傳·成公九年》。　㉔見《詩經·周頌·武》。　㉕見《左傳·宣公十二年》。　㉖「母」字，宜作「毋」，《享保》作「母」，《四庫》、《台州》各本皆作「毋」，《寶顏堂》、《詒經堂》、《津梁》各本皆作「毋」，依上下文意，以「毋」爲是。「母」、「毋」，皆形近致譌。

四 ①

《左氏傳》載諸國燕饗賦《詩》之事，但云賦某《詩》，或云賦某《詩》之卒章，皆不載《詩》文，而意自具。其曰：「賦〈棠棣〉之七章以卒。」②則知賦七章以③卒盡八章也。其曰「在〈揚水〉卒章之四言矣。」④則知取「我聞有命」也。《左氏》於此等文，最爲得體。

【校注】

①此條闡述《左傳》記載宴饗賦《詩》的方法，作者舉例加以解析。②見《左傳·襄公二十年》。〈棠棣〉，是《詩經·小雅》的篇名。③「以」字，《台州》、《津梁》二本作「已」，《至正》、《寶顏堂》、《享保》、《四庫》、《詒經堂》各本皆作「以」。「以」、「已」古代意義相通，但依上下文例，則以「以」爲是。④見《左傳·定公十二年》。〈揚水〉，是《詩經·唐風》的篇名。

丁　凡八條

一①

文有上下相接，若繼踵然，其體有三：其一曰叙積小至大，如〈中庸〉②曰：「能盡其性，則能盡人之性，能盡人之性，則能盡物之性，能盡物之性，則能③贊天地之化育，贊④天地之化育，則可以與天地參矣。」此類是也。其二曰叙由精及粗，如《莊子》曰：「古之明大道者，先明天，而道德次之；道德已明，而仁義次之；仁義已明，而分守次之；分守已明，而形名次之；形名已明，而因任次之；因任已明，而原省次之；原省已明，而是非次之；是非已明，而賞罰次之。」⑤此類是也。其三叙自流極原，如〈大學〉曰：「古之欲明明德於天下者，先治其國；欲治其國者，先齊其家；欲齊其家者，先脩其身；欲脩其身者，先正其心；欲正其心者，先誠其意；欲誠其意者，先致其知。」⑥此類是也。

【校注】

①此條論層遞的修辭技巧，作者舉《禮記》、《莊子》的文章，加以闡析。 ②〈中庸〉，是《禮記》的篇名。 ③「能」字，宜作「可以」，今據《禮記》原文及《寶顏堂》、《享保》、《詒經堂》、《台州》、《津梁》各本改。 ④「贊」字上，原闕「可以」，《四庫》亦闕；今據《禮記》原文及《寶顏堂》、《享保》、《詒經堂》、《台州》、《津梁》各本補。 ⑤見《莊子·天道》。 ⑥見《禮記·大學》。引文中的「脩」字，《台州》、《津梁》二本皆作「修」，《至正》、《寶顏堂》、《享保》、《四庫》、各本皆作「脩」，《禮記》原文亦作「脩」。「脩」、「修」古代意義相通。

二①

文有交錯之體，若纏糾然，主在析理，理盡後已。《書》曰：「念茲在茲，釋茲在茲，名言茲在茲，允出茲在茲。」②《莊子》曰：「有始也者，有未始有始也者，有未始有夫未始有始也者。」又曰：「以指喻指之非指，不若以非指喻指之非指也。」③《荀子》曰：「不利而利之，不如利而後利之之利也，利而後利之，不如利而不利者之利也。」④《國語》曰：「成人在始與善，始與善，善進善，不善蔑由至矣，始與不善，不善進不善，善亦蔑由至矣。」⑤《穀梁》曰：「人之所以爲人者，言也。人而不能言，何以爲人？言之所以爲言者，信也。言而不信，何以爲言？信之所以爲信者，道也。信而不道，何以爲道？」⑥此類多矣，不可悉舉，然取《莊子》而法之，則文斯遂矣。

【校注】

①此條論複疊的修辭技巧，作者列舉《尚書》、《莊子》、《荀子》、《穀梁傳》、《國語》的文章，加以詮證。②見《尚書·大禹謨》。③見《莊子·齊物論》。④見《荀子·富國》。在「利而後利之」上，補「不愛而用之，不如愛而後用之之功也」。⑤見《國語·晉語六》。⑥見《穀梁傳·僖公二十二年》。引文中的末句「何以爲道」，《寶顏堂》、《享保》、《詒經堂》、《台州》、《津梁》各本皆作「何以爲信」，《穀梁傳》原文，《至正》、《四庫》皆作「何以爲道」，以後者爲是。

三①

載事之文，有上下同目之法，謂其事斷可書，其人斷可美也。如《論語》載孔子之美禹顏，（子曰：「禹吾無間然矣，菲飲食而致孝乎鬼神云云。禹吾無間然矣。」）②又曰：「賢哉回也，一簞食，一瓢飲云云，賢哉回也。」③《戴禮》④之記文王、周公，（《文王世子篇》⑤曰：「文王之爲世子也，朝於王季日三云云⑥，文王之爲世子也。」又曰：「昔者，周公攝政踐祚而治，抗世子法於伯禽，所以善成王也云云⑦，周公踐祚。」）《公羊》之傳孔父、仇牧、荀息，（《公羊傳》曰：「孔父可謂義形於色矣。其義形於色何？督將弒殤公，孔父生而存，則殤公不可得而弒也云云，孔父可謂義形於色矣。」⑧又曰：「仇牧可謂不畏彊禦奈何？萬嘗與莊公戰，獲乎莊公云云，仇牧可謂不畏彊禦矣。」⑨又曰：「荀息可謂不食其言矣。其不食其言奈何？奚齊卓子者，驪姬之子也，荀息傅焉云云，荀息可謂不食其言矣。」⑩）皆其法也。

【校注】

①此條論記事的文章有上下同一文句的方法，作者列舉《論語》、《禮記》、《公羊傳》的文章，加以闡析。②見《論語·泰伯》。引文中「云云」二字相當於現在的刪節號，應補：「惡衣服，而致美乎黻冕；卑宮室，而盡力乎溝洫。」　③見《論語·雍也》。引文中「云云」二字相當於現在的刪節號，應補：「在陋巷，人不堪其憂，回也不改其樂。」　④《戴禮》，是《小戴禮記》的省稱，即今十三經中的《禮記》。　⑤〈文王世子篇〉，是《禮記》的篇名。　⑥「文王之爲世子」下「也」字，據《禮記》原文刪。「朝於王季日三」下「云云」二字，相當於現在的刪節號，應補：「雞初鳴而衣服，至於寢門外，問內豎之御者曰：『今日安否何如？』內豎曰：『安！』文王乃喜，及日中又至，亦如之；及莫又至，亦如之。其有不安節，則內豎以告文王，文王色憂，行不能正履。王季復膳，然後亦復初，食上，必在視寒煖之節，食下，問所膳，命膳宰曰：『末有原。』應曰：『諾！』然後退。武王帥而行之，不敢有加焉。文王有疾，武王不說，冠帶而養，文王一飯亦一飯，文王再飯亦再飯，旬有二日乃閒。文王謂武王曰：『女何夢矣？』武王對曰：『夢帝與我九齡。』文王曰：『女以爲何也？』武王曰：『西方有九國焉，君王其終撫諸？』文王曰：『非也。古者謂年齡，齒亦齡也。我百爾九十，吾與爾三焉。』文王九十七乃終，武王九十三而

終。成王幼，不能涖阼，周公相，踐阼而治，抗世子法於伯禽，欲令成王之知父子君臣長幼之道也。成王有過，則撻伯禽，所以示成王世子之道也。」⑦「所以善成王也」下「云云」二字，相當於今日的刪節號，應補：「聞之曰：『爲人臣者，殺其身有益於君則爲之，況于其身以善其君乎？』周公優爲之。是故知爲人子，然後可以爲人父；知爲人臣，然後可以爲人君；知事人，然後能使人。成王幼不能涖阼，以爲世子，則無爲也，是故抗世子法於伯禽，使之與成王居，欲令成王之知父子君臣長幼之義也。君之於世子也，親則父也，尊則君也。有父之親，有君之尊，然後兼天下而有之，是故養世子不可不愼也。行一物而三善皆得者，唯世子而已。其齒於學之謂也，故世子齒於學，國人觀之曰：『將君我而與我齒讓，何也？』曰：『有父在則禮然，然而衆知父子之道矣。』其二曰：『將君我而與我齒讓，何也？』曰：『有君在則禮然，然而衆著於君臣之義也。』其三曰：『將君我而與我齒讓，何也？』曰：『長長也，然而衆知長幼之節矣。』故父在斯爲子，君在斯謂之臣。居子與臣之節，所以尊君親親也，故學之爲父子焉，學之爲君臣焉，學之爲長幼焉，父子君臣長幼之道得而國治。語曰：『樂正司業，父師司成，一有元良，萬國以貞，世子之謂也。』」⑧見《公羊傳·桓公二年》。「殤公不可得而弑也」下「云云」二字，相當於當今的刪節號，應補：「故於是先攻孔父之家，殤公知孔父死，己必死，趨而救之，皆死焉。孔父正色而立於朝，則人莫敢過而致難於其君者。」⑨見《公羊傳·莊公十二年》。「獲乎莊公」下「云云」二字，相當於現今的刪節號，應補：「莊公歸，散舍諸宮中，數月然後歸之，歸反爲大夫於宋，與閔公博，婦人皆在側。萬曰：『甚矣！魯侯之淑，魯侯之美也。天下諸侯宜爲君者，唯魯侯爾！』閔公矜此婦人，妒其言，顧曰：『此虜也。爾虜焉故，魯侯之美惡乎至？』萬怒，搏閔公，絕其脰。仇牧聞君弑，趨而至，遇之于門，手劍而叱之。萬臂摋仇牧，碎其首，齒著乎門闔。」⑩見《公羊傳·僖公十年》。「荀息傅焉」下「云云」二字，相當於現在的刪節號，應補：「驪姬者，國色也。獻公愛之甚，欲立其子，於是殺世子申生。申生者，里克傅之。獻公病將死，謂荀息曰：『士何如則可謂之信矣？』荀息對曰：『使死者反生，生者不愧乎其言，則可謂信矣。』獻公死，奚齊立。里克謂荀息曰：『君殺正而立不正，廢長而立幼，如之何？願與子慮之。』荀息曰：『君嘗訊臣矣。臣對曰：「使死者反生，生者不愧乎其言，則可謂信矣。」』里克知其不可與謀，退弒奚齊。荀息立卓子，里克弒卓子，荀息死之。」

四①

數（音所）人行事，其體有三：或先總而後數之，如孔子謂「子產有君子之道四焉：其行己也恭，其事上也敬，其養民也惠，其使民也義。」②此類是也。或先數之而後總之，如子產數鄭公孫黑曰：「爾有亂心無厭，國不女堪，專伐伯有，而罪一也；昆弟爭室，而罪二也；董隧之盟，女矯君位，而罪三也。有死罪三，何以堪之？」③此類是也。或先既總之而後復總之，如孔子言「臧文仲其不仁者三，不知者三：下展禽，廢六關，妾織蒲，三不仁也；作虛器，縱逆祀，祀爰居，三不知也。」④此類是也。

【校注】

①此條論人們品行事迹的文章有三類，作者列舉《論語》、《左傳》例句，加以闡明。　②見《論語·公冶長》。

③見《左傳·昭公二年》。　④見《左傳·文公二年》。

五①

載事之文，有先事而斷以起事也，有後事而斷以盡事也。如《左氏傳》欲載晉靈公厚斂雕墻，必先言「晉靈公不君」②；《公羊傳》欲載楚靈王作乾谿臺，必先言「靈王爲無道」③；〈中庸〉欲言「舜好問而好察邇言」，亦先言「舜其大智也歟」④；《孟子》欲言「梁惠王以其所不愛及其所愛」，亦曰「不仁哉梁惠王也」⑤，若此流⑥，皆先斷以起事也。如《左氏傳》載晉文公敎民而用，卒言之曰：「一戰而霸，文之敎也。」⑦又載晉悼公賜魏絳和戎樂，卒言之曰：「魏絳於是乎始有金石之樂，禮也。」⑧若此流⑨，皆後斷以盡事也。

【校注】

①此條闡述記敘文中論斷的兩種方法，作者列舉《左傳》、《公羊傳》、《禮記》、《孟子》的例句，加以詮證。②見《左傳·宣公二年》。「墻」，宜作「牆」，今據《左傳》原文及《寶顏堂》、《享保》、《詒經堂》、《台州》、《津梁》各本改。「墻」同「牆」。③見《公羊傳·昭公十三年》。④〈中庸〉，是《禮記》的篇名。「先言」二字，《寶顏堂》、《享保》、《詒經堂》、《台州》、《津梁》各本皆作「先曰」，「言」、「曰」義通。「大智也歟」，宜作「大知也與」，《四庫》作「大知也歟」，《寶顏堂》、《享保》、《詒經堂》、《台州》、《津梁》各本皆作「大智也與」，《禮記》原文作「大知也與」，今據改。「知」與「智」、「與」與「歟」意義相通。⑤見《孟子·盡心下》。⑥「流」字，《寶

顏堂》、《享保》、《詒經堂》、《台州》、《津梁》各本皆作「類」，《至正》、《四庫》二本皆作「流」。「流」、「類」意義相通，但似以「類」字較宜。　⑦見《左傳·僖公二十七年》。　⑧見《左傳·襄公十一年》。　⑨「流」字，同⑥。

六①

載言之文，有不避重複，如《穀梁傳》載麗姬故謂君曰：「吾夜者夢夫人趨而來曰：『吾苦畏，胡不使大夫將衛士而衛冢乎？』」故君謂世子曰：『麗姬夢夫人趨而來曰：「吾苦畏。」女其將衛士而往衛冢乎！』」②此不避重複一也。《家語》載魯公索氏將祭，而忘其牲，孔子聞之曰：「公索氏不及二年而後亡。」後一年而亡，門人問曰：「昔公索氏將祭而亡其牲，而夫子曰：『不及二年必亡。』今過朞而亡。」③此不避重複二也。《公羊傳》載陽處父諫曰：「射姑民衆不悅，不可使將。」於是廢將。射姑入，君謂射姑曰：「陽處父言曰：『射姑民衆不悅，不可使將。』」④此不避重複三也。及觀《檀弓》載子游曰：「昔者夫子居於宋，見桓司馬自爲石椁，三年不成，夫子曰：『若是其靡也，死不如連朽之愈也。』死之欲速朽，爲桓司馬言之也。」云云⑤。曾子以子游之言告於有子，然《檀弓》但云以子游之言，蓋避重複也。又《左氏傳》載「晉師歸，郤伯見，公曰：『子之力也夫！』范叔見，勞之如郤伯，欒伯見，公亦如之。」⑥夫三述晉侯之語，固未爲害，而《左氏》兩變其文，蓋避重複也。

【校注】

①此條論不避重複與避重複，作者列舉《穀梁傳》、《孔子家語》、《公羊傳》、《禮記》、《左傳》的例句，加以詮證。②見《穀梁傳·僖公十年》。③見《孔子家語·好生》。引文中「公索氏不及二年而後亡」的「而後亡」三字，宜作「將亡」。《四庫》作「而後亡」，《寶顏堂》、《享保》、《詒經堂》、《台州》各本皆作「而必亡」，《津梁》作「而必忘」，《孔子家語》原文作「將亡」，今據改。原作「將祭而亡其牲」，《孔子家語》原文作「亡其祭牲」，今據改。「朞」字，《寶顏堂》、《享保》、《詒經堂》、《台州》、《津梁》各本皆作「期」。「期」、「朞」意義相通。《至正》、《四庫》各本皆作「朞」，《孔子家語》亦作「朞」。④見《公羊傳·文公六年》。⑤見《禮記·檀弓上》。引文中「石椁」的「椁」字，《寶顏堂》、《享保》、《詒經堂》、《台州》、《津梁》各本皆作「梆」，《禮記》原文、《至正》、《四庫》皆作「椁」，以後者爲是。「云云」，約相當於刪節號，應補「南宮敬叔反，必載寶而朝。夫子曰：『若是其貨也，喪不如速貧之愈也。喪之欲速貧，爲敬叔言之也。』」⑥見《左傳·成公二年》。

七①

載言之文，又有答問，若止及一事，文固不難，至於數端，文實未易，所問不言問，所對不言對，言雖簡略，意實周贍，讀之續如貫珠，應如答響。若《左氏傳》載楚望晉軍問伯犁②，蓋得此也。至於問則屢稱「何也」，答則屢稱「對曰」，其文與意，有異《左氏》，若《樂記》③載賓牟賈與孔子言樂，皆拘此也。二文具載，則可考矣。

王曰：「騁而左右，何也？」曰：「召軍吏也。」「皆聚於中軍矣。」曰：「合謀也。」「張幕矣。」

曰：「虞卜於先君也。」「撤幕矣。」曰：「將發命也。」「甚囂，且塵上矣。」曰：「將塞井夷竈而爲行也。」「皆乘矣，左右執兵而下矣。」曰：「聽誓也。」「戰乎？」曰：「未可知也。」「乘而左右皆下矣。」曰：「戰禱也。」④

曰：「夫武之備戒之已久，何也？」對曰：「病不得其衆也。」「咏歎之，淫夜之，何也？」對曰：「恐不逮事也。」「發揚蹈厲之已蚤，何也？」對曰：「及時事也。」「武坐致右憲左，何也？」對曰：「非武坐也。」「聲淫及商，何也？」對曰：「非武音也。」子曰：「若非武音，則何音也？」對曰：「有司失其傳也。」（觀孟子與陳相答問許子之事曰：「許子必種粟而後食乎？」曰：「然。」「許子必織布而後衣乎？」曰：「否。」「許子衣褐，許子冠乎？」曰：「冠。」曰：「奚冠？」曰：「冠素。」曰：「自織之與？」曰：「否，以粟易之。」曰：「害於耕。」曰：「許子以釜甑爨，以鐵耘乎？」曰：「然。」「自爲之與？」曰：「否，以粟易之。」⑤此文但存「曰許子」，以下「許子」字皆可除，信乎答問之文□難⑥也。）

【校注】

①此條論答問的修辭技巧，作者舉《禮記》、《孟子》的例句，加以闡述。　②見《左傳·成公十六年》。　③《樂記》，是《禮記》的篇名。　④見《禮記·樂記》。　⑤見《孟子·滕文公上》。　⑥「難」字上，原闕「爲」，今據《寶顏堂》、《享保》、《詒經堂》各本補。

八①

文有目人之體，有列氏之體。《論語》曰：「德行：顏淵、閔子騫、冉伯牛、仲弓。言語：宰我、子貢。政事：冉有、季路。文學：子游、子夏。」②此目人之體也。而楊③雄、班固得之。（楊子《法言》曰：「美行：園公、綺里季、夏黃公、角里先生。言辭：婁敬、陸賈。執正：王陵、申屠嘉。折節：周昌、汲黯。守儒：轅固、申公。災異：董相、夏侯勝、京房。」⑤班固作〈公孫弘傳贊〉曰：「儒雅則公孫弘、董仲舒、兒寬，篤行則石建、石慶，質直則汲黯、卜式，推賢則韓安國、鄭當時云云。」⑥）《左氏傳》曰：「殷民六族：條氏、徐氏、蕭氏、索氏、長勺氏、尾勺氏。」⑦此列氏之體也。而莊周、司馬遷得之。（《莊子》曰：「子獨不知至德之世乎？昔者，容成氏、大庭氏、伯皇氏、中央氏、栗陸氏、驪畜氏云云。」⑧。司馬遷作〈夏本紀贊〉曰：「其後分封，用國爲姓，故有夏后氏、有扈氏、有男氏、斟尋氏、彤城氏、褒氏云云。」）

【校注】

①此條論稱舉姓氏的體例，作者舉《論語》、《法言》、《左傳》、《莊子》、《史記》、《漢書》的例句，加以闡析。

②見《論語·先進》。　③「楊」字，《四庫》、《台州》、《津梁》各本皆作「揚」。以「揚」爲是，詳見甲項第三條注⑥。　④同③。　⑤見《法言·淵騫》。　⑥見《漢書·公孫弘、卜式、兒寬傳》。「云云」二字，相當於現在的刪節號，在「鄭當時」以下，尙有「定令則趙禹、張湯，文章則司馬遷、相如，滑稽則東方朔、枚皐，應對則嚴

助、朱買臣，歷數則唐都、洛下閎，協律則李延年，運籌則桑弘羊，奉使則張騫、蘇武，將率則衛青、霍去病，受遺則霍光、金日磾，其餘不可勝紀」。⑦見《左傳·定公四年》。⑧見《莊子·胠篋》。引文中的「昔者」二字，原闕，今據《莊子》原文、《寶顏堂》、《享保》、《詒經堂》、《台州》、《津梁》各本補。「云云」二字，相當於現在的刪節號，在「驪畜氏」以下，尚有「軒轅氏、赫胥氏、尊盧氏、祝融氏、伏戲氏、神農氏」。⑨見《史記·夏本紀》。「云云」二字，相當於現在的刪節號，在「褒氏」以下，尚有「費氏、杞氏、繒氏、辛氏、冥氏、斟戈氏」。

戊　凡十條

一①

《禮記》之文，始自后倉，成于戴聖，非純格言，間有淺語。如「掩口而對」，「母投與狗骨」，「羹之有菜者用挾」②，「男女相答拜也」③，「瘝不敢搔」，「衣裳綻裂」，「年未滿五十」④，「取婦之家」⑤，「嫂不撫叔，叔不撫嫂」⑥，若此等語，雖在曲防人情，然少施斵削。

【校注】

①此條闡述《禮記》使用「淺語」的例證。②以上三句見《禮記·曲禮上》。引文中的「母」，宜作「毋」，《享保》、《台州》作「毌」，形近致訛，今據《禮記》原文、《寶顏堂》、《四庫》、《詒經堂》、《津梁》各本改作「毋」。

③見《禮記·曲禮下》。　④以上三句見《禮記·內則》。　⑤見《禮記·曾子問》。　⑥見《禮記·雜記》。

二①

《商盤》告民，民何以曉？然在當時，用民間之通語，非若後世待訓詁而後明。且「顛木之有由蘖」②，使晉衛間人讀之，則蘖知爲餘也。「不能胥匡以生」③，使東齊間人讀之，則胥知爲皆也。「欽念以忱」④，使燕、岱間人讀之，則忱知爲誠也。由此考之，當時豈不然乎？

【校注】

①此條闡述《尙書·商書·盤庚》所用語言是當時民間的「通語」。　②見《尙書·商書·盤庚上》 引文中的「顚」字，宜作「顛」，形近致譌。《尙書》原文、《寶顏堂》、《四庫》、《詒經堂》、《享保》、《台州》、《津梁》各本皆作「顛」，今據改。　③同②。　④見《尙書·商書·盤庚中》。

三①

詩文待訓明者，亦本風土所宜。且「王室如燬」②，使齊人讀之，則燬爲常語。「六日不詹」③，使楚人讀之，則詹爲常語。（燬，火也；齊人以火爲燬。詹，至也；楚人以詹爲至。）

【校注】

①本條論《詩經》語言的地方色彩，作者舉例加以詮證。　②見《詩經·周南·汝墳》。　③見《詩經·小雅·采

緣》。

四①

《儀禮》，周家之制也，事涉威儀，文苦而難讀。〈鄉黨〉②，孔門之記也，言關訓則，文婉而易觀。今略摘《儀禮》之文，證以〈鄉黨〉，昭然辨矣。

「執圭，入門，鞠躬焉，如恐失之。」③（〈鄉黨〉曰：「執圭，鞠躬如也，如不勝。」）「下陛，發氣，怡焉，再三舉足，又趨。」④（〈鄉黨〉曰：「出，降一等，逞顏色，怡怡如也，沒階趨，進，翼如也。」）「及享，發氣焉，盈容。」⑤（〈鄉黨〉曰：「享禮，有容色。」）「賓出，公再拜送，賓不顧。」⑥（〈鄉黨〉曰：「賓退，必復命曰，賓不顧矣。」）「若君賜之食，君祭先飯。」⑦（〈鄉黨〉曰：「侍食於君，君祭先飯。」）

【校注】

①本條論《儀禮》、《論語》的語言特色，作者舉例加以闡述。　②〈鄉黨〉，是《論語》的篇名。　③見《儀禮·聘禮》。　④同③。　⑤同③。　⑥同③。　⑦見《儀禮·士相見禮》。

五①

《孝經》之文，簡易醇正，蘊聖人之氣象，揭《六經》之表儀。夷考其文，有所未諭，〈三才章〉

②首，似摭子產言禮之辭，（子太叔對趙簡子曰：「聞諸先大夫子產曰：『夫禮，天之經也，地之義也，民之行也，天地之經，而民實則之，則天之明，因地之性。』」③《孝經》止三字不同。）《聖治章》④末似刪《文子》論儀之語，（北宮文子對衛襄侯曰：「故君子在位可畏，施舍可愛，進退可度，周旋可則，容止可觀，作事可法，德行可象，聲氣可樂。」⑤《孝經》則曰：「君子則不然，言思可道，行思可樂，德義可尊，作事可法，容止可觀，進退可度。」⑥）《事君章》⑦曰：「進思盡忠，退思補過。」此乃士貞子諫晉景公之辭。⑧《聖治章》曰：「以順則逆，民無則焉，不在於善，而皆在於凶德。」此乃季文子對魯宣公之辭⑨，（《左氏傳》作「訓昏」，三字不同。⑩）聖人雖遠稽格言，不應雷同如此。豈作傳者，反竊經與？

【校注】

①本條闡述《孝經》因襲他書的情形，作者舉例證明。②《三才章》，是《孝經》的篇名。③見《左傳·昭公二十五年》。④《聖治章》，是《孝經》的篇名。⑤見《左傳·襄公三十一年》。⑥見《孝經·聖治章》。⑦《事君章》，是《孝經》的篇名。⑧見《左傳·宣公十二年》云：「林父之事君也，進思盡忠，退思補過，社稷之衛也，若之何殺之？」《孝經》：「進思盡忠，退思補過。」就是源於《左傳》。⑨見《左傳·文公十八年》：「以訓則昏，民無則焉，不度於善，而皆在於凶德。」《孝經》：「以順則逆，民無則焉，不在於善，而皆在於凶德。」即仿擬《左傳》的句型，並非《左傳》原意。⑩「三字」，一作「二字」，今據《左傳》：「以訓則昏」與《孝經》「以順則逆」比較，僅「訓」、「昏」與「順」、「逆」各二字不同，因此並非三字。《寶顏堂》、《享保》、

《詒經堂》、《台州》、《津梁》各本亦作「二字」。若以《左傳》、《孝經》全部引文而言（詳見⑨），則「度」與「在」不同，因此二者比較之後，卻有三字不同，並非二字，《至正》、《四庫》二本都作「三字」。茲存疑，暫以最早的版本——《至正》爲主。

六①

《爾雅》之作，主在訓言；〈謚法〉②之作，用以定謚；皆周公之文也。戴聖之釋〈淇澳〉③，備采《爾雅》之辭，（《禮記》曰：「『如切如磋』者，道學也；『如琢如磨』者，自修也；『瑟兮僩兮』者，恂慄也；『赫兮喧兮』者，威儀也；『有斐君子，終不可諠兮』者，道盛德至善，民之不能忘也。」此乃《爾雅·釋訓》文。）成鱄之釋〈皇矣〉④，端倣〈謚法〉之體，（《左傳》曰：「心能制義曰度，德正應和曰莫，照臨四方曰明，勤施無私曰類，教誨不倦曰長，賞慶刑威曰君，慈和徧服曰順，經天緯地曰文。」⑤〈謚法〉體如此，文亦有同者。）孰謂類皆後人之補緝，無補作者之監觀。

【校注】

①此條模仿《爾雅》、《逸周書》的方式，並舉例證明。②〈謚法〉，是《逸周書》的篇名。《逸周書》作「謚」，《享保》、《台州》、《津梁》亦作「諡」，「諡」、「謚」意義相通。今據《逸周書》改。③〈淇澳〉，是《詩經·衛風》的篇名。④〈皇矣〉，是《詩經·大雅》的篇名。⑤見《左傳·昭公二十八年》。

七①

夫《論語》、《家語》，皆夫子與當時公卿大夫及群弟子答問之文。然《家語》頗有浮辭衍說，蓋出於群弟子共相叙述，加之潤色，其才或有優劣，故使然也。若《論語》雖亦出於群弟子所記，疑若已經聖人之手。今略考焉。子曰：「爲命牌諶草創之，世叔討論之，行人子羽脩飾之，東里子產潤色之。」②質之《左氏》，則此文簡而整。（《左氏傳》曰：「禆諶□□，謀於野則獲，謀於邑則否。鄭國將有諸侯之事，子產乃問四國之爲於子羽，且使多爲辭令，與禆諶乘以適野，使謀可否，而告馮簡子，使斷之，事成，乃授子太叔使行之，以應對賓客。」③）子曰：「孟之反不伐，奔而殿，將入門，策其馬，曰：「非敢後也，□不進也。』」④質之《左氏》，則此文緩而周。（《左氏傳》曰：「孟之側後入，以爲殿，抽矢策其馬曰：『馬不進也。』」⑤）「南容三復白圭」⑥，司馬遷則曰：「三復白圭之玷。」⑦辭雖備，而其意竭矣。「在邦必達，在家必達」⑧，司馬遷則曰：「在邦及家必達。」⑨辭雖約，而其意踈⑩矣。彼楊⑪雄《法言》、王通《中說》，模擬此書，未免畫虎類狗之譏。（《法言》曰：「如其智，如其智。」⑫「雖有民，焉得而塗諸？」⑬「三年不目日，視必盲；三年不目月，精必矇。」⑭「魯仲連傷而不制，藺相如制而不傷。」⑮「清條，曰：『非正不視，非正不聽，非正不言，非正不行。』」⑯「若張子房之智，陳平之無悞，絳侯勃之果，霍將軍之，勇終之以禮樂，則可謂社稷之臣矣。」⑰《中說》曰：「可與共樂，未可與共憂；可與共憂，未可與共樂。」⑱「我未見勤者矣，蓋有焉，我未之見也。」⑲「焉知來者之不如昔也。」⑳「是故惡夫異端者。」㉑「小不忍，致大災。」㉒「知之者不如行之者，行之者不如安之者。」㉓《中說》之模擬《論語》，皆此類也。）王充〈問孔〉之篇，而於此書多所指摘，亦未免桀犬吠堯之罪歟？

【校注】

①此條論《左傳》、《論語》等書語言優劣的比較，作者舉例加以詮證。　②見《論語·憲問》。　③見《左傳·襄公三十一年》。引文中首句「裨諶」下，原闕「能謀」二字，今據《左傳》原文、《寶顏堂》、《詒經堂》、《台州》、《津梁》各本補。　④見《論語·雍也》。引文中的末句「不進也」上，原闕「馬」字，今據《論語》原文及《寶顏堂》、《四庫》、《詒經堂》、《台州》、《津梁》各本補。　⑤見《左傳·哀公十一年》。　⑥見《論語·先進》。　⑦見《史記·仲尼弟子列傳》。　⑧見《論語·顏淵》。　⑨同⑦。　⑩「踈」字，一作「疎」，《寶顏堂》、《詒經堂》、《台州》、《津梁》各本皆作「疎」。「疎」、「踈」義通。　⑪「楊」字，一作「揚」，《四庫》、《台州》、《津梁》各本皆作「揚」，以「揚」爲是，詳見甲第三條注⑥。引文襲改《論語·憲問》：「如其仁，如其仁。」　⑫見《法言·吾子》。引文襲改《論語·憲問》：「如其仁，如其仁。」　⑬見《法言·問道》。引文模仿《論語·顏淵》：「雖有粟，吾得而食諸？」　⑭見《法言·修身》。引文脫胎於《論語·陽貨》：「三年不爲禮，禮必壞；三年不爲樂，樂必崩。」　⑮見《法言·淵騫》。引文襲改《論語·憲問》：「晉文公譎而不正，齊桓公正而不譎。」　⑯同⑮。「清」字，宜作「請」字，今據《法言》原文及《寶顏堂》、《詒經堂》、《台州》、《津梁》各本改。引文模仿《論語·顏淵》：「顏淵曰：『請問其目。』子曰：『非禮勿視，非禮勿聽，非禮勿言，非禮勿動。』」　⑰同⑮。引文見

《論語·憲問》：「若臧武仲之知，公綽之不欲，卞莊子之勇，冉求之藝，文之以禮樂，亦可以爲成人矣。」⑱見《中說·述史》。引文襲改《論語·子罕》：「可與共學，未可與適道；可與適道，未可與立。」⑲見《中說·魏相》。引文模擬《論語·里仁》：「我未見力不足者，蓋有之矣，我未之見也。」⑳見《中說·問易》。引文襲改《論語·子罕》：「焉知來者之不如昔也。」㉑同⑳。引文襲改《論語·先進》：「是故惡夫佞者。」㉒同⑳。引文襲改《論語·衛靈公》：「小不忍，則亂大謀。」㉓見《中說·禮樂》。引文襲改《論語·雍也》：「知之者不如好之者，好之者不如樂之者。」

八①

詩人〈庭燎〉②之詠，文雖美之，意則箴之；張老輪奐之辭，文雖誦③之，意則譏矣。（晉獻文子成室，張老曰：「美哉輪焉，美哉奐焉，歌於斯，哭於斯，聚國族於斯。」④）自漢以來，靡麗之賦，勸百諫一，烏足知此？

【校注】

①此條論反語的修辭技巧，作者列舉《詩經》、《禮記》，加以詮證。②〈庭燎〉，是《詩經·小雅》的篇名。③「誦」字，宜作「頌」，依上下文意及《寶顏堂》、《四庫》、《詒經堂》、《台州》、《津梁》各本改。④見《禮記·檀弓下》。

九①

文②出於己，作之固難，語借於古，用亦不易。觀歷代雕蟲小技之士，借古語以成篇章者，紛紛藉藉③，試陳一二，以鑒後來。張茂先〈勵志詩〉曰：「德輶如羽。」又曰：「熠燿宵流。」雖變二字，以協音韻，而不知詩人言「行」有綏飛之意，言「毛」有至輕之喻。應吉甫《華林集詩》有曰：「文武之道，厥猷未墜。」既言「之道」，復綴「厥猷」，此所謂屋下架屋者歟？陸倕〈石闕銘〉曰：「惟王建國，正位辨方。」遂令「辨方」後於「正方」，所謂轉衣爲裳者歟？

【校注】

①此條論濫用古語，文章一定有毛病，作者舉例說明。　②「文」字，一作「語」，《台州》、《津梁》作「語」，但《至正》、《寶顏堂》、《四庫》、《詒經堂》各本皆作「文」。　③「藉藉」，一作「籍籍」，《寶顏堂》、《詒經堂》、《台州》、《津梁》各本皆作「籍籍」，但《至正》、《四庫》二本皆作「藉藉」。

一〇①

古語曰：「黶子在頰則好，在顙則醜。」②言有宜也。自晉以降，操觚含毫之士，喜學經語者多矣。且如孫盛著史，書曰：「某年春帝正月。」（謂盛作《魏晉陽秋》也。且《春秋》書「王正月」，示魯侯用周天子正朔③，曹、馬躬有天下，不當書「帝正月」。）謝惠連作賦，迺曰：「雪之時義遠矣哉！」（謂惠連作〈雪賦〉也。按《易》卦義深者，以此語贊之。④大抵文士雪月之詠，非所當也。）此蓋不知黶子在額之爲醜也。

【校注】

①此條論模仿不恰當，反而弄巧成拙，作者舉例闡述。②見《淮南子·說林》：「靨酺在頰則好，在額則醜。」陳騤改「靨酺」爲「黶子」。③見《左傳·隱公元年》。④《周易·豫》：「豫之時義大矣哉！」陳騤蓋本乎此。

第二節　《文則》下卷的校注

《文則》下卷係從己到癸。己項有七條：第一條闡述〈檀弓〉記事，「言簡而不疏，旨深而不晦」，原文有二三二字，自注八十一字；第二條闡論〈檀弓〉的長短句法，原文有九十八字，沒有自注；第三條闡析〈檀弓〉錬句工巧，原文有一〇五字，自注一一一字；第四條闡明〈考工記〉的語言有三美，原文有三〇〇字，自注三十六字；第五條論述《春秋》、《詩經》的句法，原文有五十二字，自注一〇二字；第六條析論《詩經》中的助詞用法，原文有一九八字，自注五十五字；第七條闡述孔穎達論《詩經》的章法，原文有一〇六字，自注四十二字。己項的原文共一〇八〇字，自注共四二七字。庚項有二條：第一條闡論類字的修辭技巧，原文有二一七字，自注二七八九字；第二條闡析經傳文句「不約而同」的現象，原文有四九五字，自注三十字。庚項的原文共七〇二字，自注共二八一九字。辛項闡明《左傳》八體，總論部分原文有九十六字，自注一三八字，分論部分析爲八條：第一條論「命」，原文有七十八字，自注十三字；第二條談「誓」，原文有一二九字，沒有自注；第三條論「盟」，原文有七十九字，自注二十字；第四條談「禱」，原文有八十四字，自注四字；第五條論「諫」，原文有二四〇字，自注九字；第六條談「讓」，原文有二一〇字，自注二字；第七條論「書」，原文有三一二字，自注十一字；第八條談「對」，原文有二一五字，自注九字。辛項的原文共一四四三字，自注共二一一字。壬項有七條：第一條闡釋箴體，原文有一二三字，沒有自注；第二條闡述贊體，原文有九十二字，沒有自注；第三條闡析銘文，原文有二二二字，自注二十字；第四條闡明歌詞，原文有九十二字，自注四十一字；第五條論述歌謠，原文有一五〇字，自注八字；第六條析論祝謚，原文有一五八字，自注三十四字；第七條詮解頌禱，原文有八十九字，自注四十字。壬項的原文共一四四三字，自注共一四三字。癸項的原文，僅有一條，闡論詔命封策，原文有五二六字，自注三八〇字。因此，《文則》下卷的原文，共四五七六字，自注共七四〇五字。

己　凡七條

一①

觀〈檀弓〉②之載事，言簡而不疎③，旨深而不晦，雖《左氏》之富豔，敢奮飛於前乎？略舉二事□□④。

世子申生爲驪姬所譖，或令辨⑤之。《左氏》載其事，則曰：「或謂太子：『子辭，君必辨⑥焉。』太子曰：『君非姬氏，居不安，食不飽。我辭，姬必有罪。君老矣，吾又不樂。』」⑦《檀弓》則曰：「『子盍言子之志於公乎？』世子曰：『不可。君安驪姬，是我傷公之心也。』」⑧考此，則《檀弓》爲優。（《穀梁傳》載其事曰：「世子之傅里克謂世子曰：『入自明。入自明，則可以生；不入自明，則不可以生。』世子曰：『吾君老矣，已昏矣，吾昏矣，吾若此而入自明，則驪姬必死，驪姬死，則吾君不安。』」⑨若此文，非唯⑩不及《檀弓》，亦不及《左氏》矣。）

智悼子未葬，晉平公飲以樂，杜蕢謂大臣之喪，重於疾日不樂。《左氏》言其事，則曰：「辰在子卯，謂之疾日，君撤宴樂，學人舍業，爲疾故也。君之卿佐，是謂股肱，股肱或虧，何痛如之？」⑪《檀弓》則曰：「子卯不樂。知悼子在堂，斯其爲子卯也大矣。」⑫考此，則《檀弓》爲優。

【校注】

①此條論述《禮記·檀弓》記事比《左傳》、《穀梁傳》言簡而旨深，作者舉例詮證。②《檀弓》，是《禮記》的篇名。③「踈」字，一作「疎」，《寶顏堂》、《享保》、《詒經堂》、《台州》、《津梁》各本皆作「疎」。踈、疎，二字義通。④「二事」下，原闕「以見」二字，《四庫》亦闕。今據《寶顏堂》、《享保》、《詒經堂》、《台州》、《津梁》各本補。⑤「辨」字，一作「辯」，《寶顏堂》、《享保》、《詒經堂》、《台州》、《津梁》各本皆作「辯」。「辨」、「辯」古代意義相通。⑥同⑤。⑦見《左傳·僖公四年》。⑧見《禮記·檀弓下》。⑨見《穀梁

傳·僖公十年》。引文中「已昏矣」以下，原有「吾昏矣」三字，今據上下文意及《穀梁傳》原文、《寶顏堂》、《享保》、《四庫》、《詒經堂》、《台州》、《津梁》各本刪。⑩「唯」字，一作「惟」，《寶顏堂》、《享保》、《詒經堂》、《台州》、《津梁》各本皆作「惟」。「唯」、「惟」，二字義通。⑪見《左傳·昭公九年》。⑫見《禮記·檀弓下》。

二①

鶴脛雖長，斷之則悲；鳧脛雖短，續之則憂。②〈檀弓〉文句，長短有法，不可增損，其類是哉？

長句法

「毋乃使人疑夫不以情居瘠者乎哉？」「孰有執親之喪而沐浴佩玉者乎？」「蕢尙不如杞梁之妻之知禮也。」「苟無禮義忠信誠愨之心以涖之。」③

短句法

「華而睆」，「立孫」，「畏」，「厭」，「溺」。④

【校注】

①此條舉例闡述《禮記·檀弓》的長短句法。②此四句《莊子·駢拇》原文作「鳧脛雖短，續之則憂；鶴脛雖長，斷之則悲」。作者不是明引，而是暗用，因此可能是作者故意顛倒上下文句。如蔡元培先生〈理信與迷信〉：「敬人者人恆敬之，愛之者人恆愛之。」此二句《孟子·離婁下》原文作「愛人者人恆愛之，敬人者人恆敬之」。蔡氏暗用

《孟子》的文句，也是故意顛倒上下文句。《寶顏堂》、《享保》、《詒經堂》、《台州》、《津梁》各本以爲作者引用文句上下顛倒，所以還原本來的文句。其實，可能是作者故意顛倒上下文句，《至正》、《四庫》皆作「鶴脛雖長，斷之則悲；凫脛雖短，續之則憂。」下文長句法、短句法呼應此「長」、「短」。③以上四句皆見《禮記·檀弓下》。引文中「涖」，一作「涖」，《寶顏堂》、《享保》、《詒經堂》、《台州》、《津梁》各本皆作「蒞」。《禮記》原文作「涖」，「涖」、「蒞」雖然意義相通，但以「涖」爲宜。

三①

鼓瑟不難，難於調弦；作文不難，難於練②句。《檀弓》之文，練③句益工，參之《家語》，其妙覩矣。

「遇負杖入保者息。」④（《家語》曰：「遇人入保負杖者息。」⑤）「皆死焉。」⑥（《家語》曰：「命敵死焉。」⑦）「比御而不入。」⑧（《家語》曰：「可御而處內。」⑨）「南宮縚之妻之姑之喪。」⑩（《家語》曰：「南宮縚之妻，孔子之兄女，喪其姑。」⑪）「予惡乎涕之無從也。」⑫（《家語》曰：「吾惡乎涕而無以將之。」⑬）「仲子亦猶行古之道也。」⑭（《家語》曰：「仲子亦猶行古人之道。」⑮）「夫子爲弗聞也者而過之。」⑯（《家語》曰：「夫子爲之隱佯不聞以過之。」⑰）「遂命覆醢。」⑱（《家語》曰：「遂令左右皆覆醢。」⑲）「死不如速朽之愈也。」⑳（《家語》曰：「死不如朽之速愈。」㉑）「若魂氣，則無不之也。」㉒（《家語》曰：「若魂氣，則無所不之。」㉓）

【校注】

①此條論《禮記·檀弓》鍊句比《孔子家語》工巧，作者舉例詮證。 ②「練」字，宜作「鍊」，《四庫》作「練」，《寶顏堂》、《享保》、《詒經堂》、《台州》、《津梁》各本皆作「鍊」，以作「鍊」較宜。 ③同②。 ④見《禮記·檀弓下》。 ⑤見《孔子家語·曲禮子貢問》。 ⑥同④。 ⑦同④。 ⑧見《禮記·曲禮上》。 ⑨同⑤。 ⑩同⑧。 ⑪同⑤。 ⑫同⑧。 ⑬同⑤。 ⑭同⑧。 ⑮見《孔子家語·曲禮公西赤問》。 ⑯同④。 ⑰見《孔子家語·屈節解》。 ⑱同⑧。 ⑲見《孔子家語·曲禮子夏問》。 ⑳同⑧。 ㉑同⑤。 ㉒同④。 ㉓同⑤。

四①

《考工記》②之文，椎而論之，蓋有三美：一曰雄健而雅，二曰宛曲而峻，三曰整齊而醇。略條于後：

雄健而雅

「鄭之刀，宋之斤，魯之削，吳粵之劍，遷乎其地而弗能爲良。」③「凡爲弓，方其峻而高其柎，長其畏而薄其敝。」（《左氏傳》曰：「恤其患而補其闕，正其違而治其煩。」⑤亦此法也。）

宛曲而峻

「凡攫閷援簭之類，必深其爪，出其目，作其鱗之而。深其爪，出其目，作其鱗之而，則於眡必撥爾而怒。苟頹爾如委，則加任焉，則必如將廢措，其匪色必似不鳴矣。」⑥（此文說筍簴之獸也。）「引而信之，欲其直也。信之而宜，則取材正也；信之而枉，則是一方緩、一方急也。若苟一方緩、一方急，則及其用之也，必自其急者先裂。若苟自急者先裂，則是以博為帴也。」⑦（此文說制韋革。）

整齊而醇

「爍金以為刃，凝土以為器。」⑧「棧車欲弇，飾車欲侈。」⑨「鍾大而短，則其聲疾而短聞；鍾小而長，則其聲舒而遠聞。」⑩「已上則摩其旁，已下則摩其耑。」⑪

【校注】

①此條舉例詮證《周禮·考工記》的文章有三個優點：雄健而雅、宛曲而峻、整齊而醇。 ②〈考工記〉，是《周禮》的篇名。 ③見《周禮·考工記·總論》。 ④見《周禮·考工記·弓人》。 ⑤見《左傳·襄公二十六年》。 ⑥見《周禮·考工記·梓人》。 ⑦見《周禮·考工記·鮑人》。 ⑧同③。 ⑨見《周禮·考工記·輿人》。 ⑩見《周禮·考工記·鳧氏》。引文中的「鍾」字，一作「鐘」，《寶顏堂》、《享保》、《詒經堂》、《台州》、《津梁》各本皆作「鐘」；《周禮》原文、《至正》、《四庫》各本皆作「鍾」。「鍾」、「鐘」二字，古代意義相通，但以原本作「鍾」較宜。 ⑪見《周禮·考工記·磬氏》。

五①

《春秋》文句，長者踰三十餘言，短者止於一言。（如「季孫行父、臧孫許、叔孫僑如、公孫嬰齊帥師會晉郤克、衛孫良父、曹公子首，及齊侯戰于鞍」②之類，是長句也。如「螽」之類，是短句也。）《詩》之文句，長不踰八言，短者不減二言。（八言者，如「我不敢效我友自逸」③之類是也。摯虞云：「《詩》有九言，『洞酌彼行潦挹彼注茲』是也。」④然此當爲二句，其說非也。⑤二言者，若「肇禋」之類。）《春秋》主於褒貶，《詩》本於美刺，立言之間，莫不有法。

【校注】

①此條論《春秋》、《詩經》的句法，作者舉例詮證。　②見《左傳·成公二年》。引文中的「鞍」字，宜作「鞌」，今據《左傳》原文及《寶顏堂》、《享保》、《四庫》、《詒經堂》、《台州》、《津梁》各本改。　③見《詩經·小雅·十月之交》。　④見《詩經·大雅·洞酌》。　⑤此二句《台州》、《津梁》闕，《至正》、《寶顏堂》、《享保》、《四庫》、《詒經堂》各本皆有此二句，以後者爲是。孔穎達〈關雎〉疏：「摯虞〈流別論〉云：『詩有九言者：洞酌彼行潦挹彼注茲是也。』偏查諸本，皆云〈洞酌〉三章，章五句，則以爲二句也。顏延之云：『《詩》體本無九言者。』」今查諸本，都是「洞酌彼行潦，挹彼注茲」，所以「然此當爲二句，其說非也」二句須保留，以資參考。

六①

詩人之用助辭，辭必多用韻。有用「也」辭，若「何其處也，必有與也。」②（「處」、「與」爲韻。③）有用「而」辭，若「俟我于著乎而，充耳以素乎而。」④（「著」、「素」爲韻。⑤）有用「矣」

辭，若「陟彼砠矣，我馬瘏矣。」⑥（「砠」、「瘏」爲韻。⑦）有用「忌」辭，若「抑磬控忌，抑縱送忌。」⑧（「控」、「送」爲韻。⑨）有用「兮」辭，若「其實七兮，迨其吉矣。」⑩（「七」、「吉」爲韻。⑪）有用「之」辭，若「知子之順之，雜佩以問之。」⑫（「順」、「問」爲韻。⑬）有用「止」辭，如「既曰庸止，曷又從止。」⑭（「庸」、「從」爲韻，止即只，〈鄘·柏舟〉詩亦用「只」辭，〈離騷〉有〈大招〉⑮用「只」辭，蓋法□⑯此。⑰）有用「且」辭，若「椒聊且，遠條且。」⑱（「聊」、「條」爲韻。⑲）如四句六句者多矣，今不備載。又《禮記》非詩人之文，助辭之上，亦有韻協。如曰：「禮行於郊，而百神受職焉；禮行於社，而百貨可極焉；禮行於祖廟，而孝慈服焉；禮行於五祀，而正法則焉。」⑳此則用「焉」辭，而「職」、「極」、「服」、「則」爲協。

【校注】

①此條論述《詩經》中助詞的用法，作者舉例闡明。　②見《詩經·邶風·旄丘》。　③此句《台州》、《津梁》闕，《至正》、《寶顏堂》、《享保》、《四庫》、《詒經堂》、皆有此句，以後者爲是。　④見《詩經·齊風·著》。　⑤同③。　⑥見《詩經·周南·卷耳》。　⑦同③。　⑧見《詩經·鄭風·大叔于田》。　⑨同③。　⑩見《詩經·召南·摽有梅》。　⑪同③。　⑫見《詩經·鄭風·女曰雞鳴》。　⑬同③。　⑭見《詩經·齊風·南山》。　⑮〈大招〉，是《楚辭》的篇名。〈大招〉不是屈原作的賦，也不是〈離騷〉的一部分，因此，說「〈離騷〉有〈大招〉」，是不正確的。　⑯「法」下，原闕「乎」字，依上下文意及《寶顏堂》、《享保》、《詒經堂》補。　⑰此段注文《台州》、《津梁》闕，《至正》、《寶顏堂》、《享保》、《四庫》、《詒經堂》皆有此段注文，以後者爲是。　⑱

見《詩經・唐風・椒聊》。⑲同③。⑳見《禮記・禮運》。引文中「禮行於社」、「禮行於五祀」二句裡的「於」字，僅有《台州》作「于」，其他本子皆作「於」，茲備一說，以資參考。「於」、「于」二字意義相通。

七①

孔穎達曰：「詩章之法，不常厥體，或重章共述一事，（〈采蘋〉②之類。）或一事疊爲數章，（〈甘棠〉③之類。）或初同而末異，（〈東山〉④之類。）或首異而末同，（〈漢廣〉⑤之類。）或事訖而更申，（〈既醉〉⑥之類。）或章重而事別，（〈鴟鴞〉⑦之類。）或隨時而改色，（〈何草不黃〉⑧也。）或因事而變文，（〈文王有聲〉⑨也。）或一章而再言，（〈采采芣苢〉。）⑩或三章而一發，（〈賓之初筵〉⑪。）篇有數章，章句衆寡不等，章有數句，句字多少不同。」⑫句括詩體，孰踰此說，故特取焉。

【校注】

①此條是孔穎達論《詩經》的章法，作者舉例詮證。②〈采蘋〉，是《詩經・召南》的篇名。③同②。④原作「東山」，《四庫》亦作「東山」，〈東山〉是《詩經・豳風》的篇名。作「出車」，《寶顏堂》、《享保》、《詒經堂》、《台州》、《津梁》皆作「出車」。〈出車〉，是《詩經・小雅》的篇名。孔穎達〈關雎〉疏則云：「〈東山〉之類」，以〈東山〉爲是。⑤〈漢廣〉，是《詩經・周南》的篇名。⑥〈既醉〉，是《詩經・大雅》的篇名。⑦〈鴟鴞〉，是《詩經・豳風》的篇名。⑧同④。⑨同⑥。⑩同⑤。⑪同④。⑫見孔穎達〈關雎〉疏。引文中「章句衆寡不等」的「衆」，《台州》、《津梁》皆作「多」，其他本子及孔穎達原來疏文都是作「寡」，以

後者爲是。「衆」、「多」，二字意義互通。引文首句「詩章之法」的「詩」字，原作「立」字。引文自「或因事而變文」至「篇有數章」，原作「《何草不黃》，隨時而改色；《文王有聲》，因事而變文；《采采芣苢》，一章而再言；《賓之初筵》，三章而一發；或篇有數章」。作者襲改原文順序，便於上下文例統一，使文氣更暢順。

庚　凡二條

一①

文有數句用一類字，所以壯文勢，廣文義，然皆有法。韓退之爲古文霸②，於此法尤加意焉。如《賀冊尊號表》③用「之謂」字，蓋取《易·繫辭》，《書記》④用「者」字，蓋取《考工記》⑤，《南山詩》⑥用「或」字，蓋取《詩北山》，悉注于後，孰謂退之白作古哉？（觀退之《畫記》云：「騎而立者五人，騎而被甲載兵立者十人，騎且負者二人，騎執器者二人。」自此以下，凡記人數者，蓋取《書·顧命》：「二人雀弁執惠，四人綦弁，執戈上刃，一人冕執劉，一人冕執鉞⑦，□□□□□，一人冕執瞿，一人冕執銳」⑧之法也。此與用字一類不同，姑附于此，示退之之文不妄作也。）用一類字者，不可偏舉，采經子通用者志之，可觸類而長矣。

或法。（《詩·北山》曰：「或燕燕居息，或盡瘁事國；或息偃在牀，或不已于行；或不知叫號，或慘慘劬勞；或棲遲偃仰，或王事鞅掌；或湛樂飲酒，或慘慘畏咎；或出入風議，或靡事不爲。」⑨

退之〈南山詩〉云：「或連若相從，或蹙若相鬪⑩，或妥若弭伏，或竦若驚雊，或散若瓦解，或赴若輻輳，或翩若船遊⑪，或決若馬驟。」此句稍多不能備載，皆廣〈北山〉「或」字法而用之也。《老子》曰：「故物或行或隨，或歔或吹，或強或羸，或載或隳。」⑫又一法也。）

者法。（〈考工記〉曰：「脂者，膏者，羸者，羽者，鱗者。」⑬又曰：「以脰鳴者，以注鳴者，以旁鳴者，以翼鳴者，以股鳴者，以胸鳴者。」⑭《莊子》曰：「激者，謞者，叱者，吸者，叫者，譹者，宎者，咬者。」⑮韓退之〈畫記〉云：「行者，牽者，奔者，涉者，陸者，翹者，顧者，鳴者，寢者，訛者，立者，齕者，飲者，溲者，陟者，降者。」⑯凡此用「者」字，其原出於⑰〈考工記〉，因用⑱《莊子》法也。）

之謂法。（〈繫辭〉曰：「富有之謂大業，日新之謂盛德，生生之謂易，成象之謂乾，效法之謂坤，極數知來之謂占，通變之謂事，陰陽不測之謂神。」⑲韓退之〈賀冊尊號表〉云：「臣聞體仁以長人之謂元，發而中節之謂和，無所不通之謂聖，妙而無方之謂神，經緯天地之謂文，戡定禍亂之謂武，先天不違之謂法天，道濟天下之謂應道。」⑳蓋取《易·繫辭》也。）

謂之法。（《易·繫辭》曰：「闔戶謂之坤，闢戶謂之乾，一闔一闢謂之變，往來不窮謂之通，見乃謂之象，形乃謂之器，制而用之謂之法，利用出入，民咸用之謂之神。」㉑凡經子傳記用此多矣，故不悉載㉒。）

之法。（《孟子》曰：「勞之來之，正之直之，輔之翼之。」㉓《老子》曰：「故道生之，□畜之，長之育之，成之熟之，養之覆之。」㉔故《易·說卦》曰：「雷以動之，風以散之，雨以潤之，日以烜之，艮以止之，兌以說之，乾以君之，坤以藏之。」此又一法也。）

可法。（《考工記》曰：「故可規可萬，可水可縣，可量可權。」㉕《表記》㉖曰：「事君可貴可賤，可富可貧，可生可殺。」）

可以法。（《論語》曰：「《詩》，可以興，可以觀，可以羣，可以怨。」㉗《月令》㉘曰：「可以登高明，可以遠眺望，可以升山陵，可以處臺榭。」《莊子》曰：「可以保身，可以全生，可以養親，可以盡年。」㉙）

爲法。（《易·說卦》曰：「乾爲天爲圜，爲君爲父，爲玉爲金，爲寒爲水㉚，爲大赤，爲良馬，爲老馬，爲瘠馬，爲駁馬，爲木果。」《莊子》曰：「形就而入，且爲顛爲滅，爲崩爲蹶，心和而出，且爲聲爲名，爲妖爲孽。」㉛此又一法也。）

必法。（《考工記》曰：「容轂必直，陳篆必正，施膠必厚，施筋必數。」㉜《月令》曰：「秫稻必齊，麴蘖必時，湛熾必潔，水泉必香，陶器必良，火齊必得。」）

不以法。（《左氏傳》曰：「不以國，不以官，不以山川，不以隱疾，不以畜牲，不以器幣。」㉝）

無法。（《左氏傳》曰：「無始亂，無怙富，無恃寵，無違同，無敖禮，無驕能，無復怨，無謀非德，無犯非義。」㉞）

而不法。（《左氏傳》曰：「直而不倨，曲而不屈，邇而不偪，遠而不攜，遷而不淫，復而不厭，

哀而不愁，樂而不荒，用而不匱，廣而不宣，施而不費，取而不貪，處而不底，行而不流。」㉟）

其法。（《易·繫辭》曰：「其稱名也小，其取類也大，其旨遠，其辭文，其言曲而中，其事肆而隱。」㊱〈樂記〉㊲曰：「其哀心感者，其聲噍以殺；其樂心感者，其聲嘽以緩；其喜心感者，其聲發以散；其怒心感者，其聲粗以厲；其敬心感者，其聲直以廉；其愛心感者，其聲和以柔。」此雖每句用「其」字，而二句以見意，又一法也。）

焉法。（〈祭統〉㊳曰：「見事鬼神之道焉，見君臣之義焉，見父子之倫焉，見貴賤之等焉，見親踈之殺焉，見爵賞之施焉，見夫婦之別焉，見政事之均焉，見長幼之序焉，見上下之際焉。」〈學記〉㊴曰：「藏焉脩焉，息焉游焉。」〈三年問〉曰㊵：「翔回焉，鳴號焉，蹢躅焉，踟躕焉。」又一法也。）

于時法。（《詩》曰：「于時處處，于時廬旅，于時言言，于時語語。」㊶鄭康成云：「時，是也。」）

實法。（《詩》曰：「實方實苞，實種實褎，實發實秀，實堅實好，實穎實栗。」㊷）

曾是法。（《詩》曰：「曾是彊禦，曾是掊克，曾是在位，曾是在服。」㊸）

侯法。（《詩》曰：「侯主侯伯，侯亞侯旅，侯彊侯以。」㊹）

有若法。（《書》曰：「有若虢叔，有若閎夭，有若散宜生，有若泰顛，有若南宮括。」㊺）

未嘗法。（《家語》曰：「未嘗知哀，未嘗知憂，未嘗知懼，未嘗知危。」㊻）

斯法。（〈檀弓〉曰：「人喜則斯陶，陶斯咏，咏斯猶，猶斯舞，舞斯慍，慍斯戚，戚斯歎，歎斯辟，□□□矣。」㊼）

於是乎法。（《國語》曰：「上帝之粢盛於是乎出，民之蕃庶於是乎生，事之供給於是乎在，和協輯睦於是乎興，財用蕃殖於是乎始，敦龐純固於是乎成。」㊽）

有法。（〈禮器〉曰：「有直而行也，有曲而殺也，有經而等也，有順而討也，有漸而播也，有推而進也，有放而文也，有放而不致也，有順而推也。」㊾〈樂師〉曰：「有帗舞，有羽舞，有皇舞，有旄舞，有干舞，有人舞。」㊿《左氏傳》曰：「名有五：有信，有義，有象，有假，有類。」(51)又一法也。《孟子》曰：「父子有親，君臣有義，夫婦有別，長幼有序，朋友有信。」(52)此又一法也。）

兮法。（《荀子》曰：「井井兮其有條理也，嚴嚴兮其能敬己也，分分兮其有終始也，猒猒兮其能長久也，樂樂兮其執道不殆也，炤炤兮其用之明也，修修兮其用統類之行也，綏綏兮其有文章也，熙熙兮其樂人之臧也，隱隱兮其恐人不當也。」(53)）

則法。（〈中庸〉曰：「誠則形，形則著，著則明，明則動，動則變，變則化。」(54)）

然法。（《荀子》曰：「儼然壯然，祺然蕼然，恢恢然，廣廣然，昭昭然，蕩蕩然。」(55)）

奚法。（《莊子》曰：「奚爲奚據？奚避奚處？奚就奚去？奚樂奚惡？」(56)）

而法。（《莊子》曰：「而容崖然，而目衝然，而顙頯然，□□□□，而狀義然。」(57)又一法也。〈考工記〉曰：「清其灰而盝之，而揮之，而沃之，而盝之，而塗之，而宿之。」(58)）

方且法。（《莊子》曰：「方且本身而異形，方且尊知而火馳，方且爲緒使，方且爲物絯，方且四顧而物應，方且應衆宜，方且與物化。」㊾）

似法。（《莊子》曰：「似鼻，似目，似耳，似枅，似圈，似臼，似洼者，似污者。」㊿此言風吹竅穴動作之貌。）

乎法。（《莊子》曰：「與乎其觚而不堅也，張乎其虛而不華也；邴邴乎其似喜乎！崔乎其不得已乎！滀乎進我色也，與乎止我德也；厲乎其似世乎！謷乎其未可制也；連乎其似好用也，悗乎忘其言也。」[61]《祭義》[62]曰：「洞洞乎其敬也，屬屬乎其忠也，勿勿乎其欲其饗之也。」《莊子》蓋廣此法而用之。）

迺法。（《詩》曰：「迺慰迺止，迺左迺右，迺疆迺理，迺宣迺畝。」[63]）

以之法。（《仲尼燕居》曰：「以之居處有禮，故長幼辨也；以之閨門之內有禮，故三族和也；以之朝廷有禮，故官爵序也；以之田獵有禮，故戎事閑也；以之事有禮，故武功成也。」[64]）

足以法。（《易》曰：「體仁足以長人，嘉會足以合禮，利物足以和義，貞固足以幹事。」[65]《中庸》[66]曰：「聰明睿智，足以有臨也；寬裕溫柔，足以有容也；發強剛毅，足以有執也；齊莊中正，足以有敬也；文理密察，足以有別也。」此一法也。）

也法。（《中庸》曰：「脩[67]身也，尊賢也，親親也，敬大臣也，體羣臣也，子庶民也，來百工也，柔遠人也，懷諸侯也。」若《周易·雜卦》一篇，全用「也」字，又不可盡法。）

得其法。（〈仲尼燕居〉曰：「宮室得其度，量鼎得其象，味得其時，樂得其節，車得其式，鬼神得其饗，喪紀得其哀，辨[68]說得其黨，官得其本[69]，政事得其施。」）

以法。（〈大司樂〉曰：「以致鬼神，以和邦國，以諧萬民，以安賓客，以說遠人，以作動物。」[70]《周禮》此法極多，今不備載。）

曰法。（〈洪範〉[71]曰：「一曰水，二曰火，三曰木，四曰金，五曰土。」《周禮》凡所次序，其事皆類，此一法也。《周禮．小胥》：「曰風，曰賦，曰比，曰興，曰雅，曰頌。」[72]〈洪範〉：「曰雨，曰霽，曰蒙，曰驛，曰克，曰貞，曰悔。」凡此類不言數，又一法也。〈大宗伯〉曰：「春見曰朝，夏見曰宗，秋見曰覲，冬見曰遇，時見曰會，殷見曰同。」[73]《易．繫辭》曰：「天地之大德曰生，聖人之大寶曰位，何以守位曰仁，何以聚人曰財，理財正辭禁民爲非曰義。」[74]凡此類，又一法也。）

得之法。（《莊子》曰：「豨韋氏得之，以挈天地；伏羲得之，以襲氣母；維斗得之，終古不忒；日月得之，終古不息；堪坏得之，以襲崑崙；馮夷得之，以游大川；肩吾得之，以處大山；黃帝得之，以登雲天；顓頊得之，以處玄宮云云。」[75]）

之以法。（《禮記》曰：「盧之以大，愛之以敬，行之以禮，脩之以孝養，紀之以義，終之以仁。」[76]）

所以法。（〈禮運〉曰：「祭帝於郊，所以定天位也；祀社於國，所以列地利也；祖廟，所以本仁也；山川，所以儐鬼神也；五祀，所以本祀也。」[77]）

存乎法。（《易·繫辭》曰：「列貴賤者存乎位，齊大小者存乎卦，辨吉凶者存乎辭，憂悔吝者存乎介，震无咎者存乎悔。」(78)）

莫大乎法。（《易·繫辭》曰：「法象莫大乎天地，變通莫大乎四時，懸象著明，莫大乎日月，崇高莫大乎富貴，備物致用，立成器以爲天下利，莫大乎聖人云云。」(79)）

知所以法。（〈中庸〉曰：「則知所以脩身；知所以脩身，則知所以治人；知所以治人，則知所以治天下國家矣。」(80)）

矣法。（〈六月詩序〉曰：「〈鹿鳴〉廢，則和樂缺矣；〈四牡〉(81)廢，則君臣缺矣；〈皇皇者華〉廢，則忠信缺矣；〈棠棣〉廢，則兄弟缺矣。」(82)下皆類此，不能悉載。〈板〉(83)詩曰：「辭之輯矣，民之治矣，辭之懌矣，民之莫矣。」此雖每句用「矣」字，而上下之意相關。）

【校注】

①此條闡述類字的用法，作者列舉四十五種用法，並引用古書的文句，加以詮證。　②「霸」字，一作「伯」；《寶顏堂》、《享保》、《詒經堂》、《台州》、《津梁》各本作「伯」。「伯」、「霸」義通。　③見《韓昌黎集》卷三九。　④見《韓昌黎集》卷一三。　⑤〈考工記〉，是《周禮》的篇名。　⑥見《韓昌黎集》卷一。　⑦「執鉞」下，原闕「一人冕執戣」，今據《寶顏堂》、《享保》、《詒經堂》、《台州》、《津梁》各本補。　⑧以上引文《尚書·顧命》作「二人雀弁執惠，立于畢門之內；四人綦戒執戈，上刃，夾兩階戺；一人冕執劉，立于東堂；一人冕執鉞，立于西堂；一人冕執戣，立于東垂；一人冕執瞿，立于西垂；一人冕執鋭，立于側階。」陳騤節引《尚書》

原文。⑨見《詩經·小雅·北山》。⑩「聞」字，一作「門」；《寶顏堂》、《享保》、《四庫》、《詒經堂》、《台州》、《津梁》各本皆作「門」。依韻腳而言，以「門」爲是。⑪「船」字，一作「盤」，劉明暉先生依據元朝至正己亥（一三五九）陶宗儀刻本、明弘治己酉（一四八九）、山陰陳哲刻本、萬曆年間甬東屠本畯梓本作「盤」，但《至正》（一三五一）、《寶顏堂》、《享保》、《四庫》、《詒經堂》、《台州》、《津梁》各本皆作「船」。「遊」字，《台州》作「游」。「游」、「遊」古代意義相通。⑫見《老子·第二十九章》。引文中的「歔」字，一作「呴」，《寶顏堂》、《享保》、《詒經堂》、《台州》、《津梁》各本作「呴」，《至正》、《四庫》作「歔」。「歔」、「呴」義同。⑬見《周禮·考工記·梓人》。引文中「嬴」字，《四庫》作「羸」，《台州》作「蠃」，《周禮》原文作「羸」，以「羸」爲是。⑭同⑬。⑮見《莊子·齊物論》。⑯同④。⑰「於」字，《台州》作「于」。⑱「因用」二字，《台州》作「及」字。⑲見《周易·繫辭上》。⑳同③。㉑同⑲。㉒「記」字以下內容，《台州》作「之類」。㉓見《孟子·滕文公上》。㉔見《老子·第五十一章》。引文中「道，生之畜之」，「畜」字上，原闕「德」字，《老子》原文作「道生之，德畜之」，《至正》、《寶顏堂》、《享保》、《四庫》、《詒經堂》、《台州》、《津梁》各本皆闕「德」字，今據補。㉕見《周禮·考工記·輪人》。㉖〈表記〉，是《禮記》的篇名。㉗見《論語·陽貨》。㉘〈月令〉，是《禮記》的篇名。㉙見《莊子·養生主》。㉚「水」字，宜作「冰」，《周易》原文、《寶顏堂》、《享保》、《四庫》、《詒經堂》、《台州》、《津梁》各本皆作「冰」，今據改。㉛見《莊子·人間世》。㉜同㉕。㉝見《左傳·桓公六年》。㉞見《左傳·定公四年》。㉟見《左傳·襄公二十九年》。㊱見《周易·繫辭下》。引文中的「旨」字，僅《台州》作「指」。《周易》原文作「旨」。「旨」、「指」義通，但以

「旨」爲是。　㊲〈樂記〉，是《禮記》的篇名。　㊳〈祭統〉，是《禮記》的篇名。　㊴〈學記〉，是《禮記》的篇名。　㊵〈三年問〉，是《禮記》的篇名。　㊶見《詩經·大雅·公劉》。　㊷見《詩經·大雅·生民》。㊸見《詩經·大雅·蕩》。引文中「彊」字，又作「強」，《寶顏堂》、《享保》、《詒經堂》、《台州》、《津梁》各本皆作「強」。「彊」、「強」義同，但《詩經》原文作「彊」，以「彊」爲是。《四庫》誤作「疆」，形近致訛。　㊹見《詩經·周頌·載芟》。　㊺見《尙書·周書·君奭》。引文中「閔」字，又作「閎」，《尙書》原文及《寶顏堂》、《享保》、《四庫》、《詒經堂》、《台州》、《津梁》各本皆作「閎」，今據改。「閔」、「閎」形近致誤。　㊻見《孔子家語·五儀解》。　㊼見《禮記·檀弓下》。引文中「歎」字，又作「嘆」，《寶顏堂》、《享保》、《詒經堂》、《台州》、《津梁》各本皆作「嘆」，《禮記》原文、《至正》、《四庫》皆作「歎」。「歎」、「嘆」音同義同。引文末句「矣」字上，原闕「辟斯踊」三字，今據《禮記》原文及《寶顏堂》、《享保》、《詒經堂》、《台州》、《津梁》各本補。　㊽見《國語·周語上》。引文中「恊」，僅《享保》、《四庫》又作「協」。「恊」、「協」皆從「劦」，偏旁相同，意義相通。《說文解字》：「協，同衆之龢也。」又「恊，同心之龢也。」「恊」、「協」，都有「龢」之意。「龢」，和也。段玉裁注：「言部曰調，龢也。此與口部和音同義別，經傳多假和爲龢。」（見段玉裁《說文解字》注，蘭臺書局印行，頁八六。）《文則》書中「恊」字，僅《享保》、《四庫》作「協」，各本皆「恊」，仍以「恊」爲是，以下仿此，不再贅述。　㊾見《禮記·禮器》。引文中「漸」，又作「撕」，《禮記》原文及《寶顏堂》《享保》、《四庫》、《詒經堂》、《台州》、《津梁》各本皆作「撕」，以「撕」爲是。孔穎達疏：「撕，芟也。」引文中「致」字，僅《台州》作「至」，「致」、「至」音同義通。引文中末句「推」字，又作「摭」，《禮記》原文及《寶顏堂》、《享保》、《四庫》、《詒經堂》、《台州》、《津梁》

各本皆作「摭」，以「摭」爲是。㊿見《周禮·春官·樂師》。(51)見《左傳·桓公六年》。(52)見《孟子·滕文公上》。(53)見《荀子·儒效》。引文中「厭厭」，又作「猒猒」，《荀子》原文及《寶顏堂》、《享保》、《詒經堂》、《台州》、《津梁》各本皆作「猒猒」。「厭厭」、「猒猒」音同義通，但以「猒猒」較宜。(54)見《禮記·中庸》。(55)見《荀子·非十二子》。引文中「祺」字，《寶顏堂》、《享保》、《詒經堂》、《台州》、《津梁》各本皆作「供」，《荀子》原文作「祺」，以「祺」爲是。「供」字，形近易訛。(56)見《莊子·至樂》。(57)見《莊子·天道》。引文「頯然下，原闕「而口闞然」，今據《莊子》原文及《寶顏堂》、《享保》、《四庫》、《詒經》、《台州》、《津梁》各本補。(58)見《周禮·考工記·㡆氏》。(59)見《莊子·天地》。引文中「火」字，《台州》作「失」，形近致訛。引文中「絯」字，《詒經堂》作「絃」，亦形近致譌。《莊子》原文作「火」、「絯」。(60)見《莊子·齊物論》。引文中「臼」字，宜作「臼」，《四庫》作「白」，「白」、「曰」皆字形近致誤，《莊子》原文作「臼」。《享保》、《詒經》、《台州》、《津梁》各本皆作「臼」。《寶顏堂》誤作「臼」。引文中「洼」，《寶顏堂》、《享保》、《詒經堂》、《台州》、《津梁》各本皆作「窪」。「洼」、「窪」義通，但《莊子》作「洼」。引文中「污字，《四庫》作「汙」，《寶顏堂》、《享保》、《詒經堂》、各本作「亐」，《至正》、《台州》、《津梁》各本皆作「污」。《莊子》原文亦作「污」，以「污」爲是。(61)見《莊子·大宗師》。引文中「滀」字，《詒經堂》誤作「畜」。引文中「厲」，《莊子》原文作「厲」字，各本亦作「厲」，僅《至正》誤作「属」。引文中「用」字宜改爲「閉」，《莊子》原文作「閉」，各本亦作「閉」，僅《至正》誤作「用」。引文中「悗」，《寶顏堂》、《享保》、《詒經堂》、《台州》、《津梁》各本皆誤作「悅」，形近致訛，《莊子》原文、《至正》、《四庫》皆作「悗」。(62)〈祭義〉，是《禮記》的篇名，《詒經堂》誤作「推理」二字。(63)見

《詩經·大雅·緜》。引文中「迺」字，《寶顏堂》、《享保》、《詒經堂》、《台州》、《津梁》各本皆作「乃」。「迺」、「乃」音義相通，但《詩經》原文作「迺」，《至正》、《四庫》亦作「迺」，以「迺」字較宜。 ⑭見《禮記·仲尼燕居》。引文中「事」字，《禮記》原文作「軍旅」，各本亦作「軍旅」，今據改。僅《至正》誤作「事」字。 ⑮見《周易·乾·文言》。引文中「體」，僅《台州》誤作「禮」。《周易》原文作「體」，各本亦作「體」。 ⑯〈中庸〉，是《禮記》的篇名。 ⑰「脩」字，《至正》《寶顏堂》、《享保》、作「脩」，《四庫》、《詒經堂》、《台州》、《津梁》各本皆作「修」，今據《禮記》原文作「脩」。「脩」、「修」義通，但以「脩」字較宜。 ⑱「辨」字，《至正》、《四庫》皆作「辨」，《寶顏堂》、《享保》、《詒經堂》、《台州》、《津梁》各本皆作「辯」。「辨」、「辯」義通，但《禮記》原文作「辨」，以「辨」字較宜。 ⑲「本」字，今據《禮記》原文作「體」，《寶顏堂》、《享保》、《詒經堂》、《台州》、《津梁》各本皆作「體」。《至正》、《四庫》誤作「本」字。 ⑳見《周禮·春官宗伯·大司樂》。 ㉑〈洪範〉，是《尚書》的篇名。 ㉒見《周禮·春官宗伯·大師》。陳騤誤爲《周禮·春官宗伯·小胥》，因此「小胥」宜改爲「大師」。 ㉓見《周官·春官·大宗伯》。 ㉔見《周易·繫辭下》。引文中「自」，僅《至正》誤作「自」，《周易》原文及各本皆作「何」，今據改。 ㉕見《莊子·大宗師》。引文中「毋」，《莊子》原文作「母」，《四庫》亦作「母」，各本皆誤作「毋」，以「母」爲是。《享保》誤作「毌」。「毌」、「毋」皆形近致訛。末二字「云云」，相當於刪節號，宜補「禹強得之，立乎北極；西王母得之，坐乎少廣，莫知其始，莫知其終；彭祖得之，上及有虞，下及五伯；傳說得之，以相武丁，奄有天下，乘東維，騎箕尾，而比於列星。」 ㉖見《禮記·文王世子》。引文中「盧」字，《禮記》原文及各本皆作「慮」，僅《至正》誤作「盧」，形近致譌。引文中「脩」字，《禮記》原文及《至正》、

《四庫》各本皆作「脩」，《寶顏堂》、《享保》、《詒經堂》、《台州》、《津梁》各本皆作「修」。「修」、「脩」義通，但以「脩」字較宜。(77)見《禮記·禮運》。引文中「祀」，宜作「事」。《禮記》原文及各本皆作「事」，僅《至正》誤作「祀」。(78)同⑲。(79)同⑲。末句「云云」二字，相當於刪節號，宜補「探賾索隱，鉤深致遠，以定天下之吉凶，成天下之亹亹者，莫大乎蓍龜。」(80)在「則知所以脩身」上，尚有原文：「子曰：好學近乎知，力行近乎仁，知恥近乎勇，斯三者。」茲補之，以資參考。又引文中「脩」字，《台州》、《津梁》皆「修」，「脩」、「修」義通，但《禮記》原文作「脩」，以「脩」字較宜。(81)「壯」字，應作「牡」，《詩經》有〈四牡〉，而無〈四壯〉，《至正》誤作「壯」，形近致訛。其他各類版本悉作「牡」，因此以「牡」為是。(82)〈六月〉、〈鹿鳴〉、〈四牡〉、〈皇皇者華〉、〈棠棣〉，都是《詩經·小雅》的篇名。(83)〈板〉，是《詩經·大雅》的篇名。

二①

大抵經傳之文，有相類者，非固出於蹈襲，實理之所在，不約而同也。略條于後，則可推矣。

《詩》曰：「禮義不衍，何恤於人言？」（此逸詩，《荀子》引兮云：「禮義之不愆兮，何恤人之言兮？」）②《左氏傳》載士蔿稱諺曰：「心苟無瑕，何恤乎無家？」③《詩》曰：「謂予不信，有如皦日。」④《左氏傳》載公子重耳曰：「所不與舅氏同心者，有如白水。」⑤（凡指物為誓，語多類如此。）《詩》曰：「不憖遺一老，俾守我王。」⑥《左氏傳》魯哀公誄孔丘曰：「不憖遺一老，俾屏予一人以在位。」⑦此不約而同，一也。

《左氏傳》曰：「晉韓起聘魯，觀書於太史氏，見《易》象與《魯春秋》，曰：『周禮盡在魯矣。吾乃今知周公之德與周之所以王也。』」⑧《家語》曰：「孔子適周，歷郊社之所，考明堂之則，察廟朝之度，於是喟然曰：『吾乃今知周公之聖與周之所以王也。』」⑨此不約而同，二也。

《左氏傳》曰：「晉侯疾病，求醫于秦，秦伯使醫緩爲之，醫至，曰：『疾不可爲也，在肓之上，膏之下。』」⑩《戰國策》曰：「扁鵲見秦武王，武王示之病，扁鵲請除左右，曰：『君之病在耳之前，目之下。』」⑪此不約而同，三也。

《左氏傳》載周子曰：「二三子用我，今日，否，亦今日。」⑫《國語》載吳王曰：「孤子事君，在今日，不得事君，亦在今日。」⑬此不約而同，四也。

《國語》載觀射父曰：「先王之祀也，以一純、二精、三牲、四時、五色、六律、七事、八種、九祭、十日、十二辰以致之。」⑭《左氏傳》載晏子曰：「先王之濟五味，和五聲，以平其心，成其政也。聲亦如味，一氣、二體、三類、四物、五聲、六律、七音、八風、九歌，以相成也。」⑮**（此文既於物協數，又於數協序，亦文之工者。）**此不約而同，五也。

〈考工記〉曰：「柘爲上，檍次之，檿桑次之，橘次之，木瓜次之，荆次之。」⑯〈禮器〉曰：「禮，時爲大，順次之，□□□，宜次之，稱次之。」⑰此不約而同，六也。

【校注】

①此條舉例詮證經傳文句「不約而同」的情形，作者列舉《詩經》、《荀子》、《左傳》、《周易》、《孔子家語》、《戰國

策》的例證。②引文見《荀子·正名》。「引兮云」之「兮」字，一作「之」，《四庫》作「之」，其他版本皆作「兮」。③見《左傳·閔公元年》。④見《詩經·王風·大車》。⑤見《左傳·僖公二十四年》。⑥見《詩經·小雅·十月之交》。⑦見《左傳·哀公十六年》。⑧見《左傳·昭公二年》。⑨見《孔子家語·觀周》。⑩見《左傳·成公十年》。⑪見《戰國策·秦策一》。⑫見《左傳·成公十八年》。⑬見《國語·吳語》。⑭見《國語·楚語下》。⑮見《左傳·昭公二十年》。⑯見《周禮·考工記·弓人》。⑰見《禮記·禮器》。引文「宜次之」上，原闕「體次之」，今據《禮記》原文、《寶顏堂》、《享保》、《詒經堂》、《台州》、《津梁》各本補。

辛①　凡八條

春秋之時，王道雖微，文風未殄，森羅辭翰，備括規摹。考諸《左氏》，摘其英華，別爲八體：一曰命婉而當，（《尚書》有命十八篇。）二曰誓謹而嚴，（《尚書》有誓八篇。）三曰盟約而信，四曰禱切而愨，（《尚書·武成》有武王伐紂禱辭，自「惟有道曾孫周王發」②至「無作神羞」，是其文也。」）五曰諫和而直，六曰讓辨③而正，七曰書達而法，八曰對美而敏。作者觀之，庶知古人之大全也。

【校注】

①此條論述《左傳》的文體有八種風格：命婉而當、誓謹而嚴、盟約而信、禱切而愨、諫和而直、讓辨而正、書達

而法、對美而敏。②「惟有道曾孫周王發」下，應補：「將有大正于商。今商王受無道，暴殄天物，害虐烝民，爲天下逋逃主，萃淵藪。予小子既獲仁人，敢祇承上帝，以遏亂略。華夏蠻貊，罔不率俾，恭王成命。肆予東征，綏厥士女。惟其士女，篚厥玄黃，昭我周王，天休震動，用附我大邑周。惟爾有神，尚克相予，以濟兆民。」③「辨」字，《寶顏堂》、《享保》、《詒經堂》、《台州》、《津梁》各本皆作「辯」，《至正》、《四庫》作「辨」，「辨」、「辯」古代意義相通。

一、命①

周靈王命齊靈公②。（**如周襄王命晉重耳，其體亦可法。**）

王③曰：「昔伯舅太公，右我先王，股肱周室，師保萬民，世胙太師，以表東海，王室之不壞，緊伯舅是賴。今予命女環，茲率舅氏之典，纂乃祖考，無忝乃舊。敬之哉，無廢朕命。」④

【校注】

①此條闡述「命」這種文體，並舉《左傳》作爲例證。②「齊靈公」三字，《寶顏堂》、《享保》、《詒經堂》、《台州》、《津梁》各本皆作「齊侯」，《至正》、《四庫》皆作「齊靈公」。《左傳·襄公十一年》：「王使劉定公賜齊侯命。」以「齊侯」二字較宜，今據改。③在「王」字下，原闕「使劉定公賜齊侯命」八字，今據《左傳》原文及《寶顏堂》、《享保》、《詒經堂》、《台州》、《津梁》各本補。④見《左傳·襄公十四年》。引文中「胙」字，《寶顏堂》、《享保》、《詒經堂》、《台州》、《津梁》各本又作「祚」，《至正》、《四庫》皆作「胙」，今據《左傳》原文作「胙」，以

「胙」爲是。引文中「予」字，《寶顏堂》、《享保》、《詒經堂》、《台州》、《津梁》各本又作「余」，《至正》、

《四庫》皆作「予」，《左傳》原文作「余」，以「余」爲是，今據改。

二、誓①

晉趙簡子誓伐鄭。

誓曰：「范氏、中行氏，反易天明，斬艾百姓，欲擅晉國，而滅其君，寡君恃鄭而保焉。今鄭爲不道，棄君助臣。二三子順天明，從君命，經德義，除詬恥，在此行也。克敵者，上大夫受縣，下大夫受郡，士田十萬，庶人工商遂，人臣隸圉免。志父無罪，君實圖之。若其有罪，絞縊以戮，桐棺三寸，不設屬辟，素車樸馬，無入于兆，下卿之罰也。」②

【校注】

①此條闡述「誓」這種文體，作者舉《左傳》作爲例證。　②見《左傳·哀公二年》。引文中「詬」字，僅《台州》、《津梁》誤作「垢」，今據《左傳》原文及其他版本皆作「詬」。引文中「辟」字，僅《詒經堂》誤作「辭」，今據《左傳》原文及各本皆作「辟」。

三、盟①

亳城北之盟。（如《孟子》載葵邱盟辭，覩《三傳》則詳略異同，今所不取。）

載書曰：「凡我同盟，毋蘊年，毋壅利，毋保姦，毋留慝，救災患，恤禍亂，同好惡，獎王室。或間茲命，司愼司盟，名山名川，羣神羣祀，先王先公，七姓十二國之祖，明神殛之，俾失其民，隊命亡氏，踣其國家。」②

【校注】

①此條論述「盟」這種文體，作者舉《左傳》作爲例證。　②見《左傳·襄公十一年》。

四、禱①

衛蒯聵戰禱于鐵②。（**荀偃禱河，其體亦法此。**）

禱曰：「曾孫蒯聵，敢昭告皇祖文王，烈祖康叔，文祖襄公。鄭勝亂從，晉午在難，不能治亂，使鞅討之。蒯聵不敢自佚，備持矛焉。敢告無絕筋，無折骨，無面傷，以集大事，無作三祖羞。大命不敢請，佩玉不敢愛。」③

【校注】

①此條闡明「禱」這種文體，陳騤舉《左傳·哀公二年》的文章作爲例證。　②「于鐵」二字，《寶顏堂》、《享保》、《詒經堂》闕。　③見《左傳·哀公二年》。

五、諫①

臧哀伯諫魯威公納鼎。②（諫文多矣，今取此爲體。）③

諫曰：「君人者，將昭德塞違，以臨照百官，猶懼或失之，故昭令德以示子孫。是以清廟茅屋，大路越席，大羹不致，粢食不鑿，昭其儉也；衮冕黻珽，帶裳幅舄，衡紞紘綖，昭其度也；藻率鞞鞛，鞶厲游纓，昭其數也；火龍黼黻，昭其文也；五色比象，昭其物也；鍚鸞和鈴，昭其聲也；三辰旂旗，昭其明也。夫德儉而有度，登降有數，文物以紀之，聲明以發之，以臨照百官，百官於是乎戒懼，而不敢易紀律。今滅德立違，而寘其賂器於太廟，以明示百官，百官象之，其又何誅焉？國家之敗，由官邪也；官之失德，寵賂章也。郜鼎在廟，章孰甚焉？武王克商，遷九鼎于雒邑，義士猶或非之，而況將昭違亂之賂器於太廟，其若之何？」

【校注】

①此條闡論「諫」這種文體，陳騤舉《左傳》的文章作爲例證。　②「魯威公」三字，《寶顏堂》、《享保》、《詒經堂》、《台州》、各本皆作「桓公」，《左傳》亦作「桓公」，劉明暉《文則》校點本云：「『威』作『桓』，此宋人避欽宗趙桓諱改。」在「納」字下，《台州》有「郜」字，其他版本無，僅供參考。　③此注文，《寶顏堂》、《享保》、《詒經堂》闕。　④見《左傳·桓公二年》。

六、讓①（責也。）

周詹威②伯責晉率陰戎伐潁。

辭曰：「□自夏以后稷，魏、駘、芮、岐、畢，吾西土也；及武王克商，蒲、姑、商、奄，吾東土也；巳、濮、楚、鄧，吾南土也；肅、愼、燕、亳，吾北土也；吾何邇封之有？文、武、成、康之建母弟，以蕃屏周，亦其廢隊是爲，豈如弁髦，而因以敝之。先王居檮杌于四裔，以禦魑魅，故允姓之姦，居于瓜州。伯父惠公歸自秦，而誘以來，使偪我諸姬，入我郊甸，□戎焉取之？戎有中國，誰之咎也？后稷封殖天下，今戎制之，不亦難乎？伯父圖之。我在伯父，猶衣服之有冠冕，木火之有本原，民人之有謀主也；伯父若裂冠毀冕，拔本塞原，專棄謀主，雖戎狄其何有余一人？」③

【校注】

①此條論「讓」這種文體，陳騤舉《左傳》的文章作例證。　②「威」字，《寶顏堂》、《享保》、《詒經堂》各本皆「桓」，因避諱改，詳見「諫」校注②。　③見《左傳·昭公九年》。引文首句「我」字，《寶顏堂》、《享保》、《詒經堂》各本皆闕「我」，《左傳》原文及《至正》、《四庫》、《台州》皆有「我」字。引文中「巳」字，僅《至正》誤作「巳」，形近致訛，《左傳》原文及其他版本皆作「巴」，今據改。引文中「亳」字，《至正》、《寶顏堂》皆誤作「毫」，《左傳》原文及《詒經堂》、《台州》皆作「亳」。「亳」，是小國家的名稱。在引文「戎焉取之」上，原闕「則」字，今據《左傳》原文及《寶顏堂》、《享保》、《詒經堂》、《台州》、各本補。引文中「裂冠毀冕」，《寶顏堂》、《享保》、《詒經堂》各本皆作「裂毀冠冕」，《左傳》原文及《至正》、《四庫》、《台州》、《津梁》各本皆作「裂冠毀冕」，以「裂冠毀冕」較宜。

七、書①

晉叔向詒鄭子產鑄刑書書。（子產與范宣子書，其體可法。②）

書曰：「始吾有虞於子，今則已矣。昔先王議事以制，不爲刑辟。懼民之有爭心也，猶不可禁禦，是故閑之以義，糾之以政，行之以禮，守之以信，奉之以仁，制爲祿位，以勸其從，嚴斷刑罰，以威其淫。懼其未也，故誨之以忠，聳之以行，敎之以務，使之以和，臨之以莊，涖之以彊，斷之以剛。猶求聖哲之士，明察之官，忠信之長，慈惠之師。民於是乎可任使也，而不生禍亂。民知有辟，則不忌於上，並有爭心，以徵於書，而徼幸以成之，弗可爲矣。夏有亂政，而作〈禹刑〉；商有亂政，而作〈湯刑〉；周有亂政，而作〈九刑〉；三辟之興，皆叔世也。今吾子相鄭國，作封洫，立謗政，制參辟，鑄刑書，將以靖民，不亦難乎？《詩》曰：「儀式刑文王之德，日靖四方。」③又曰：「儀刑文王，萬邦作孚。」④如是，何辟之有？民知爭端矣，將棄禮而徵於書，錐刀之末，將盡爭之，亂獄滋豐，賄賂並行，終子之世，鄭敗其乎！肸聞之：『國將亡，必多制。』其此之謂乎？」⑤

【校注】

①此條論「書」這種文體，陳騤舉《左傳》的文章，加以詮證。②此段注文，《寶顏堂》、《享保》、《詒經堂》皆闕。③見《詩經·周頌·我將》。④見《詩經·大雅·文王》。⑤見《左傳·昭公六年》。

八、對①

鄭子產對晉人問陳罪。（對文多矣，今②取此爲體。）

對曰：「昔虞閼父爲周陶正，以服事我先王。我先王賴其利器用也，與其神明之後也，庸以元女大姬配胡公，而封諸陳，以備三恪。則我周之自出，至于今是賴。桓公之亂，蔡人欲立其出，我先君莊公奉五父而立之，蔡人殺之，我又與蔡人奉戴厲公，至於莊宣皆我之自立。夏氏之亂，成公播蕩，又我之自入；君所知也。今陳亡周之大德，蔑我大惠，棄我姻親，介恃楚衆，以馮陵我敝邑，不可億逞，我是以有往年之告。未獲成命，則有我東門之役。當陳隧者，井堙木刊。敝邑大懼不競，而恥大姬；天誘其衷，啓敝邑心，陳知其罪，授首于我，用敢獻功。云云。」③

【校注】

①此條論「對」這種文體，陳騤舉《左傳》作例證。　②「今」字，《寶顏堂》、《享保》、《詒經堂》、《台州》、《津梁》各本皆闕。　③見《左傳·襄公二十五年》。引文「今陳亡周之大德」中的「亡」字，僅《至正》誤作「亡」，《左傳》原文及其他版本皆作「忘」。引文「授首于我」中的「首」字，僅《至正》、《四庫》誤作「首」，《左傳》原文及其他版本皆作「手」。「云云」二字，相當於刪節號，以下尚有原文：「晉人曰：『何故侵小？』對曰：『先王之命，唯罪所在，各致其辟。且昔天子之地一圻，列國一同，自是以衰。今大國多數矣，若無侵小，何以至焉？』晉人曰：『何故戎服？』對曰：『我先君武莊爲平桓卿士。城濮之役，文公布命曰：「各復舊職。」命我文公戎服輔

王，以授楚捷，不敢廢王命故也。」士莊伯不能詰，復於趙文子。文子曰：「其辭順，犯順不祥。」乃受之。」」今據補。

壬　凡七條

一①

盤庚之戒，無伏攸箴，宣王之詩，〈庭燎〉②因箴，箴之爲名，見於經矣。在昔周武，辛甲爲史，爰命百官，各箴王闕，故虞人之箴，魏絳獨有取焉。今采其文，以備箴體。

芒芒禹迹，畫爲九州，經啓九道，民有寢廟，獸有茂草，各有攸處，德用不擾。在帝夷羿，冒于原獸，亡其國恤，而思其麀牡，武不可重，用不恢于夏家。獸臣司原，敢告僕夫。③

【校注】

①此條論「箴」這種文體，作者舉《左傳》加以詮證。②〈庭燎〉，是《詩經·小雅》的篇名。③此段文字見《左傳·襄公四年》。「冒于原獸」的「冒」字，《享保》、《台州》、《津梁》皆誤作「冃」，《左傳》原文及《至正》、《寶顏堂》、《四庫》、《詒經堂》皆作「冒」。「冒于原獸」的「于」字，僅《四庫》作「於」。「亡其國恤」的「亡」字，僅《至正》、《四庫》誤作「亡」，《左傳》原文及《寶顏堂》、《享保》、《詒經堂》、《台州》、《津梁》各本皆作「忘」。

二①

益贊于禹，贊起遠矣。後世史官，紀傳有贊，以擬詩體，非古法也。今采《書》②文，以備贊體。

惟德動天，無遠弗屆。滿招損，謙受益，時乃天道。帝初于歷山，往于田，日號泣于旻天，于父母，負罪引慝，祗載見瞽瞍，夔夔齊慄。瞽亦允若。至誠感神，矧茲有苗。③

【校注】

①此條論「贊」這種文體，陳騤舉《尚書》作爲例證。　②《書》，指《尚書》。　③此段文字見《尚書·大禹謨》。

三①

銘文之作，初無定體，量人〈量銘〉②，乃類《詩·雅》，孔悝〈鼎銘〉③，無異《書》命，成湯〈盤銘〉④，考父〈鼎銘〉⑤，體又別矣。四體俱采，古法備焉。

〈量銘〉

時文思索，允臻其極，嘉量既成，以觀四國，永啓厥後，茲器維則。

〈鼎銘〉（孔悝）

六月丁亥，公假于太廟，（公曰：叔舅，乃祖莊叔）⑥左右成公，成公乃命莊叔，隨難于漢陽，即宮于宗周，奔走無射。啓右獻公，獻公乃命成叔，纂乃祖服。乃考文叔，興舊嗜欲，作率慶士，躬恤衛國，其勤公家，夙夜不解，民咸曰休哉！公曰：叔舅，予女銘，若纂乃考服。悝拜稽首，曰：對揚以辟之，勤大命，施于烝彝鼎。

〈盤銘〉（《大戴禮》：「湯几杖之屬皆有銘。」此〈盤銘〉獨見《禮記》。）

德日新，日日新，又日新。

〈鼎銘〉

一命而僂，再命而傴，三命而俯，循墻⑦而走，亦莫余敢侮。饘於是，鬻於是，以餬⑧余口。

【校注】

①此條論述「銘」這種文體，「銘」分爲四種：量人〈量銘〉、孔悝〈鼎銘〉、成湯〈盤銘〉、考父〈鼎銘〉。②量人〈量銘〉，見《周禮·考工記·㮚氏》。③孔悝〈鼎銘〉，見《禮記·祭統》。④成湯〈盤銘〉，見《禮記·大學》。⑤考父〈鼎銘〉，見《左傳·昭公七年》。⑥「公曰：叔舅，乃祖莊叔」，《至正》誤入注文，其實是正文，今據《禮記》及其他版本改。⑦「墻」字，《至正》、《四庫》皆作「墻」，《左傳》原文及《寶顏堂》、《享保》、《詒經堂》、《台州》、《津梁》各本皆作「牆」，今據改。「牆」、「墻」義通，但以原文爲是。⑧「餬」字，《寶顏堂》、《享保》、《詒經堂》各本誤作「糊」，《左傳》原文及《至正》、《四庫》、《台州》、《津梁》各本皆作「餬」。

四①

賡載之歌，既煥虞謨，〈五子之歌〉②，又昭夏訓，作者蔚起，各自爲體。孔子消搖③，接輿佯狂，歌詞玉振，鮮其儷哉？特取二歌，餘在所略。

〈孔子歌〉

泰山其頽乎！梁木其壞乎！哲人其萎乎！④

〈接輿歌〉（《莊子》亦載此歌，曰：「鳳兮鳳兮，何如德之衰也！來世不可恃，往世不可追也。」⑤雖小有增損，然氣象與《論語》不同。）

鳳兮鳳兮，何德之衰！往者不可諫，來者猶可追。已而已而！今之從政者殆而！⑥

【校注】

①此條論「歌」這種文體，陳騤舉例詮證。　②〈五子之歌〉，是《尚書》的篇名。　③「消搖」，《至正》、《四庫》皆作「消搖」，《寶顏堂》、《享保》、《詒經堂》、《台州》、《津梁》各本皆作「逍遙」。「消搖」、「逍遙」義通。

④見《禮記·檀弓上》。　⑤見《莊子·人間世》。　⑥見《論語·微子》。

五①

歌之流也，又別爲三：一曰謠，二曰謳，（齊歌曰謳，獨歌曰謠②。）三曰誦。周謠〈鸜鵒〉，晉謠《龍鶉》，城者築者，所謳不同，國人輿人，其誦亦異，雖皆芻詞，猶可觀法，備見《左氏》，采其尤乎？

晉謠

丙之晨，龍尾伏辰。均服振振，取虢之旂。鶉之賁賁，天策焞焞，火中成軍，虢公其奔。③

築謳

澤門之晳，實興我役；邑中之黔，實慰我心。④

輿誦

取我衣冠而褚之，取我田疇而伍之，孰殺子產，吾其與之。我有子弟，子產誨之；我有田疇，子產殖之；子產而死，誰其嗣之？⑤**（後漢岑彭爲魏郡太守，輿人歌曰：「我有枳棘，岑君伐之；我有蟊賊，岑君遏之。」⑥蓋又法此也。）**

【校注】

①此條論歌謠分爲三種：謠、謳、誦，陳騤舉《左傳》中的晉謠、築謳、輿誦，加以闡明。　②「齊歌曰謳，獨歌曰謠」二句，《寶顏堂》、《享保》、《詒經堂》、《台州》、《津梁》各本皆誤作「齊歌曰謠，獨歌曰謳」，《至正》、《四庫》皆作「齊歌曰謳，獨歌曰謠」。許愼《說文解字》：「謳，齊歌也。」又《漢書·高帝紀》顏師古注：「謳，齊歌也，謂齊聲而歌。」　③見《左傳·僖公五年》。　④見《左傳·襄公十七年》。　⑤見《左傳·襄公三十年》。

⑥見《後漢書·馮、岑、賈列傳》。

六①

祭有祝嘏，死有誄諡②，周公之制備矣。祝嘏尙欽，誄諡宜實。考諸禮籍，有士虞祭祝辭，貞惠文子諡辭，寔③作者之儀表也，今取之。

士虞祝辭

哀子某，顯相，夙興夜處不寧，敢用潔牲剛鬣，嘉薦普淖，明齊溲酒，哀薦祫事，適爾皇祖某甫，尙饗。④（**今之祝文，唯同尙饗二子⑤，餘皆非古法也。⑥**）

貞惠文子諡辭

昔者，衛國凶饑，夫子爲粥與國之餓者，是不亦惠乎！昔者，衛國有難，夫子以其死衛寡人，不亦貞乎！夫子聽衛國之政，修其班制，以與四鄰交，衛國之社稷不辱，不亦文乎！故謂夫子貞惠文子。⑦（**古無三字諡法，唐李巽謂衛君之亂制也，今取其文，故不復議。**）

【校注】

①此條論「祝諡」這種文體，陳騤舉《儀禮·士虞禮》的「士虞祝辭」、《禮記·檀弓下》的「貞惠文子諡辭」，加以詮證。　②「諡」字，《享保》、《台州》、《津梁》各本皆作「謚」，《至正》、《寶顏堂》、《四庫》、《詒經堂》各本皆作「諡」。「諡」、「謚」義通。此條以下仿此，不復贅及。　③「寔」字，僅《至正》作「寔」，其他版本皆作「實」。「寔」、「實」意義相通。　④見《儀禮·士虞禮》。　⑤「子」字，僅《至正》誤作「子」，其他版本皆作「字」。

⑥此段注文，《台州》、《津梁》闕。　⑦見《禮記·檀弓下》。

七①

傳記所載，古作紛然，未容悉數，且箕子〈麥秀〉之歌，下符〈黍離〉②之詠，（箕子朝周，過殷之故城，盡生禾黍，傷之，作〈麥秀〉之詩，其詩曰：「麥秀漸漸兮，禾黍油油，彼狡童兮，不我好仇。」③此與〈黍離〉之所作無異。〈黍離序〉曰：「周大夫行役，至于宗周，過故宗廟，宮室盡爲禾黍，閔④周室之顚覆，而作是詩。」）越人〈擁楫〉之歌，上體〈綢繆〉⑤之意，（鄂君與越人同舟，越人擁楫而歌曰：「今夕何夕兮，得與搴舟水流，今日何日兮，得與王子同舟。」⑥此與〈綢繆〉詩言「今夕何夕，見此良人」之意同也。）〈迎日〉之辭，與〈洛誥〉⑦文同，（〈迎日〉之辭曰：「維某年某月某日，明光于上下，勤施于四方，旁作穆穆，維予一人某，敬拜迎日東郊。」⑧〈洛誥〉成王稱周公曰：「惟公德，明光于上下，勤施于四方，旁作穆穆迓衡。」）冠王之頌，與士禮辭類，（成王冠，周公作頌曰：「令月吉日，王始加元服，去王幼志，心衮職，欽若昊命，六合是式，率爾祖考，永永無極。」⑨〈士冠禮〉，始加，祝曰：「令月吉日，始加元服，棄爾幼志，順爾成德，壽考惟祺，介爾景福。」⑩）虞舜〈慶雲〉之作，（有虞之時，有慶雲，百工相和而歌⑪，舜乃倡之，曰：「慶雲爛兮，禮縵縵兮，日月光華，且復旦兮。」⑫）成湯旱禱之文，（湯旱而禱曰：「政不節與？使民疾與？何以不雨，致斯極也？宮室榮與？婦謁盛與？何以不雨，至斯極也。讒夫興與？苞苴行與？何以不雨，至斯極也？」⑬）潤色之語，不全典誥之風；作者如欲博觀，於此宜加旌別。

【校注】

①此條論頌禱，陳騤舉例加以闡明。②〈黍離〉，是《詩經·王風》的篇名。③見《史記·宋微子世家》。

④「閔」字，《寶顏堂》、《享保》、《詒經堂》、《台州》、《津梁》各本皆作「憫」。「憫」、「閔」義通，但《詩經》原文作「閔」，《至正》、《四庫》亦作「閔」。⑤〈綢繆〉，是《詩經·唐風》的篇名。⑥見《說苑·善說》。

⑦〈洛誥〉，是《尚書》的篇名。⑧見嚴可均輯《全上古三代秦漢三國六朝文》（中文出版社印行）中的《全漢文》卷五七闕名〈祭日辭〉，又見清朝王聘珍《大戴禮記解詁》在〈公符〉後附錄。「敬拜迎日東郊」，《寶顏堂》、《享保》、《詒經堂》、《台州》、《津梁》各本皆作「敬拜迎于郊，以正月朔日，迎日于東郊」，此內容與《大戴禮記解詁》同。《全漢文》作「敬拜迎日于郊」，《至正》、《四庫》皆作「敬拜迎日東郊」。今據《大戴禮記解詁》改。

⑨《全漢文》卷五七闕名〈孝昭帝冠辭〉：「陛下離顯先帝之光耀，以承皇天嘉祿。欽順仲春之吉日，遵並大道邠或，秉集萬福之休靈。始加昭明之元服，推遠稚免之幼志。崇積文武之寵德，肅勤高祖清廟。六合之內靡不息，陛下永永與天無極。」劉昭注《續漢書·禮儀志》引《博物志》：「陛下擒顯先帝之光耀，以承皇天之嘉祿。欽奉仲春之吉辰，普尊大道之郊域，秉率百福之休靈。始加昭明之元服，推遠沖孺之幼志。蘊文武之就德，肅勤高祖之清廟。六合之內，靡不蒙福，永永與天無極。」這些內容與《文則》各版本大同小異，惟文字不同，不知陳騤逕引何書？有待考證，存疑。其實，《大戴禮記·公符》云：「成王冠，周公使祝雍祝王曰：『達而勿多也。』祝雍曰：『使王近於民，遠於年，嗇於時，惠於財，親賢使能。』」陳氏為何不引《大戴禮記》？令人百思莫解。引文中「心衰職」之

「心」字，《寶顔堂》、《享保》、《詒經堂》、《台州》、《津梁》各本皆作「服」，《四庫》又作「思宏」，依上下文意，以「服」爲佳。⑩見《儀禮·士冠禮》。引文「壽考惟祺」的「惟」字，《寶顔堂》、《享保》、《四庫》、《詒經堂》、《台州》、《津梁》各本皆誤作「維」，《儀禮》原文及《至正》皆作「惟」。「惟」、「維」雖然義通，但以原文爲是。⑪「而歌」二字，《寶顔堂》、《享保》、《詒經堂》、《台州》、《津梁》各本皆闕，《至正》、《四庫》有此二字。⑫見《尚書大傳·虞夏傳》。引文「禮緩緩兮」的「禮」字，《四庫》、《詒經堂》、《台州》、《津梁》各本皆作「亏」，《至正》、《寶顔堂》、《享保》各本皆作「禮」字。《尚書大傳》原文作「亏」字，今據改。⑬見《荀子·大略》。引文中「使民疾與」，《寶顔堂》、《享保》、《詒經堂》、《台州》、《津梁》各本皆誤作「民失職與」，《荀子》原文及《至正》、《四庫》皆作「使民疾與」。「宮室榮與」的「榮」字，《寶顔堂》、《享保》、《詒經堂》、《台州》、《津梁》各本皆誤作「崇」，《荀子》原文及《至正》、《四庫》皆作「榮」。「婦謁盛與」的「婦」字，《寶顔堂》、《享保》、《詒經堂》、《台州》、《津梁》各本皆誤作「女」，《荀子》原文及《至正》、《四庫》皆作「婦」。「讒夫興與」的「興」字，《寶顔堂》、《享保》、《詒經堂》、《台州》、《津梁》各本皆誤作「昌」，《荀子》原文及《至正》、《四庫》皆作「興」字。

癸　凡一條

唐、虞、三代，君臣之間，告戒荅問之言，雍容溫潤，自然成文。降及春秋，名卿才大夫，尤重詞②命，婉麗華藻，咸有古義。秦、漢而③來，上之詔命，皆出親製。（是故第五倫見光武詔書，歎曰：「此聖王④也，一見決矣。」⑤）自後不然，凡有王言，悉責成臣下，而臣下又自有章表。是以東帶立朝之士，相尚博洽，肆其筆端，徒盈篇牘，甚至於駢儷其文，俳諧其語，所謂代言，與夫奏上之體，俱失之矣。今采摭《尚書》及《左氏內外傳》之語，可以代言奏上者錄之，庶使古人之美，昭然可法。如漢武帝初作誥，以立三王，各以土俗申戒，文辭氣象，未遠於古，併⑥附于後。⑦

□□□□□□□。（「□□，□□□□，□□□□！」）

□□□□□□□□。（「□，□□□□，□□□□□□。」）

舜命契作司徒語。（「契，百姓不親，五品不遜，汝作司徒，敬敷五教，在寬。」⑧）

命皐陶作士語。（「皐陶，蠻夷猾夏，寇賊姦宄，汝作士，五刑有服，云云，惟明克允。」⑨）

命伯夷作秩宗語。（「咨伯，汝作秩宗，夙夜惟寅，直哉惟清。」⑩）

命夔典樂語。（「夔，命汝典樂，教冑子：直而溫，寬而栗，剛而無虐，簡而無傲。」至「八音克諧，無相奪倫，神人以和。」⑪）

命龍作納言語。（「龍，朕聖望讒殄行，震驚朕師，命汝作納言，夙夜出納朕命惟允。」⑫）

美禹陳九功語。（「地平天成，六府三事允治，萬世永賴，時乃功。」⑬）

勉皐陶作士語。（「皐陶，惟茲臣庶，罔或干予正，汝作士，明于五刑，以弼五教，期于予治，刑期于無刑，民協于中，時乃功，懋哉！」⑭）

又美皐陶語。（「俾予從欲以治，四方風動，惟乃之休。」⑮）

舜又命禹語。(「臣作朕股肱耳目，予欲左右有民，汝翼，」至「退有後言」。⑯)
湯制官刑，儆戒百官語。(「敢有恆舞于宮，」至「時謂亂風」。⑰)
高宗命傅說語。(「朝夕納誨，以輔台德。」至「時命，其惟有終」。⑱)
美傅說進戒語。(王曰：「旨哉！說乃言惟服，」至「予罔聞予行」。⑲)
又命傅說語。(「說，四海之內，咸仰朕德，」至「罔俾阿衡，專美有商」。⑳)
成王命微子代商後語。(「乃祖成湯，克齊聖廣淵，」至「無替朕命」。㉑)
封康叔語。(「用康乃心」至「明乃服命」㉒。)
命蔡仲爲侯語。(「小子胡」至「無荒棄朕命」。㉓)
董正百官語。(「今予小子，祗勤于德，」至「敬爾有官，亂爾有政」。㉔)
命君陳尹茲東郊時。(「君陳，惟爾令德孝恭，」至「人臣咸若時，惟良顯哉？」㉕)
康王告諸侯語。(「昔君文武」至「罔不在王室」㉖。)
命畢公保釐東郊語。(「惟周公左右先王，綏定厥家，」至「罔曰弗克，惟既厥心」㉗。)
穆王命君牙爲大司徒語。(「君牙，惟乃祖乃父，世篤忠貞，服勞王家，」至「洪敷五典，式和民則」。㉘)
命伯冏爲大僕正語。(「伯冏！惟予弗克于德，」至「永弼乃后于彝」。㉙)
平王錫晉文侯語。(「汝多修，扞我于艱，」至「馬四匹，父往哉！」㉚)

晉悼公賜魏絳樂語。（「子教寡人和諸戎狄，以正諸華。八年之中，九合諸侯，如樂之和，無所不諧，請與子樂之。」㉛）

魏絳辭樂語。（「夫和戎狄，國之福也，八年之中，九合諸侯，諸侯無慝，君之靈也，二三子之勞也，臣何力之有焉？抑臣願君安其樂而思其終也？《書》曰：『居安思危。』思則有備，有備無患，敢以此規。」㉜）

晉張老辭卿語。（「臣不如魏絳。夫絳之智，能治大官，其仁，可以利公室不忘；其勇，不疚于刑；其學，不廢其先人之職。若在卿位，外內必平。」㉝）

衛太叔文子謝罪語。（「臣知罪矣：臣不佞，不能負羈紲，以從扞牧圉，臣之罪一也；有出者，有居者，臣不能貳，通內外之言以事君，臣之罪二也。有二罪，敢忘其死。」㉞）

鄭子產辭邑語。（「自上以下，降殺以兩，禮也。臣之位在四，且子展之功也，臣不敢及賞禮，請辭邑。」㉟）

衛公孫免餘辭邑語。（「惟卿備百邑，臣六十矣，下有上祿，亂也，臣弗敢聞。且甯子惟多邑故死，臣懼死之速及也。」㊱）

齊晏子辭更宅語。（「君之先臣容焉，臣不足以嗣之，於臣侈矣。且小人近市，朝夕得所求，小人之利也，敢煩里旅。」㊲）

衛子魚辭從會語。（「臣展四體，以率舊職，猶懼不給，而煩刑書；若又共二，徼大罪也。且夫

祝，社稷之常隸也，社稷不動，祝不出境，官之制也。若嘉好之事，臣無事焉。」㊳）

陳敬仲辭卿語。（「羈旅之臣，幸若獲宥，及於寬政，赦其不閑於教訓，而免於罪戾，弛於負擔，君之惠也，所獲多矣。敢辱高位，以速官謗。請以死告。」㊴）

齊威公㊵對賜胙無下拜語。（「天威不違顏咫尺，小白余敢貪天子之命無下拜，恐殞越于下，以遺天子羞，敢不下拜。」㊶）

齊管仲辭莊王以上卿禮饗語。（「臣賤有司也，有天子之二守國高在，若即春秋，來承王命，何以禮焉？陪臣敢辭。」㊷）

莊王命管仲語。（「舅氏，余嘉乃勳，應乃懿德，謂篤不忘，往踐乃職，無逆朕命。」㊸）

鄭燭之武辭文公使見秦穆公語。（「臣之壯也，猶不如人，今老矣，無能爲也已。」㊹）

楚子西辭爲商公語。（臣免於死，又有讒言，謂臣將逃，臣歸死於司敗也。」㊺）

晉平公策命鄭公孫段語。（「子豐有勞於晉國，余聞而弗忘，賜女州田，以昨乃舊勳。」㊻）

晉祁奚薦子爲軍尉語。（「人有言曰：「擇臣莫若君，擇子莫若父。」午之少也，婉以從令，遊有鄉，處有所，好學而不戲，其壯也，彊志而用命，守業而不淫；其冠也，和安而好敬，柔惠小物，而鎮定大事，有直質而無流心，非義不變，非上下舉，若臨大事，其可以賢於臣也。臣請薦所能擇，而君比義焉。」㊼）

晉狐偃辭卿語。（「毛之智賢於臣，其齒又長，毛也不在位，不敢聞命。」㊽）注：「毛，偃之兄。」）

韓獻子爲子無忌辭公族大夫語。（「厲公之亂，無忌備公族，不能死，臣聞之，曰：『無功庸者不敢居高位。』今無忌智不能正君，使至於難，仁不能救，勇不能死，敢辱君朝，以忝韓宗，請退也。」㊾）

晉趙衰辭卿語。㊿（「欒枝□愼，先□有謀，胥臣多聞，皆可以爲輔，臣弗若也。」(51)）

齊鮑叔辭宰語。（「臣，君之庸臣也，君加惠於臣，使臣不凍餒，則是君之賜也；若必治國家者，則非臣之所能也。若必治國家者，則管夷吾乎？臣之所不若夷吾者五：寬惠柔民，弗若也；治國家不失其柄，弗若也；忠信可結於百姓，弗若也；制禮義可結於四方，弗若也；執枹鼓立於軍門，使百姓加勇焉，弗若也。」(52)）

漢齊王閎封策語。（「於戲！小子閎，受茲青□。□承天序，維□□，建爾國家，封于東土，世爲漢藩輔。於戲！□□？恭朕之詔。惟命不于常，人之好德，克明顯光，義之不圖，俾君子怠，悉爾心。允執其中，天祿永終，厥有愆不臧，乃凶于乃國，害于爾躬。於戲！保國乂民，可不敬與！王其戒之。」(53)）

燕王旦封策語。（「於戲！小子旦，受茲玄社，建爾□家，封于北土，世爲漢藩輔。於戲！薰鬻氏虐□獸心，以姦巧邊甿，朕命將率，徂征厥罪一萬夫長，千夫長，三十有二帥，降旗走師，薰鬻徙域，北州以安，悉爾心，毋作怨，毋作棐德，毋乃□備，非教士，不得以徵，王其戒之。」(54)）

廣陵王胥封策語。（「於戲！小子胥，受茲赤社，建爾國家，封于南土，世世爲漢藩輔。古人有言曰，大江之南，五湖之間，其人輕心，揚州保疆，三代要服，不及以政。於戲！悉爾心，祗祗兢兢，乃惠乃順，毋相好逸，毋邇宵人，惟法惟則。《書》云：『臣不作福，不作威，靡有後羞。』王其戒之。」㊺）

【校注】

①此條析論詔、命、封、策四種文體，並舉例闡釋。　②「詞」字，《寶顏堂》、《享保》、《詒經堂》、《台州》、《津梁》各本皆作「辭」，《至正》、《四庫》皆作「詞」。「詞」、「辭」，在此意義相通。　③「而」字，《寶顏堂》、《享保》、《詒經堂》、《台州》、《津梁》各本皆作「以」，《至正》、《四庫》皆作「而」。「而」、「以」，在此意義相通。　④「王」字，《寶顏堂》、《享保》、《詒經堂》各本皆作「主」，《至正》、《四庫》皆作「王」。　⑤以上注文，《台州》、《津梁》闕。　⑥「併」字，《寶顏堂》、《享保》、《詒經堂》各本皆作「俱」，《台州》、《津梁》皆作《俱》，《至正》、《四庫》皆作「併」。　⑦「併附于後」以下闕文，今據《寶顏堂》、《享保》、《詒經堂》、《台州》、《津梁》各本補：舜命禹作司空語。（「咨禹，汝平水土，惟時懋哉！」）舜命棄作后稷語。（「棄，黎民阻飢，汝后稷播時百穀。」）注文中的引文，皆見《尚書·舜典》。　⑧見《尚書·舜典》。　⑨同⑧。注文「云云」二字，相當於刪節號，在「五刑有服」以下尚有「五服三就，五流有宅，五宅三居」三句，今據《尚書》原文及《寶顏堂》、《享保》、《詒經堂》、《台州》、《津梁》各本補。　⑩同⑧。　⑪同⑧。注文「『簡而無傲』至『八音克諧』」，《寶顏堂》、《享保》、《詒經堂》、《台州》、《津梁》各本依據《尚書》原文補刪節部分，成爲「簡而無傲，詩言志，歌永言，聲依

永，律和聲，八音克諧」。⑫同⑧。注文「望纔」二字，依據《尚書》原文及《寶顏堂》、《享保》、《四庫》、《詒經堂》、《台州》、《津梁》各本改爲「讒說」。⑬見《尚書·大禹謨》。⑭同⑬。⑮同⑬。⑯見《尚書·益稷》。引文「『汝翼』至『退有後言』」，《寶顏堂》、《享保》、《詒經堂》、《台州》、《津梁》各本依據《尚書》原文補刪節部分，成爲「汝翼，予欲宣力四方，汝爲，予欲觀古人之象，日月星辰，山龍華蟲，作會宗彝，藻火粉米，黼黻絺繡，以五彩彰施于五色作服，汝明，予欲聞六律、五聲、八音，在治忽，以出納五言，汝聽。予違汝弼，汝無面從，退有後言。」今據補。⑰見《周禮·天官·大宰》。注文部分，《寶顏堂》、《享保》、《詒經堂》、《台州》、《津梁》各本依據《尚書》原文補刪節部分，成爲「敢有恆舞于宮，酣歌于室，時謂巫風，敢有殉于貨色，恆于游畋，時謂淫風；敢有侮聖言，逆忠直，遠耆德，比頑童，時謂亂風。惟茲三風、十愆，卿士有一于身，家必喪，邦君有一于身，國必亡，臣下不匡，其刑墨，具訓于蒙士。」今據補。⑱見《尚書·說命上》。注文部分，《寶顏堂》、《享保》、《詒經堂》、《台州》、《津梁》各本依據《尚書》原文補刪節部分，成爲「朝夕納誨，以輔台德。若金，用汝作礪，若濟巨川，用汝作舟楫；若歲大旱，用汝作霖雨。啓乃心，沃朕心。若藥弗瞑眩，厥疾不瘳；若跣弗視地，厥足用傷。惟暨乃僚，罔不同心，以匡乃辟，俾率先王，迪我高后，以康兆民。嗚呼，欽予時命，其惟有終。」今據補。⑲見《尚書·說命中》。引文部分，《寶顏堂》、《享保》、《詒經堂》、《台州》、《津梁》各本依據《尚書》原文補刪節部分，成爲「王曰：『旨哉！說乃言惟服，乃不良于言，予罔聞予行。』」今據補。⑳見《尚書·說命下》。注文部分，《寶顏堂》、《享保》、《詒經堂》、《台州》、《津梁》各本依據《尚書》原文補刪節部分，成爲「說，四海之內，咸仰朕德，時乃風。股肱惟人，良臣惟聖。昔先正保衡，作我先王，乃曰：

「予弗克俾厥后惟堯、舜，其心愧恥，若撻于市。一夫不獲，則曰時予以辜。」佑我烈祖，格于皇天。爾尚明保予，罔俾阿衡，專美有商。」今據補。　㉑見《尚書．微子之命》。注文部，《寶顏堂》、《享保》、《詒經堂》、《台州》、《津梁》各本依據《尚書》原文補刪節部分，成爲「乃祖成湯，克齊聖廣淵，皇天眷佑，誕受厥命，撫民以寬，除其邪虐，功加于時，德垂後裔。爾惟踐修厥猷，舊有令聞，恪慎克孝，肅恭神人。予嘉乃德，曰篤不忘，上帝時歆，下民祗協，庸建爾于上公，尹茲東夏。欽哉，往敷乃訓，慎乃服命，率由典常，以蕃王室，弘乃烈祖，律乃有民，永綏厥位，毗予一人，世世享德，萬邦作式。俾我有周無斁。嗚呼，往哉惟休，無替朕命。」今據補。　㉒見《尚書．康誥》。引文部分，《寶顏堂》、《享保》、《詒經堂》、《台州》、《津梁》各本依據《尚書》原文補刪節部分，成爲「王曰：嗚呼！封，敬哉！無作怨，勿用非謀非彝，蔽時忱，丕則敏德，用康乃心，顧乃德，遠乃猷，裕乃以民寧，不汝瑕殄。王曰：嗚呼！肆汝小子封，惟命不于常，汝念哉！無我殄，享明乃服命，高乃聽，用康乂民。」今據補。　㉓見《尚書．蔡仲之命》。注文部分，《寶顏堂》、《享保》、《詒經堂》、《台州》、《津梁》各本依據《尚書》原文補刪節部分，成爲「小子胡，惟爾率德改行，克慎厥猷，肆予命爾侯于東土，往即乃封，敬哉！爾尚蓋前人之愆，惟忠惟孝，爾乃邁迹自身，克勤無怠，以垂憲乃後。率乃祖文王之彝訓，無若爾考之違王命。皇天無親，惟德是輔，民心無常，惟惠之懷，爲善不同，同歸于治，爲惡不同，同歸于亂，爾其戒哉！慎厥初，惟厥終，終以不困，不惟厥終，終以困窮。懋乃修績，睦乃四鄰，以蕃王室，以和兄弟，康濟小民。率自中，無作聰明，亂舊章。詳乃視聽，罔以側言改厥度，則予一人汝嘉。王曰：嗚呼！小子胡，汝往哉！無荒棄朕命。」今據補。　㉔見《尚書．周官》。注文部分，《寶顏堂》、《享保》、《詒經堂》、《台州》、《津梁》各本皆作「今予小子，祗勤于德，夙夜不逮，仰惟前代時若，訓迪厥官，立太師、太傅、太保，茲惟三公，論道經邦，燮理陰陽。官不必備，惟其人。少師、少傅、少保，曰三孤，貳公弘化，寅亮天地，弼予一人。冢宰掌邦治，統百官，均四海。司徒掌邦教，敷五典，擾兆民。宗伯掌邦禮，治神人，和上下。司馬掌邦政，統六師，平邦國。司寇掌邦禁，詰姦慝，刑暴亂。司空掌邦土，居四民，時地利。六卿分職，各率其屬，以倡九牧，阜成兆民云云。」「云云」二字，相當於刪節號，在「阜成兆民」下，宜補「六年五服一朝。又六年一王乃時巡；考制度于四岳，諸侯各朝于方岳，大明黜陟。王曰：嗚呼！凡我有官君子，欽乃攸司，愼乃出令，令出惟行，弗惟反。以公滅私，民其允懷。學古入官，議事以制，政乃不迷。其爾典常作之師，無以利口亂厥官。蓄疑敗謀，怠忽荒政，不學牆面，莅事惟煩。戒爾卿士，功崇惟志，業廣惟勤，惟克果斷，乃罔後艱。位不期驕，祿不期侈。恭儉惟德，無載爾僞。作德，心逸日休；作僞，心勞日拙。居寵思危，罔不惟畏，弗畏入畏。推賢讓能，庶官乃和；不和，政厖。舉能其官，惟爾之能；稱匪其人，惟爾不任。王曰：嗚呼！三事暨大夫，敬爾有官，亂爾有政，以佑乃辟，永康兆民，萬邦惟無斁。」依陳騤注文，僅至「亂爾有政」，由於文意未完，因此再補至「萬邦惟無斁」。

㉕見《尚書·君陳》。注文部分，《寶顏堂》、《享保》、《詒經堂》、《台州》、《津梁》各本依據《尚書》原文補刪節部分，成爲「君陳！惟爾令德孝恭。惟孝，友于兄弟，克施有政。命汝尹茲東郊，敬哉！昔周公師保萬民，民懷其德。往愼乃司，茲率厥常，懋昭周公之訓，惟民其乂。我聞曰：至治馨香，感于神明。黍稷非馨，明德惟馨。爾尚式時周公之猷訓，惟日孜孜，無敢逸豫。凡人未見聖，若不克；既見聖，亦不克由聖。爾其戒哉！爾惟風，下民惟草。圖厥政，莫或不艱。有廢有興，出入自爾師虞，庶言同則繹。爾有嘉謀嘉猷，則入告爾后于內，爾乃順之于外。曰：斯謀斯猷，惟我后之德。嗚呼！臣人咸若時，惟良顯哉！」陳騤注文中的「人臣」

二字，今據以上各種版本應該改爲「臣人」。㉖見《尚書．康王之誥》。注文部分，《寶顏堂》、《享保》、《詒經堂》、《台州》、《津梁》各本依據《尚書》原文補刪節部分，成爲「昔君文武，丕平富，不務咎，厎至齊信，用昭明于天下。則亦有熊羆之士、不二心之臣，保乂王家，用端命于上帝；皇天用訓厥道，付畀四分。乃命建侯樹屏，在我後之人。今予一二伯父，尚胥暨顧，綏爾先公之臣服于先王。雖爾身在外，乃心罔不在王室。用奉恤厥若，無遺鞠子羞。」依陳騤注文，僅至「罔不在王室」，由於文意未完，因此再補至「無遺鞠子羞」。㉗見《尚書．畢命》。注文部分，《寶顏堂》、《享保》、《詒經堂》、《台州》、《津梁》各本作「惟周公左右先王，綏定厥家。毖殷頑民，遷于洛邑，密爾王室，式化厥訓。既歷三紀，世變風移，四方無虞，予一人以寧。道有升降，政由俗革，不臧厥臧，民罔攸勸。惟公懋德，克勤小物，弼亮四世，正色率下，罔不祗師言，嘉績多于先王，予小子垂拱仰成。王曰：嗚呼！父師！今予祗命公以周公之事。往哉！云云。」「云云」二字，相當於刪節號，依陳騤注文，在「往哉」以下，應補「旌別淑慝，表厥宅里，彰善癉惡，樹之風聲。弗率訓典，殊厥井疆，俾克畏慕。申畫郊圻，愼固封守，以康四海。政貴有恆，辭尚體要，不惟好異。商俗靡靡，利口惟賢，餘風未殄。公其念哉！我聞曰：世祿之家，鮮克由禮。以蕩陵德，實悖天道。敝化奢麗，萬世同流，茲殷庶士，席寵惟舊，怙多滅義，服美于人。驕淫矜侉，將由惡終；雖收放心，閑之惟艱。資富能訓，惟以永年。惟德惟義，時乃大訓。不由古訓，于何其訓？王曰：嗚呼！父師！邦之安危，惟茲殷士；不剛不柔，厥德允修。惟周公克愼厥始，惟君陳克和厥中，惟公克成厥終。三后協心，同厎于道。道洽政治，澤潤生民。四夷左衽，罔不咸賴。予小子永膺多福。公其惟時成周建無窮之基，亦有無窮之聞。子孫訓其成式惟乂。嗚呼！罔曰弗克，惟既厥心；」由於文意未完，因此須再補「罔曰民寡，惟愼厥事。欽若先王成烈，以休于前政。」　㉘見《尚書·君牙》。注文部分，《寶顏堂》、《享保》、《詒經堂》、《台州》、《津梁》各本作「君牙！惟乃祖乃父，世篤忠貞，服勞王家，厥有成績，紀于太常。惟予小子，嗣守文、武、成、康遺緒，亦惟先王之臣，克左右亂四方。心之憂危，若蹈虎尾，涉于春冰。今命爾予翼，作股肱心膂，纘乃舊服，無忝祖考，弘敷五典，式和民則。爾身克正，罔敢弗正，民心罔中，惟爾之中。云云。」依陳騤注文，僅至「式和民則」。「云云」二字，相當於刪節號，今據《尚書》原文應再補「夏暑雨，小民惟曰怨咨；冬祁寒，小民亦惟曰怨咨。厥惟艱哉！思其艱以圖其易，民乃寧。嗚呼！丕顯哉！文王謨；丕承哉！武王烈。啓佑我後人。咸以正罔缺。爾惟敬明乃訓，用奉若于先生。對揚文武之光命，追配于前人。王若曰：君牙！乃惟由先正舊典時式，民之治亂在茲。率乃祖考之攸行，昭乃辟之有乂。」「洪敷五典」的「洪」，《尚書》原文作「弘」，今據改。　㉙見《尚書·冏命》。注文部分，《寶顏堂》、《享保》、《詒經堂》、《台州》、《津梁》各本皆作「伯冏！惟予弗克于德，嗣先人宅丕后。怵惕惟厲，中夜以興，思免厥愆。昔在文武，聰明齊聖，小大之臣，咸懷忠良。其侍御僕從，罔匪正人。以旦夕承弼厥辟，出入起居，罔有不欽。發號施令，罔有不臧。不民祗若，萬邦咸休。惟予一人無良，實賴左右前後有位之士，匡其不及，繩愆糾謬，格其非心，俾克紹先烈。今予命汝作大正，正于羣僕侍御之臣。懋乃后德交修不逮。愼簡乃僚，無以巧言令色，便辟側媚，其惟吉士。僕臣正，厥后克正；僕臣諛，厥后自聖。后德惟臣，不德惟臣。爾無昵于憸人，充耳目之官，迪上以非先王之典。非人其吉，惟貨其吉。若時，瘝厥官，惟爾大弗克祗厥辟，惟予汝辜。王曰：嗚呼！欽哉！永弼乃后于彝憲。」陳騤注文依《至正》、《四庫》僅作「伯冏！惟于弗克于德，」至「永弼乃后于彝」。在「惟于弗克于德」句中，上字的「于」，《尚書》原文作「予」，今據改。　㉚見《尚書·文侯之命》。《至正》、《四庫》皆作「汝多修，扞我于艱，」至「馬四匹，父往哉！」《寶顏堂》、《享保》、《詒經堂》、《台州》、《津梁》各本皆作「父義和！汝克紹乃顯祖；汝肇刑文、武，用會紹乃辟，追孝于前文人。汝多修，扞我于艱；若汝，予嘉。王曰：父義和！其歸視爾師，寧爾邦。用賚爾秬鬯一卣；彤弓一，彤矢百；盧弓一，盧矢百；馬四匹。父往哉！云云。」「云云」二字，相當於刪節號，依據《尚書》原文應再補「柔遠能邇，惠康小民，無荒寧，簡恤爾都，用成爾顯德。」　㉛見《左傳·襄公十一年》。　㉜同㉛。在「《書》曰」上，《寶顏堂》、《享保》、《詒經堂》、《台州》、《津梁》各本皆有「云云」二字，相當於刪節號，依《尚書》原文應補「《詩》曰：「樂只君子，殿天子之邦。樂只君子，福祿攸同。便蕃左右，亦是帥從。」夫樂以安德，義以處之，禮以行之，信以守之，仁以厲之，而後可以殿邦國，同福祿，來遠人，所謂樂也。」　㉝見《國語·晉語七》。「能治大官」的「官」字，《台州》、《津梁》皆誤作「安」。今據《國語》原文正作「官」。「外內必平」的「外內」二字，《台州》、《津梁》皆誤作「內外」，《國語》原文正作「外內」。　㉞見《左傳·襄公二十六年》。　㉟同㉞。　㊱見《左傳·襄公二十七年》。　㊲見《左傳·昭公三年》。「於臣侈矣」的「於」字，《台州》、《津梁》皆誤作「于」。《左傳》原文正作「於」。　㊳見《左傳·定公四年》。　㊴見《左傳·莊公二十二年》。　㊵「威公」即「桓公」，此宋避諱改。詳見辛五諫。　㊶見《左傳·僖公九年》。　㊷見《左傳·僖公十二年》。「若即春秋」的「即」，僅《至正》誤作「即」，《左傳》原文及其他版本正作「節」。　㊸同㊷。　㊹見《左傳·僖公三十年》。　㊺見《左傳·文公十年》。　㊻見《左傳·昭公三年》。「賜女州田」的「女」字，《寶顏堂》、《享保》、《詒經堂》、《台州》、《津梁》各本皆誤作「汝」，《左傳》原文及《至正》、《四庫》皆作「女」。「以昨乃舊勳」的「昨」字，僅《至正》誤作「昨」，《左傳》原文及其他版本皆正作「胙」。　㊼見《國語·晉語七》。「非上下舉」的「下」字，僅《至正》誤作「下」，《國語》原文及其他版本正作「不」字。　㊽見《國語·晉語四》。　㊾見《國語·晉語七》。「今無忌智不能匡君」的「匡」字，僅《至正》、《四庫》誤作「正」，《國語》原文及其他版本正作「匡」。　㊿「晉趙衰辭卿語」以下，因《至正》闕，改以《寶顏堂》爲底本。　(51)同㊽。「愼」上闕「貞」，「先」下闕「軫」，今據《享保》、《四庫》、《詒經堂》、《台州》、《津梁》各本補。　(52)見《國語·齊語》。　(53)見《漢書·武五子傳》。「靑」下，原闕「社」；「承」上，原闕「朕」；「維」下，原闕「稽古」；「恭朕」上，原闕「念哉」；今據《享保》、《四庫》、《詒經堂》、《台州》、《津梁》各本補。

(54)同(53)。「玄社」的「玄」，《漢書》原文正作「元」，《四庫》、《詒經堂》各本亦作「元」，今據改。「建爾」下，原闕「國」；「獸心」上，原闕「老」；「毋乃」下，原闕「廢」；今據《漢書》原文及《享保》、《四庫》、《詒經堂》、《台州》、《津梁》各本補。「以姦巧邊畋」的「畋」字，今據《漢書》原文及《四庫》改爲「甿」。　(55)同(53)。「乃惠乃順」的「乃」字，《四庫》作「迺」，《漢書》原文正作「迺」，今據改。「毋相」的「相」字，《台州》、《津梁》皆誤作「侗」，《四庫》作「桐」，《漢書》原文正作「桐」，今據改。「好逸」的「逸」字，僅《四庫》誤作「佚」，《漢書》原文及其他版本皆作「逸」。「逸」、「佚」雖然意義相通，但以原文爲是。

第五章　《文則》論修辭的原則

《文則》一書正面討論修辭原則的地方不多，但仔細加以探討，在某些段落中，卻發現不少修辭原則。現在運用分析、比較、歸納的方法，探究《文則》的內容，發現修辭的原則，有自然、簡潔、通俗、恰當、明確等五項。①茲分五節，逐節闡論之。

第一節　自然

「文章本天成，妙手偶得之。」陳騤認爲文章出於自然，因此他在《文則·甲三》中說：

夫樂奏而不和，樂不可聞；文作而不協，文不可誦。文協尚矣！是以古人之文，發於自然，其協也亦自然；後世之文，出於有意，其協也亦有意。②

演奏音樂必須和諧，始能產生出悅耳動人的歌聲來；創作文章也要和諧，才能寫出琅琅上口的佳作來。音樂的和諧，文章的和諧，都是出於自然；誠如陳哲〈書天台陳先生文則後〉一文，申述陳騤

《文則》編輯的本旨時，也說：「文如聖賢，何等氣象；譬之一元磅礴，萬化流形，各極其妙，而一出於天然，眞文字之準則也。」③

陳騤除了闡述文章本乎自然的理論之外，也在《文則·甲三》列舉古書例證，詮解古人文章表現自然和諧的現象；例如：

> 《書》曰：「任賢勿貳，去邪勿疑，疑謀勿成，百志惟熙。」《易》曰：「乾剛坤柔，比樂師憂，臨觀之義，或與或求。」《禮記》曰：「玄酒在室，醴醆在户，粢醍在堂，澄酒在下，陳其犧牲，備其鼎俎，列其琴瑟，管磬鐘鼓，修其祝嘏，以降上神，與其先祖，以正君臣，以篤父子，以睦兄弟，以齊上下，夫婦有所，是謂承天之祜。」④

陳騤列舉《尙書·大禹謨》、《周易·雜卦傳》、《禮記·禮運》的文章，闡明《尙書》中的「疑」、「熙」是自然和諧，因爲「疑」、「熙」都是段玉裁〈古十七部諧聲表〉中的第一部；《周易》中的「憂」、「求」也是自然和諧，因爲「憂」、「求」都是段玉裁的第三部；《禮記》中的「戶」、「下」、「俎」、「鼓」、「嘏」、「祖」、「下」、「祜」也是自然和諧，因爲「戶」、「下」、「俎」、「鼓」、「嘏」、「祖」、「下」、「祜」都是段玉裁的第五部。然而，陳騤在《文則·甲三》中，又列舉自然和諧的變體，例如：

> 《書》曰：「無偏無黨，王道蕩蕩，無黨無偏；王道平平。」《詩》曰：「不明爾德，時無背無側；爾德不明，以無陪無卿。」⑤

陳騤列舉《尙書·洪範》、《詩經·蕩》的文章，闡述「黨」與「蕩」、「偏」與「平」、「德」與「側」、

「明」與「卿」，都是自然和諧；因爲「黨」與「蕩」都是段玉裁的第十部；「偏」是段玉裁的第十二部，「平」是第十一部，韻部相近；「德」與「側」都是段玉裁的第一部；「明」與「卿」都是段玉裁的第十部。但《尙書》中的上句「無偏無黨」與下句的「無黨無偏」正好顚倒，《詩經》中的上句「不明爾德」與下句「爾德不明」也正好顚倒，因此這兩個例子都是顚倒上句的詞語而使文章自然和諧，這是自然和諧的另一種體例。這種自然和諧的情形，正如同《文心雕龍·原道》所謂「林籟結響，調如竽瑟；泉石激韻，和若球鍠。」⑥因此，這種文章原於自然的觀點，本是《文心雕龍·原道》的文學理論。劉勰認爲「日月疊璧，以垂麗天之象；山川煥綺，以鋪理地之形」、「雲霞雕色，有踰畫工之妙；草木賁華，無待錦匠之奇」⑦，這些景象都是出於自然；作文也是發於自然。所以，劉勰說：「（人）爲五行之秀氣，實天地之心生，心生而言立，言立而文明，自然之道也。」⑧劉勰所談的自然，是文章的自然，這種自然思想是道家哲學的自然轉化而來的。⑨一言以蔽之，道家哲學的自然演變爲劉勰文章的自然，再演變爲陳騤修辭的自然，其實陳騤在理論上，也談文章的自然，只是舉例以修辭的自然爲主，因此陳騤《文則》可以說是一本承先啓後，繼往開來的典籍。

陳騤列舉《周易》、《尙書》、《詩經》、《禮記》的例子，闡論文章的押韻是本乎自然和諧，這是修辭的自然。傅隸樸先生的《脩辭學》⑩、董季棠先生的《修辭析論》⑪，都將「音節」列入修辭學中的一個辭格；黃永武先生的《字句鍛鍊法》，將「協律」列入可以使文句華美的修辭技巧⑫；大陸學者李維琦先生的《修辭學》，則專設一章〈音韻修辭〉加以討論⑬；新加坡學者鄭子瑜先生的《中國修辭學史》，有一節〈談音節的修辭效用〉[14]，特別推崇黃永武先生《中國詩學——設計篇·談詩的音響》[15]，其實黃先生《中國詩學——鑑賞篇·（乙）從詩的形式上欣賞·三、聲律美的欣賞》[16]也談音節；因此音韻列入修辭學的範圍，不容置疑。至於協律本著自然，劉勰《文心雕龍》專立「聲律」一章，深入析論，劉氏說：「夫音律所始，本於人聲者也。聲合宮商，肇自血氣，先王因之，以制樂歌。」[17]劉氏的聲律論，是從自然的音節發展出來的，所以說：「音律所始，本於人聲。」

此外，修辭學中的「對偶」，也是本著自然，劉勰在《文心雕龍·麗辭》中說：「夫心生文辭，運裁百慮，高下相須，自然成對。」[18]劉氏認爲「對偶」是出於自然，並舉《尚書》的「滿招損，謙受益」[19]作例證。陳騤不止修辭學運用了自然，而且文章也運用了自然，所以他在《文則·甲三》說：「古人之文，發於自然。」像鍾嶸《詩品序》也說：

> 至乎吟詠情性，亦何貴於用事？「思君如流水」，既是即目。「高臺多悲風」，亦惟所見。「清晨登隴首」，羌無故實。「明月照積雪」，詎出經史。觀古今勝語，多非補假，皆由直尋。[20]

「觀古今勝語，多非補假，皆由直尋。」就是依照天理，根據固然，妙造自然。因此，《文心雕龍·明詩》說：「人稟七情，應物斯感，感物吟志，莫非自然。」[21]唐司空圖《詩品·自然》也說：

> 俯拾即是，不敢諸鄰。俱道適往，著手成春。如逢花開，如瞻歲新。眞與不奪，強得易貧。幽人空山，過雨採蘋。薄言情悟，悠悠天鈞。

此言花開花語，不是人爲；歲月更新，也不是強致；信手拈來，處處都是「自然」。所謂「自然」，是當然而然，不知其所以然而然，自己本有，不假外求。「自然」是不勉強，如畫家描繪自然之妙，可以著手成春。正如曾紀澤《演司空表聖詩品二十四首·自然》所說：「語不驚人祇自娛，神奇乃與化工俱。不雕和氏連城璧，忽得梁王照乘珠。失水巨魚歸大壑，追風良馬試康衢。畫工解試天成趣，含潄丹清青嘿作圖。」葛兆光《禪宗與中國文化》也說：「自從司空圖在《詩品》中，以『俯拾即是，不取諸鄰，俱道適往，著手成春』等字樣，單獨標出一個『自然』以來，經過嚴羽、袁宏道、董其昌、王士禛、袁枚等人大力提倡，『自然』已經成爲士大夫文學藝術的一種極致」。㉒

古人將自然運用在文章上的，有《莊子·養生主》。莊子認爲養生之道，以「自然」爲主，因此「自然」是《養生主》的主旨。《養生主》首段說：

> 吾生也有涯，而知也無涯。以有涯隨無涯，殆已；已而爲知者，殆而已矣。爲善無近名，爲惡無近刑。緣督以爲經，可以保身，可以全生，可以養親，可以盡年。

首段是總論，先正說「爲善無近名，爲惡無近刑」，再以「緣督以爲經」作立論，而「爲善無近名，爲惡無近刑，緣督以爲經」，都是淵源於自然之道。第二段以下是分論，第二段說：

> 庖丁爲文惠君解牛，手之所觸，肩之所倚，足之所履，膝之所踦，砉然嚮然，奏刀騞然，莫不中音。合於桑林之舞，乃中經首之會。文惠君曰：「譆，善哉！技蓋至此乎」庖丁釋刀對曰：「臣之所好者，道也，進乎技矣。始臣之解牛之時，所見無非牛者。三年之後，未嘗見全牛也。方今之時，臣以神遇而不以目視，官知止而神欲行。依乎天理，批大郤，導大窾，因其固然。

技經肯綮之未嘗，而況大軱乎！良庖歲更刀，割也；族庖月更刀，折也。今臣之刀十九年矣。所解數千牛矣，而刀刃若新發於硎。彼節者有閒，而刀刃者無厚；以無厚入有閒，恢恢乎其於遊刃必有餘地矣，是以十九年而刀刃若新發於硎。雖然，每至於族，吾見其難爲，怵然爲戒，視爲止，行爲遲。動刀甚微，謋然已解，如土委地。提刀而立，爲之四顧，爲之躊躇滿志，善刀而藏之。」文惠君曰：「善哉！吾聞庖丁之言，得養生焉。」

此以「庖丁解牛之術」，詮證「緣督以爲經」。庖丁解牛，「依乎天理，批大郤，導大窾，因其固然」。因此，雖然刀用了十九年，其「刀刃若新發於硎」，這是順其自然地解牛的緣故。文惠君從庖丁解牛的技術，領悟養生也是以自然爲主。莊子接著在第三、四段，以「右師形殘，澤雉啄飲」，論證「爲惡無近刑」，他說：

公文軒見右師而驚曰：「是何人也？惡乎介也？天與？其人與？」曰：「天也，非人也。天之生是使獨也，人之貌有與也。以是知其天也，非人也。」

澤雉十步一啄，百步一飲，不蘄畜乎樊中。神雖王，不善也。

此言公文軒與右師的對話。公文軒問右師：「被斷了一隻腳，是上天的安排，還是人爲的因素？」右師告訴他：「這是上天的安排。」莊子的意思是，一個少了一隻腳，這是自然的現象，不怨天，不尤人。又水澤邊的野雞，「十步一啄，百步一飲」，雖然覓食很困難，但卻十分愉悅，這是順乎自然的緣故。有一天，被養在籠子中，雖然不用辛勞地覓食，可是精神委靡不振，並不歡悅，這是違背自然的緣故。莊子在末段，以「秦失弔老聃」，闡述「爲善無近名」，他說：

> 老聃死，秦失弔之，三號而出。弟子曰：「非夫子之友邪？」曰：「然。」「然則弔焉若此，可乎？」曰：「然。始也吾以爲其人也，而今非也。向吾人而弔焉，有老者哭之，如哭其子；少者哭之，如哭其母。彼其所以會之，必有不蘄言而言，不蘄哭而哭者。是遁天倍情，忘其所受，古者謂之遁天之刑。適來，夫子時也；適去，夫子順也。安時而處順，哀樂不能入也，古者謂是帝之縣解。」指窮於爲薪，火傳也，不知其盡也。

此言秦失祭弔老聃，爲什麼「三號而出」？秦失認爲生死是自然現象，順著自然，就會覺得「生而何歡，死而何懼」，於是秦失才只哭三聲就出來了。莊子的「生死如一觀」，是生死如晝夜，生如白天，死如晚上，晝夜的運行是自然現象，生死豈不也是自然現象？至於文中言及「老者哭之，如哭其子；少者哭之，如哭其母」，這是人生界的現象。這種人生界的現象，就是《莊子·德充符》所說的：「有人之形，故羣於人。」至於「生死如一觀」，就是《德充符》所說的：「無人之情，故是非不得於身。」所謂「無人之情，故是非不得於身」，是至情，也是自然之情，並非無情，更不是絕情。因此，「庖丁解牛」、「右師形殘，澤雉啄飲」、「秦失弔老聃」，都是順著自然之理。又如《莊子·至樂》：

> 莊子妻死，惠子弔之，莊子則方箕踞鼓盆而歌。惠子曰：「與人居，長子老身，死不哭亦足矣，又鼓盆而歌，不亦甚乎！」莊子曰：「不然，是其始死也，我獨何能無概然！察其始而本無生，非徒無生也而本無形，非徒無形也而本無氣。雜乎芒芴之閒，變而有氣，氣變而有形，

形變而有生，今又變而之死，是相與爲春秋冬夏四時行也。人且偃然寢於巨室，而我噭噭隨而哭之，自以爲不通乎命，故止也。」

此言莊子太太去世，不僅不難過哀傷，反而「鼓盆而歌」，惠施很生氣地說：「您和太太共同生活很長久，他替你扶養子女，年老去世了，你不哭也沒有關係，反而鼓盆而歌，不是太過分了嗎？」莊子鄭重其事地說明惠施誤會的癥結所在，莊子認爲太太剛去世的時候，他也十分哀慟，但後來想一想，人的生命是從無到有，再從有回到無，這不是像春夏秋冬四季的運行？「秋去」是「無」；「冬來」是「有」，可是「冬去」又是「無」，「春來」又是「有」；「春去」又是「無」，「夏來」又是「有」；「夏去」又是「無」，「秋來」又是「有」。人的「生」是「有」，「死」是「無」。這種四季循環，也是有無循環，也是生死循環的現象；一言以蔽之，也是自然現象。

《莊子》這本書是哲學，也是文學，從內容上，是哲學；從形式上，是文學；所以張默生在《莊子新釋》中說：「《莊子》是一本哲學的文學，文學的哲學。」因此，從內容上看，《莊子》是自然哲學；從形式上看，《莊子》的文章是自然流露，毫不雕飾。所以，楊振綱《詩品解》引《皐蘭課業本原解》說：「凡詩文無論平奇濃淡，總以自然爲貴。如太白逸才曠世，不假思議，固矣；少陵雖經營慘淡，亦如無縫天衣。又如元、白之平易，固矣；即東野、長江之苦思刻骨，玉川、長吉之鑿險縋幽，義山、飛卿之鋪錦列繡，究亦自出機杼。若純於矯強，毫無天趣，豈足名世？」文章以自然爲佳，像李白、元稹、白居易的文章，都能順乎自然，還有杜甫、孟郊、賈島、盧仝、李賀、李商隱、溫庭筠的詩文，雖經雕飾，但不違反自然，若是純粹雕飾，或過分修辭，猶如剪綵爲花，毫無生氣，亦無天趣可言。

除了《莊子》的文章，將「自然」發揮得淋漓盡致，還有將自然運用在詩文上的，有晉朝陶淵明的〈歸園田居〉㉓、唐朝李太白的〈春夜宴桃李園序〉㉔、柳宗元的〈種樹郭槖駝傳〉㉕、宋朝蘇東坡的〈赤壁賦〉㉖、朱熹的〈觀書有感〉㉗、元朝翁森的〈四時讀書樂〉㉘，他們的詩文都是出於自然。所以，徐志摩在〈翡冷翠山居閒話〉中說：「自然是最偉大的一部書。」㉙黑格爾《美學》也說：「美是理念，……理念的最淺近的客觀存在就是自然，第一種美就是自然。」㉚張耒《柯山集·賀方回樂府》也說：「文章之於人，有滿心而發，肆口而成，不待思慮而工，不待雕琢而麗者，皆天理之自然而性情之至道也。」

陳騤《文則》不止認爲文章必須出於「自然」，修辭技巧也應該本乎「自然」。「自然」既可以使文章流露眞情，而不矯揉造作，又可以使修辭技巧發揮「自然」美，並非刻意雕飾，而是羚羊掛角，不著痕跡，巧奪天工。因此，自然是修辭的原則之一，其來有自。

【附註】

①參閱譚全基《文則研究》，問學社印行，頁一二至一六；易蒲、李金苓《漢語修辭學史綱》，吉林教育出版社印行，頁二八九至二九二。

②見陳騤《文則》，人民出版社印行，五十一年八月上海第二次印刷，頁六。
③同②，頁五四。
④同②。
⑤同②。
⑥見王師更生《文心雕龍讀本》，文史哲出版社印行，上篇，頁二至三。
⑦同⑥，頁一。
⑧同⑦。
⑨詳見拙作《莊子之文學》，文史哲出版社印行，頁五六至五九。
⑩傅隸樸先生《脩辭學》，正中書局印行，五十八年三月臺初版，第六章美麗第二節音節，頁六八至七二；又傅先生五十三年六月初版《中文脩辭學》，友聯出版社有限公司印行，第六章美麗第二節音節，頁八七至九三。
⑪董季棠先生《修辭析論》，文史哲出版社印行，八十一年六月增訂初版，第九章音節，頁一四三至一五八；又董先生七十七年七月四版《修辭析論》，益智書局印行，第九章音節，頁一三七至一五一。
⑫黃永武先生《字句鍛鍊法》，洪範書店印行，七十五年一月初版，〈鍛句的方法〉、(二)怎樣使文句華美—一、協律，頁五六至六三；又黃先生五十八年十一月二版《字句鍛鍊法》，臺灣商務印書館股份有限公司印行，〈鍛句的方法〉、(三)怎樣使文句華美—一、協律，頁二五至二八。
⑬李維琦先生《修辭學》，湖南人民出版社印行，七十五年十月初版，第一章音韵修辭，分爲三節：第一節傳其聲

情，第二節和其音韵，第三節諧其音節，頁一九至五二。

⑭鄭子瑜先生《中國修辭學史》，文史哲出版社印行，七十九年二月初版，第十一篇結論—九、談音節的修辭效用，頁六六三至六六四。

⑮黃永武先生《中國詩學——設計篇》，巨流圖書公司印行，六十五年六月初版，頁一五三至二〇一。

⑯黃永武先生《中國詩學——鑑賞篇》，巨流圖書公司印行，六十五年十月初版，頁一六三至一九六。

⑰同⑥，下篇，頁一〇五。

⑱同⑥，下篇，頁一三二。

⑲同⑥，下篇，頁一三三。

⑳見何文煥輯《歷代詩話》，木鐸出版社印行，上冊，頁四。

㉑同⑥，上篇，頁八三。

㉒葛兆光《禪宗與中國文化》，上海人民出版社印行，民國七十五年六月初版，頁一九一。

㉓陶淵明〈歸園田居〉：「少無適俗韻，性本愛邱山。誤落塵網中，一去三十年。羈鳥戀舊林，池魚思故淵。開荒南野際，守拙歸園田。方宅十餘畝，草屋八九間。榆柳蔭後簷，桃李羅堂前。曖曖遠人村，依依墟里煙。狗吠深巷中，雞鳴桑樹顛。戶庭無塵雜，虛室有餘閒。久在樊籠裏，復得返自然。」（見陶澍輯《靖節先生集》，河洛圖書出版社印行，卷之二，頁六至七。）查慎行說：「反自然，道盡歸田之樂，可知塵網牽率，事事俱違本性。」（同前，頁七。）朱熹也說：「淵明詩平淡，出於自然。」（見黎靖德編《朱子語類》，漢京文化事業有限公司印行，頁一三

三五。）陶詩語造平淡，妙造自然。由此可證。

㉔李太白〈春夜宴桃李園序〉：「夫天地者，萬物之逆旅；光陰者，百代之過客。而浮生若夢，爲歡幾何？古人秉燭夜遊，良有以也。況陽春召我以烟景，大塊假我以文章。會桃李之芳園，序天倫之樂事。羣季俊秀，皆爲惠連。吾人詠歌，獨慚康樂。幽賞未已，高談轉清。開瓊筵以坐花，飛羽觴而醉月。不有佳詠，何伸雅懷？如詩不成，罰依金谷酒數。」（見王載菴輯注《李太白全集》，河洛圖書出版社印行，卷二十七，頁六二九。）這篇上乘之作，是本著自然，尤其「陽春召我以烟景，大塊假我以文章」，可說是作者置身在自然、文學之中。

㉕柳宗元〈種樹郭橐駝傳〉：「郭橐駝，不知始何名。病瘻，隆然伏行，有類橐駝者，故鄉人號之『駝』。駝聞之，曰：『甚善，名我固當。』因捨其名，亦自謂橐駝云。其鄉曰豐樂鄉，在長安西。駝業種樹，凡長豪富人，爲觀遊及賣果者，皆爭迎取養。視駝所種樹，或移徙，無不活；且碩茂蚤實以蕃。他植者雖窺伺傚慕，莫能如也。有問之，對曰：『橐駝，非能使木壽且孳也；能順木之天，以致其性焉爾。凡植木之性，其本欲舒，其培欲平，其土欲故，其築欲密。既然已，勿動勿慮，去不復顧。其蒔也若子，其置也若棄，則其天者全，而其性得矣。故吾不害其長而已，非有能碩茂之也；不抑耗其實而已，非有能蚤而蕃之也。他植者則不然，根拳而土易，其培之也，若不過焉，則不及。苟有能反是者，則又愛之太恩，憂之太勤，旦視而暮撫，已去而復顧。甚者爪其膚以驗其生枯，搖其本以觀其疏密，而木之性日以離矣。雖曰愛之，其實害之；雖曰憂之，其實讎之，故不我若也。吾又何能爲哉！』問者曰：『以子之道，移之官理，可乎？』駝曰：『我知種樹而已，官理非吾業也。然吾居鄉，見長人者好煩其令，若甚憐焉，而卒以禍。旦暮，吏來而呼曰：「官命促爾耕，勗爾植，督爾穫，蚤繅而緒，蚤織而

縷，字而幼孩，遂而雞豚。」鳴鼓而聚之，擊木而召之。吾小人輟飧饔以勞吏者，且不得暇，又何以蕃吾生而安吾性耶？故病且怠。若是，則與吾業者其亦有類乎？」問者嘻曰：「不亦善乎！吾問養樹，得養人術。」傳其事以為官戒也。」（見《柳宗元集》，漢京文化事業有限公司，冊一，卷一七，頁四七三至四七四。）這篇文章藉種樹來比喻作官，只要順著自然的本性，樹木就會長得枝繁葉茂；治人也是如此。此文借問養樹，得養人術，好像《莊子·養生主》藉庖丁解牛之術，得養生之道。這兩篇文章都是闡析順其自然的道理。

㉖蘇東坡〈赤壁賦〉：「壬戌之秋，七月既望，蘇子與客泛舟遊於赤壁之下。清風徐來，水波不興。舉酒屬客，誦明月之詩，歌窈窕之章。少焉，月出於東山之上，徘徊於斗牛之間。白露橫江，水光接天。縱一葦之所如，凌萬頃之茫然。浩浩乎如馮虛御風，而不知其所止；飄飄乎如遺世獨立，羽化而登仙。於是飲酒樂甚，扣舷而歌之。歌曰：『桂棹兮蘭槳，擊空明兮泝流光。渺渺兮予懷，望美人兮天一方。』客有吹洞簫者，倚歌而和之，其聲嗚嗚然：如怨、如慕、如泣、如訴；餘音嫋嫋，不絕如縷；無幽壑之潛蛟，泣孤舟之嫠婦。蘇子愀然，正襟危坐而問客曰：『何為其然也？』客曰：『「月明星稀，烏鵲南飛」，此非曹孟德之詩乎？西望夏口，東望武昌；山川相繆，鬱乎蒼蒼。此非孟德之困於周郎者乎？方其破荊州，下江陵，順流而東也，舳艫千里，旌旗蔽空，釃酒臨江，橫槊賦詩，固一世之雄也，而今安在哉！況吾與子，漁樵於江渚之上，侶魚蝦而友麋鹿；駕一葉之扁舟，舉匏樽以相屬；寄蜉蝣於天地，渺滄海之一粟。哀吾生之須臾，羨長江之無窮；挾飛仙以遨遊，抱明月而長終；知不可乎驟得，託遺響於悲風。』蘇子曰：『客亦知夫水與月乎？逝者如斯，而未嘗往也；盈虛者如彼，而卒莫消長也。蓋將自其變者而觀之，則天地曾不能以一瞬；自其不變者而觀之，則物與我皆無盡也。而又何羨乎？且夫天地之

間，物各有主。苟非吾之所有，雖一毫而莫取；惟江上之清風，與山間之明月，耳得之而爲聲，目遇之而成色。取之無禁，用之不竭。是造物者之無盡藏也，而吾與子之所共適。」客喜而笑，洗盞更酌。肴核既盡，杯盤狼藉。相與枕藉乎舟中，不知東方之既白。」（見《蘇東坡全集》，河洛圖書出版社，卷二〇，頁二六八。）這篇文章藉自然的美景，抒發萬物盛衰消長的道理，作者廣闊的胸襟，好像《莊子·天下》所謂「上與造物者遊，而下與外死生無終始者爲友」的境界，這是呈現蘇東坡的「文理自然，姿態橫生」。

㉗朱熹〈觀書有感〉：「半畝方塘一鑑開，天光雲影共徘徊；問渠那得清如許，爲有源頭活水來。」（見石于編注《千家詩新釋》，巴蜀書社印行，頁四二。）這首詩藉自然的景色，叙述讀書的心得，其創作技巧也是本著自然。

㉘翁森〈四時讀書樂〉：

山光照檻水繞廊，舞雩歸詠春風香。好鳥枝頭亦朋友，落花水面皆文章。蹉跎莫遣韶光老，人生惟有讀書好。讀書之樂樂何如？綠滿窗前草不除。

新竹壓簷桑四圍，小齋幽敞明朱曦。晝長吟罷蟬鳴樹，夜深燼落螢入幃。北窗高臥羲皇侶，只因素稔讀書趣。讀書之樂樂無窮，瑤琴一曲來薰風。

昨夜庭前葉有聲，籬豆花開蟋蟀鳴。不覺商意滿林薄，蕭然萬籟涵虛清。近牀賴有短檠在，對此讀書功更倍。讀書之樂樂陶陶，起弄明月霜天高。

木落水盡千崖枯，迥然吾亦見眞吾。坐對韋編燈動壁，高歌夜半雪壓廬。地爐茶鼎烹活火，四壁圖書中有我。讀書之樂何處尋？數點梅花天地心。（見《國中國文》，國立編譯館印行，八十一年一月改編本再版，冊四，頁一九至二〇。）作者藉自然的景色，陶冶性靈，啓迪讀書的情趣，隨時隨地可以得到讀書樂。

㉙見徐志摩《徐志摩全集》，大東書局印行，頁二〇四。

㉚見黑格爾著、朱孟實譯《美學》，里仁書局印行，冊一，頁一六二。

第二節　簡潔

陳騤認爲文章貴乎簡潔，切忌拖泥帶水，詞不達意，因此他在《文則·甲四》中，闡論文貴簡潔的主張，他說：

> 且事以簡爲上，言以簡爲當。言以載事，文以著言，則文貴其簡也。文簡而理周，斯得其簡也。讀之疑有闕焉，非簡也，疎也。

陳氏從「事簡」推論到「言簡」，再推論到「文簡」，但簡潔和疏漏有別，假如簡而有缺，就是疏漏，也就是後人所說的「苟簡」，不足爲訓，應該做到「言簡而不疏」、「文簡而理周」，才是眞正的「簡潔」。陳氏運用比較法，列出例證，來闡明文貴簡潔，他說：

> 《春秋》書曰：「隕石於宋五。」《公羊傳》曰：「聞其磌然，視之則石，察之則五。」《公羊》之義，經以五字盡之，是簡之難者也。

陳騤列舉《春秋》、《公羊傳》的相同內容而不同文字，互相比較，闡明《春秋》文貴乎簡。唐朝劉知幾《史通·敘事》也同樣主張「言簡意賅」、「簡要合理」，他所舉的例子與陳氏相同，但說明稍異，他說：

《春秋經》曰：「隕石於宋五。」夫聞之隕，視之石，數之五。加以一字太詳，減其一字太略，求諸折中，簡要合理，此爲省字也。

劉知幾所謂省字，並非節縮或省略之意，而是符合不重複、不繁冗的原則，也是「簡要合理」、「言簡意賅」的主張。陳氏似沿襲劉氏的說法，或英雄所見略同。陳騤又列舉劉向、《論語》、《尚書》記載同一件事的不同文字，互相比較，他說：

劉向載泄冶之言曰：「夫上之化下，猶風靡草，東風則草靡而西，西風則草靡而東，在風所由，而草爲之靡。」此用三十有二言而意方顯。及觀《論語》曰：「君子之德風，小人之德草，草上之風必偃。」此減泄冶之言半，而意亦顯。又觀《書》曰：「爾惟風，下民惟草。」此復減《論語》九言而意愈顯。吾故曰：是簡之難者也。

同樣表達一件事，文字雖有不同，但內容相同。劉向運用了三十二字，《論語》使用了十六字，《尚書》卻僅應用了七個字，意義反而更加明顯。由此可見，言簡意賅，才是難能可貴。因此，劉知幾說：「夫國史之美者，以敘事爲工；而敘事之工者，以簡要爲主。」①

陳騤又舉《論語》與《左傳》、《論語》與《史記》比較文章的簡約、繁豐，他在《文則·戊七》中說：

子曰：「爲命裨諶草創之，世叔討論之，行人子羽脩飾之，東里子產潤色之。」質之《左氏》，則此文簡而整。（《左氏傳》曰：「裨諶能謀，謀於野則獲，謀於邑則否。鄭國將有諸侯之事，子產乃問四國之爲於子羽，且使多爲辭令，與裨諶乘以適野，使謀可否，而告馮簡子，使斷之，事成，乃授子太叔使行之，以應對賓客。」）子曰：「孟之反不伐，奔而殿，將入門，策其馬，曰：『非敢後也，馬不進也。』」質之《左氏》，則此文緩而周。（《左氏傳》曰：「孟之側後入，以爲殿，抽矢策其馬曰：『馬不進也。』」）「南容三復白圭」，司馬遷則曰：「三復白圭之玷。」辭雖備，而其意竭矣。「在邦必達，在家必達」，司馬遷則曰：「在邦及家必達。」辭雖約，而其意疎矣。

陳騤比較《論語·憲問》：「爲命裨諶草創之，世叔討論之，行人子羽脩飾之，東里子產潤色之。」《左傳·襄公三十一年》：「裨諶能謀，謀於野則獲，謀於邑則否。鄭國將有諸侯之事，子產乃問四國之爲於子羽，且使多爲辭令，與裨諶乘以適野，使謀可否，而告馮簡子，使斷之，事成，乃授子太叔使行之，以應對賓客。」《論語》的文章簡要而完整，而《左傳》的文章卻比較繁豐。陳氏又比較《論語·雍也》：「子曰：『孟之反不伐，奔而殿，將入門，策其馬，曰：「非敢後也，馬不進也。」』」《左傳·哀公十一年》：「孟之側後入，以爲殿，抽矢策其馬曰：『馬不進也。』」陳騤以爲《論語》的文章舒緩而周密，但黃永武《字句鍛鍊法》卻認爲「在『馬不進也』句上跳脫『非敢後也』句。以當時急劇的情態衡之，《左傳》跳脫一句的筆法，比《論語》更爲逼眞」。②又比較《論語·先進》：「南容三復白圭。」《史記·仲尼弟子列傳》：「三復白圭之玷。」陳騤以爲《史記》的文辭雖然詳備，但卻將文章蘊藉的意味都說盡了，沒有耐人尋味的餘地。又比較《論語·顏淵》：「在邦必達，在家必達。」《史記·仲尼弟子列傳》：「在邦及家必達。」陳騤認爲《史記》的詞句雖然簡約，但意思卻不周密。總而言之，陳騤似乎以《論語》文章的繁簡爲標準，因此其他典籍與《論語》比較，都是略遜一籌，卻有白璧微疵的現象。

陳騤又認爲文章不僅文句要簡煉而不粗疏，也要含義深刻不晦澀，並舉《禮記》、《左傳》的文章作比較，他在《文則·己二》中說：

觀《檀弓》之載事，言簡而不踈，旨深而不晦，雖《左氏》之富豔，敢奮飛於前乎？略舉二事以見。

世子申生爲驪姬所譖，或令辨之。《左氏》載其事，則曰：「或謂太子：『子辭，君必辨焉。』太子曰：『君非姬氏，居不安，食不飽。我辭，姬必有罪。君老矣，吾又不樂。』」《檀弓》則曰：「『子盍言子之志於公乎？』世子曰：『不可。君安驪姬，是我傷公之心也。』」考此，則《檀弓》爲優。（《穀梁傳》載其事曰：「世子之傅里克謂世子曰：『入自明，入自明，則可以生，不入自明，則不可以生。』世子曰：『吾君老矣，已昏矣，吾若此而入自明，則驪姬必死，驪姬死，則吾君不安。』」若此文，非唯不及《檀弓》，亦不及《左氏》矣。）

智悼子未葬，晉平公飲以樂，杜蕢謂大臣之喪，重於疾日不樂。《左氏》言其事，則曰：「辰在子卯，謂之疾日，君撤宴樂，學人舍業，爲疾故也。君之卿佐，是謂股肱，股肱或虧，何痛如之？」〈檀弓〉則曰：「子卯不樂。知悼子在堂，斯其爲子卯也大矣。」考此，則〈檀弓〉爲優。

陳騤比較《左傳》、《禮記》同樣是記載世子申生被驪姬誣諂，有人勸他向晉獻公申辨澄清是非。《左傳·僖公四年》說：「或謂太子：『子辭，君必辨焉。』太子曰：『君非姬氏，居不安，食不飽。我辭，姬必有罪。君老矣，吾又不樂。』」《禮記·檀弓上》卻說：「『子盍言子之志於公乎？』世子曰：『不可。君安驪姬，是我傷公之心也。』」陳騤認爲《禮記》的文章，是「言簡旨深」，比《左傳》更好。又與《穀梁傳》比較，《穀梁傳·僖公十年》說：「世子之傅里克謂世子曰：『入自明。入自明，則可以生；不入自明，則不可以生。』世子曰：『吾君老矣，已昏矣，吾若此而入自明，則驪姬必死，驪姬死，則吾君不安。』」陳騤認爲《穀梁傳》的文章，不僅不如《禮記》，也比不上《左傳》。文詞愈簡約愈佳，因此《禮記》才是上乘之作。

陳騤又比較《左傳》、《禮記》，同樣是記載智悼子去世尚未安葬，晉平公就飲酒奏樂，杜蕢對他說，大臣喪亡比忌日還重大，不應該演奏音樂。《左傳·昭公九年》說：「辰在子卯，謂之疾日，君撤宴樂，學人舍業，爲疾故也。君之卿佐，是謂股肱，股肱或虧，何痛如之？」《禮記·檀弓下》卻說：「子卯不樂。知悼子在堂，斯其爲子卯也大矣。」《禮記》的文章比《左傳》更好，因爲《禮記》的文句簡潔有力。

陳騤認爲作文不難，最難的是錬句。所謂錬句，就是強調文章的詞句必須剛健有力、簡潔明瞭，因此他在《文則·己三》中說：

鼓瑟不難，難於調弦，作文不難，難於錬句。

陳騤以爲作文最困難的是錬句，好比彈瑟最困難的是調弦。陳氏列舉《禮記》、《孔子家語》的文章作比較，如《禮記·檀弓下》說：「遇負杖入保者息。」《孔子家語·曲禮子貢問》卻說：「遇人入保負杖者息。」又如《禮記·檀弓下》說：「皆死焉。」《孔子家語·曲禮子貢問》卻說：「命敵死焉。」又如《禮記·檀弓上》說：「比御而不入。」《孔子家語·曲禮子貢問》卻說：「可御而處內。」又如《禮記·檀弓上》說：「南宮縚之妻之姑之喪。」《孔子家語·曲禮子貢問》卻說：「南宮縚之妻，孔子之兄女，喪其姑。」又如《禮記·檀弓上》說：「予惡乎涕之無從也。」《孔子家語·曲禮子夏問》卻說：「吾惡乎涕而無以將之。」又如《禮記·檀弓上》說：「仲子亦猶行古之道也。」《孔子家語·曲禮公西赤問》卻說：「仲子亦猶行古人之道。」又如《禮記·檀弓下》說：「夫子爲弗聞也者而過之。」《孔子家語·屈節解》卻說：「夫子爲之隱佯不聞以過之。」又如《禮記·檀弓上》說：「遂命覆醢。」《孔子家語·曲禮子夏問》卻說：「遂令左右皆覆醢。」又如《禮記·檀弓上》說：「死不如速朽之愈也。」《孔子家語·曲禮子貢問》卻說：「死不如朽之速愈。」又如《禮記·檀弓下》說：「若魂氣，則無不之也。」《孔子家語·曲禮子貢問》卻說：「若魂氣，則無所不之。」陳騤列舉《禮記》、《孔子家語》各十個例句，比較二者修辭技巧，結果發現《禮記》的修辭比《孔子家語》簡約。

在陳騤《文則》之前，主張文章的修辭力求簡約的，有陸機，他的《文賦》說：「要辭達而理舉，故無取乎冗長。」誠如唐朝司空圖《詩品·洗鍊》所說：「如鑛出金，如鉛出銀。超心鍊冶，絕愛緇磷。空潭瀉春，古鏡照神。體素儲潔，乘月返眞。載瞻星氣，載歌幽人。流水今日，明月前身。」文章要力求簡潔，必須洗鍊，如「金銀出於鑛鉛，未洗鍊者不足重」。③在《文則》之後，有方苞主張文章修辭必須力求簡約，他在《與程若韓書》中說：「夫文未有繁而能工者，如煎金錫，麤礦去，然後黑濁之氣竭而光潤生。」正如清朝顧翰《補詩品·精鍊》也說：「如劍冶鐵，如鏡樂銅。出自爐鞴，妙入化工。光皎冰玉，氣爲星虹。湅水燒雲，碧色補空。初震石鼓，漸調金鏞。聲滿天地，隱隱隆隆。」民國以來，傅師隸樸《脩辭學》在第十章〈練詞〉中，提出「避重出」、「兼攝」、「統括」、「成套」、「妥帖」五項④，舉例詮證，認爲文章的修辭以簡約爲主。黃永武《字句鍛鍊法》將全書分爲鍛句的方法、鍊字的方法兩大類，再各分爲若干類，其中「節短」、「凝鍊」兩項⑤，是主張句子必須力求簡約，這是鍛句的方法。此外，鍊字的方法與修辭原則要講究簡約，有相關者，如「減字以歸簡潔」、「減字以芟駢枝」、「減字以免重出」、「減字以避冗複」四項。

傅師隸樸所謂的「避重出」，黃永武所說的「減字以免重出」以及蔣建文《從作文原則談作文方法》所謂的「避免重複」⑦，路燈照、成九田《古詩文修辭例話》所說的「避復」⑧，在陳騤《文則·丁六》中，早已論及，他舉《左傳·成公二年》：「晉師歸，郤伯見，公曰：『子之力也夫！』范叔見，勞之如郤伯，欒伯見，公亦如之。」陳騤認爲「子之力也夫」、「勞之如郤伯」、「公亦如之」，不僅文章求變化，避重複，也力求簡潔。

除了陳騤《文則》列舉闡述文章的修辭要求簡約的例子之外，尙有甚多例子，如《左傳·定公四年》：

楚人爲食，吳人及之，奔，食而從之。

其中「奔」字上省略「楚人」二字，「食」字上省略「吳人」二字，「楚人」、「吳人」刪掉之後，文句更簡潔有力，因此劉勰《文心雕龍·練字》說：「善爲文者，富於萬篇，貧於一字，一字非少，相避爲難。」作文能夠避免累贅的詞句，就可以使文章更精約、更簡明，眞是做到了「雖簡亦詳，雖略亦盡」的修辭方法。又如《史記·留侯世家》：

臣聞：母愛者子抱。

其中「母愛者子抱」，淵源於《韓非子·備內》：「其母好者其子抱。」《史記》濃縮成五個字，十分遒勁。但《史記》也有重出的缺點，劉勰《文心雕龍·鎔裁》說：「同辭重句，文之肬贅也。」重出的現象，應該避免。司馬遷在《史記·夏本紀》中說：

武王觀兵，諸侯不期而會孟津者八百諸侯，諸侯皆曰：「紂可伐矣。」

金朝王若虛《滹南遺老集》認爲「諸侯」二字重出，應該芟除，使文句更精鍊。又如《史記·李斯傳》：

（李）斯出獄，與其中子俱執，顧謂其中子曰：「吾欲與若復牽黃犬，俱出上蔡東門，逐狡兔，豈可得乎？」遂父子相哭，而夷三族。

王若虛《滹南遺老集》以爲「其中子」三字重出，可以減省，使文句更簡潔、更洗鍊。尚有重複贅詞，必須刪掉，才會使文章更加精鍊。如歐陽脩〈贊唐太宗文〉：

自古功德兼隆，由漢以來，未之有也。

王若虛《滹南遺老集》認爲「由漢以來」與「自古」有重複現象，宜刪除其中之一。又如劉開〈論學中〉：

漢學未嘗無裨益於人也，惟自矜其博，而盡委宋儒一代之書，棄之不觀。

胡懷琛以爲「委」字與「棄」字重複，應改爲「惟自矜其博，而盡棄宋儒之書不觀。」蔣建文認爲這樣，既可免去重複，且又比較簡潔。⑨字去而意留，可以稱爲簡潔，正如唐朝劉知幾《史通·敘事》所說：「言雖簡略，理皆要害，故能疏而不遺，儉而無闕。」若欲使言簡而意不遺，必須做到字字著實，無一字虛設，如《論語·顏淵》：

齊景公問政於孔子。孔子對曰：「君君，臣臣，父父，子子。」公曰：「善哉！信如君不君，臣不臣，父不父，子不子，雖有粟，吾得而食諸？」

此言治國之道，在於能明人倫。黃永武《字句鍛鍊法·凝鍊》認爲「君君，臣臣，父父，子子」以及「君不君，臣不臣，父不父，子不子」，都是最凝鍊的字句，也是無一字虛設。又如岑參〈和賈至舍人早朝大明宮〉：

花迎劍佩星初落，柳拂旌旗露未乾。

「星初落」、「露未乾」，都是闡明「早」字；「劍佩」、「旌旗」，都是說明「朝」字；「花迎」、「柳拂」，都是闡述「宮」字，絲絲入扣，字字著實，無一虛設，眞是精簡之至。又如杜甫〈登高〉：

萬里悲秋常作客，百年多病獨登臺。

宋朝羅大經認爲這十四個字，包含八個意思，他在《鶴林玉露·卷十一》中說：「萬里，地之遠也；秋，時之慘悽也；作客，羈旅也；常作客，久旅也；百年，齒暮也；多病，衰疾也；臺高，迥處也；獨登臺，無親朋也。」僅十四字，意義層次分明，因此胡應麟說這首詩是「精光萬丈，力量萬鈞」，豈虛譽哉？⑩杜甫這首詩也是字字扣緊題意，毫無虛設，最精簡的詩句。又如美國詩人布狄倫的詩〈夜有千眼〉，國內有多種譯法，一種譯爲：

夜有千萬隻眼，白天祇有一個，當太陽死去時，世界的光亮也將熄滅。

另一種譯爲：

夜有千眼，晝僅一目，但世界的光，隨落日而消逝。

比較這兩種譯法，前者文辭繁豐，後者詞句簡約，後者比前者遒勁有力。文章運用詞句的繁簡，在於恰當地表達，簡約之所以勝過繁豐，是因爲簡約運用恰到好處，增一字則太多，減一字則太少，所以胡應麟《少室山房筆叢》說：「簡之勝繁，以簡之得者論也。」但胡應麟又說：「繁之失者遇簡之得者，則簡勝，簡之失者遇繁之得者，則繁勝。」因此，錢大昕〈與友人論文書〉也說：「文有繁有簡，繁者不可減之使少，猶之簡者不可增之使多。《左氏》之繁，勝於《公》、《穀》之簡，《史記》、《漢書》互有繁簡。」陳騤在《文則‧戊七》中，也認為《史記》：「三復白圭之玷」的繁豐，不如《論語》：「南容三復白圭」的簡約。又《史記》：「在邦及家必達」的簡約，不如《論語》：「在邦必達，在家必達」的繁豐。

總而言之，文辭的繁簡，以表達最恰當為主，正如蘇伯衡〈答尉遲楚問文章宜繁宜簡〉說：「不在繁，不在簡，狀情寫物在辭達，辭達則一二言而非不足，辭未達則千百言而非有餘。」但繁簡二者皆可表達時，以簡為工，所以修辭貴乎簡。以簡潔為貴，是修辭的原則⑪，其意在此。

【附註】

①見《史通‧敘事》，唐朝劉知幾撰、清朝浦起龍釋《史通通釋》，世界書局印行，民國六十九年五月三版，頁八〇。

②見黃永武《字句鍛鍊法》，原版臺灣商務印書館印行，民國五十八年八月初版、五十八年十一月二版，頁六二至六三；增訂版洪範書店印行，民國七十五年一月初版，頁一三八。

③見楊廷芝《詩品淺解》，清朝袁枚《詩品集解》，河洛圖書出版社印行，民國六十三年九月臺景印初版，頁一四引。

④詳見傅師隸樸《脩辭學》，正中書局印行，民國五十八年三月臺初版、六十六年十月臺修一版，頁一三一至一一四六；原版書名係《中文脩辭學》，友聯出版社印行，民國五十三年六月初版，頁一六九至二〇二。

⑤見同②書，原版頁五〇至五四，增訂版頁一二二。

⑥見同②書，原版頁一七四至一七七，增訂版頁三〇九至三一三。
⑦見蔣建文《從作文原則談作文方法》，臺灣商務印書館印行，民國五十六年四月初版，七十七年六月重排一版，頁二二至二三。
⑧見路燈照、成九田《古詩文修辭例話》，臺灣商務印書館印行，民國七十六年十月初版，頁一七七至一八五。
⑨參同⑦書，頁二三。
⑩參閱②書，原版頁五三，增訂版頁一二一。
⑪不僅文言文的修辭原則，以簡潔爲貴；白話文的修辭原則，也是以簡潔爲貴。季薇《散文研究．論散文的美》說：「散文的美，美在簡潔。」（見益智書局印行，民國六十八年四月三版，頁一五一。）季薇所謂的「散文」，是指現代散文，也是白話文。

第三節　通俗

陳騤反對故意雕飾，矯揉造作，所以提倡用語通俗。他列舉《禮記》、《尙書》以及古代其他的詩文中運用「淺語」、「民間之通語」、「常語」的現象，來闡述詩文切忌佶屈聱牙，深奧難懂，必須運用淺近俗語的道理。因此，他在《文則．戊一》中說：

《禮記》之文，始自后倉，成於戴聖，非純格言，間有淺語。如「揜口而對」，「毋投與狗骨」，

「羹之有菜者用挾」，「男女相答拜也」，「瘠不敢搔」，「衣裳綻裂」，「年未滿五十」，「取婦之家」，「嫂不撫叔，叔不撫嫂」，若此等語，雖在曲防人情，然少施斵削。

「淺語」，就是較少雕琢的淺近俗語，這些淺近俗語是「少施斵削」的。陳氏列舉《禮記·曲禮上》的「掩口而對」，「毋投與狗骨」，「羹之有菜者用挾」；《禮記·曲禮下》的「男女相答拜也」；《禮記·內則》的「瘠不敢搔」，「衣裳綻裂」，「年未滿五十」；《禮記·曾子問》的「取婦之家」；《禮記·雜記》的「嫂不撫叔，叔不撫嫂」，這些淺近俗語，是闡明在《禮記》中尚能「少施斵削」，其他的詩文也應該如此。

陳騤所謂的「淺語」，就是最樸實的語言。樸實又稱爲質樸、平實、平易，就是淸水出芙蓉，妙語天然，不靠修飾，不事雕琢，不加渲染，誠如顧翰《補詩品·古淡》所說：「惟意所適，陶然天眞，不琢不雕，匪緇匪磷，金玉爾車，始於椎輪。」樸實語言的特點，主要表現在於語詞平實、多用口語、常用白描。①所謂語詞平實，是指在語詞的選用上，力求平實、自然、生動，不重雕飾，不尙辭采，而以眞實情感爲主。正如劉勰《文心雕龍·情采》所說：「桃李不言而成蹊，有實存也；男子樹蘭而不芳，無其情也。夫以草木之微，依情待實；況乎文章，述志爲本！言與志反，文豈足徵？是以聯辭結采，將欲明理，采濫辭詭，則心理愈翳。」劉勰也是認爲內容重於形式，所謂「繁采寡情，味之必厭」②，必須「爲情者要約而寫眞」③。若要描述眞實的情感，惟有運用樸實的語詞，如許地山的〈落花生〉：

我們屋後有半畝隙地。母親說：「讓它荒蕪著怪可惜。既然你們那麼愛吃花生，就把這塊地開闢出來，做個花生園罷。」我們姊弟幾個都很喜歡——買種的買種，動土的動土，灌園的灌園；過不了幾個月，居然有收穫了。

媽媽說：「今晚我們可以做一個收穫節，也請你們爹爹來嘗嘗我們的新花生，如何？」我們都答應了。母親把花生做成好幾樣的食品，還吩咐這一個節會要在園裏的茅亭舉行。

那天晚上的天色不大好，可是爹爹也到來，實在很難得。爹爹說：「你們愛吃花生麼？」我們都爭著答應：「愛！」

「誰能把花生的好處說出來？」

姊姊說：「花生的味兒很美。」

哥哥說：「花生可以製油。」

我說：「它的價錢很賤，無論何等人，祇要喜歡吃它的，都可以買它來吃，這就是它的好處。」

爹爹說：「花生的好處固然很多，但它還有一種很可貴的特點。這小小的豆，不像那好看的蘋果、桃子、石榴，把它們的果實懸在枝上，鮮紅嫩綠的顏色，引人垂涎。它祇把果子埋在地下，等到成熟，纔容人把它挖出來。你們偶然看見一棵花生瑟縮地長在地上，不能立刻辨出它有沒有果實，必得你去接觸它，纔能知道。」

我們都說：「是的。」母親也點點頭。爹爹接下去說：「所以你們要像花生，因爲它是有用的東西，卻並不好看。」我說：「人，祇要有用的人，不必要求體面了。」爹爹說：「這是我對你們的希望。」

我們談到夜闌纔散，所有花生食品雖然沒有了，然而父親的話現在還印在我們的心版上。

此言借花生作譬喻，勉勵大家作樸實有用的人。不僅內容樸實，語詞也樸實，並多用口語，也用白描，很少華麗的形容詞，顯得平淡無奇，樸實自然，其繪聲繪形，如見其景，如聞其聲，言簡而意切，增加了感染的力量。所以，吳家珍《當代漢語修辭藝術》說：「口語通俗平實，容易給言語交際帶來親切自然的感情色彩，易於以情動心。」④吳氏也認爲通俗平實的語言，仍以感情爲主。又如陶淵明的詩文，也是樸實自然，不是單乏味，淺薄粗俗，而是平中見巧，淡中有味，屬於返樸歸眞的作品。

陳騤又認爲作文必須運用當時民間的俗語、口語，人民既能看得懂，又可以減少訓詁的痲煩，他在《文則．戊二》中說：

《商盤》告民，民何以曉？然在當時，用民間之通語，非若後世待訓詁而後明。且「顯木之有由蘖」，使晉衛間人讀之，則蘖知爲餘也。「不能胥匡以生」，使東齊間人讀之，則胥知爲皆也。「欽念以忱，使燕岱間人讀之，則忱知爲誠也。由此考之，當時豈不然乎？」②

陳氏列舉《尙書．商書．盤庚》的「顯木之有由蘖」其中「蘖」是「餘」之意；「不能胥匡以生」，其中「胥」是「皆」之意；「欽念以忱」，其中「忱」是「誠」之意；「蘖」、「胥」、「忱」，都是當時民間的通語。陳氏認為在當時運用民間的俗語、口語，人民才能了解，可以省卻訓詁的煩勞。古書中的民間俗語，還保存在各地方的方言中，像晉、衛人還保留「櫱」就是「餘」的意思，東齊人還保留「胥」就是「皆」的意思，燕、岱人還保留「忱」就是「誠」的意思。可是，不懂方言的學者研讀古籍，仍須訓詁，才能了解字意。因此，漢朝的揚子雲編《方言》、清朝的章太炎編《新方言》，都是幫助後代學者研讀古籍的最佳訓詁工具書。民國以來，也有許多方言運用在文章上，如黃春明的〈魚〉，就運用「討海人」一詞，「討海人」係閩南話，就是「漁夫」的意思。吳勝雄〈負荷〉，就使用「阿媽」一詞，「阿媽」也是閩南方言，「祖母」的意思。還有蘇進強〈楊桃樹〉也運用了很多閩南方言，如「囝仔」，對「小孩」的稱呼；「查某人」，指「女人」；「小漢」，指「小孩子」；「娶某」，指「娶妻」；「打拚」，是「努力奮鬥」的意思；「卡無閒」，是「比較忙」的意思；「查埔郎」，指「男人」；「透早」，是「一大早」的意思；「大漢了」，是「長大了」的意思；「庄腳」，是「鄉下」的意思；「後世人」，是「下輩子」的意思；「大目」，指「不識字」；「無讀冊」，是「沒有上學讀書」的意思；「鬱窒窒」，是「心情鬱悶不舒坦的樣子」。中國古代小說像羅貫中的《三國演義》、施耐庵的《水滸傳》，也運用了一些方言。外國的但丁《神曲》，也是用方言寫成的。其他一般文章或小說也時常運用方言，如「無法度」，就是「沒有辦法」；「古椎」，就是「可愛」；「莫知樣」，就是「不知道」。方言是當地通行的語言，因此比較通俗，但通俗並不是庸俗，雖然當時淺懂易懂，可是改朝換代之後，仍須注解，而且其內容並非低俗，誠如傅師隸樸所說：「善用俗者，愈俗愈巧，正如不善用雅者，愈雅愈惡。故詩文有意求雅而反入俗者，有不避俗而反見雅者。尤其詞曲家所謂本色當行之語，更非於俗字俗句中求之不可。」⑤如蘇東坡嬉笑怒罵皆成文章，嬉笑怒罵之語，豈能擇俗而避諱嗎？又如白居易的詩文，通俗得老嫗能解，難道毫無文學價值嗎？只要立意不俗，氣象自然高華，中間偶雜一二俗字俗句，有似好花還要綠葉來陪襯，易言之，若內容有深度、有廣度、有價值、有意義，即使運用樸實無華的詞句來表達，甚至於偶爾夾雜一些通俗的俚語、俗語、方言，其作品也可以成爲有口皆碑的上乘之作。語言、文字只是符號，最重要的是內容。簡言之，內容要雅，形式可以淺顯易懂的通俗，但不是庸俗，如此，就可以成爲雅俗共賞的佳作。如李白〈山中與友人對酌〉：

兩人對酌山花開，一杯一杯復一杯；我醉欲眠君且去，明朝有意抱琴來。

前二句是俗字俗句，淺顯易懂，但第三句運用典雅文詞，卻十分自然，末句耐人尋味，餘韻無窮。全篇但見自然天趣，並不俗氣。因此，惠洪《冷齋夜話》說：「句法欲老健有英氣，當用方俗言爲妙，如奇男子行人羣中，自然有穎脫不可干之韻。老杜〈八仙詩〉序李白：天子呼來不上船，方俗言也。所謂襟扭是也。」襟扭就是「衣船」。不上船，就是「不扣衣扭」。楊慎《升庵詩話》也說：「古詩有用近俗字而不俗者，如孫光憲〈採蓮詩〉曰：『菡萏香連十頃陂，小姑貪戲採蓮遲，晚來弄水船頭溼，更脫紅裙裹鴨兒。』」楊慎認爲孫光憲〈採蓮詩〉，字俗而意不俗，文字雖然明白易懂，但內容卻是典雅。這種雅中有俗，俗中有雅的作品，文字雖講究樸實，不做作，不雕飾，不尙辭藻，但力求精鍊，其內容要求精闢，正如王安石所說：「看似尋常最奇崛，成如容易卻艱辛。」一言以蔽之，通俗的文章必須做到深入淺出。文字可以淺出，但內容必須深入，否則通俗變成庸俗、低俗，毫無價值可言。

陳騤進一步主張適當運用當地風土人情的「常語」，他在《文則·戊三》中說：

《詩》文待訓明者，亦本風土所宜。且「王室如燬」，使齊人讀之，則燬爲常語。「六日不詹」，使楚人讀之，則詹爲常語。（燬，火也，齊人以火爲燬。詹，至也，楚人以詹爲至。）

風土，是一個地方特有的氣候、物產、風俗、習慣的總稱，這裡是指地方語言的習慣。⑥陳騤列舉《詩經·周南·汝墳》的「王室如燬」，其中的「燬」是「火」之意；《詩經·小雅·采綠》的「六日不詹」，其中「詹」是「至」之意；「燬」、「詹」二字，都是地方語言的習慣用法。「燬」字是齊國人的習慣用語，「詹」字是楚國人的習慣用語，這是呈現地方風土色彩的語言，也就是陳氏所說的「常語」。

除了陳騤《文則》所舉的「常語」之外，還有很多例子，如揚雄《方言·卷一》：

娥、嬿，好也。秦曰娥，宋、魏之間謂之嬿，秦、晉之間凡好而輕謂之娥，自關而東河濟之間謂之媌，或謂之姣。趙、魏、燕、代之間曰姝，或曰妦。自關而西，秦、晉之故都曰妍。好，其通語也。

「娥」、「嬿」，都是「好」的意思。「好」字是沒有地域性的普通用語，「娥」字是秦國人的習慣用語，「嬿」字是宋、魏之間人民的習慣用語，「娥」字是秦、晉之間人民的習慣用語，「媌」、「姣」二字是河濟之間人民的習慣用語，「姝」、「妦」二字是趙、魏、燕、代之間人民的習慣用語，「姸」字是秦、晉兩國故都人民的習慣用語。又如《方言·卷一》：

嫁、逝、徂、適，往也。自家而出謂之嫁，由女而出爲嫁也。逝，秦、晉語也。徂，齊語也。適，宋、魯語也。往，凡語也。

「嫁」、「逝」、「徂」、「適」，都是「往」的意思。「往」字是沒有地區性的普通用語，「逝」字是秦國、晉國人民的習慣用語，「徂」字是齊國人民的習慣用語，「適」字是宋國、魯國人民的習慣用語。又如許愼《說文解字》：

楚謂之聿，吳謂之不律，燕謂之弗，秦謂之筆。

「聿」字是楚國人民的習慣用語，「不律」二字是吳國人民的習慣用語，「筆」字是秦國人民的習慣用語。又如《尹文子》：

鄭人謂玉未理者璞，周人謂鼠未腊者璞。

這是同一個「璞」字，因爲地方語言的差別，而有不同的意義。⑦鄭人認爲「玉未理」叫做「璞」，周人卻以爲「鼠未腊」也叫做「璞」，字同義異，這是空間的因素，造成不同的意義，也是表示地方語言的習慣用語。

陳騤反對運用古語、古文來叙述現在的事情，現代人看不懂這些古語、古文，因此他主張用當代的語文來寫作。他在《文則·甲八》中說：

> 古人之文，用古人之言也。古人之言，後世不能盡識，非得訓切，殆不可讀。如登崤險，一步九嘆。既而強學焉，搜摘古語，撰敘今事，殆如昔人所謂大家婢學夫人，舉止羞澀，終不似眞也。今取在當語爲常語，而後人視爲艱苦之文，如《周禮》曰：「犬赤股而躁，臊；烏皫色而沙，鳴貍；豕盲眡而交睫，腥；馬黑脊而般臂，螻。」《詩》曰：「游環脅驅，陰靷鋈續。」又曰：「鉤膺鏤錫，鞹鞃淺幭。」《莊子》曰：「乃始臠卷傖囊而亂天下也。」《荀子》曰：「按角鹿埵隴種東籠而退耳。」（臠卷，不中舒之貌。傖囊，猶搶攘也。《荀子》所言，皆兵摧敗披靡之貌也。）

陳氏認爲古人的文章，本來是運用古人的語言來寫作，但由於時代的推移，語言的演變，因此在當時是常語，可是後人卻看不懂艱深的文章。陳氏反對「搜摘古語，撰叙今事」，這種觀點是符合語言進化的原則與大衆的要求。他這種說法和漢朝王充、晉朝葛洪的看法是毫無二致。王充《論衡·自紀》說：

> 冀俗人觀書，而自覺，故直露其文，集以俗言。或譴謂之淺。答曰：以聖典而示〈小雅〉，以雅言而說丘野，不得不曉，無不逆者。

王充主張文字要通俗，使讀者看得懂。葛洪也主張語言通俗易懂，他在《抱朴子·鈞世》中說：

> 蓋往古之士，匪鬼匪神，其形器雖冶鑠於疇曩，然其精神布乎方策，情見乎辭，指歸可得，且古書之多隱，未必昔人故欲難曉。或世變語異，或方言不同，經荒歷亂，埋藏積久，簡編朽

絕，亡失者多，或雜續殘缺，或脫去章句，是以難知，似若至深耳。

陳騤、葛洪、王充一致主張語文要通俗易懂，這是語文進化的觀點，也是最進步、最新穎的語文觀。⑧主張通俗易懂的修辭原則，在陳騤《文則》之前，有葛洪、王充；在《文則》之後，有太平天國、黃遵憲。太平天國對於修辭體制的改革，提出四項主張：一是文加標點，二是文須淺白，三是廢除古典，四是文以紀實。⑨當時頒布《天情道理書》，該書說明「語句不加藻飾，只取明白曉暢，以便人人易解」。⑩這是反對虛浮藻飾，主張文以紀實，樸實明曉，這是進步的修辭理論，也是中國修辭學革新的新里程碑。又黃遵憲主張「我手寫我口」的理論，以通俗為主，他在《人境廬詩草・雜感》一詩中說：

我手寫我口，古豈能拘牽？即今流俗語，我若登簡編，五千年後人，驚爲古爛斑。

黃遵憲不願受古語束縛，因此提出「我手寫我口」的理論，甚至於大膽地將俗語融化到詩中，他以爲流行的俗語，假如登上簡編，後人讀了這些詩文，一定會「驚爲古爛斑」。黃氏不僅洞悉修辭的演變，並且其修辭理論也合乎進化的原則。此外，主張通俗的修辭原則者，尚有蔡絛《西清詩話》說：「王君玉謂人曰：『詩家不妨間用俗語，尤見工夫。雪止未消者，俗謂之待伴。嘗有〈雪詩〉：「待伴不禁鴛瓦冷，羞明常怯玉鉤斜。」待伴、羞明，皆俗語而采拾入句，了無痕纇，此點瓦礫爲黃金手也。」又此言王君玉認爲「待伴」、「羞明」二詞，雖然都是俗語，但由於巧妙地運用，結果變成點石成金。又黃徹《䂬溪詩話》說：「數物以個，謂食爲喫，甚近鄙俗，獨杜屢用，『峽口驚猿聞一個』，『兩個黃驪鳴翠柳」，『卻遶井欄添個個』」；〈送李校書〉云：『臨歧意頗切，對酒不能喫，樓頭喫酒樓下臥，但使殘年飽喫飯，梅熟許同朱老喫。』」蓋篇中大概奇特，可以映帶也。」此言杜甫運用俗語「個」、「喫」的現象。還有《復齊漫錄》記載黃庭堅運用諺語「情人眼裏有西施」、「千里送鵝毛，物輕人意重」等入詩的例子。《藝苑雌黃》也記載杜甫、李白、元稹、蘇軾、洪駒父等人運用俚語「遮莫」入詩的現象。⑪

文章以內容爲主，因此只要立意高超，運用通俗的語文表達又何妨。傅師隸樸說得好：「立意不俗，氣象自然高華，中間偶雜一二俗字句，有似畫錦堂中陳列一二漢瓦秦磚，不惟無寒儉之色，轉增華貴之象，只要佈置調和得法就行。」⑫俗意是必須避免，但俗字、俗句可以巧妙地妥善運用，所謂「運用之妙，存乎一心。」由此可知，通俗是修辭的原則之一，良有以也。

【附註】

①參閱黎運漢《漢語風格探索》，商務印書館香港分館印行，民國七十九年六月初版，頁二二二至二二六。
②見劉勰《文心雕龍·情采》。
③同②
④見吳家珍《當代漢語修辭藝術》，北京師範學院出版社印行，民國八十一年八月北京初版，頁二一四。
⑤見傅師隸樸《脩辭學》，正中書局印行，民國五十八年三月臺初版、六十六年十月臺修初版，頁九三；原版書名

係《中文脩辭學》，友聯出版社印行，民國五十三年六月初版，頁一一九。

⑥參閱劉彥成《文則注譯》，書目文獻出版社印行，民國七十七年二月北京初版，頁九〇。

⑦參閱林師景伊《訓詁學概要》，正中書局印行，民國六十一年三月臺初版、六十六年十月臺五版，頁七至八；胡楚生《訓詁學大綱》，蘭臺書局印行，民國六十四年三月初版，頁二八九至二九〇。

⑧參閱譚全基《文則研究》，香港問學社印行，民國六十七年十二月初版，頁一六。

⑨參閱鄭子瑜《中國修辭學史》，文史哲出版社印行，民國七十九年二月初版，頁四八八至四八九。

⑩參閱同⑨，頁四八九至四九〇。

⑪參閱宗廷虎、李金苓《漢語修辭學史綱》，吉林教育出版社，民國七十八年五月初版，頁三三三至三三四。

⑫見同⑤

第四節　恰當

「之乎也者焉矣哉，安得恰當眞秀才。」遣詞用字，必須恰到好處，所以陳騤主張修辭要恰當。他認爲同樣是一個詞句，假如運用恰當，就覺得更美、更好；倘若使用不妥當，就覺得其差無比；就好像同樣一顆痣，生長在面頰上，就覺得很漂亮，假若長在額頭上，就覺得十分醜。因此，陳騤在《文則·戊十》中說：

古語曰：「黶子在頰則好，在顙則醜。」言有宜也。自晉以降，操觚含毫之士，喜學經語者多矣，且如孫盛著史，書：「某年春帝正月。」（謂盛作《魏晉陽秋》也。且《春秋》書「王正月」，示魯侯用周天子正朔，曹馬躬有天下，不當書「帝正月」。）謝惠連作賦，乃曰：「雪之時義遠矣哉！」（謂惠連作《雪賦》也，按《易》卦義深者，以此語贊之。大抵文士雪月之詠，非所當也。」）此蓋不知黶子在顙之爲醜也。

陳氏用「黶子在頰則好，在顙則醜」作比喻，來闡述詞語必須恰當的道理。一顆痣長在適當的地方，就會變成「美人痣」，但長在不適當的地方，就太難看了。《春秋》記載歷史，用「王正月」的寫法，非常好；但孫盛寫史書，不依照時代發展和環境變化，卻寫成「某年春帝正月」，這就犯了「黶子在顙」的弊病。謝惠連寫《雪賦》，套用了《周易》的句式，出現了「雪之時義遠矣哉」這類文句，也犯了同樣的毛病。所謂「言有宜」，就是言辭、文辭必須要貼切、妥當。陳騤認爲套用陳腔濫調，毫無創意，文章很難有創新，這是他反對模擬古人文章的主因，也是不贊成濫用古語的緣故，因此他主張用辭要恰當。

與陳騤同時代的魏慶之，他也主張用辭必須恰當，在《詩人玉屑·煅煉》引《唐子西語錄》說：

詩在與人商論，求其疵而去之，等閑一字放過則不可，殆近法家，難以言恕矣，故謂之詩律。東坡云：「敢將詩律鬥深嚴」，予亦云：「詩律傷嚴近寡恩」。大凡立意之初，必有難易二塗，學者不能強所爲，往往捨難而趨易，文章罕工，每坐此也。作詩自有穩當字，第思之未到耳。

此言作詩必須講究用字，每一個字都能用最恰當的字，所謂「等閑一字放過則不可」。不放過等閑字，就是芟除用辭不當的最好方法，因此作詩必須考慮運用「穩當字」。作者在表現某一意境，僅用某一字或某一詞才是最適當的，捨此字此詞，則無他字他詞可以替代，所以主要關鍵在於能否找到最妥當的字、詞來描繪。正如黃庭堅在《黃山谷集·答洪駒父書》中說：「古之能爲文章者，眞能陶冶萬物，雖取古人之陳言，入於翰墨，如靈丹一粒，點鐵成金也。」運用古語，能夠點鐵成金，也是最恰當的修辭技巧。因此，魏慶之在《詩人玉屑》卷八列有「點化」，「點化」分五項：尤更精巧、用古人意、精彩數倍、點化古語、句優於古。①「尤更精巧」者，如《詩人玉屑》引《漁隱》說：

詩選云：「朱喬年絕句：『春風吹起籜龍兒，戢戢滿山人未知。急喚蒼頭斸煙雨，明朝吹作碧參。』蓋前人有〈詠筍〉云：『急忙且喫莫踟躕，一夜南風變成竹。』喬年點化，乃爾精巧。」

此言朱喬年的詩句，是點化前人〈詠筍〉的文句，比原來詞句更加精巧。又有「用古人意」者，如《詩人玉屑·點化》說：

詩家有換骨法，謂用古人意而點化之，使加工也。李白詩云：「白髮三千丈，緣愁似箇長。」荆公點化之，則云：「繰成白髮三千。」劉禹錫云：「遙望洞庭湖面水，白銀盤裏一青螺。」山谷點化之云：「可惜不當湖水面，銀山堆裏看青山。」孔稚圭〈白苧歌〉云：「山虛鍾響徹。」山谷點化之云：「山空響筦絃。」盧仝詩云：「草石是親情。」山谷點化之云：「小山作友朋，香草當姬妾。」

所謂「換骨法」，惠洪《冷齋夜話·卷一》也說：「不易其意而造其語，謂之換骨法；窺入其意，而形容之，謂之奪胎法。」「換骨法」，即劉知幾《史通·模擬》所說的：「貌異而心同」。劉知幾認爲「貌異而心同」，是最上等的模擬。王安石點化李白的詩句，黃庭堅點化劉禹錫的文句，黃庭堅又點化孔稚圭的詞句，黃庭堅再點化盧仝的字句，都是「貌異而心同」。「貌」，是指形式。「心」，是指內容。

又有「精彩數倍」者，如《詩人玉屑》引《韻語陽秋》說：

山谷〈黔南十絕〉七篇，全用樂天花下對酒、渭川舊居、東城尋春、西樓、委順、竹窗等詩，餘三篇用其詩，略點化而已。葉少蘊：「詩人點化前作，正如李光弼將郭子儀之軍，重經號令，精彩數倍。」此語誠然。

此言黃庭堅點化白居易的詩句，比原作品精彩數倍，這是點化之功。又有「點化古語」者，如《詩人玉屑》引用《隨筆》說：

徐陵〈鴛鴦賦〉：「山雞映水那相得，孤鸞照鏡不成雙。天下眞成長會合，無勝比翼兩鴛鴦。」黃魯直〈題畫睡鴨〉曰：「山雞照影空自愛，孤鸞舞鏡不作雙。天下眞成長會合，兩鳧相倚睡秋江。」全用徐陵語點化之，末句尤工。

此言黃庭堅點化徐陵詩句，其中第三句完全相同，等於是引用；第二句改「照」爲「舞」，改「成」爲「作」；首句僅「山雞」二字完全相同，其他經過點化；末句完全不同的語句，因此末句尤工，良有以也。又有「句優於古」者，如《詩人玉屑》引程泰之《考古編》說：

吳僧錢塘白塔院詩：「到江吳地盡，隔岸越山高。」《陳後山詩話》鄙其語不文，曰：「是分界堠子耳。」及後山在錢塘，仍有句云：「語音隨地改，吳越到江分。」此如李光弼用郭子儀旗幟士卒，而號令所及，精采皆變者也。

此言詩句經過點化之後，比原詩句十分精采。宋朝俞成《螢雪叢說·文章活法》說：「文章一技，要自有活法；若膠古人之陳迹，而不能點化其語句，此乃謂之死法。死法專祖蹈襲，則不能生於吾言之外；活法奪脫換骨，則不能斃於吾言之內。」張炎《詞源·意趣》也說：「詞以意趣爲主，不要蹈襲前人語。」又元朝王惲《玉堂嘉話·卷二》也說：「鹿菴曰：『文章以自得不蹈襲前人一言爲貴。曰：「取其意而不取其辭。」恐終是踵人足迹，俱不若孟軻氏，一字皆存經世大法，其辭莊而有精彩也。』」又明朝王鏊《震澤長語·下卷》也說：「爲文必師古，使人讀之不知所師，善學古者也。韓師孟，不見其爲孟也；歐學韓，不覺其爲韓也。若拘拘規倣，如邯鄲之學步，里人之效顰，則陋矣。所謂『師其意，不師其辭。』此最爲文之妙訣。」所謂「師其意，不師其辭」，就是「貌異而心同」，也是「意同辭異」，如韓愈〈早春詩〉：「天街小雨潤如酥，草色遙看近卻無。最是一年春好處，絕勝煙柳滿皇都。」蘇軾〈初冬詩〉：「荷盡已無擎雨蓋，菊殘惟有傲霜枝。一年好處君須記，正是橙黃橘綠時。」這兩首詩據《詩人玉屑》引《漁隱》說：「二詩意同而辭殊，皆曲盡其妙。」韓愈、蘇軾的詩句雖然不同，但內容卻相同。又清朝姚鼐〈古文辭類纂自序〉說：「文士之效法古人，莫善於退之，盡變古人之形貌，雖有摹擬，不可得而尋其迹也。其他雖工於學古，而迹不能忘，揚子雲、柳子厚於斯，蓋尤甚焉，以其形貌之過於似古人也；而遽擯之，謂不足與於文章之事，則過矣，然謂非學者之一病，則不可也。」姚氏以爲韓愈善於摹擬古人的文章，使別人無法找出模擬的痕跡，是因爲他善於效法、變化，所以在〈劉海峯先生八十壽序〉中說：「爲文章者，有所法而後能，有所變而後大。」由此可知，與師法古人詩文，有密切關係的是「模擬」。

陳騤在《文則》中，也論及「模擬」。「模擬」必須恰當；若不恰當，或成爲蹈襲，或成爲援引，或成爲餖飣；一言以蔽之，弊端叢生，不足爲取。陳騤在《文則·戊五》中，列舉《孝經》模仿其他典籍，如《孝經·三才章》：「夫孝，天之經也，地之義也，民之行也。天地之經，而民是則之，則天之明，因地之性。」《左傳·昭公二十五年》：「夫禮，天之經也，地之義也，民之行也。天地之經，而民實則之，則天之明，因地之性。」茲比較《孝經》與《左傳》，僅將「禮」字改爲「孝」、「實」字改爲「是」一字，其變化不多，近似蹈襲，這是不太恰當的修辭技巧。又《孝經·聖治章》：「君子則不然，言思可道，行思可樂，德義可尊，作事可法，容止可觀，進退可度。」《左傳·襄公三十一年》：「故君子在位可畏，施舍可愛，進退可度，周旋可則，容止可觀，作事可法，德行可象，聲氣可樂。」首句稍作變化，其他句型相同，僅內容稍微改變，雖然比前例稍佳，但也並非最恰當的修辭技巧。又《孝經·事君章》：「進思盡忠，退思補過。」《左傳·宣公十二年》：「林父之事君也，進思盡忠，退思補過，社稷之衛也。」《孝經》二句是源於《左傳》，並非模擬，而是引用，屬於暗用。又《孝經·聖治章》：「以順則逆，民無則焉，不在於善，而皆在於凶德。」《左傳·文公十八年》：「以訓則昏，民無則焉，不度於善，而皆在於凶德。」僅「順」與「訓」、「逆」與「昏」、「在」與「度」不同，其他皆同，這也是不太恰當的「模擬」，近乎「蹈襲」。陳騤又在《文則·戊六》中，列舉《禮記》模仿《爾雅》、《左傳》仿擬《逸周書》。《禮記·大學》：「『如切如磋』者，道學也；『如琢如磨』者，自修也；『瑟兮僩兮』者，恂慄也；『赫兮喧兮』者，威儀也；『有斐君子，終不可諠兮』者，道盛德至善，民之不能忘也。」《爾雅·釋訓》：「如切如磋，道學也；如琢如磨，自脩也；瑟兮僩兮，恂慄也；赫兮烜兮，威儀也。有斐君子，終不可諼兮，道盛德至善，民之不能忘也。」《禮記》除了多加「者」字之外，「修」與「脩」、「喧」與「烜」、「諠」與「諼」，字異義同，由於變化太多，近乎「蹈襲」，似乎不太恰當。《左傳·昭公二十八年》：「心能制義曰度，德正應和曰莫，照臨四方曰明，勤施無私曰類，教誨不倦曰長，賞慶刑威曰君，慈和徧服曰順，經天緯地曰文。」《逸周書·謚法》：「仁義所在曰王，賞慶刑威曰君，從之成羣曰君，立制及衆曰公，執應八方曰侯，壹德不解曰簡，平易不疵曰簡，經緯天地曰文。」其中「賞慶刑威曰君」一句，完全相同。「經天緯地」與「經緯天地」，僅改變順序，內容相同。其他句型相同，但內容卻不同。此例比前例稍佳，變化較多，內容亦異。

陳騤在《文則》中的〈戊五〉、〈戊六〉，所舉的例子多半側重形式的模擬，比較不太恰當的修辭技巧，因此他又在〈甲二〉中，提出《六經》的創意互相模擬，這是內容的模擬，也是最恰當的修辭技巧。如《詩經·小雅·小旻》：「國雖靡止，或聖或否，民雖靡膴，或哲或謀，或肅或艾。」《尚書·洪範》：「恭作肅，從作乂，明作哲，聰作謀，睿作聖。」陳騤認爲《詩經》的創意，是模仿《尚書》。

又如《詩經·小雅·楚茨》：「工祝致告，徂賚孝孫，苾芬孝祀，神嗜飲食，卜爾百福，如幾如式。」《儀禮·少牢饋食禮》：「皇尸命工祝，承致多福無疆，于女孝孫，來女孝孫，使女受祿于天，宜稼于田，眉壽萬年，勿替引之。」這是《詩經》的創意，仿擬《儀禮》。此外，如顏之推《顏氏家訓·文章》：

> 王籍〈入若耶溪〉詩云：「蟬噪林逾靜，鳥鳴山更幽。」江南以爲文外斷絕，物無異議。簡文吟詠，不能忘之，孝元諷味，以爲不可復得，至〈懷舊志〉載於〈籍傳〉。范陽盧詢祖，鄴下才俊，乃言：「此不成語，何事於能？」魏收亦然其論。《詩》云：「蕭蕭馬鳴，悠悠旆旌。」毛傳曰：「言不諠譁也。」吾每歎此解有情致，籍詩生於此耳。

顏之推認爲王籍〈入若耶溪〉詩：「蟬噪林逾靜，鳥鳴山更幽。」是取意於《詩經·小雅·車攻》：「蕭蕭馬鳴，悠悠旆旌。」這首詩闡明十分幽靜，沒有諠譁的吵鬧聲。王籍模仿《詩經》，是屬於取意的模擬，也是最恰當的仿擬。又如張華〈鷦鷯賦〉：

> 其居居容，其求易給；巢林不過一枝，每食不過數粒。栖無所滯，遊無所盤；匪陋荊棘，匪榮茝蘭；動翼而逸，投足而安；委命順理，與物無患。

此源於《莊子·逍遙遊》：「鷦鷯巢於深林，不過一枝；偃鼠飲河，不過滿腹。歸休乎君，予無所用天下爲！」鄭子瑜認爲張華〈鷦鷯賦〉取義於《莊子》，宋朝史繩祖《學齋佔畢》也有同樣的主張，但梁朝劉勰《文心雕龍·才略》卻以爲張華〈鷦鷯賦〉取義於《韓非子·說難》。②不論是源於《莊子》

或《韓非子》，都是取義的模仿，也是最恰當的修辭技巧。

取義的模擬，固然合乎恰當的修辭原則，但模仿不可以長久，必須走向創作，力求新穎。誠如姚鼐〈惜抱軒尺牘·與伯昂從姪孫書〉：「學詩文不摹擬，何由得入？須摹擬一家，已得似後，再易一家；如是數番之後，自能鎔鑄古人，自成一體。若初學未能逼似，先求脫化，必全無成就。譬如學字，而不臨帖，可乎？」模擬儘管再恰當，也只是創作的過渡時期。

陳騤又認爲文章的句子有長短，必須視實際需要而定。文句的長短，要恰到好處，就好像「鳧脛雖短，續之則憂，鶴脛雖長，斷之則悲」，正如宋玉〈登徒子好色賦〉所說：「增之一分則太長，減之一分則太短；著粉則太白，施朱則太赤。」陳氏以爲《禮記·檀弓》的文句，長短有法度，不可以隨便增減。長句像「毋乃使人疑夫不以情居瘠者乎哉？」「孰有執親之喪而沐浴佩玉者乎？」「蕢尙不如杞梁之妻之知禮也。」「苟無禮義忠信誠慤之心以涖之。」這些都是長句。短句像「華而晥」、「立孫」、「畏」、「厭」、「溺」，這些都是短句。陳氏又認爲文句的長短與寫作的目的，是息息相關，密不可分，他在《文則·己五》中說：

《春秋》文句，長者踰三十餘言，短者止於一言。（如「季孫行父、臧孫許、叔孫僑如、公孫嬰齊帥師會晉郤克、衛孫良父、曹公子首，及齊侯戰於鞌」之類，是長句也。如「螽」之類，是短句也。）《詩》之文句，長不逾八言，短者不減二言。（八言者，如「我不敢效我友自逸」之類是也。摯虞云：「《詩》有九言，『洞酌彼行潦挹彼注茲』是也。」然此當爲二句，其說非也。二言者，若「肈禋」之類。）《春秋》主於褒貶，《詩》則本於美刺，立言之間，莫不有法。

陳氏認爲《春秋》以褒貶爲主，所以文句長的可以超過三十多字，短的只有一個字；《詩經》以讚美、諷刺爲主，所以文句長的有八個字，短的只有兩個字。其實，文句的長短和寫作的目的關係並不大，反而與文章體裁的關係比較密切。《春秋》是散文，所以文句比較長；《詩經》是詩歌，所以文句比較短。詩是精煉的散文，因此文句比較簡潔。其實，無論是詩或散文，不在句子的長短，而在於是否恰當。正如《文心雕龍·鎔裁》所說：「句有可削，足見其疏；字不得減，乃知其密。」又說：「引而伸之，則兩句敷爲一章；約以貫之，則一章刪成兩句。」又說：「善刪者字去而意留，善敷者辭殊而義顯。」文章不論字句長短，貴在恰當，如《顏氏家訓·書證》：

「也」是語已及助句之辭，文籍備有之矣。河北經傳，悉略此字，其間字有不可得無者，至如「伯也執殳」，「於旅也語」，「回也屢空」，「風，風也，教也，及《詩》傳云：「不戢，戢也；不儺，儺也。」「不多，多也。」如斯之類，儻削此文，頗成廢闕。《詩》言：「青青子衿。」傳曰：「青衿，青領也，學子之服。」按：古者，斜頭下連於衿，故謂領爲衿。孫炎、郭璞注《爾雅》，曹大家注《列女傳》，並云：「衿，交領也。」鄴下《詩》本，既無「也」字，羣儒因膠說云：「青衿、青領，是衣兩處之名，皆以青爲飾。」用釋「青青」二字，其失大矣！又有俗學，聞經傳中時須也字，輒以意加之，每不得其所，益成可笑。

顏之推認爲「也」字，雖然是助詞，但不能濫用。如當用而不用，文意可能產生誤解；若加「之」字不恰當，反而貽笑大方。顏氏以爲「伯也執殳」、「於旅也語」、「回也屢空」、「風，風也，教也」、「不戢，戢也；不儺，儺也」、「不多，多也」，這些文句中的「也」字，不能芟除，若刪掉此「也」字，就會造成「字刪而意闕，則短乏而非覈」③的現象。若不該加「也」字，而恣意增加，就會造成「辭敷而言重，則蕪穢而非贍」④的毛病。因此，字句不能隨意增減，必須增字以盡情態、屬文理、達旨意、明指稱、暢氣脈、調單複、美聲調、成對文⑤，方能增字；減字以歸簡潔、芟駢枝、免重出、避冗複、成對文⑥，始能減字。一言以蔽之，增減字句必須恰當。所以，恰當是修辭的原則之一，其因在此。

【附註】

①參閱宋朝魏慶之《詩人玉屑》，九思出版有限公司印行，民國六十七年十一月臺一版，頁一九二至一九四。

②劉勰認爲張華〈鷦鷯賦〉取義於《韓非子·說難》，他在《文心雕龍·才略》中說：「張華短章，奕奕清暢，其〈鷦鷯〉寓意，即韓非之〈說難〉。」而史繩祖《學齋佔畢》卻認爲張華〈鷦鷯賦〉取義於《莊子》，鄭子瑜也詳實地闡析，以爲〈鷦鷯賦〉源於《莊子》，並非本乎《韓非子》，詳見鄭子瑜《中國修辭學史》，文史哲出版社印行，民國七十九年二月初版，有一一〇至一一一。若依序文的結尾：「夫言有淺而可以托深，類有微而可以喻大，故賦之云爾。」似淵源於《韓非子·說難》，但以賦的原文而言，自「其居易容」至「與物無患」，本自《莊子·逍遙遊》；又自「伊茲禽之無知」至「不飾表以招累」，則源於《莊子·山木》。但不論本乎《韓非子》或《莊子》，都是取義

的模仿，也是最恰當的模擬，合乎恰當的修辭原則。

③見《文心雕龍·鎔裁》。

④同③。

⑤參閱黃永武《字句鍛鍊法》，臺灣商務印書館印行，民國五十八年八月初版、五十八年十一月二版，頁一六七至一七三；增訂版係洪範書店印行，民國七十五年一月，頁二九九至三〇八。

⑥參閱同⑤書，原版頁一七四至一七八，增訂版頁三〇九至三一五。

第五節　明確

要明確，必須將意義分明地顯現在語言文字上，毫不含混，絕無歧解。因此，陳騤主張選用語詞的意義要明確，切忌病辭、疑辭。他在《文則·乙四》中說：

夫文有病辭，有疑辭。病辭者，讀其辭則病，究其意則安，如〈曲禮〉曰：「猩猩能言，不離禽獸。」〈繫辭〉曰：「潤之以風雨。」蓋禽字於猩猩為病，潤字於風為病也。（說者曰：「凡可擒者，皆謂之禽。〈大宗伯〉以禽作六摯，而羔在其中。凡物氣和則潤生，言潤，則風之和可知矣。」）疑辭者，讀其辭則疑，究其意則斷，如〈何彼穠矣〉曰：「平王之孫。」〈檀弓〉曰：容居魯人也。」蓋平王疑為東遷之平王，魯人疑為魯國之人也。（〈毛萇傳云：「平，正也，指文王，言能正天下之王也。」鄭康成云：「魯，鈍也。」）凡觀此文，可不深考？

陳氏所謂「病辭」，表面上看好像有語病，但仔細探究其意義，卻是平穩妥當。如「凡可擒者，皆謂之禽。」把猩猩包括在禽獸之中，又以爲「凡物氣和則潤生，言潤，則風之和可知矣。」如此解說未免太牽強附會。陳望道《修辭學發凡》認爲上列《禮記·曲禮》、《周易·繫辭》的文句，都是上下文欠照應，因爲風不能潤、猩猩非禽。①鄭子瑜《中國修辭學史》卻以爲這些都是偏義複詞，並非欠照應。②所謂偏義複詞，用的是複詞，如「禽獸」；卻偏取一義，如「獸」字。風雨是複詞，偏取兩義。就修辭的原則來說，只能說是「變格」，陳望道以爲「欠照應」，似乎言過其實。語文爲了要求說得順口或使人讀得順口起見，不得不借助於「偏義複詞」的運用。

鄭子瑜所謂的「偏義複詞」，係就文法而言。若就修辭學而言，則是「鑲嵌」的「配字」。所謂「鑲嵌」，是指在語文中，故意插入數目字、虛字、特定字、同義字、異義字，來拉長文句的一種修辭技巧。鑲嵌分爲鑲字、嵌字、增字、配字四種。③鑲字如《周易·繫辭上》：「鼓之舞之以盡神。」《詩經·齊風·東方未明》：「顛之倒之。」其中「之」字都是虛字的鑲字。又如《周易·坤·文言》：「非一朝一夕之故。」《韓非子·顯學》：「使若千秋萬歲。」其中「一」、「千」、「萬」字，都是數目字的鑲字。嵌字如《古樂府·采蓮曲》：「魚戲蓮葉東，魚戲蓮葉西，魚戲蓮葉南，魚戲蓮葉北。」〈木蘭詩〉：「東市買駿馬，西市買鞍韉，南市買轡頭，北市買長鞭。」其中「東」、「西」、「南」、「北」字都是特定字的嵌字。增字如諸葛亮〈出師表〉：「中道崩殂。」「崩」、「殂」二字意義相同，如此重複並排，使文氣更完足，這是「增字」。又如歐陽修〈相州晝錦堂記〉：「仕宦而至將相。」「仕」、「宦」二字意義相同，如此重複並列，旨在拉長音節，這也是「增字」。配字《左傳·昭公四年》：「苟利社稷，生死以之。」其中「生死」，僅「死」之意。此言只要對國家有利，一定全力以赴，雖死不足惜。「生」是配字，沒有意義。又如曹操〈短歌行〉：「契闊談讌，心念舊恩。」其中「契闊談讌」，是說兩情契合，歡宴談心。「契闊」，僅「契」之意。契，是投合；闊，是疏遠。這裏只取「契」之義，「闊」字是「配字」。

陳騤所謂的「究其意則安」的「意」，鄭子瑜認爲是「偏義複詞」④，也就是修辭學上所說「鑲嵌」的「配字」。陳騤所謂的「病辭」，就是俞樾所說的「疏略」。⑤俞樾在《古書疑義舉例》卷二〈古人行文不嫌疏略例〉中說：

> 《易·繫辭》云：「潤之以風雨。」《論語》云：「沽酒市脯不食。」〈玉藻〉云：「大夫不得造車馬。」——皆從一而省文也。按：此亦古人行文不嫌疏略之證。使後人爲之，必一一爲之辭：曰「以索馬百匹，索牛百頭。」曰「沽酒不飲，市脯不食。」此文之所以曰繁也。

此言俞樾不反對「疏略」。所謂「從一而省文」，即現代修辭學所說的「省略」或「跳脫」。以俞樾剖析「沽酒市脯不食」，即「沽酒不飲，市脯不食」，其「不飲」二字省略。但若以「大夫不得造車馬」爲例，則「馬」是「配字」，無取其義⑥；又以「潤之以風雨」爲例，則「風」字是「配字」，無取其義。「風雨」二字，僅「雨」字之義，這是「偏義複詞」。因此，「潤之以風雨」，並非「省略」或「跳脫」，而是「鑲嵌」中的「配字」，也是「偏義複詞」。陳騤《文則》所謂的「病辭」，俞樾《古書疑義舉例》所說的「疏略」，若以現代修辭學或文法的角度去闡析，並非「病辭」，亦非「疏略」，而是合乎文法、修辭的理則。誠如俞樾所云：「使後人爲之，必一一爲之辭。」又如陳騤所舉的「禽獸」二字，就猩猩而言，僅「獸」字之義，「禽」字是「配字」。「禽獸」二字是「同義複詞」，也是「鑲嵌」。

諸如此類的詞彙，不勝枚舉，僅舉數例以明之。如司馬遷《史記·文帝紀》：

> 罵其妻曰：「生子不生男，有緩急，非有益也。」

其中「緩急」二字，僅取「急」字之義，而「緩」字是「配字」，沒有意義。又如漢樂府〈烏生篇〉：

> 唶！我人民生各各有壽命，死生何須復道前後？

其中「死生」二字，僅取「死」字之義，而「生」字是「配字」，沒有意義。又如諸葛亮〈出師表〉：

> 宮中府中，俱爲一體；陟罰臧否，不宜異同。

其中「異同」二字，僅取「異」字之義，而「同」字是「配字」，沒有意義。又如李煜〈望江南〉：

> 多少恨！昨夜夢魂中。

其中「多少」二字，僅取「多」字之義，而「少」字是「配字」，沒有意義。又如曹雪芹《紅樓夢·第四十三回》：

> 你往那裏去了？這早晚纔來？

其中「早晚」二字，僅取「晚」字之義，而「早」字是「配字」，沒有意義。又梁啓超〈爲學與做人〉：

大凡憂之所從來，不外兩端：一曰憂成敗，一曰憂得失。

其中「成敗」二字，僅取「敗」字之義，而「成」字是「配字」，沒有意義。又「得失」二字，僅取「失」字之義，而「得」字是「配字」，沒有意義。

陳騤所謂的「病辭」，俞樾所說的「疏略」，陳望道所謂的「欠照應」，依鄭子瑜以文法角度來剖析，則是「偏義複詞」，筆者以現代修辭學的角度來闡析，卻是「鑲嵌」的「配字」，在意義上，十分明確，不應該視爲「病辭」或「疏略」，只是運用不同的修辭技巧而已。因此，明確是修辭的原則之一，其來有自。

陳騤所謂「疑辭」，是指在語文中，容易使人發生歧解的文辭或言辭，而產生疑問，但仔細探究，卻能判斷清楚。陳氏舉《詩經》、《禮記》的例子，加以闡析。《詩經·召南·何彼穠矣》：「平王之孫。」毛萇說：「平，正也，指文王，言能正天下之王也。」「平王」二字，極易產生誤解，可能懷疑是東遷之後的周平王，而不是周文王。《禮記·檀弓下》：「容居魯人也。」鄭玄說：「魯，鈍也。」「魯人」二字，也極易產生誤會，可能懷疑是「魯國的人民」。因此，作文之前，遣詞造句，必須留意容易使人發生歧解的疑辭。除了陳騤所舉的例子之外，還有歐陽修〈相州晝錦記〉：「然則高牙大纛，不足爲公榮，桓圭袞冕，不足爲公貴。」其中「高牙大纛」，比喻前護後擁的隨從大旗很多。「高牙」，指牙旗。古人把軍隊前大旗叫做牙旗。但「高牙」也有誤解爲「車輪之牙」，指高車。所以，「高牙」二字，也是陳騤所謂的「疑辭」。又如酈道元《水經江水注》：「其間遠望，勢交嶺表。」其中「交」字，一般以爲是「接觸」之意，因此「勢交嶺表」解釋爲「峽勢與峽外的山嶺相接」。其實，「交」是「通達」之意。所謂「勢交嶺表」，是指峽的形勢，一直通到山嶺的外面，並不是峽與嶺相接。⑦因此，「交」字，也是「疑辭」。

陳騤所舉的「疑辭」例子，又相當於俞樾《古書疑義舉例》所說的「同字異義」。俞樾在《古書疑義舉例》卷一〈上下文同字異義例〉中說：

> 古書亦有上下文同字而異義者。《禮記·玉藻篇》：「既搢必盥，雖有執於朝，弗有盥矣。」上「有」字乃有無之「有」，下「有」字乃「又」字也；言雖有執於朝，不必又盥也。

俞樾以爲同字異義，在古書上下文有很多例子，如《禮記·玉藻》運用「有」字，含有二義：一是有無之「有」，一是「又」字之義。他又舉《論語·公冶長》：「子路有聞，未之能行，惟恐有聞。」此言有聞而未行，則唯恐又聞。上「有」字是有無的「有」，下「有」字是「又」字的意思。因此，「有」字，是容易產生誤會的「疑辭」。此外，如《詩經·大雅·文王有聲》：「既伐于崇，作邑于豐。」俞樾認爲上「于」字是語助詞，下「于」字是「邘」的假借字。所以，「于」字，也是容易發生歧解的「疑辭」。疑辭很容易使意義不明確，因此必須加以澄清。

除了疑辭會造成文意不明確的現象之外，還有文辭的輕、重、緩、急，也要視適情應景的需要，加以釐清，否則易於混淆，使文意不明確。陳騤在《文則·乙五》中，舉例辨別文辭的輕、重、緩、急，他說：

> 辭以意爲主，故辭有緩有急，有輕有重，皆生乎意也。韓宣子曰：「吾淺之爲丈夫也。」則其辭緩。景春曰：「公孫衍、張儀豈不誠大丈夫哉？」則其辭急。「狼瞫于是乎君子。」則其辭輕。「子謂子賤君子哉若人。」則其辭重。

陳騤以爲文辭依立意而有緩、急、輕、重的區別，他並舉例詮證。舒緩的文辭，如《左傳·襄公十九年》：「吾淺之爲丈夫也。」急促的文辭，如《孟子·滕文公下》：「景春曰：『公孫衍、張儀豈不誠大丈夫哉？』」輕柔的文辭，如《左傳·文公二年》：「狼瞫于是乎君子。」凝重的文辭，如《論語·公冶長》：「子謂子賤，君子哉若人。」此外，還有因語急而省略者，如《禮記·檀弓上》：

> 曾子怒，曰：「商！女何無罪也！吾與女事夫子於洙、泗之間，退而老於西河之上，使西河之民疑女於夫子，爾罪一也；喪爾親，使民未有聞焉，爾罪二也；喪爾子，喪爾明，爾罪三也。而曰女何無罪與！」

此言曾子指責子夏三大罪過。末句「而曰女何無罪與！」楊樹達認爲此句當作「而曰女無罪，女何無罪與！」⑧因語急而省略「而曰」下「女無罪」三字。又如《管子·立政九敗解》：

> 人君唯毋聽寢兵，則羣臣賓客莫敢言兵。

楊樹達以爲全句當作「人君唯毋聽寢兵，聽寢兵，則羣臣賓客莫敢言兵。」⑨因語急而省略「聽寢兵」一句。俞樾在《古書疑義舉例》卷二〈語急〉中，也提出因語急而省略的例證，他說：

> 古人語急，故有以「如」爲「不如」者。隱元年《公羊傳》：「如勿與而已矣。」注曰：「如，即不如」是也。有以「敢」爲「不敢」者。莊二十二年《左傳》：「敢辱高位。」注曰：「敢，不敢也」是也。

俞樾認爲由於語急之故，時常省略一個「不」字，即二字縮爲一字，「如」是「不如」之意，「敢」是「不敢」之意，他舉《公羊傳》、《左傳》的例證，加以闡述。此外，俞樾又提出因語緩而將一字引爲數字，他在《古書疑義舉例》卷二〈語緩例〉中說：

> 古人語急，則二字可縮爲一字；語緩，則一字可引爲數字。襄三十一年《左傳》：「繕完葺牆以待賓客。」急言之，則止是「葺牆以待賓客」耳。乃以「葺」上更加「繕完」二字，唐李涪《刊誤》遂疑「完」字當作「宇」矣。昭十六年《左傳》：「庸次比耦，以艾殺此也。」急言之，則是「比耦以艾殺此地」耳。及以「比」上更加「庸次」二字，杜注遂訓爲用次更相從耦耕矣。皆由不達古人語例故也。按《方言》曰：「庸、恣、比、侹、更、迭，伐也。」庸、恣、比三字，即本《左傳》。恣與次通。

俞樾比較語急、語緩的差別。語急時，二個字濃縮成爲一個字；語緩時，一個字擴大爲兩個或兩個以上的字。如語緩時，就說「繕完葺」三個字；語急時，卻濃縮成爲一個「葺」字。又「庸次比」三個字，也是語緩時使用；但語急時，就濃縮成爲一個「比」字。因此，語緩時，運用很多的文字，才可以表達明確的意義；但語急時，卻使用很少的文字，也可以表達明確的意義。文辭不在於多寡，而在於能夠表達明確的意義，才是最重要。

不僅疑辭、語急、語緩會影響意義不明確，並且上下文是否互相連貫，彼此銜接，也是影響意義是否明確。陳騤闡述「載事之文」時，論及「起事」、「盡事」，就是指文章的貫串、照應，使文意更加明確。他在《文則·丁五》中說：

> 載事之文，有先事而斷以起事也，有後事而斷以盡事也。如《左氏傳》欲載晉靈公厚斂雕牆，必先言「晉靈公不君」；《公羊傳》欲載楚靈王作乾谿臺，必先言「靈王爲無道」；〈中庸〉欲言「舜好問而好察邇言」，亦先言「舜其大知也與」；《孟子》欲言「梁惠王以其所不愛及其所愛」，亦曰「不仁哉梁惠王也」，若此類，皆先斷以起事也。如《左氏傳》載晉文公教民而用，卒言之曰：「一戰而霸，文之教也。」又載晉悼公賜魏絳和戎樂，卒言之曰：「魏絳於是乎始有金石之樂，禮也。」若此類，皆後斷以盡事也。

不論是「先事而斷以起事」或「後事而斷以盡事」，在敘事或說理的安排，都有上下文互相貫串，彼此照應。陳騤舉《左傳》、《公羊傳》、《禮記》、《孟子》的例子詮證「先事而斷以起事」、「後事而斷以盡事」。「先事而斷以起事」者，如《左傳·宣公二年》記載晉靈公厚斂賦稅用繪飾宮牆的劣行，一定先說：「晉靈公不像做國君應有的品德。」又如《公羊傳·昭公十三年》記載楚靈王勞民傷財，建造乾谿臺，以致民飢軍反，自縊身死，必定先說：「楚靈王是一位昏庸的國君。」《禮記·中庸》要說：「虞舜謙遜好問，並且喜愛了解一般人所說的淺近言論。」必須先說：「虞舜眞是一位具有偉大智慧的人啊！」《孟子·盡心下》要說：「梁惠王將他所不喜愛的，推給他所喜愛的人。」必然先要說：「梁惠王眞是不仁道啊！」⑩這些例證都是先提出論斷，再叙述眞實的事情。又有「後事而斷以盡事」者，如《左傳·僖公二十七年》記載晉文公先教養人民，再使用人民，最後才總結說：「一次戰爭使晉國成爲霸主，這是晉文公教養人民的結果。」又《左傳·襄公十一年》記載晉悼公因魏絳和戎有功，賜給他樂師、樂器，最後才說：「魏絳從此以後，開始有鐘磬之類的樂器，這是合乎禮的規範。」⑪這些例證都是先叙述事情，再做論斷。「先事而斷以起事」，是「倒叙法」；「後事而斷以盡事」，是「順叙法」。前者是先叙事，後說理；後者是先說理，後叙事。不論叙事、說理，都能互相貫串、彼此照應，井然有序，層次分明，意義明確。

作文能夠妥善地迴避疑辭可能誤解的現象，巧妙地處理語急、語緩時如何運用詞句，審愼安排上下文的連貫、照應，深信全文的意義，必然十分明確。所以，明確是修辭的原則之一，良有因也。

【附註】

①參閱陳望道《修辭學發凡》，上海人民出版社印行，民國六十五年七月第一版，頁五九；原版係上海開明書店印行，民國二十一年四月初版。

②參閱鄭子瑜《中國修辭學史》，文史哲出版社印行，民國七十九年二月初版，頁二一六。

③參閱黃師慶萱《修辭學》，三民書局印行，民國六十四年一月初版，頁三九一至四一〇；沈謙《修辭學》，國立空

中大學印行，民國八十年二月初版，頁五三八至五七六。所謂鑲字，是指在語文中，運用無關緊要的虛字或數目字，插在有意義的實詞之中，藉以拉長語詞的修辭技巧。所謂嵌字，是指在語文中，故意使用特定的字詞，來嵌入語句之中的修辭技巧。所謂增字，是指在語文中，同義字的重複並列，藉以加強語意的修辭技巧。所謂配字，是指在語文中，異義字的重複並列，僅偏取其中一字的意義的修辭技巧。

④見同②書，頁六七三。

⑤見同①書，頁六一。

⑥參閱郭在貽《訓詁學》，湖南人民出版社印行，民國七十五年十月初版，頁二〇。郭在貽說：「兩字義類相同牽連用之而復，此即所謂偏義複詞，如《禮記·玉藻》：『大夫不得造車馬。』按：馬不能造，乃牽於車而言之。」郭氏以爲「馬」不能造，因此「馬」字是「配字」，不取其義。郭氏所謂偏義複詞，即現代修辭學「鑲嵌」中的「配字」。

⑦參閱凌琴如《中國語文散論》，臺灣開明書店印行，民國六十二年十二月初版，頁一三二至一三四。

⑧參閱楊樹達《漢文文言修辭學》，(北京)中華書局印行，民國六十九年九月新一版，頁二〇九；原版書名《中國修辭學》，民國二十二年上海世界書局印行初版、民國四十三年十二月北京科學出版社印行初版、民國五十八年六月臺灣世界書局印行三版。

⑨同⑧。

⑩白話譯文參閱劉彥成《文則注譯》，書目文獻出版社印行，民國七十七年二月北京初版，頁七五。

⑪同⑩。

第六章　《文則》論修辭的技巧

陳騤《文則》析論修辭技巧甚多，經過分析、比較、歸納，約有取喻、援引、繼踵、對偶、析字、答問、倒語、類字、交錯（或稱纏糾）、曲折、重複、同目、助詞、句法、數人行事、章法、蓄意、蹈襲、仿擬、目人之體、列氏之體等修辭技巧①。但類字、交錯、曲折（形式上是「複疊」，內容上是「婉曲」）都是屬於「複疊」，而同目、重複屬於「反復」，皆性質相似；助詞、句法屬於語法修辭，數人行事、章法屬於篇章修辭，皆性質相似；就合併討論。而蓄意、仿擬、目人之體、列氏之體，因資料不多，亦合併探究。因此，本章各節排列順序，首先以單項論述多寡爲次第，再以合併討論的內容多少爲順序。

第一節　取喻

陳騤《文則·丙一》所謂的「取喻」，就是《論語·雍也》所說的「取譬」②，也是《墨子·小取》

所謂的「辟」以及《荀子·非相》所說的「譬」③，也是子夏《詩序》以及劉勰《文心雕龍·比興》所謂的「比」④，現在大陸修辭學專家學者叫做「比喻」，臺灣修辭學專家學者稱「譬喻」，俗稱打比方。「譬喻」一詞，最早見於漢朝王符《潛夫論·釋難》：「夫譬喻也者，生於直告之不明，故假物之然否以彰之。」一般修辭學多半用「譬喻」⑤或「比喻」⑥，但用「譬喻」較佳，以免與「比擬」混淆，因此本節採用「譬喻」一詞。所謂「譬喻」，是一種「借彼喻此」的修辭技巧。

陳騤《文則》先論譬喻的作用，再將譬喻分爲十種，加以詮證。陳氏認爲譬喻的作用，在於表情達意，因此在《文則·丙一》中說：

《易》之有象，以盡其意；《詩》之有比，以達其情。文之作也，可無喻乎？

陳騤闡述《詩經》必須運用譬喻，來表達情感，其他文章怎能不用譬喻呢？正如《禮記·學記》所說：「不學博依，不能安詩。」所謂「博依」，就是廣博的譬喻。至於譬喻的分類，不止陳騤《文則》有詳盡的闡論，在《文則》前後也有很多名家闡述，所以本節擬分陳騤《文則》論譬喻的分類、《文則》前後各家論譬喻的分類兩項，加以論析，再比較其異同，並提出理想的譬喻分類。

一、陳騤《文則》論譬喻的分類

陳騤在《文則·丙一》中，不僅闡述譬喻的作用，也運用歸納法，將譬喻分爲十種，他說：

博采經傳，約而論之，取喻之法，大槩有十。

陳氏以經傳爲對象，對譬喩作有系統的分類，他將譬喩分爲直喩、隱喩、類喩、詰喩、對喩、博喩、簡喩、詳喩、引喩、虛喩十種。茲分別析論之。陳騤在《文則·丙一》中說：

一曰直喻：或言猶，或言若，或言如，或言似，灼然可見。《孟子》曰：「猶緣木而求魚也。」《書》曰：「若朽索之馭六馬。」《論語》曰：「譬如北辰。」《莊子》曰：「凄然似秋。」此類是也。

《文則》的「直喩」，約相當於現代修辭學的「明喩」，也稱爲「顯比」；但「明喩」必須具備「喩體」、「喩詞」、「喩依」三者。⑦陳騤所說的「猶」、「若」、「如」、「似」，都是「喩詞」。「緣木而求魚也」、「朽索之馭六馬」、「北辰」、「秋」，都是「喩依」。「喩體」只有「凄然」，其他「喩體」都省略。陳氏若能將「喩體」列入，不止內容更完整，「喩依」所要表達「喩體」的內涵也比較詳盡，讀者更易於明瞭。《孟子·梁惠王上》：「然則王之所大欲可知已，欲辟土地，朝秦楚，莅中國，而撫四夷也。以若所爲，求若所欲，猶緣木而求魚也。」「以若所爲，求若所欲」，是「喩體」。「所爲」、「所欲」，是指開疆闢土，使秦楚來朝貢，佔領中國，用這種霸道的手段，想達到王道或仁道的目的。「緣木求魚」，是譬喩用這種手段想達到目的是不可能的事。《尙書·夏書·五子之歌》：「皇祖有訓，民可近，不可下。民惟邦本，本固邦寧。……予臨兆民，懍乎若朽索之馭六馬，爲人上者，奈何不敬？」「懍乎」是「喩體」，這句是說國君面臨億萬人民，危懼得像腐朽的繩索駕馭六馬。朽索易斷，六馬易驚，用來譬喩臨危恐懼的心情。《論語·爲政》：「爲政以德，譬如北辰，居其所而衆星拱之。」這是強調德的重要，以仁德處理政事，好像衆星圍繞北極星。「爲政以德」是「喻體」。《莊子·大宗師》：「古之眞人，不知說生，不知惡死，其出不欣，其入不拒，……。不忘其所始，不求其所終，……若然者，其心志，其容寂，……淒然似秋，暖然似春。」這是表現莊子虛靜恬淡，寂寞無爲的哲學觀。莊子認爲古代的眞人，不知道喜歡活著，也不知道討厭死亡，出生時不會高興，死了也不會拒絕，無拘無束地來去，不忘記開始，也不追求終止，像這樣的人，他的心情是安定的，他的容貌是淑靜的，他的態度是大方的，冷淸淸地像秋天，暖烘烘地像春天。⑧這例句陳騤雖然列有「喻體」、「喻詞」、「喻依」三部分的原文，但主語省略，不易了解其內涵，因此才加以補充說明。

古代詩文運用「猶」、「若」、「如」、「似」等「喻詞」作「直喻」者甚多，使用「猶」字者，如《左傳·隱公四年》：「夫兵猶火也，弗戢，將自焚也。」又如《國語·周語上》：「民之有口也，猶土之有山川也。」《孟子·公孫丑上》：「以齊王，猶反手也。」顏之推《顏氏家訓·序致》：「魏晉已來，所著諸子，理重事複，遞相模斅，猶屋下架屋，牀上施牀耳。」又〈勉學〉：「世人不問愚智，皆欲識人之多，見事之廣，而不肯讀書，是猶求飽而懶營饌，欲暖而惰裁衣也。」應用「若」字者，如《尙書·君牙》：「心之憂危，若蹈虎尾，涉于春冰。」又如《莊子·山木》：「君子之交淡若水，小人之交甘若醴。」《國語·越語上》：「寡人聞古之賢君，四方之民歸之，若水之趨下也。」揚雄〈解嘲〉：「功若泰山。」運用「如」字者，如《周易·繫辭上》：「同心之言，其臭如蘭。」又如《詩經·鄭風·有女同車》：「有女同行，顏如舜英。」又〈衛風·伯兮〉：「自伯之東，首如飛蓬。」《論語·里仁》：「不義而富且義，於我如浮雲。」歐陽脩〈長相思〉：「玉如肌，柳如眉。」寇準〈夜度娘〉：「柔情不斷如春水。」使用「似」字者，如李煜〈虞美人詞〉：「問君能有幾多愁？恰似一江春水向東流。」又如蘇東坡〈和子由澠池懷舊〉：「人生到處知何似？應似飛鴻踏雪泥。」秦觀〈浣溪沙詞〉：「自在飛花似夢。」曹雪芹《紅樓夢·第三回》：「眼似秋波，雖怒時而似笑，即瞋視而有情。」

陳騤又舉例論證「隱喻」，他在《文則·丙一》中說：

二曰隱喻：其文雖晦，義則可尋。《禮記》曰：「諸侯不下漁色。」（謂國君內取國中，象捕魚然，中網取之，是無所擇。）《國語》曰：「殁平公軍無秕政。」（秕，穀之不成者，以喻政。）又曰：「雖蝎譖，焉避之？」（蝎，木蟲，譖從中起，如蝎食木，木不能避也。）《左氏傳》曰：「是豢吳也夫。」（若人養犧牲。）《公羊傳》曰：「其諸為其雙雙而俱至者與？」（言齊高固及子叔姬來，其雙行匹至似獸。《山海經》有獸名雙雙。）此類是也。

陳氏所謂的「隱喻」，約相當於現代修辭學的「借喻」「略喻」。「借喻」是省略「喻體」、「喻詞」，僅剩下「喻依」。「略喻」是僅省略「喻詞」。陳氏舉《禮記·坊記》：「諸侯不下漁色，故君子遠色以為民紀。」此言諸侯不娶國內卿大夫之女，否則如同漁夫捕魚，入網者無所選擇，以此比喻追求美色。假如荒淫於色，就廢禮亂常，因此君子遠離女色，以此為民建立綱紀。「娶國內卿大夫之女」，是「喻體」；「如同」，是「喻詞」；「漁夫捕魚」，是「喻依」。原文省略「喻體」、「喻詞」，只剩下「喻依」，因此這例句是「借喻」。陳氏又舉《國語·晉語七》：「殁平公軍無秕政。」此言晉平公逝世，由於祁午治軍有方，部隊沒有舛誤的政治措施。「秕」，是沒有飽滿的穀粒，以此比喻不良的政治。「不良的政治如秕」，「不良的政治」是「喻體」，「如」是「喻詞」，「秕」是「喻依」，省略「喻體」、「喻詞」，僅剩下「喻依」，所以這例句也是「借喻」。又《國語·晉語一》：「雖蝎譖，焉避之？」此言讒言從宮中產生，如同蠹蟲在木材內蠶食，怎能避免？以「蝎」比喻「譖」，這是倒裝式的「略喻」，僅省略「喻詞」。原來句型應該是「譖如蝎」，倒裝爲「蝎如譖」，再省略「喻詞」爲「蝎譖」。陳氏再舉《左傳·哀公十一年》：「吳將伐齊，越子率其衆以朝焉，王及列士皆有饋賂。吳人皆喜，唯子胥懼，曰：『是豢吳也夫。』」此言吳國將要討伐齊國，越王率領他的人民來朝拜吳國，對國王及諸卿士都有餽贈。吳國人十分喜悅，僅有吳子胥非常害怕，他說：「這像養家畜一樣地對吳國。」養家畜，旨在剝皮、食肉；以此比喻越國對吳國餽贈的用心，是十分險惡。原來句型應該是「越國對吳國餽贈的險惡用心如同養家畜」，「喻體」、「喻詞」都省略，僅剩下「喻依」，因此這例句是「借喻」。《公羊傳·宣公五年》：「其諸爲其雙雙而俱至者與？」此言齊國高固和子叔姬到魯國，他們成雙成對地一齊去，好像雙雙野獸一般不知禮節。陳騤特別自注說：「《山海經》有獸名雙雙。」所以，這例句原來型式應該是「齊國高固、子叔姬到魯國，如同雙雙野獸一樣沒有禮貌」。省略「喻體」、「喻詞」，僅剩下「喻依」。陳氏所謂「隱喻」，應該僅相當於現代修辭學的「借喻」《國語》一例屬於「略喻」，可能是例外。

古今詩文運用所謂的「隱喻」，即今之「借喻」者甚多，如《論語·子罕》：「苗而不秀者，有矣夫！秀而不實者，有矣夫！」以秧苗的成長，來比喻治學不宜半途而廢，應該勤勉不懈。全句是「喻依」，「喻體」、「喻詞」皆省略。又如丘遲〈與陳伯之書〉：「將軍魚游於沸鼎之中，燕巢於飛幕之上，不亦惑乎？」藉「魚游於沸鼎之中，燕巢於飛幕之上」，來比喻陳伯之處境的危急險惡。這也是省略「喻體」、「喻詞」，僅剩下「喻依」的「借喻」。又如杜甫〈贈別賀蘭銛〉：「黃雀飽野粟，羣飛動荆棘。今君抱何恨，寂寞向時人。老驥倦驤首，蒼鷹愁易馴。高賢世未識，固合嬰饑貧。」以「黃雀飽野粟，羣飛動荆棘」，來比喻趨炎附勢的得志小人；以「老驥倦驤首，蒼鷹愁易馴」，來比喻懷才不遇的正人君子，指賀蘭銛。正如仇兆鰲《杜詩詳註》所說：「黃雀，比趨炎附利者；驥鷹，比抱才不遇者。」這兩個例句也是只剩下「喻依」的「借喻」。又如張秀亞〈書〉：「入過寶山的人，絕不會空手回的。」以「入過寶山的人，絕不會空手回的」，來譬喻讀書自然有收穫。這也是僅剩下「喻依」的「借喻」。

陳騤再舉例詮證「類喻」，他在《文則·丙一》中說：

三曰類喻：取其一類，以次喻之。《書》曰：「王省惟歲，卿士惟月，師尹惟日。」歲、月、日，一類也。賈誼《新書》曰：「天子如堂，羣臣如陛，衆庶如地。」堂、陛、地，一類也。此類是也。

陳騤所謂的「類喻」，就內容而言，是同一類；就形式而言，是「譬喻」。一般認爲「類喻」，約相當於現代修辭學的「明喻」，這是就個別而言；就整體（指全句）而言，是三小句「明喻」組成的「合喻」，可以說是「多明式的合喻」⑨。但就陳氏舉《尚書·周書·洪範》：「王省惟歲，卿士惟月，師尹惟日。」「王」、「卿士」、「師尹」，是同一類；「歲」、「月」、「日」，也是同一類。此外，這三小句也是「層遞」；「年、月、日」是「遞降」，「王、卿士、師尹」也是「遞降」。又據吳師仲寶《新譯尙書讀本》注：「惟，以也。即王考察天下政治之得失，以一歲爲主。」「惟」，沒有「好像」之意，因此這例句不是「譬喻」，只能說是「層遞」。⑩陳氏另舉賈誼《新書》的例子，才是「譬喻」，也是「類喻」。《新書·階級》：「天子如堂，羣臣如陛，衆庶如地。」從形式上看，這三小句都是「明喻」，整句是「多明式的合喻」。從內容上看，「堂」、「陛」、「地」，是同一類；「天子」、「羣臣」、「衆庶」，也是同一類。此外，這三小句也是「層遞」；「天子、羣臣、衆庶」是「遞降」，「堂、陛、地」也是「遞降」。因此，這例句就整體而言，是「譬喻」兼「層遞」。陳騤所說的「類喻」，僅就部分而言。

古今詩文要找尋同類的「喻體」或「喻依」，並連用三小句的「明喻」，比較罕見。若連用三個或三個以上同類「喻體」的小句組成「多明式合喻」，有《詩經·衛風·碩人》：「手如柔荑，膚如凝脂，領如蝤蠐，齒如瓠犀。」又有宋玉《登徒子好色賦》：「眉如翠羽，肌如白雪，腰如束素，齒如含貝。」「手、膚、領、齒」，都是人類身體的一部分；「眉、肌、腰、齒」，也是人類身體的一部分。依陳騤之意，「類喻」是指「喻依」同類的「譬喻」，而且必須連用三小句或三小句以上，這類例句就比較罕見。

陳騤再舉例詮證「詰喻」，他在《文則·丙一》中說：

> 四曰詰喻：雖爲喻文，似成詰難。《論語》曰：「虎兕出於柙，龜玉毀於櫝中，是誰之過歟？」

《左氏傳》曰：「人之有牆，以蔽惡也，牆之隙壞，誰之咎也？」此類是也。

陳氏所謂的「詰喻」，約相當於現代修辭學的「譬喻」兼「設問」。陳氏舉《論語》、《左傳》的例子，來論證「詰喻」。《論語·季氏》：「求！周任有言曰：『陳力就列，不能者止。』危而不持，顛而不扶，則將焉用彼相矣？且爾言過矣！虎兕出於柙，龜玉毀於櫝中，是誰之過與？」以「虎兕」、「龜玉」，來比喻扶導盲者的「相」。「是誰之過」，是「設問」，所以這例句是「譬喻」兼「設問」。而以「虎兕」、「龜玉」來比喻「相」，是「借喻」，省略「喻體」、「喻依」；而「是誰之過」，係問而不答的「激問」；因此這例子也可以說是「借喻」兼「激問」。陳氏又舉《左傳·昭公元年》：「諸侯之會，衛社稷也。我以貨免，魯必受師，是禍之也，何衛之爲？人之有牆，以蔽惡也。牆之隙壞，誰之咎也？衛而惡之，吾又甚焉。」此言諸侯的會盟，旨在捍衛國家。我用財貨來免除災禍，魯國必然受到攻打，這是嫁禍給它，還算什麼捍衛呢？人們之所以築牆，是爲遮擋盜賊，牆壁裂縫而倒塌，這是誰的罪過？爲保衛社稷，反而使它受害，我的罪過比牆壁倒塌還要厲害。「諸侯之會」至「何衛之爲」，是「喻體」；「人之有牆，誰之咎也」，是「喻依」；「喻詞」省略，因此這例句是「略喻」。但僅以「人之有牆，誰之咎也」一句而言，卻是「借喻」；而「誰之咎也」是問而不答的「激問」，所以又是「設問」。簡言之，「人之有牆，誰之咎也」，是「譬喻」兼「設問」。

古代文章也有運用「譬喻」兼「設問」的「詰喻」，如《論語·子罕》：「子貢曰：『有美玉於斯，韞匵而藏諸？求善賈而沽諸？』子曰：『沽之哉！沽之哉！我待賈者也。』」子貢以「美玉」比喻有才德的人，探問孔子出處行藏的態度。「韞匵而藏諸」比喻避世退隱，「求善賈而沽」比喻待機入世行道。這例句也是「譬喻」兼「設問」。又如杜牧〈阿房宮賦〉：「長橋卧波，未雲何龍？複道行空，不霽何虹？」借「龍」喻「橋」，借「虹」喻「複道」；而「未雲何龍」、「不霽何虹」，又是問而不答的「激問」；因此這例子也是「譬喻」兼「設問」。

陳騤又舉例闡述「對喻」，他在《文則·丙二》中說：

五曰對喻：先比後證，上下相符。《莊子》曰：「魚相忘乎江湖，人相忘乎道術。」《荀子》曰：「流丸止於甌臾，流言止於智者。」此類是也。

陳氏所說的「對喻」，約相當於現代修辭學的「略喻」。王松茂認爲「對喻」，是以對偶的句式，表達以「喻依」映襯「喻體」的內容。⑪陳騤舉《莊子》、《荀子》的文章，作爲「對喻」的例證。《莊子·大宗師》：「魚相忘乎江湖，人相忘乎道術。」「魚」對「人」，「江湖」對「道術」，皆詞性相對。「相忘乎」，上下兩句重複運用，所以這例句，應該屬於「寬式對偶」。這兩小句可以還原爲「人相忘乎道術（如）魚相忘乎江湖」。原句是倒裝式的「略喻」；因爲省略「喻詞」，而且「喻體」與「喻依」又是倒裝。總而言之，這例子屬於倒裝式的「略喻」兼「寬式對偶」。陳氏又舉《荀子·大略》：「流丸止於甌臾，流言止於智者。」「丸」對「言」，「甌臾」對「智者」，皆詞性相對。「流」、「止於」，上下兩句重複使用，所以這例句應該屬於「寬式對偶」。這兩小句可以還原爲「流言止於智者（如）流丸止於甌臾」。原句是倒裝式的「略喻」；因爲省略「喻詞」，並且「喻體」與「喻依」又是倒裝。一言以蔽之，這例子也屬於倒裝式的「略喻」兼「寬式對偶」。依陳氏所舉二例闡析，「對喻」應該是相當於倒裝式的「略喻」兼「寬式對偶」，簡言之，是「略喻」兼「對偶」。

古代文章運用倒裝式「略喻」兼「寬式對偶」的「對喻」，有《孔子家語》：「良藥苦口而利於病，忠言逆耳而利於行。」「良藥」對「忠言」，「苦口」對「逆耳」，「病」對「行」，皆詞性相對。上下兩句重複運用「而利於」三字，因此這例句應該屬於「寬式對偶」。這兩小句可以還原爲「忠言逆耳而利於行（如）良藥苦口而利於病」。原句是倒裝式的「略喻」；因爲省略「喻詞」，而且「喻體」、「喻依」又是倒裝。總而言之，這例子屬於倒裝式的「略喻」兼「寬式對偶」。還有劉勰《文心雕龍·事類》：「山木爲良匠所度，經書爲文士所擇。」「山木」對「經書」，「良匠」對「文士」，「度」對「擇」，是詞性相對。上下句又重複使用「爲」、「所」二字，所以這例句屬於寬式對偶。這兩小句可以還原爲「經書爲文士所擇（如）山木爲良匠所度。」原句是倒裝式的「略喻」；因爲省略「喻」，並且「喻體」、「喻依」又是倒裝。一言以蔽之，這例子屬於倒裝式的「略喻」兼「寬式對偶」。此外，如《禮記·大學》：「富潤屋，德潤身。」也是屬於倒裝式的「略喻」兼「寬式對偶」。尚有甚多俗諺，也是運用倒裝式的「略喻」兼「寬式對偶」，如「良禽擇木而棲，良臣擇主而事。」「眞金不怕火煉，眞人不說假話。」「快織無好紗，快嫁無好家。」「佛靠一炷香，人爭一口氣。」「強摘的瓜果不甜，強撮的姻緣不賢。」又有使用倒裝式的「略喻」兼「嚴式對偶」者，如「路遙知馬力，日久見人心。」「金憑火煉方知色，人與財交便見心。」「長江後浪推前浪，一代新人換舊人。」

陳騤再舉例闡論「博喻」，他在《文則·丙一》中說：

六曰博喻：取以爲喻，不一而足。《書》曰：「若金，用汝作礪；若濟巨川，用汝作舟楫；若歲大旱，用汝作霖雨。」《荀子》曰：「猶以指測河也，猶以戈舂黍也，猶以錐飡壺也。」此類是也。

陳氏闡述「博喻」，現代修辭學也談「博喻」，二者不同，是陳氏只談以明喻組成的「博喻」，而現代修辭學的「博喻」包括以明喻組成的博喻、以隱喻組成的博喻、以略喻組成的博喻、以借喻組成的博喻四種。⑫陳騤舉了《尙書》、《荀子》的文章，闡析「博喻」的體例。《尙書·商書·說命上》：「高宗命之（指傅說）曰：『朝夕納誨，以輔台德。若金，用汝作礪；若濟巨川，用汝作舟楫；若歲大旱，用汝作霖雨。』」此言殷高宗希望傅說好好輔佐他，運用三個「喻詞」、「喻依」，節節深入，懇切而深刻。殷高宗將傅說比喻作「礪」、「舟楫」、「霖雨」，因此「傅說」是「喻體」，「若」是「喻」，「礪」、「舟楫」、「霖雨」是「喻依」，一般修辭學書都稱爲「博喻」。筆者在〈論譬喻的分類〉一文，將此類歸入「連續式的明喻」。⑬《荀子·勸學》：「不道禮憲，以《詩》、《書》爲之，譬之猶以指測河也，猶以戈舂黍也，猶以錐飡壺也。」荀子運用三個「喻依」闡明不以禮法治國，僅憑《詩經》、《尙書》的教條是行不通。「不道禮憲，以《詩》、《書》爲之」，是「喻體」，三個「猶」字是「喻詞」，「以指測河」、「以戈舂黍」、「以錐飡壺」是「喻依」，由於連用三個「喻詞」、「喻依」，所以這例子是屬於「博喻」。但由於以三個明喻組成的「博喻」，因此也屬於以明喻組成的「博喻」這一類。陳騤所舉的兩個例子，都屬於以明喻組成的「博喻」。

古今文章運用以明喻組成的「博喻」，如劉鶚《老殘遊記》：「(白妞) 方擡起頭來，向臺下一盼。那雙眼睛如秋水，如寒星，如寶珠，如白水銀裏頭養著兩丸黑水銀。」又如姚鼐〈復魯絜非書〉：「其得於陽與剛之美者，則其文如霆，如電，如長風之出谷，如崇山峻嶺，如決大川，如奔騏驥。」朱自清〈女人〉：「我以爲藝術的女人第一是有她的溫柔的空氣，使如聽著簫管的悠揚，如嗅著玫瑰花的芬芳，如躺在天鵝絨的厚毯上。」梁實秋《雅舍小品·音樂》：「秋風起時，樹葉颯颯的聲音，一陣陣襲來，如潮湧，如急雨，如萬馬奔騰，如銜枚急走。」這些例句都是以明喻組成的「博喻」。尙有以隱喻組成的「博喻」，如張潮《幽夢影》：「所謂美人者，以花爲貌，以鳥爲聲，以月爲神，以柳爲態，以玉爲骨，以冰雪爲膚，以秋水爲姿，以詩詞爲心。」又如管管〈城市丈夫們的無能感〉：「結婚以後，是杯茶，喝著喝著淡了！結婚以後，是瓶花，看著看著謝了。結婚以後，是蜜加了開水，甜雖甜怎麼味道變了？」以略喻組成的「博喻」，如《孟子·離婁上》：「離婁之明，公輸子之巧，不以規矩，不能成方員；師曠之聰，不以六律，不能正五音；堯舜之道，不以仁政，不能平治天下。」又如《荀子·勸學》：「不登高山，不知天之高也；不臨深谿，不知地之厚也；不聞先王之遺言，不知學問之大也。」以借喻組成的「博喻」，如杜甫〈述古〉：「赤驥頓長纓，非無萬里姿；悲鳴淚至此，爲問馭者誰？鳳凰從東來，何意復高飛。竹花不結實，念子忍朝饑。」以「赤驥頓長纓」、「鳳凰復高飛」兩個「喻依」，借喻「賢才不遇」一個「喻體」。又如顧炎武〈廉恥〉：「松柏後凋於歲寒，雞鳴不已於風雨，彼衆昏之日，固未嘗無獨醒之人也。」以「松柏後凋於歲寒，雞鳴不已於風雨」兩個「喻依」，借喻「君子處在亂世，不改變節操」一個「喻體」。

陳騤又舉例闡明「簡喻」，他在《文則·丙二》中說：

七曰簡喻：其文雖略，其意甚明。《左氏傳》曰：「名，德之輿也。」揚子曰：「仁，宅也。」此類是也。

陳氏所謂的「簡喻」，約相當於現代修辭學的「隱喻」。他舉了《左傳》和《法言》的文章，詮證「簡喻」的體例。《左傳·襄公二十四年》：「夫令名，德之輿也。」「令名」是「喻體」，「德之輿」是「喻依」，「也」是含有「好像」之意的「喻詞」。⑭因此，這例句是「隱喻」，也就是陳騤所說的「簡喻」。又如揚雄《法言·修身》：「仁，宅也。」「仁」是「喻體」，「宅」是「喻依」，「也」是「喻詞」，所以這例子也是「簡喻」，又叫做「隱喻」。

古今文章運用「隱喻」者甚多，如《左傳·文公七年》：「趙衰，冬日之日也。」「趙衰」是「喻體」，「冬日之日」是「喻依」，「也」是「喻詞」，因此這例句是「隱喻」，也叫做「簡喻」。又如《孟子·滕文公上》：「君子之德，風也。」「君子之德」是「喻體」，「風」是「喻依」，「也」是「喻詞」，所以這例子也是「隱喻」，又稱爲「簡喻」。此外，如《孟子·離婁上》：「義，人之正路也。」林語堂〈論東西文化幽默〉：「幽默是人類心靈的花朵。」張秀亞〈心寄何處〉：「憂與愁是黑色的花朵。」張默〈現代詩的投影〉：「時間是甘果的果汁。」傅東華〈什麼是古典主義〉：「古典主義是低眉的菩薩。」徐志摩《再別康橋》：「那河畔的金柳，是夕陽中的新娘。」又《我所知道的康橋》：「村舍與樹林是地盤上的棋子。」夏丏尊《觸發》：「竹解虛心是我師。」許雪銀《太陽》：「太陽是大地的母親。」以上這些白話文中的「是」字，其實是「像」的意思，用「是」字要比「像」字意義更強烈、更深刻。⑮因此，以上例句都是「隱喻」。

陳騤再舉例詮證「詳喻」，他在《文則·丙一》中說：

八曰詳喻：須假多辭，然後義顯。《荀子》曰：「夫耀蟬者，務在乎明其火，振其樹而已，火不明，雖振其樹，無益也；今人主有能明其德，則天下歸之，若蟬之歸明火也。」此類是也。

陳氏所謂的「詳喻」，是指運用很多詞句來表達「喻依」，使「喻體」的意義更能突顯出來，因此可以說是詳細的譬喻，約相當於現代修辭學的「明喻」。陳氏舉了《荀子·致士》的文章，闡述「詳喻」的體例。「今人主有能明其德，則天下歸之」，是「喻體」；「蟬之歸明火」，是「喻依」；「若」，是「喻詞」；因此這例句是「明喻」。至於「夫耀蟬者，務在乎明其火，振其樹而已，火不明，雖振其樹，無益也」，是解析「蟬之歸明火」的眞諦。其實，「蟬」是比喻「天下的人民」；「明火」是比喻「有明德的君主」。此言天下的人民歸順國君，就如同夜蟬飛向火光一般。

古今文章運用「詳喻」者，如《國語·晉語九》：「人之有學也，猶木之有枝葉也；木有枝葉猶庇蔭人，而況君子之學乎？」「人之有學」，是「喻體」；「木之有枝葉」，是「喻依」；「猶」，是「喻詞」；所以這例句是「明喻」。但「木有枝葉猶庇蔭人，而況君子之學乎」，是闡述「木之有枝葉」的眞諦。「木」比喻「人」，「枝葉」比喻「學」。就全句而言，是「詳喻」；就「人之有學也，猶木之有枝葉也」而言，是「明喻」。因此，筆者在〈論譬喻的分類〉一文，將此類歸入詳敘式的「明喻」⑯，與一般的「明喻」迥然有別。又如蘇洵〈六國論〉：「以地事秦，猶抱薪救火；薪不盡，火不滅。」「以地事秦」，是「喻體」；「抱薪救火」，是「喻依」；「猶」，是「喻詞」；所以這例句是「明喻」。「薪不盡，火不滅」，是解析「抱薪救火」的眞諦。「薪」比喻「地」，「火」比喻「秦」。就全句而言，是「詳喻」；就「以地事秦，猶抱薪救火」而言，是「明喻」。白話文也有運用「詳喻」者，如祝振華〈西線有戰事〉：「美式婚姻像吃口香糖，越嚼越乏味，最後吐了。」「美式婚姻」，是「喻體」；「吃口香糖」，是「喻依」；「像」，是「喻詞」；因此這例句是「明喻」。「越嚼越乏味，最後吐了」，旨在詮解「吃口香糖」的眞義。就全句而言，是「詳喻」；就「美式婚姻像吃口香糖」而言，是「明喻」。又如美國總統林肯說：「生命有如文章，在乎內容，不在乎長短。」「生命」，是「喻體」；「文章」，是「喻依」；「如」，是「喻詞」；所以這例句是「明喻」。「在乎內容，不在乎長短」，是闡析「文章」的眞諦。「文章」比喻「生命」。就全句而言，是「詳喻」；就「生命有如文章」而言，是「明喻」。此外，如金華〈箭鏃〉：「秘密像夏天櫥窗中的美味，根本無法長久保留。」吳怡〈一束稻草·愁〉：「愁好像味精，少放一點，滋味無窮；多了，就要倒盡胃口。」這些例句都是屬於「詳喻」。

陳騤又闡述「引喻」的眞義，並舉例論析，他在《文則·丙一》中說：

九曰引喻：援取前言，以證其事。《左氏傳》曰：「諺所謂『庇焉而縱尋斧焉』」『者也。』」《禮記》曰：「蛾子時術之，其此之謂乎？」此類是也。

陳氏所謂的「引喻」，是指引用前人的文辭或言辭，來印證所闡述的事理的一種譬喻，約相當於現在修辭學的「譬喻」兼「引用」。陳氏舉了《左傳》、《禮記》的文章，詮證「引喻」的體例。《左傳·文公七年》：「昭公將去羣公子，樂豫曰：『不可。公族，公室之枝葉也；若去之，則本根無所庇蔭矣。葛藟猶能庇其本根，故君子以爲比，況國君乎？此諺所謂「庇焉而縱尋斧焉」者也。必不可。君其圖之！親之以德，皆股肱也，誰敢攜貳？若之何去之？』不聽。」樂豫建議昭公不可以去掉諸公子，就如同樹不可以用斧頭砍掉它。引用「諺所謂『庇焉而縱尋斧焉』」，旨在印證樂豫闡述不可以去掉諸公子的癥結所在，但昭公沒有聽樂豫的進諫，眞是「忠言逆言」。「引用諺語」作「喻依」，「樂豫所論述的事理」作「喻體」。就整體而言，是「譬喻」；就部分而言，「喻依」是「引用」；因此這例子是「引喻」，即「譬喻」兼「引用」。陳氏又舉《禮記·學記》：「古之教者，家有塾，黨有庠，術有序，國有學。比年入學，中年考校，一年視離經辨志，三年視敬業樂羣，五年視博習親師，七年視論學取友，謂之『小成』。九年知類通達，強立而不反，謂之『大成』。夫然後足以化民易俗，近者說服，而遠者懷之。此大學之道也。記曰：『蛾子時術之。』其此之謂乎？」此言古代的學制及教育階程。「比年入學」至「此大學之道也」，是「喻體」；「記曰：『蛾子時術之』」，是「喻依」。引用「記曰」，旨在詮證「教育階程」的道理所在。就整體而言，是「譬喻」；就部分而言，「喻依」是「引用」；因此這例子是「引喻」，即「譬喻」兼「引用」。

「引喻」與「引用」的區別，在於「引喻」中的諺語或成語，僅作爲「喻依」，來比喻「喻體」；而「引用」中的成語、諺語或前人、古書的言辭、文辭，旨在印證事理，不是作爲「喻依」。因此，「引喻」、「引用」，二者不可混淆。古今文章，運用「引喻」的例子，比較罕見；運用「引用」的例子，不勝枚舉。

陳騤再闡析「虛喻」的意義，並舉例論證，他在《文則·丙一》中說：

十曰虛喻：既不指物，亦不指事。《論語》曰：「其言似不足者。」《老子》曰：「飂兮若無所止。」此類是也。

陳氏所謂的「虛喻」，約相當於黃師慶萱《修辭學》所說的「假喻」⑰。「假喻」不是「譬喻」，既沒有「喻體」，又沒有「喻依」，而且「似」、「若」等詞，也不能算是「喻詞」，僅表示「未確定」的語氣或舉例說明性質。陳氏舉了《論語·鄉黨》、《老子·第二十章》的文章，闡析「虛喻」的體例，但「虛喻」並非「譬喻」，只是「假喻」，表面看似「譬喻」，其實不是「譬喻」。

綜觀陳騤《文則》論譬喻的分類，如同黃師慶萱所說的：「陳騤譬喻十法，其中有些不是譬喻；但分析之詳，卻也令人歎爲觀止了。」⑰黃師所指「其中有些不是譬喻」，是指「虛喻」，其他九類都是「譬喻」，可以說是大醇小疵。李金苓在〈宋代修辭理論的特點〉一文中，也指出陳騤論述譬喻十法的三點貢獻：一是最早以經傳爲對象，對譬喻作有系統的分類，每類都總結出規律，並舉有例證。二是總結修辭的特點，多半符合漢語實際。三是陳騤初步注意到語言表達的特點，如「直喻」的特點，是「或言猶，或言若，或言如，或言似，灼然可見。⑱在此之前，唐朝孔穎達《毛詩正義》也指出諸言『如』者，皆比辭也。」相形之下，陳騤又進一步詳盡地闡析。總而言之，陳騤《文則》論譬喻的分類，有他獨特的卓見，尤其對現代修辭學的影響，既深且廣。現代修辭學書引用陳騤論譬喻十法者，有陳望道《修辭學發凡》⑲、徐芹庭《修辭學發微》⑳、黃師慶萱《修辭學》㉑、張嚴《修辭論說與方法》㉒、董季棠《修辭析論》㉓、趙克勤《古漢語修辭簡論》㉔、季紹德《古漢語修辭》㉕、沈謙《修辭學》㉖、成偉鈞、唐仲揚、向宏業主編《修辭通鑒》㉗。由此可見，《文則》對現代修辭學具有莫大的影響力。

二、《文則》前後各家論譬喻的分類

陳騤《文則》論譬喻的分類，將譬喻分為十類，但在《文則》前後也論及譬喻。在《文則》之前，有周朝子夏《詩序》、《論語·雍也》、《墨子·小取》、《荀子·非相》、漢朝王符《潛夫論·釋難》，雖都有論述譬喻，但皆未言及分類㉘。洎乎梁朝劉勰《文心雕龍·比興》，將比分為比義、比類兩類㉙。唐朝孔穎達《毛詩正義》引鄭司農：「比者，比方於物，諸言『如』者，皆比辭也。」並未分類，僅言及「如」字，是譬喻的特點。在《文則》之後，元朝王構《修辭鑑衡·卷一》的「八句要訣」條云：「比興深者通物理。」僅言及「比興」，並未分類。迨及民國，研究修辭學專家學者甚多，茲比較、分析，歸納為下列數端：

㈠**不分類**：僅論譬喻，並未分類者，在民國之前，有子夏〈詩序〉、《論語·雍也》、《墨子·小取》、《荀子·非相》、王符《潛夫論·釋難》、孔穎達《毛詩正義》、王構《修辭鑑衡》。民國以來，有黃永武《字句鍛鍊法》㉚、倪寶元《修辭》、上海師範學院中文系漢語教研室編《修辭》、鄭文貞《篇章修辭學》、胡性初《實用修辭》㉛。或僅言及譬喻的理論，或僅言及譬喻的意義，或舉例詮證譬喻的眞諦，或辨析比喻與非比喻、借喻與借代。

㈡**二分法**：將譬喻分爲兩種者，在民國之前，僅劉勰《文心雕龍·比興》分爲比義和比類兩種。民國以來，有唐鉞《修辭格》將比分爲顯比格、隱比格兩種。㉜夏宇衆《修辭學大綱》將比喻分爲顯比、隱比兩種。㉝趙克勤《古漢語修辭簡論》將比喻分爲明喻、暗喻兩類。㉞明喻又叫顯比，暗喻又叫隱喻。因此，唐、夏、趙三氏分類相同，只是名異實同。此外，路燈照、成九田《古詩文修辭例話》從加深讀者對作品內容的理解力來看，可分爲「以實比實」、「以實比虛」兩種。曾師忠華《作文津梁》分爲基本的譬喻、變化的譬喻兩種。基本的譬喻又分爲明喻、隱喻、略喻、借喻四種。變化的譬喻又分爲形喻、交喻兩類。㉟

㈢**三分法**：將譬喻（又叫比喻）分爲明喻（又叫直喻）、隱喻（又叫暗喻）、借喻三種者最多，最早的是陳望道《修辭學發凡》㊱，其次是譚正璧《修辭新例》、徐芹庭《修辭學發微》、宋文翰《國文修辭學》㊲、華中師範學院中文系現代漢語教研組編《現代漢語修辭知識》㊳、張嚴《修辭論說與方法》、蔣金龍《演講修辭學》、董季棠《修辭析論》㊴、黃漢生《修辭漫議》、鄭頤壽《比較修辭》、王希杰《漢語修辭學》、錢覺民、李延祜《修辭知識十八講》、程希嵐《修辭學新編》、季紹德《古漢語修辭》、黎運漢、張維耿《現代漢語修辭學》、吳士文《修辭格論析》、李維琦《修辭學》、王德春主編《修辭學》、姚殿芳、潘兆明《實用漢語修辭學》、湖北省天門師範語文教研組編《語文基礎知識》、路燈照、成九田《古詩文修辭例話》、鄭頤壽、林承璋主編《新編修辭學》、蔣希文《修辭淺說》、程祥徽、田小琳《現代漢語》、張靜、鄭遠漢《修辭學教程》、唐松波、黃建霖主編《漢語修辭格大辭典》、劉煥輝《修辭學綱要》⑩。以上各家將譬喻分為三類，內容相同，名稱稍異，可以說是名異實同。大部分修辭學專家學者皆將明喻、隱喻、借喻三種，當作譬喻的基本類型，因此主張三分法者最多。

㈣**四分法**：將譬喻分為四類者，有高葆泰《語法修辭六講》、宋振華、吳士文、張國慶、王興林主編《現代漢語修辭學》、武占坤主編《常用辭格通論》，將譬喻分為明喻、暗喻、借喻、引喻四種。㊶曾師忠華《作文津梁》、董季棠《重校增訂修辭析論》，將譬喻分為明喻、隱喻、略喻、借喻四種。㊷華中師範學院中文系現代漢語教研組編《現代漢語修辭知識》將譬喻的多樣化用法又分為反面設喻、迂迴設喻、反復設喻、喻中有比四種。吳士文《修辭格論析》將隱喻又分為平列式、修飾式、移接式、同位式四種。黎運漢、張維耿《現代漢語修辭學》將譬喻的變化形式分為平列式、偏正式、同位式、注釋式四種。㊸各家分法，以不同角度，產生不同類別，各有特點。

㈤**五分法**：將譬喻分為五類者，黃師慶萱《修辭學》、吳正吉《活用修辭》分為明喻、隱喻、略喻、借喻、假喻五種；㊹周靖《現代漢語語法修辭》分為明喻、暗喻、借喻、博喻、引喻五種；㊺沈謙《修辭學》分爲明喻、隱喻、略喻、借喻、博喻五種；㊻蔡宗陽《論譬喻的分類》分爲明喻、隱喻、略喻、借喻、合喻五種。㊼五分法雖各有不同，但明喻、隱喻（又叫暗喻）、借喻三種基本類型卻是相同。

㈥**六分法**：將譬喻分爲六種者，有王希杰《漢語修辭學》認爲譬喻的變式有六種：倒喻、反喻、強喻、迂喻、曲喻、博喻；程希嵐《修辭學新編》依譬喻的用法，分爲復喻、進喻、強喻、弱喻、反喻、回喻六種。㊽吳桂海、鮑慶林《語法修辭新編》將譬喻分爲明喻、暗喻、借喻、引喻、諷喻、較喻六種。㊾劉煥輝《修辭學綱要》依譬喻的變式分爲倒喻、反喻、回喻、博喻、曲喻、引喻六種。㊿或以運用方法分，或以變化方式分，或以一般方式分，各有不同特點。

㈦**七分法**：將譬喻分爲七種者，有鄭業建《修辭學》分爲直喻、隱喻、引喻、博喻、借喻、交喻、反喻七種；㉛馬鳴春《稱謂修辭學》分爲明喻、暗喻、借喻、較喻、擴喻、倒喻、縮喻七種。㉜鄭、馬二氏相同者，有借喻、明喻（又叫直喻）、隱喻（又叫暗喻）三種基本類型，其他四種方式都是譬喻的變化方式。

㈧**八分法**：將譬喻分爲八種者，王德春主編《修辭學詞典》認爲譬喻的變化形式有八種：較喻、回喻、反喻、曲喻、引喻、博喻、倒喻、擴喻。㉝

㈨**九分法**：將譬喻分爲九種者，有李維琦《修辭學》認爲常見的譬喻有九類：第一、二、三類是明喻，第四、五、六、七類是暗喻，第八、九類是借喻。㉞表面上細分九類，其實也是在明喻、暗喩、借喩三種基本類型之中。

㈩十分法：將譬喩分爲十種者，除了陳騤《文則》之外，尙有成偉鈞、唐仲揚、向宏業《修辭通鑒》依譬喩的變式分爲博喩、引喩、曲喩、倒喩、對喩、回喩、互喩、反喩、逆喩、較喩十種。[55]

（十一）十一分法：將譬喩分爲十一種者，有陳介白《修辭學講話》分爲明喩法、隱喩法、諷喩法、提喩法、換喩法、借喩法、引喩法、詳喩法、交喩法、形喩法、字喩法十一種。[56]

（十二）十二分法：將譬喩分爲十二種者，有黃民裕《辭格匯編》分爲明喩、暗喩、借喩、博喩、倒喩、反喩、縮喩、擴喩、較喩、回喩、互喩、曲喩等十二種。[57]

（十三）二十一分法：將譬喩分爲二十一種者，有唐松波、黃建霖主編《漢語修辭格大辭典》認爲譬喩的變化形式有二十一種：潛喩、博喩、約喩、縮喩、擴喩、屬喩、引喩、曲喩、聯喩、回喩、擇喩、反喩、逆喩、對喩、疑喩、物喩、事喩、互喩、合喩、頂喩、較喩。較喩又分爲三類：強喩、弱喩、等喩。[58]蔡宗陽《論譬喩的分類》將譬喩的內容分爲二十一小類：明喩分作說理式、反復式、相反式、聯想式、虛假式等五種，隱喩分作比較式、諧音式、否定式、選擇式、迂迴式、正反式等六種，略喩分作補充式、引證式、轉移式、引出式等四種，借喩分作因果式、正反式、反詰式等三種，合喩分作相關式、同類式、正反式等三種，共計二十一種。[59]

（十四）二十四分法：將譬喩分爲二十四種者，有浙江省修辭研究會編著《修辭方式例解詞典》分爲暗喩、博喩、補喩、倒喩、等喩、對喩、反喩、反客爲主的比喩、互喩、回喩、較喩、詰喩、借喩、類喻、明喻、強喻、曲喻、弱喻、同位喻、物喻、詳喻、虛喻、音喻、引喻等二十四種。[60]蔡宗陽〈論譬喻的分類〉將譬喻的形式分爲二十四小類：明喻分爲單一式、連續式、詳敘式等三種，隱喻分爲單一式、連續式、屬相式、疑擬式、同位式等五種，略喻分爲單一式、連續式、平列式、順敘式、倒敘式等五種，借喻分爲單一式和連續式兩種，合喻分爲互相式、頂針式、倒敘式、明隱式、雙明式、雙隱式、雙略式等七種。[61]

通觀各家論譬喻的分類，或多或少，或從形式，或從內容分，或從基本類型分，或從變化方式分，或作法分，或從文體性質分，見仁見智，各有特色。筆者認爲理想的譬喻分類，必須會通各家分類的特點，並以不同角度來分。因此，就文體與作法來分，可分爲記敘性、論說性、抒情性三種。[62]就基本的類型來分，可分爲明喻、隱喻、略喻、借喻、合喻五種。[63]就形式分，以〈論譬喻的分類〉中的二十四類爲主，再加一小題「多明式的合喻」，成爲二十五類。[64]就內容分，以〈論譬喻的分類〉中二十一類爲主。[65]

陳騤《文則》將譬喻分爲十種，《文則》前後各家論譬喻的分類，見仁見智，各有特色，爲了簡明方便起見，以作者時代、著作出版時間的先後爲經，以各家分類或說明爲緯，茲繪「陳騤與各家論譬喻分類一覽表」於後：

陳騤與各家論譬喻分類一覽表

書名或篇名	時代	作者	辭格名稱	分類或說明	備註（民國以後註明書刊出版年月，以先後爲序。）
《詩序》	周朝	子夏	比	沒有分類。詩有六義：風、賦、比、興、雅、頌。	
《論語·雍也》	周朝	孔子弟子及再傳弟子	取譬	沒有分類。「能近取譬，可謂之方也已。」	
《墨子·小取》	周朝	墨子	辟	僅闡述其義，並未分類。「辟（同譬）也者，舉也（他）物以明之也。」	
《荀子·非相》	周朝	荀況	譬	沒有分類。「譬稱以明之。」	
《潛夫論·釋難》	漢朝	王符	譬喻	僅詮釋其義，並未分類。「夫譬喻也者，生於直告之不明，故假物之然否以彰之。」	
《文心雕龍·比興》	梁朝	劉勰	比	比分爲兩類：比義、比類。	
《毛詩正義》	唐朝	孔穎達	比	鄭司農云：「比者，比方於物，諸言『如』者，皆比辭也。」	
《文則·丙一》	宋朝	陳騤	取喻	取喻之法有十：直喻、隱喻、類喻、詰喻、對喻、博喻、簡喻、詳喻、引喻、虛喻。	

《修辭鑑衡·卷二》	元朝	王構	比	〈八句要訣〉：「比興深者通物理。」沒有分類。	
《修辭格》	民國	唐鉞	比	比分爲兩種：顯比格、隱比格。	十八年十月
《修辭學講話》	民國	陳介白	譬喻法	譬喻法分爲十一種：明喻法、隱喻法、諷喻法、提喻法、換喻法、借喻法、引喻法、詳喻法、交喻法、形喻法、字喻法。	二十年八月
《修辭學發凡》	民國	陳望道	譬喻	譬喻辭格可以分爲明喻、隱喻、借喻三類。	二十一年四月
《修辭學》	民國	鄭業建	譬喻	譬喻分爲七種：直喻、隱喻、引喻、博喻、借喻、交喻、反喻。引用《文則》。	三十三年五月
《修辭新例》	民國	譚正璧	譬喻	譬喻可以分爲三種：明喻、暗喻、借喻。	四十二年三月
《修辭學大綱》	民國	夏宇衆	比喻	比喻分爲兩種：顯比、隱比。	五十六年四月
《字句鍛鍊法》	民國	黃永武	取譬	沒有分類，只闡述取譬的意義，並舉例說明	五十八年八月
《修辭學發微》	民國	徐芹庭	譬喻	譬喻分爲三種：直喻、隱喻、借喻。引用《文則》。	六十年三月
《國文修辭學》	民國	宋文翰	譬喻	譬喻分爲明喻、暗喻、借喻三種。	六十年十一月
《現代漢語修辭知識》	民國	華中師範學院中文系現	比喻	一、比喻的基本格式有三：明喻、	六十一年六月

		代漢語教研組編		隱喻、借喻。二、比喻的多樣化用法有四：反面設喻、迂迴設喻、反復設喻、喻中有比。	
《修辭學》	民國	黃師慶萱	譬喻	譬喻分爲五種：明喻、隱喻、略喻、借喻、假喻。引用《文則》。	六十四年一月
《修辭論說與方法》	民國	張嚴	譬喻	譬喻分爲三種：明喻、隱喻、借喻。引用《文則》。	六十四年十月
《修辭》	民國	倪寶元	比喻	舉例說明比喻的作用，並沒有分類。	六十九年六月
《語法修辭六講》	民國	高葆泰	比喻	比喻分爲明喻、暗喻、借喻、引喻四類。	七十年四月
《演講修辭學》	民國	蔣金龍	譬喻	譬喻分爲三種：明喻、暗喻、借喻。	七十年六月
《修辭析論》	民國	董季棠	譬喻	譬喻分爲明喻、隱喻和借喻三類。引用《文則》。	七十年十月
《古漢語修辭簡論》	民國	趙克勤	比喻	比喻分爲明喻、暗喻兩類。引用《文則》。	七十二年三月
《修辭漫議》	民國	黃漢生	比喻	比喻分爲三種：明喻、暗喻、借喻。	七十二年十月
《比較修辭》	民國	鄭頤壽	比喻	比喻分爲明喻、暗喻、借喻三種類型。	七十二年十月
《漢語修辭學》	民國	王希杰	比喻	一、比喻一般分爲明喻、暗喻和借喻三種。二、比喻的變式主要有六種：倒喻、反喻、強喻、迂喻、曲喻、博喻。	七十二年十二月

《修辭知識十八講》	民國	錢覺民、李延祜	比喻	比喻只有明喻、暗喻、借喻三種基本格式。	七十三年一月
《修辭》	民國	上海師範學院中文系漢語教研室編	比喻	沒有分類，僅舉例闡述比喻的意義。	七十三年三月
《辭格匯編》	民國	黃民裕	比喻	比喻分爲十二種：明喻、暗喻、借喻、博喻、倒喻、反喻、縮喻、擴喻、較喻、回喻、互喻、曲喻。	七十三年四月
《活用修辭》	民國	吳正吉	譬喻	譬喻可分爲明喻、隱喻、略喻、借喻與假喻五種。	七十三年六月
《修辭學新編》	民國	程希嵐	比喻	一、比喻的三種基本類型：明喻、隱喻、借喻。二、比喻的用法，又分爲六種：復喻、進喻、強喻、弱喻、反喻、回喻。	七十三年七月
《現代漢語修辭學》	民國	宋振華、吳士文、張國慶、王興林主編	比喻	比喻分爲四種：明喻、暗喻、借喻、引喻。	七十三年九月
《作文津梁》	民國	曾師忠華	譬喻	譬喻分爲基本的譬喻、變化的譬喻兩種。基本的譬喻又分爲四類：明喻、隱喻、略喻、借喻。變化的譬喻又分爲兩類：形喻、交喻。	七十四年八月
《古漢語修辭》	民國	季紹德	比喻	比喻分爲明喻、隱喻和借喻三大類。引用《文則》。	七十五年五月
《現代漢語修辭學》	民國	黎運漢、張維耿	比喻	一、比喻的基本形式分爲三種：明喻、隱喻、借喻。二、比喻的變化形式分爲四種：平列式、偏正式、同位式、注釋式。	七十五年八月

《修辭格論析》	民國	吳士文	比喻	比喻分爲明喻、隱喻、借喻三種。隱喻又分爲平列式、修飾式、移接式、同位式四種。	七十五年九月
《修辭學》	民國	李維琦	比喻	常見的比喻者九類：第一、二、三類是明喻，第四、五、六、七類是暗喻，第八、九類是借喻。	七十五年十月
《修辭學詞典》	民國	王德春主編	比喻	一、比喻的基本類型有三種：明喻、暗喻、借喻。二、比喻的變化形式有八種：較喻、回喻、反喻、曲喻、引喻、博喻、倒喻、擴喻。	七十六年五月
《實用漢語修辭》	民國	姚殿芳、潘兆明	比喻	比喻可以分爲明喻、暗喻和借喻三種。	七十六年六月
《語文基礎知識》	民國	湖北省天門師範語文教研組編	比喻	比喻三種格式：明喻、暗喻、借喻。	七十六年八月
《古詩文修辭例話》	民國	路燈照、成九田	比喻	從語言的表達方式來看，可以分爲明喻、暗喻、借喻三種。從加深讀者對作品內容的理解力來看，則可以分爲「以實比實」、「以實比虛」兩種。	七十六年十月
《新編修辭學》	民國	鄭頤壽、林承璋	比喻	比喻可分爲三種最基本的類型：明喻、暗喻和借喻。	七十六年十月
《修辭淺說》	民國	蔣希文	比喻	比喻分爲明喻、暗喻、借喻三種。	七十七年五月
《語法修辭新編》	民國	吳桂海、鮑慶林	比喻	比喻分爲明喻、暗喻、借喻、引喻、諷喻、較喻六種。	七十八年七月

《現代漢語》	民國	程祥徽、田小琳	比喻	比喻有三種基本類型：明喻、暗喻、借喻。	七十八年十一月
《修辭學教程》	民國	張靜、鄭遠漢	比喻	比喻的基本類型，可成爲明喻、隱喻、借喻三種。	七十八年十二月
《漢語修辭格大辭典》	民國	唐松波、黃建霖主編	比喻	比喻基本類型有三種：明喻、暗喻、借喻。比喻變化形式有二十一種：潛喻、博喻、約喻、縮喻、擴喻、屬喻、引喻、曲喻、聯喻、回喻、擇喻、反喻、逆喻、對喻、疑喻、物喻、事喻、互喻、合喻、頂喻、較喻。較喻又分爲三類：強喻、弱喻、等喻。	七十八年十二月
《修辭方式例解詞典》	民國	浙江省修辭研究會編著	比喻	比喻分爲二十四類：暗喻、博喻、補喻、倒喻、等喻、反喻、反客爲主的比喻、互喻、回喻、較喻、詰喻、借喻、類喻、明喻、強喻、曲喻、弱喻、同位喻、物喻、詳喻、虛喻、音喻、引喻、對喻。	七十九年九月
《常用辭格通論》	民國	武占坤主編	比喻	比喻分爲明喻、暗喻、借喻、引喻四種。適用形式分爲博喻、較喻、否喻、回喻、互喻、倒喻、對喻七種。	七十九年十月
《現代漢語語法修辭》	民國	周靖	比喻	比喻分爲明喻、暗喻、借喻、博喻、引喻五種。	八十年二月
《修辭學》	民國	沈謙	譬喻	譬喻分爲五種：明喻、隱喻、略喻、借喻、博喻。引用《文則》。	八十年二月

《修辭學綱要》	民國	劉煥輝	比喻	比喻的基本類型有三種：明喻、隱喻、借喻。比喻的變式有六種：倒喻、反喻、回喻、博喻、曲喻、引喻。	八十年二月
《修辭通鑒》	民國	成偉鈞、唐仲揚、向宏業主編	比喻	比喻可分爲明喻、暗喻、借喻三種基本類型。比喻的變式有十種：博喻、引喻、曲喻、倒喻、對喻、回喻、互喻、反喻、逆喻、較喻。比喻依其說明事理的方式、性質和作用，又可分爲描寫性比喻、議論性比喻、抒情性比喻。引用《文則》。	八十年六月
《篇章修辭學》	民國	鄭文貞	比喻	沒有分類，僅闡述其意義，並舉例說明。	八十年六月
〈論譬喻的分類〉	民國	蔡宗陽	譬喻	譬喻就形式、內容分類，各分爲五大類：明喻、隱喻、略喻、借喻、合喻。形式又分爲二十四種，內容又分爲二十一種，合計十大類，四十五種。引用《文則》。	八十一年四月
《重校增訂修辭析論》	民國	董季棠	譬喻	譬喻分爲明喻、隱喻、略喻和借喻四類。	八十一年六月
《稱謂修辭學》	民國	馬鳴春	比喻	比喻分爲明喻、暗喻、借喻、較喻、擴喻、倒喻、縮喻七種。	八十一年六月
《實用修辭》	民國	胡性初	比喻	沒有分類，僅闡述比喻與非比喻、借喻與借代的辨析。	八十一年十一月
	民國	蔡宗陽	譬喻	就文體與作法來分，可分爲記敘性、論說性、抒情性三種。就基本的類型	

來分，可分爲明喻、隱喻、略喻、借喻、合喻五種。就形式分，可分爲二十五種。（詳見正文）就內容分，可分爲二十一種。（詳見正文）

【附註】

①「修辭格」的異稱甚多，簡稱「辭格」，或稱「修辭技巧」、「修辭方式」、「修辭方法」、「表現手段」、「修辭手段」、「語格」、「辭藻」、「辭飾」、「辭式」等。詳見沈謙〈修辭格辨義〉一文，見國立空中大學人文學系編印，民國八十一年四月二十日出版，《人文學報》創刊號，頁一至一四。本章採用「修辭技巧」一詞，其實也是「修辭方法」，也是「修辭格」。

②《論語·雍也》：「夫仁者，己欲立而立人，己欲達而達人。能近取譬，可謂仁之方也已。」黃永武《字句鍛鍊法》在「怎樣使文句靈動」之三，即用「取譬」一詞，不止闡述其意義，並舉例論證，但沒有分類。（詳見原版頁八至九，臺灣商務印書館印行，民國五十八年八月初版，五十八年十一月二版；增訂版頁一七至二三，洪範書店印行，民國七十五年一月初版。）黃氏「取譬」一詞，殆源於《論語》，其意義猶今之「譬喻」、「比喻」。

③《墨子·小取》：「辟（同譬）也者，舉也（同他）物而以明之也。」《荀子·非相》：「談說之術，矜持以蒞之，端誠以處之，堅彊以持之，分別以喻之，譬稱以明之。」《墨子》的「辟」，《荀子》的「譬」，都相當於現在的「譬喻」或「比喻」。

④子夏〈詩序〉：「詩有六義焉：一曰風，二曰賦，三曰比，四曰興，五曰雅，六曰頌。」劉勰《文心雕龍·比興》：「何謂爲比？蓋寫物以附意，颺言以切事者也。」子夏、劉勰所謂的「比」，即現代修辭學的「譬喻」，也稱爲「比喻」。

⑤採用「譬喻」一詞者，有陳介白《修辭學講話》（見該書頁一〇九至一二八，信誼書局印行，民國六十七年七月初版；早期版本有民國二十年八月上海開明書店印行，四十八年十一月啓明書局印行。）陳望道《修辭學發凡》（見該書頁七二至八〇，上海教育出版社印行，民國六十八年九月新一版；其他版本有民國二十一年四月上海開明書店印行，二十一年一月上海大江書鋪印行上冊，八月印行下冊，六十五年七月上海人民出版社印行，七十年一月香港大光出版社印行，七十八年一月文史哲出版社印行再版；另有民國五十五年六月臺灣學生書局印行三版，但改書名爲《修辭學釋例》。）鄭業建《修辭學》（見該書頁一五〇至一七三，上海正中書局印行，民國三十三年五月初版，三十五年二月滬一版。）譚正璧《修辭新例》（見該書頁九至一九，棠棣出版社印行，民國四十二年三月初版。）徐芹庭《修辭學發微》（見該書頁五六至七〇，臺灣中華書局印行，民國六十年三月初版、六十三年八月再版。）宋文翰《國文修辭學》（見該書頁一三至一六，新陸書局印行，民國六十年十一月初版。）黃師慶萱《修辭學》（見該書頁二二七至二五〇，三民書局印行，民國六十四年一月初版。）張嚴《修辭論說與方法》（見該書頁九六至一〇〇，臺灣商務印書館印行，民國六十四年十月初版。）蔣金龍《演講修辭學》（見該書頁一〇三至一一〇，黎明文化事業公司印行，民國七十六年六月初版。）董季棠《修辭析論》（見該書頁三三至四九，益智書局印行，民國七十年十月初版；增訂版頁三五至五一，文史哲出版社印行，民國八十一年六月初版。）吳正吉《活用修辭》（見該書頁一六五至二四七，復文圖書出版社印行，民國七十三年六月初版。）曾師忠華《作文津梁》（見該書頁一

○五至一○七，學人文教出版社印行，民國七十四年八月初版。）沈謙《修辭學》（見該書上冊頁一至八九，國立空中大學印行，民國八十年二月初版。）蔡宗陽〈論譬喻的分類〉（見民國八十一年四月國立臺灣師範大學國文研究所印行《中國學術年刊》第十三期，頁二六三至二八五。）

⑥採用「比喻」一詞者，有夏宇衆《修辭學大綱》（見該書頁一○至二四，北平師大講義，民國五十六年四月臺一版。華中師範學院中文系現代漢語教研組編《現代漢語修辭知識》（見該書頁一五至二九，湖北人民出版社印行，民國六十一年六月初版。）倪寶元《修辭》（見該書頁二○五至二一七，浙江人民出版社印行，民國六十九年六月初版。）高葆泰《語法修辭六講》（見該書頁二一七至二二七，寧夏人民出版社印行，民國七十年四月初版。）趙克勤《古漢語修辭簡論》（見該書頁一八至二三，北京商務印書館印行，民國七十二年三月初版。）黃漢生《修辭漫議》（見該書頁一○至六七，書目文獻出版社印行，民國七十二年十月初版。）鄭頤壽《比較修辭》（見該書頁二二三至二三四，福建人民出版社印行，民國七十二年十月初版。）王希杰《漢語修辭學》（見該書頁二八二至二九七，北京出版社印行，民國七十二年十二月初版。）錢覺民、李延祐《修辭知識十八講》（見該書頁七至一六，甘肅兒童少年出版社印行，民國七十三年一月初版。）上海師範學院中文系漢語教研室編《修辭》（見該書頁八一至八六，上海教育出版社印行。）黃民裕《辭格匯編》（見該書頁五至一六，湖南人民出版社印行，民國七十三年四月初版。）程希嵐《修辭學新編》（見該書頁一四九至一七九，吉林人民出版社印行，民國七十三年七月初版。）宋振華、吳士文、張國慶、王興林《現代漢語修辭學》（見該書頁七八至八六，吉林人民出版社印行，民國七十三年九月初版。）季紹德《古漢語修辭》（見該書頁一至二三，吉林文史出版社印行，民國七十五年五月初版。）黎運漢、張維耿《現代漢語修辭學》（見該書頁一○一至一一一，商務印書館香港分館印行，民國七十五年八月初版。）吳

士文《修辭格論析》（見該書頁一二四至一二五，上海教育出版社印行，民國七十五年九月初版。）李維琦《修辭學》（見該書頁二〇五至二一五，湖南人民出版社，民國七十五年十月初版。）王德春主編《修辭學詞典》（見該書頁七，浙江教育出版社印行，民國七十六年五月初版。）姚殿芳、潘兆明《實用漢語修辭》（見該書頁三七六至三九四，北京大學出版社印行，民國七十六年六月初版。）鄭頤壽、林承璋主編《新編修辭學》（見該書頁一五五至一六三，鷺江出版社印行，民國七十六年十月初版。）路燈照、成九田《古詩文修辭例話》（見該書頁二二二至二三〇，臺灣商務印書館印行，民國七十六年十月初版。蔣希文《修辭淺說》（見該書頁七二至八〇，貴州人民出版社印行，民國七十七年五月初版。）吳桂海、鮑慶林《語法修辭新編》（見該書頁二三五至二四二，中共中央黨校出版社印行，民國七十八年七月二版。）程祥徽、田小琳《現代漢語》（見該書頁三八二至三八六，香港三聯書店印行，民國七十八年十一月初版。）張靜、鄭遠漢《修辭學教程》（見該書頁二一八至二三〇，河南教育出版社、香港文化教育出版社印行，民國七十八年十二月初版。）唐松波、黃建霖主編《漢語修辭格大辭典》（見該書頁一至四九，中國國際廣播出版社印行，民國七十八年十二月初版。）浙江省修辭研究會編著《修辭方式例解詞典》（見該書頁八至二一，浙江教育出版社印行，民國七十九年九月初版。）武占坤主編《常用辭格通論》（見該書頁一至三七，河北教育出版社印行，民國七十九年十月初版。周靖《現代漢語語法修辭》（見該書頁二九三至二九九，中國經濟出版社印行，民國八十年二月初版。）劉煥輝《修辭學綱要》（見該書頁二四七至二五七，百花洲文藝出版社印行，民國八十年二月初版。）成偉鈞、唐仲揚、向宏業主編《修辭通鑒》（見該書頁三四九至三八八，中國青年出版社印行，民國八十年六月初版。）鄭文貞《篇章修辭學》（見該書頁三八〇至三八七，廈門大學出版社印行，民國八十年六月初版。）馬鳴春《稱謂修辭學》（見該書頁三七六至三九八，陝西人民出版社印行，民國八十一年六月初版。）胡性初《實用修辭》（見該書頁二六〇至二六二，華南理工大學出版社印行，民國八十一年十一月初版。）

⑦見同⑤黃氏書，頁二三一。

⑧參閱王松茂〈評介陳騤十喻〉一文，見劉彥成《文則注譯》，書目文獻出版社印行，民國七十七年二月北京初版，頁二九七。

⑨見同⑤，拙作「論譬喻的分類」中的「雙明式的合喻」，是指兩小句「明喻」組成的「合喻」。這裏再加一小類，凡是三小句或三小句以上「明喻」組成的「合喻」，叫做「多明式的合喻」。

⑩見同⑧，頁二九九。王松茂認爲「年、月、日」是同類，作爲「喻依」，以次來比喻君王、卿士、師尹的權勢大小。其實，不是「譬喻」，只是一般敍述的「層遞」，若是「譬喻」，一定含有「好像」之意的「喻詞」，但從形式上看，並沒有這類詞語。除非將此三小句視爲「借喻」，當作「喻依」，而省略「喻體」——權勢大小、「喻詞」——如，全句可以還原成爲「權勢大小如王省惟歲，卿士惟月，師尹惟日」。

⑪參閱同⑧，頁三〇一。

⑫「博喻」，除了陳騤《文則》論述之外，還有現在大陸修辭學專家學者也有很多闡析，但目前闡論「博喻」最詳盡的，莫過於沈謙《修辭學》，見該書上冊頁七〇至八六。他不僅將「博喻」分爲四類，並舉例詮證。

⑬見同⑤，頁二七七。

⑭沈謙《修辭學》說：「在文言文中，隱喻的喻詞，『是』、『爲』也可以由『……也』取代。只要喻體與喻依在形式上是結合的關係，即屬隱喻。」沈氏又說：「隱喻喻詞的『是』仍與明喻的喻詞『像』意義相同，惟更加強喻體與喻依之間的密切契合。」因此，筆者認爲在文言文中的「……也」，含有「好像」之意。沈氏之說，見該書頁二八

至二九。

⑮參閱沈謙《修辭學》上冊，頁三〇。

⑯見同⑬。

⑰見同⑤黃氏書，頁二二九。

⑱詳見中國華東修辭學會編《修辭學研究》，語文出版社印行，民國七十六年十月初版，頁一四三。

⑲見同⑤陳氏書，頁七六至七七。

⑳見同⑤徐氏書，頁五六。

㉑見同⑤黃氏書，頁二二八至二二九。

㉒見同⑤張氏書，頁九八。

㉓見同⑤董氏書，原版頁三三，增訂版頁三五。

㉔見同⑥趙氏書，頁一八。

㉕見同⑥季氏書，頁三。

㉖見同⑤沈氏書上冊，頁九至一一。

㉗見同⑤成、唐、向三氏書，頁三五〇。

㉘詳見前述以及見②、③、④。

㉙劉勰將比分爲比義、比類兩類，見於《文心雕龍·比興》：「金錫以喻明德，珪璋以譬秀民，螟蛉以類敎誨，蜩螗以寫號呼，澣衣以擬心憂，卷席以方志固；凡斯切象，皆比義也。至如麻衣如雪，兩驂如舞；若斯之類，皆比類

者也。」

㉚見同②。

㉛見同⑥。

㉜見唐鉞《修辭格》，上海商務印書館印行，民國十八年十月初版，頁四至二〇。

㉝見同⑥夏氏書。

㉞見同⑥趙氏書。

㉟見同⑥路、成二氏書以及見同⑤曾師書。

㊱見同⑤陳氏書。

㊲以上同⑤。

㊳見同⑥。

㊴以上見同⑤。董季棠《修辭析論》，原版分三類，增訂版分四類。

㊵以上見同⑥。《修辭通鑒》依其說明事理的方式、性質和作用，又可分爲描寫性比喻、議論性比喻、抒情性比喻三種。

㊶以上見同⑥。

㊷見同⑤。

㊸以上見同⑥。

㊹見同⑤。

㊺見同⑥。
㊻見同⑤。
㊼見同⑤。
㊽見同⑥。
㊾見同⑥。
㊿見同⑥。
51見同⑤。
52見同⑥。
53見同⑥。
54見同⑥。
55見同⑥。
56見同⑤。
57見同⑥。
58見同⑥。
59見同⑥，頁二八五。
60見同⑥。
61見同59。

62參閱成偉鈞、唐仲揚、向宏業《修辭通鑒》的分類。
63見同⑤蔡文，頁二七六。
64見同59、⑨。
65見同⑨。

第二節　援　引

陳騤《文則》所謂「援引」，約相當於現代修辭學所說的「引用」①，又叫「重言」、「事類」，也叫「用典」②，又稱爲「用事」、「用詞」③。一般修辭書以採用「引用」一詞爲最多④，其次是「用典」⑤，至於「事類」、「援引」、「用事」就比較罕見⑥。所謂引用，是指在語文中，明引暗用古今中外人物的言辭或俗語、諺語、俚語，以及古今中外書籍裏的文辭，以證驗意義，闡明事理的一種修辭技巧。

陳騤在《文則·丙二》中，依引用的目的，將引用分爲兩大類，又依引用的方式，各分爲三小類。但在《文則》之前，有劉勰《文心雕龍·明詩》也論及引用的分類；在《文則》之後，除了明朝高琦《文章一貫》之外，尤其是到了民國，研究修辭中的「引用」分類，更是多如牛毛，不勝枚舉。因此，本節擬先闡述陳騤《文則》論引用的分類，再闡析《文則》前後各家論引用的分類，最後才比較其異同，並提出理想的引用分類。

一、陳騤《文則》論引用的分類

陳騤不僅探討引用的沿革、作用，也將引用分為兩大類，又各分為三小類，還揭示每小類的特點，比前人有更多的發展，並非因襲前人的說法。他先闡述引用的沿革、作用，在《文則·丙二》中說：

凡伯刺厲之詩，而曰：「先民有言。」（〈板〉三章曰：「先民有言，詢于芻蕘。」鄭康成云：「此古賢者有言也。」）吉甫美宣之詩，而曰：「人亦有言。」（〈烝民〉五章曰：「人亦有言，柔則茹之，剛則吐之。」此亦謂前人有言如此。）胤侯之征，乃舉《政典》。（《政典》曰：「先時者殺無赦，不及時者殺無赦。」孔安國云：「《政典》，夏后為政之典籍。」）盤庚之告，亦載遲任。（遲任有言曰：「人惟求舊，器非求舊惟新。」孔安國云：「遲任，古賢人。」）或稱古人言，（〈泰誓〉曰：「古人有言曰：「撫我則后，虐我則讎。」此類是也。）或稱我聞曰，（〈康誥〉曰：「我聞曰：『怨不在大，亦不在小。』」此類是也）是皆有所援引也。《詩》、《書》而降，傳記籍籍，援引之言，不可具載。且左氏采諸國之事以為經傳，戴氏集諸儒之篇以成禮志，援引《詩》、《書》，莫不有法。

陳氏不止列舉了自古以來很多典籍中，都採取引用古人的言論，作為自己文章理論的依據，也指出引用《詩經》、《尙書》的文句，都有一定的法則。因此，陳氏再進一步對引用，作層層的分類，並指出其特點以及修辭作用，他在《文則·丙二》又說：

推而論之，蓋有二端：一以斷行事，二以證立言。二者又各分三體，略條于後：

《左氏傳》載「《詩》曰：『自詒伊慼。』其子臧之謂矣。」此獨引《詩》以斷之，是一體也。（此體多矣。）

《左氏傳》載「《詩》曰：『于以采蘩，于沼于沚；于以用之，公侯之事。』秦穆有焉。『夙夜匪懈，以事一人。』孟明有焉。『詒厥孫謀，以燕翼子。』子桑有焉。」此各引《詩》以合斷之，是二體也。（〈表記〉載「《詩》曰：『莫莫葛藟，施于條枚，豈弟君子，求福不回。』其舜、禹、文王、周公之謂與？」此又一詩總斷之體也。）

《國語》載「《詩》曰：『其類維何？室家之壼，君子萬年，永錫祚胤。』類也者，不忝前哲之謂也；壼也者，廣裕民人之謂也；萬年也者，令聞不忘之謂也；祚胤也者，子孫蕃育之謂也。單子朝夕不忘成王之德，可謂不忝前哲矣；膺保明德，以佐王室，可謂廣裕民人矣。若能類善物以混厚民人者，必有章譽蕃育之祚，則單子必當之矣。」此既引《詩》文，又釋其義以斷之，是三體也。

〈大學〉載「〈康誥〉曰：『克明德。』〈太甲〉曰：『顧諟天之明命。』〈帝典〉曰：『克明峻德。』皆自明也。湯之〈盤銘〉曰：『苟日新，日日新，又日新。』〈康誥〉曰：『作新民。』

《詩》曰：『周雖舊邦，其命維新。』是故君子無所不用其極。』此則采總羣言，以盡其義，是一體也。

〈緇衣〉曰：「好賢如〈緇衣〉，惡惡如〈巷伯〉，則爵不瀆而民作愿，刑不試而民咸服。〈大雅〉曰：『儀刑文王，萬邦作孚。』」此則言終引證，是二體也。（《孝經》諸篇，悉用此體。）

《左氏傳》曰：「〈周書〉所謂『庸庸祗祗』者，謂此物也夫。」又「〈泰誓〉所謂『商兆民離，周十人同』者，衆也。」此乃斷析本文，以成其言，是三體也。

陳騤依引用的目的，將引用分爲「以斷行事」、「以證立言」兩大類。成師惕軒說：「用典可以減少文字上的累贅，爲議論找根據，便於比況和寄託，用以充足文氣。」⑧奚敏芳《左傳賦詩引詩之研究》也說：「《左傳》引《詩》之目的，凡有四端：一曰引《詩》以論人，二曰引《詩》以論事，三曰引《詩》以申義，四曰引《詩》以證言。」⑨陳氏引用的第一種「以斷行事」，約相當於奚氏的第二目的「引《詩》以論事」，也是成師的「爲議論找根據」。

陳騤又依引用的方式，將「以斷行事」分爲「獨引《詩》以斷之」、「各引《詩》以合斷之」、「既引《詩》文，又釋其義，以斷之」三小類。第一小類「獨引《詩》以斷之」，就是指單獨引用《詩經》的詩句，來論證一件事情。陳騤僅舉《左傳·僖公二十四年》：「《詩》曰：『自詒伊慼。』其子臧之謂矣。」此言子臧因其兄被殺而逃亡到宋國，在宋國蒐集很多鷸毛冠，古人以爲洞悉天文的人才能戴鷸毛冠，所以鄭伯對此事十分反感，暗中派人誘殺子臧，《左傳》評論此事說：「穿戴不合適的服飾，給自己惹來災禍。」《左傳》單獨引用《詩經》一個詩句來論斷子臧的事，是一種引證的體例，用這種體例的很多。此外，又如《左傳·昭公十年》：

平子伐莒，取郠，獻俘，始用人於亳社。臧武仲在齊聞之，曰：「周公其不饗魯祭乎？周公饗義，魯無義。《詩》曰：『德音孔昭，視民不佻。』佻之謂甚矣，而壹用之，將誰福哉！」

這是引用《詩經·小雅·鹿鳴》的詩句，來闡述魯國用人祭祀亳社，臧孫紇引用這詩句，旨在責備魯國偷薄太甚。

第二小類「各引《詩》以合斷之」，就是各自引用《詩經》的詩句，來論證各件事。陳騤舉《左傳·隱公三年》：「《詩》曰：『于以采蘩，于沼于沚；于以用之，公侯之事。』秦穆有焉。『夙夜匪懈，以事一人。』孟明有焉。『詒厥孫謀，以燕翼子。』子桑有焉。」秦穆公以誠信待人，因此《左傳》引用《詩經·召南·采蘩》：「于以采蘩，于沼于沚；于以用之，公侯之事。」的詩句，來論證秦穆公能誠信待人，因此人們願意爲他效命。孟明在秦、晉之戰，被晉軍擊敗，秦穆公仍然繼續任用他，因此《左傳》引用《詩經·大雅·烝民》：「夙夜匪懈，以事一人。」的詩句，來論證孟明願意爲秦穆公效力。秦穆公時大夫子桑知人善舉，謀及子孫，所以《左傳》引用《詩經·大雅·文王有聲》：「詒厥孫謀，以燕翼子。」的詩句，來論證子桑善於推舉人才。杜預說他推薦孟明，《呂氏春秋》說他推薦百里奚。《左傳》引用《詩經》三個不同詩句，分別論證秦穆公、孟明、子桑三個人的爲人處事。陳騤又舉《禮記·表記》：「《詩》曰：『莫莫葛藟，施于條枚，豈弟君子，求福不回。』其舜、禹、文王、周公之謂與？」」《禮記·表記》引用《詩經·大雅·旱麓》：「莫莫葛藟，施于條枚，豈弟君子，求福不回。」的詩句，來論證虞舜、夏禹、周文王、周公是平易近人的賢君，不違祖德，能夠造福人民。這是舉《詩經》一首詩句，來論斷很多人的另一種體例。

第三小類「既引《詩》文，又釋其義，以斷之」，就是一面引用《詩經》的文句，一面加詮解，用來論證自己所敘述的事情。陳騤舉《國語·周語下》的例子，先引用《詩經·大雅·既醉》：「其類維何？室家之壺，君子萬年，永錫祚胤。」再闡釋其義：「『類』也者，不忝前哲之謂也；『壺』也者，廣裕民人之謂也；『萬年』也者，令聞不忘之謂也；『胤』也者，子孫蕃育之謂也。」最後才論證：「單子朝夕不忘成王之德，可謂不忝前哲矣；膺保明德，以佐王室，可謂廣裕民人矣。若能類善物以混厚民人者，必有章譽蕃育之祚，則單子必當之矣。」這是不但引用《詩經》的詩句，也解釋它的含義，最後用其含義來加以論證。

陳騤也依引用的方式，將「以證立言」分爲「采總羣言，以盡其義」、「言終引證」、「斷析本文，以成其言」三小類。第一小類「采總羣言，以盡其義」，就是廣泛地引用古語，來證明自己的理論。陳騤舉了《禮記·大學》的例子，來闡述「采總羣言，以盡其義」的體例。《禮記·大學》引用《尚書·周書·康誥》：「克明德。」《尚書·商書·太甲上》：「顧諟天之明命。」《尚書·虞書·堯典》：「克明峻德。」來闡釋「明明德」，在於自己彰明天賦的、靈明的德性。《禮記·大學》又引用商湯的〈盤銘〉：「苟日新，日日新，又日新。」《尚書·周書·康誥》：「作新民。」《詩經·大雅·文王》：「周雖舊邦，其命維新。」來詮釋「新民」的意義，在於去掉舊染的污垢而竭力爲善。此外，《禮記·大學》又引用《詩經·商頌·玄鳥》：「邦畿千里，惟民所止。」《詩經·小雅·緜蠻》：「緡蠻黃鳥，止于丘隅。」孔子曰：「於止，知其所止，可以人而不如鳥乎？」《詩經·大雅·文王》：「穆穆文王，於緝熙敬止。」《詩經·衛風·淇澳》：「瞻彼淇澳，菉竹猗猗；有斐君子，如切如磋，如琢如磨；瑟兮僩兮，赫兮喧兮；有斐君子，終不可諠兮。」《詩經·周頌·烈文》：「於戲！前王不忘。」來闡明「止於至善」的意義，在於重倫常而行德化。這些例子都是「采總羣言，以盡其義」的引用。

第二小類「言終引證」，就是先發表自己的理論，再引用古書或古人的話來印證。陳騤舉《禮記·緇衣》：「好賢如《緇衣》，惡惡如《巷伯》，則爵不瀆而民作愿，刑不試而民咸服。《大雅》曰：『儀刑文王，萬邦作孚。』」《禮記·緇衣》先闡述君王喜愛賢臣如《詩經·鄭風·緇衣》所描述的那樣深切眞誠愛護賢才，厭惡壞人如《詩經·小雅·巷伯》所描繪的那樣嫉惡如仇，這樣官吏就不會怠忽職守，人民也會誠實謹慎。如此一來，不用刑罰，人民就歸順了。再引用《詩經·大雅·文王》：「儀刑文王，萬邦作孚。」來加以印證，這就是「言終引證」的引用。陳騤認爲《孝經》很多文章也是運用「言終引證」。如《孝經》：

> 在上不驕，高而不危，制節謹度，滿而不溢。高而不危，所以長守貴也；滿而不溢，所以長守富也。富貴不離其身，然後能保其社稷，而和其民人，蓋諸侯之孝也。《詩》云：「戰戰兢兢，如臨深淵，如履薄冰。」

此言《孝經》先闡述諸侯的孝，必須做到「在上不驕，制節謹度」，才能「長守富貴」，「保其社稷」，「和其民人」，然後再引用《詩經・小雅・小旻》：「戰戰兢兢，如臨深淵，如履薄冰。」作爲印證。又如《孝經・卿大夫》：

非先王之法服不敢服，非先王之法言不敢道，非先王之德行不敢行，是故非法不言，非道不行，口無擇言，身無擇行，言滿天下無口過，行滿天下無怨惡，三者備矣，然後能守其宗廟，蓋卿大夫之孝也。《詩》云：「夙夜匪懈，以事一人。」

《孝經》先論析卿大夫的孝，必須做到「服先王之法服，道先王之法言，行先王之德行」，才能「守其宗廟」，然後再引用《詩經・大雅・烝民》：「夙夜匪懈，以事一人。」來加以印證，這也是「言終引證」的引用。除了《孝經》很多文章有「言終引證以外，還有《左傳》、《荀子》也有很多例證，茲舉數例以明之。《左傳・僖公十五年》：

初，晉獻公筮嫁伯姬於秦，遇歸妹䷵之睽䷥。史蘇占之，曰：「不吉。其繇曰：『士刲羊，亦無衁也；女承筐，亦無貺也。西鄰責言，不可償也。歸妹之睽，猶無相也。』震之離，亦離之震。『爲雷爲火，爲嬴敗姬。車說其輹，火焚其旗，不利行師，敗于宗丘。歸妹睽孤，寇張之弧。姪其從姑，六年其逋，逃歸其國，而棄其家，明年其死於高梁之虛。』」及惠公在秦，曰：「先君若從史蘇之占，吾不及此夫！」韓簡侍，曰：「龜，象也；筮，數也。物生而後有象，象而後有滋，滋而後有數。先君之敗德，及可數乎？史蘇是占，勿從何益？《詩》

曰：『下民之孽，匪降自天。傳沓背憎，職競由人。』」

《左傳》敘述晉惠公怨恨獻公不聽從史蘇的占卜，以致自己惹來亡秦之禍。韓簡就分析災禍的癥結所在，諷諫禍福由人，因此引用《詩經·小雅·十月之交》的詩句，來印證自己的論點。又如《左傳·昭公七年》：

晉侯謂伯瑕曰：「吾所問日食，從矣。可常乎？」對曰：「不可，六物不同，民心不壹，事序不類，官職不則，同始異終，胡可常也？《詩》曰：『或燕燕居息，或憔悴事國。』其異終也如是。」

《左傳》記述士文伯闡明事類終始無常的意義，引用《詩經·小雅·北山》的詩句，來印證自己的理論。又如《荀子·勸學》：

行衢道者不至，事兩君者不容。目不能兩視而明，耳不能兩聽而聰。螣蛇無足而飛，梧鼠五技而窮。《詩》曰：『尸鳩在桑，其子七兮；淑人君子，其儀一兮；其儀一兮，心如結兮。』故君子結於一也。」

荀子認爲善人君子，爲學、行事、處世必須專心一志，才能成功，因此引用《詩經·曹風·尸鳩》的詩句，來印證自己的見解。又如《荀子·修身》：

見善，修然必以自存也；見不善，愀然必以自省也。善在身，介然必以自好也；不善在身，菑然必以自惡也。故非我而當者，吾師也；是我而當者吾友也；諂諛我者，吾賊也。故君子隆師而親友，以致惡其賊。好善無厭，受諫而能誡，雖欲無進，得乎哉！小人反是：致亂而惡人之非己也；致不肖而欲人之賢己也；心如虎狼，行如禽獸，而又惡人之賊己也；諂諛者，諫爭者疏；修正爲笑，至忠爲賊；雖欲無滅亡，得乎哉！《詩》曰：『噏噏呰呰，亦孔之哀。謀之其臧，則具是違；謀之不臧，則具是依。』此之謂也。

荀子闡析君子、小人的區別。他先論述君子在於「好善無厭，受諫能誡」；小人在於「致亂而惡人之非己也；致不肖而欲人之賢己也」；再引用《詩經·小雅·小旻》的詩句，來印證自己的觀點。《荀子》先論述，再引用《詩經》作印證者甚多。⑨這些例子都是陳騤《文則》所謂的「言終引證」，也是他的創見。《韓詩外傳》、《墨子》、《孟子》、《淮南子》、《說苑》亦有很多這種例子，不再贅述。

第三小類「斷析本文，以成其言」的引用，就是將引用的文辭或言辭，作進一步地闡析、論斷。陳騤舉了《左傳》的例子，來闡述「斷析本文，以成其言」的體例。首先引用了《左傳·宣公十五年》：「〈周書〉所謂『庸庸祗祗』者，謂此物也夫。」《左傳》援引《尙書·周書·康誥》：「庸庸祗祗」，來闡析晉侯賞賜功臣也是這樣的事情吧！所謂「庸庸祗祗」，是任用那些可用的人，尊敬那些值得尊敬的人。陳騤又引用《左傳·昭公二十四年》：「〈泰誓〉所謂『商兆民離，周十人同』者，衆也。」《左傳》援引《尙書·周書·泰誓中》：「商兆民離，周十人同。」來闡析君王有德，衆必歸之，所謂「德能服衆」是也。所謂「商兆民離，周十人同」，是商紂雖然有億兆民衆，但他們都離心離德；周朝雖然僅有輔政的十個大臣，但他們卻都能同心同德。此外，如《禮記·大學》：

《詩》云：「殷之未喪，克配上帝；儀監于殷，峻命不易。」道得眾，則得國；失眾，則失國。是故君子先愼乎德：有德此有人，有人此有土，有土此有財，有財此有用。德者，本也；財者，末也。外本內末，爭民施奪。是故財聚則民散，財散則民聚。

《禮記·大學》引用《詩經·大雅·文王》的詩句，加以闡析，認爲「得民則得國，失民則失國」，並進一步論述國君得民之道，在於以德待人，不以財物爲主，最後以「財聚則民散，財散則民聚」作結；因爲「德」是本，「財」是末。又如《禮記·大學》：

孟獻子曰：「畜馬乘，不察於雞豚；伐冰之家，不畜牛羊；百乘之家，不畜聚斂之臣；與其有聚斂之臣，寧有盜臣。」此謂國不以利爲利，以義爲利也。長國家而務財用者，必自小人矣；彼爲善之，小人之使爲國家，菑害並至，雖有善者，亦無如之何矣。此謂「國不以利爲利，以義爲利」也。

《禮記·大學》引用孟獻子的言辭，闡析治理國家，應該視道義爲利益，不應該視財物爲利益；易言之，治國應該以義爲主，不應該以利爲重。又如《韓詩外傳·卷六》：

《詩》曰：「愷悌君子，民之父母。」君子爲民父母何如？曰：「君子者，貌恭而行肆，身儉而施博，故不肖者不能逮也。殖盡於己，而區略於人，故可盡身而事也。篤愛而不奪，厚施而不伐；見人有善，欣然樂之；見人不善，惕然掩之；有其過而兼包之，授衣以最，授食以多；法下易由，事寡易爲；是以中立而爲人父母也。築城而居之，別田而養之，立學以教之，使人知親尊，親尊故爲父服斬縗三年，爲君亦服斬縗三年，爲民父母之謂也。」

《韓詩外傳》引用《詩經·大雅·泂酌》的文辭，闡析君子必須容貌恭敬，行爲正直，自身節儉，施恩廣博，眞誠愛民，才能成爲人民的父母。又如《韓詩外傳·卷八》：

《詩》曰：「日就月將。」言學者也。

《韓詩外傳》引用《詩經·周頌·敬之》的詩句，闡析「日就月將」，是指求學的進步和成就。又如《墨子·尚賢中》：

傳曰：「求聖君哲人，以裨補而身。」〈湯誓〉曰：「聿求元聖，與之戮力同心，以治天下。」則此言聖之不失以尚賢使能爲政也。故古者聖王唯能審以尚賢使能爲政，無異物雜焉，天下皆得其利。

《墨子》引用古代典籍以及《尚書·湯誓》的文辭，闡析聖明君王以「尚賢使能」，來從事政治，沒有其他事物參雜在其中，對天下人民必然有利。又如《墨子·兼愛下》：

〈泰誓〉曰：「文王若日若月乍照，光於四方於西土。」即此言文王之兼愛天下之博大也，譬之日月，兼照天下之無有私也，即此文王兼也。雖子墨子之所謂兼者，於文王取法焉。

《墨子》引用《尚書·泰誓》的文句，闡析周文王兼愛天下，是如此的廣大，好像太陽、月亮普遍照耀大地，沒有私心、傷心，這就是周文王的「兼愛」。又如《說苑·尊賢》：

《詩》曰：「自堂徂基，自羊徂牛。」言以內及外，以小及大也。

《說苑》引用《詩經·周頌·絲衣》的詩句，闡析從廳到門塾之基，從羊祭品到牛祭品，就是由內而外，自小及大之意。又如《說苑·雜言》：

《詩》曰：「太山巖巖，魯侯是瞻。」樂山之謂矣。

《說苑》引用《詩經·魯頌·閟宮》的文句，闡析「土石嶙峋的太山，是魯侯所瞻仰的」，這是說明喜愛欣賞山嶽。以上這些例子，都是「斷析本文，以成其言」的引用。

綜觀陳騤《文則》依引用的目的，將引用分爲「以斷行事」、「以證立言」兩大類，又依引用的形式，各分爲三小類。將「以斷行事」的引用又分爲「獨引《詩》以斷之」、「各引《詩》以合斷之」、「既引《詩》文，又釋其義，以斷之」三小類。「以證立言」的引用，又分爲「采總羣言，以盡其義」、「言終引證」、「斷析本文，以成其言」三小類。陳氏將引用分爲兩大類，再各分爲三小類，迄今可以說是獨特的創見。

此外，還有《文則·丙三》、《文則·丙四》、《文則·甲一》也論及「引用」，這裏附帶加以闡述。陳騤在《文則·丙三》中，所論述的「引用」，偏向運用技巧的變化，他說：

夫取《詩》即云《詩》，取《書》即云《書》，蓋常體也。觀以〈湯誥〉爲先王之令，（《國語》稱「先王之令曰：『天道賞善而罰淫。』故凡我造國，無從非彝。」此引〈湯誥〉文。）以〈周書〉爲西方之書，（《國語》稱西方之書，蓋《逸周書》。韋昭云：「《詩》言『西方之人兮』，則西方謂周也。」）以〈咸有一德〉爲〈尹告〉，（《禮記》稱〈尹告〉曰：「惟尹躬暨湯，咸有一德。」康成云：「〈尹告〉，伊尹之誥。」）以〈大禹謨〉爲《道經》，（《荀子》稱《道經》曰：「人心惟危，道心惟微。」楊倞云：「此在〈虞書〉，曰《道經》者，言有道之經也。」）不曰〈仲虺之誥〉，而曰〈仲虺之志〉，（《左氏傳》曰：「〈仲虺之志〉云：『亂者取之，亡者侮之。』」）不曰〈五子之歌〉，而曰〈夏訓〉有之，（《左氏傳》曰：「〈夏訓〉有之：『有窮后羿。』」）直言〈鄭詩〉、〈曹詩〉，（《國語》稱〈鄭詩〉曰：「仲可懷也。」又稱〈曹詩〉曰：「彼其之子，不遂其媾。」）止稱〈汋〉曰，〈武〉曰，（《左氏傳》：「〈汋〉曰：『於鑠王師。』〈武〉曰：『無競維烈。』」）或稱芮良夫，（《左氏傳》曰：「周芮良夫之詩曰：『大風有隧，貪人敗類。』」）或稱周文公，（《國語》：「周文公之頌曰：『載戢干戈，載櫜弓矢。』」）指〈那〉頌卒章爲亂辭，（《國語》曰：「其輯之亂曰：『自古在昔，先民有作。』」韋昭云：「凡作篇章義既成，撮其大要，以爲亂辭。」）摘〈小宛〉首章爲篇目，（《國語》曰：「秦伯賦〈鳩飛〉。」韋昭云：「〈小宛〉之首章，『宛彼鳴鳩，翰飛戾天』是也。」）數章之末章，既謂之卒章，（《左氏傳》曰：「賦〈綠衣〉之卒章。」此類是也。）一章之末句，亦謂之卒章；（《左氏傳》曰：「作〈武員〉卒章曰：『耆定爾功。』」）凡此似亦略施雕琢，少變雷同，作者考焉，毋誚無補。

陳氏論述「引用」的「略施雕琢，少變雷同」，就是運用技巧的變化，他認爲在「引用」中，或直接指出所引用的書名，或指出引用書籍的特點，或以人名代書名，或以詩中一句代詩名，或以詩文的首章或末章代詩文，這裏似乎已涉及借代兼引用、省略兼引用的修辭技巧。

陳騤在《文則·丙四》中，也論及「引用」，但偏向引用兼省略，他說：

> 《左氏傳》載諸國燕饗賦《詩》之事，但云賦某《詩》，或云賦某《詩》之卒章，皆不載《詩》文，而意自具。其曰：「賦〈棠棣〉之七章以卒。」則知賦七章以卒盡八章也。其曰「在〈揚水〉卒章之四言矣。」則知取「我聞有命」也。《左氏》於此等文，最爲得體。

陳氏指出《左傳》引用《詩經》，僅引題目而不引原文，他對這種修辭技巧比較欣賞，叫做「最爲得體」。這種修辭技巧對熟稔古籍的作者、讀者，比較適用，但作者、讀者不懂得古籍中的典故，作者無法運用，讀者無法看懂，這是美中不足。因此，劉勰在《文心雕龍·知音》中慨嘆「深廢淺售」，良有以也。

陳騤在《文則·甲二》中，也論及「引用」，但比較偏向「暗用」，也叫「暗引」，他說：

> 〈洪範〉曰：「恭作肅，從作乂，明作哲，聰作謀，睿作聖。」〈小旻〉五章曰：「國雖靡止，或聖或否，民雖靡膴，或哲或謀，或肅或艾。」此《詩》創意師於《書》也。

陳氏闡析《詩經·小雅·小旻》的詩句，暗用《尚書·洪範》的文句，這是現代修辭所謂的「暗用」，或稱「暗引」。

二、《文則》前後各家論引用的分類

在陳騤《文則》之前，最早論及「引用」的，是《莊子》，《莊子·寓言》說：

寓言十九，重言十七，卮言日出。

所謂「重言」，含有三層意義：就內容而言，是「尊貴者之言」；就形式而言，是「重複他人之言」；就效用而言，是「受人重視之言」。⑩簡言之，「重言」就是「引用」。《莊子》僅論「引用」的意義，但並未分類。洎乎梁朝，劉勰《文心雕龍》不止闡述其意義，並加以分類，他在《文心雕龍·事類》中說：

事類者，蓋文章之外，據事以類義，援古以證今者也。

所謂「事類」，就是「引用」、「用典」。⑪劉勰先詮解「引用」的意義，再加以分類，並舉例論證，因此他在《文心雕龍·事類》中又說：

昔文王繇《易》，剖判爻位，〈既濟〉九三，遠引高宗之伐，〈明夷〉六五，近書箕子之貞；斯略舉人事，以徵義者也。至若〈胤征〉羲和，陳政典之訓；〈盤庚〉誥民，敘遲任之言；此全引成辭，以明理者也。

劉勰將引用分爲「略舉人事以徵義」、「全引成辭以明理」兩類。在陳騤《文則》之後，元朝王構《修辭鑑衡》僅論引用，並未分類，明朝高琦《文章一貫》將引用分爲十四種：正用、歷用、列用、衍用、援用、評用、反用、活用、設用、借用、假用、藏用、暗用、逐段引證，僅「逐段引證」有舉例，其他十三種只有釋義，卻無例證。分類最詳細，是其特點。若能將十四種，再歸納爲若干大類，又舉例詮證，可以說是十全十美。迨及民國，研究「引用」的分類者甚多，茲歸類闡論之。

㈠二分法：將引用分爲明引、暗用或明引、暗引兩類者，有陳望道《修辭學發凡》、譚正璧《修辭新例》、黃師慶萱《修辭學》、張嚴《修辭論說與方法》、錢覺民、李延祐《修辭知識十八講》、黃民裕《辭格匯編》、吳正吉《活用修辭》、程希嵐《修辭學新編》、季紹德《古漢語修辭》、王德春《修辭學詞典》、湖北省天門師範語文教研組編《語文基礎知識》、浙江省修辭研究會編《修辭方式例解詞典》、沈謙《修辭學》、鄭文貞《篇章修辭學》、董季棠《重校增訂修辭析論》。⑫此外，黃師慶萱又將明引、暗用各分爲兩小類。明引又分爲全引、略引兩小類，暗用又分爲全用、略用兩小類。張嚴又依引用的方法，分爲四種：取意不取句、取意亦取句、增損原文、取其意而變其文。吳正吉又依其內容分爲全引、略引兩類。王德春又依引用的內容，分爲引經、稽古、出新和反用四種。浙江省修辭研究會又按照來源，將引用分爲直接引用、間接引用兩種。依照所引意思與作者意思來分，可分爲正引、反引兩種。將引用分爲明引、暗用兩類者，是陳望道、譚正璧、黃師慶萱、錢覺民、李延祐、黃民裕、程希嵐、沈謙、董季棠；其他學者都是將引用分爲明引、暗引兩類。

㈡三分法：將引用分爲三類者，有路燈照、成九田《古詩文修辭例話》將引用分爲明用典、暗用典、傳聞用典三種。⑬唐松波、黃建霖主編《漢語修辭格大辭典》將引用分爲明引、暗引和意引三種。⑭成偉鈞、唐仲揚、向宏業主編《修辭通鑒》將引用分爲明引、暗引、化引三種；此外，又依內容，分爲正引、反引、意引、引經、稽古、出新六種。⑮張仁青《駢文學》將引用分爲用事、用詞、事詞合用三種；又依引用的方法，分爲明用、暗用、反用、借用、活用五種。⑯

㈢**四分法**：將引用分爲四類者，有黃永武《字句鍛鍊法》將引用分爲明典、暗典、活典、翻典四種；此外，又依引用的方法，分爲直用、反用、活用、借用四種。⑰徐芹庭《修辭學發微》將引用分爲明用、暗用、活用、借用四種。⑱高登偉《第一流的修辭法》將引用分爲明典法、暗典法、翻典法、活典法四種，此外，又依引用的方法，分爲直用法、反用法、借用法、活用法四種。⑲王希杰《漢語修辭學》將引用分爲明引、暗引、正引、反引四種。⑳宋振華、吳士文、張國慶、王興林主編《現代漢語修辭學》將引用分爲用來點明論題、用來作爲論據或佐證、用來作高度概括或結論、用來作批駁的靶子。㉑周靖《現代漢語修辭學》將引用分爲明引、暗引、正引、反引四種。㉒

㈣**五分法**：將引用分爲五類者，僅有倪寶元《修辭》將引用分爲正引、意引、暗用、出新和反用五種。

通觀民國以來，引用的分類，或依形式來分，或依內容來分，或依作用來分，或依方法來分，或依來源來分，或依大類來分，或以小類來分，皆各照隅隙，鮮觀衢路。茲集各家之精華以及芻見，將引用的分類，就不同角度來說，比較理想。就引用的來源而論，可分爲直接引用、間接引用兩種。就引用的形式而論，可分爲明引、暗用、借用、活用四大類。暗引、暗用又各分爲兩小類：明引又分爲全引、略引，暗用又分爲全用、略用。就引用的作用而論，可分爲點明主旨或論題、作爲論據或佐證、作爲綜合或結論、用作批駁的對象四種。就引用的內容而論，可分爲正引、反引、意引、引經、稽古、出新六種。就引用的方法而論，可分爲取意不取句、取意亦取句、增損原文、取其意而變其文

四種。㉓

陳騤《文則》將引用分爲兩大類，又各分爲三小類，《文則》前後各家論引用的分類，見仁見智，各有千秋，爲了簡明方便起見，以作者時代、著作出版時間的先後爲經，以各家分類或說明爲緯，茲繪「陳騤與各家論引用分類一覽表」於後：

陳騤與各家論引用分類一覽表

書名或篇名	時代	作者	辭格名稱	分類或說明	備註（民國以後註明著作出版年月，以先後爲序。）
《莊子·寓言》	周朝	莊子	重言	所謂「重言」，就是「引用」。沒有分類。	
《文心雕龍·事類》	梁朝	劉勰	事類	事類可分爲兩類：「略舉人事以徵義」、「全引成辭以明理」。	
《文則·丙二》	宋朝	陳騤	援引	援引分爲兩大類，又各分爲三小類：一、「以斷行事」：1.獨引《詩》以斷之 2.各引《詩》以合斷之。3.既引《詩》文，又釋其義，以斷之。二、以證立言：1.采總羣言，以盡其義。2.言終引證。3.斷析本文，以成其言。	
《修辭鑑衡》	元朝	王構	用事	「用事工者如己出。」並未分類。	

書名	朝代	作者	名稱	內容	出版年月
《文章一貫》	明朝	高琦	用事	用事十四法：一、正用，二、歷用，三、列用，四、衍用，五、援用，六、評用，七、反用，八、活用，九、設用，十、借用，十一、假用，十二、藏用，十三、暗用，十四、逐段引證，高琦未予命名。	
《修辭學發凡》	民國	陳望道	引用	引用分爲兩種：一、明引法，二、暗用法。	二十一年四月
《修辭新例》	民國	譚正璧	引用	引用法可以有兩種不相同的方式：一是明引，二是暗用。	四十三年三月
《字句鍛鍊法》	民國	黃永武	用典	甲、典故的種類有四：一、明典，二、暗典，三、活典，四、翻典。乙、用典的方法有四：一、直用，二、反用，三、活用，四、借用。	五十八年八月
《修辭學發微》	民國	徐芹庭	用典法	用典可分四類：一、明用，二、暗用，三、活用，四、反用。	六十年三月
《修辭學》	民國	黃師慶萱	引用	引用分爲兩大類，又各分爲兩小類：一、明引：全引、略引。二、暗用：全用、略用。	六十四年一月
《修辭論說與方法》	民國	張嚴	引用法	甲、引用的種類有二：一、明引，二、暗引。乙、引用的方法有四：一、取意不取句。二、取意亦取句。三、增損原文。四、取其意而變其文。	六十四年十月
《修辭》	民國	倪寶元	引用	引用分爲正引、意引、暗用、出新和反用五種。	六十九年六月

《第一流的修辭法》	民國	高登偉	用典法	一、以典故的種類來分，有四種：明典法、暗典法、翻典法、活典法。二、以用典的方法來分，有四種：直用法、反用法、借用法、活用法。	七十一年十一月
《古漢語修辭簡編》	民國	趙克勤	用典	用典可分爲五種：一、明用，二、暗用，三、反用，四、借用，五、化用（高琦所謂的衍用）。	七十二年三月
《漢語修辭學》	民國	王希杰	引用	引用分爲四種：一、明引，二、暗引，三、正引，四、反引。	七十二年十二月
《修辭知識十八講》	民國	錢覺民、李延祜	引用	引用分爲兩種：一、明引，二、暗引。	七十三年一月
《駢文學》	民國	張仁青	用典	甲、用典的種類有三：一、用事，二、用詞，三、事詞合用。乙、用典的方法有五種：一、明用，二、暗用，三、反用，四、借用，五、活用。	七十三年三月
《辭格匯編》	民國	黃民裕	引用	引用分爲兩種：一、明引，二、暗引。	七十三年四月
《活用修辭》	民國	吳正吉	引用	甲、依其出處分類：一、明引，二、暗引。乙、依其內容分類：一、全引，二、略引。	七十三年六月
《修辭學新編》	民國	程希嵐	引用	引用分爲兩種：明引、暗用。	七十三年七月
《現代漢語修辭學》	民國	宋振華、吳士文、	引用	引用的分類：一、用來點明論題。	七十三年九月

書名	時代	作者	名稱	說明	出版年月
		張國慶、王興林主編		二、用來作爲論據或佐證。三、用來作高度概括或結論。四、用來作批駁的靶子。	
《古漢語修辭》	民國	季紹德	引用	引用分爲明引和暗引兩類。	七十五年五月
《修辭學》	民國	李維琦	引用	引用從形式上說，有明引、暗用和化用三類。	七十五年十月
《修辭學詞典》	民國	王德春主編	引用	按引用的方式，可分爲明引、暗引；按引用的內容，可分爲引經、稽古、出新和反用。	七十六年五月
《語文基礎知識》	民國	湖北省天門師範語文教研組編	引用	引用分爲明引和暗引兩種。	七十六年八月
《古詩文修辭例話》	民國	路燈照、成九田	用典	用典分爲三種類型：明用典、暗用典、傳聞用典。	七十六年十月
《漢語修辭格大辭典》	民國	唐松波、黃建霖主編	引用	引用一般分爲三種：明引、暗引和意引。（也有人分爲引經、稽古、出新、反用四種。）	七十八十二月
《修辭方式例解詞典》	民國	浙江省修辭研究會編著	引用	一、按照形式可分爲明引、暗引；二、按照來源可分爲直接引用、間接引用；三、按照所引意思與作者的意思是否一致，可分爲正引、反引。	七十九年九月
《修辭學》	民國	沈謙	引用	引用分爲兩種：明引、暗引。	八十年二月
《現代漢語修辭學》	民國	周靖	引用	引用分爲明引、暗引、正引、反引四種。	八十年二月

《篇章修辭學》	民國	鄭文貞	引用	舉例闡述明引、暗引。	八十年六月
《修辭通鑒》	民國	成偉鈞、唐仲揚、向宏業主編	引用	一、按照形式，可分爲明引、暗引、化引三種；二、按照內容，可分爲正引、反引、意引、引經、稽古、出新六種。	八十年六月
《重校增訂修辭析論》	民國	董季棠	引用	引用的方式有兩種：明引、暗用。	八十一年六月
	民國	蔡宗陽	引用	就來源而論，分爲直接引用、間接引用兩種。就形式而論，分爲明引、暗用、借用、活用四大類。明引又分爲全引、略引兩小類。暗用又分爲全用、略用兩小類。就作用而論，分爲點明主旨或論題、作爲論據或佐證、作爲綜合或結論、用作批駁的對象四種。就內容而論，分爲正引、反引、意引、引經、稽古、出新六種。就方法而論，分爲取意不取句、取意亦取句、增損原文、取其意而變其文四種。	

【附註】

①李金苓〈宋代修辭理論的特點〉：「援引，相當於引用。」（詳見中國華東修辭學會編《修辭學研究》，語文出版社印行，民國七十六年十月初版，頁一四三。）

②劉勰《文心雕龍·事類》云：「事類者，蓋文章之外，據事以類義，援古以證今者也。」所謂「事類」，即引事比

類，亦即舊時所謂「用典」，今世所謂「引用」。（參閱張仁青《駢文學》，文史哲出版社印行，民國七十三年三月初版，頁一三八。）

③黃師慶萱《修辭學》說：「所謂『重言』，就是重複地位重要者之言論，以期受人重視的意思，也就是本文所稱之「引用。」（詳見該書頁一〇〇，三民書局印行，民國六十四年一月初版。）張仁青《駢文學》說：「夫典，事也。所謂典故，古之事也，亦即歷史之事也。是以典之定義，凡引證歷史中事實及前人言語入於文者，皆曰典故，前者謂之『用事』，後者謂之『用詞』。」（見該書頁一三七。）

④採用「引用」一詞者，有陳望道《修辭學發凡》（見該書頁一〇三至一〇八，上海教育出版社印行，民國六十八年九月新一版。）譚正璧《修辭新例》（見該書頁五三至五六，棠棣出版社印行，民國四十三年三月初版。）黃師慶萱《修辭學》（見該書頁一五九至一七五，三民書局印行，六十四年一月初版。）張嚴《修辭論說與方法》（見該書頁一七七至一八一，臺灣商務印書館印行，民國六十四年十月初版。）倪寶元《修辭》（見該書頁二八五至二九五，浙江人民出版社印行，民國六十九年六月初版。）王希杰《漢語修辭學》（見該書頁三一三至三一五，北京出版社印行，民國七十二年十二月初版。）錢覺民、李延祜《修辭知識十八講》（見該書頁一二八至一三二，甘肅少年兒童出版社印行，民國七十三年一月初版。）黃民裕《辭格匯編》（見該書頁四十五至四十七，湖南人民出版社印行，民國七十三年四月初版。）吳正吉《活用修辭》（見該書頁九七至一三五，復文圖書出版社印行，民國七十三年六月初版。）程希嵐《修辭學新編》（見該書頁三〇〇至三〇八，吉林人民出版社印行，民國七十三年七月初版。）宋振華、吳士文、張國慶、王興林主編《現代漢語修辭學》（見該書頁一一二至一一六，吉林人民出版社印行，民國七十三年九月初版。）季紹德《古漢語修辭》（見該書頁三二〇至三四五，吉林文史出版社印行，民國七十五年五

月初版。）李維琦《修辭學》（見該書頁二四一至二四三，湖南人民出版社印行，民國七十五年十月初版。）王德春《修辭學詞典》（見該書頁一九五至一九六，浙江教育出版社印行，民國七十六年五月初版。）湖北省天門師範語文教研組編《語文基礎知識》（見該書頁二三九至二四〇，華中工學院出版社印行，民國七十六年八月初版。）唐松波、黃建霖主編《漢語修辭格大辭典》（見該書頁一八七至一九六，中國國際廣播出版社印行，民國七十八年十二月初版。）浙江省修辭研究會編《修辭方式例解詞典》（見該書頁二八三至二八七，浙江教育出版社印行，民國七十九年九月初版。）沈謙《修辭學》（見該書下冊頁四七九至五〇四，國立空中大學印行，民國八十年二月初版。）周靖《現代漢語語法修辭》（見該書頁三三九至三四三，中國經濟出版社印行，民國八十年二月初版。）鄭文貞《篇章修辭》（見該書頁四〇五至四〇六，廈門大學出版社印行，民國八十年六月初版。）成偉鈞、唐仲揚、向宏業主編《修辭通鑒》（見該書頁四二八至四三六，中國青年出版社印行，民國八十年六月初版。）董季棠《重校增訂修辭析論》（見該書頁一八五至一九五，文史哲出版社印行，八十一年六月增訂初版；原版係益智書局印行，民國七十年十月初版，頁一八二至一九一。）

⑤採用「用典」一詞者，有黃永武《字句鍛鍊法》（見原版係臺灣商務印書館印行，民國五十八年八月初版，頁三五至三八；增訂本係洪範書店印行，民國七十五年一月初版，頁八二至八八。）高登偉《第一流的修辭法》（見該書頁八九至九八，金陵圖書股份有限公司印行，民國七十一年十一月初版。）趙克勤《古漢語修辭簡編》（見該書頁六三至七三，北京商務印書館印行，民國七十二年三月初版。）張仁青《駢文學》（見該書頁一三七至一七八，文史哲出版社印行，民國七十三年三月初版。）路燈照、成九田《古詩文修辭例話》（見該書頁一二七至一三六，臺灣商務印書館印行，民國七十六年十月初版。）

⑥採用「事類」一詞者，係梁朝劉勰《文心雕龍·明詩》；採用「援引」一詞者，係宋朝陳騤《文則·丙二》；採用「用事」一詞者，係元朝王構《修辭鑑衡·卷一》：「用事工者如己出。」（見臺灣商務印書館印行，民國五十七年六月臺一版，頁五。）以及明朝高琦《文章一貫》（見鄭奠、譚全基編《古漢語修辭學資料彙編》，明文書局印行，民國七十三年九月初版，頁三八九至三九〇引。）

⑦詳見張仁青《駢文學》，頁一三九至一四〇引；成師惕軒〈中國文學裏的用典問題〉一文，詳見《東方雜誌》復刊一卷十一期。

⑧詳見奚敏芳《左傳賦詩引詩之研究》，民國七十一年五月，國立臺灣師範大學國文研究所碩士論文，頁二九至三二。

⑨詳見楊鴻銘《荀子文論研究》，文史哲出版社印行，民國七十年一月初版，頁五五至一〇四。

⑩參閱黃師慶萱《修辭學》，頁一〇〇。

⑪詳見②。

⑫見同④。

⑬見同⑤。

⑭見同④。

⑮見同④。

⑯見同⑤。

⑰見同⑤。

⑱見同⑤。
⑲見同⑤。
⑳見同④。
㉑見同④。
㉒見同④。
㉓理想的引用分類，大部分採用各家的優點而集大成，惟有形式分類，除了採用黃師慶萱的說法之外，又加上借用、活用兩類。這兩類也是來自黃永武、徐芹庭、高登偉、張仁青四氏的主張。

第三節　繼踵

陳騤《文則》所謂「繼踵」，約相當於現代修辭學的「層遞」①。層遞又叫做「漸層法」②，也叫做「層疊法」③，又稱爲「連鎖」或稱「聯鎖」④，也稱爲「遞進」⑤。一般修辭學書都用「層遞」⑥。所謂層遞，是指在語文中，由低而高，由近而遠，由少而多，由短而長，由小而大，由淺而深，由粗而精，由輕而重，由本而末，或由高而低，由遠而近，由多而少，由長而短，由大而小，由深而淺，由精而粗，由重而輕，由末而本，層層遞增或遞減的一種修辭技巧。

陳騤認爲層遞的特點，是「文有上下相接，若繼踵然。」⑦陳望道、譚正璧一致認爲層遞必須具備三個條件，陳望道《修辭學發凡》說：「其（指層遞）成立必須有㈠要說的有兩個以上的事物，㈡這些事物又有輕重大小等比例；而且㈢比例又有一定的程序。」⑧譚正璧《修辭新例》說：「這種修辭法（指層遞法）的成立，必須要有三個條件：一、所說的事物，至少要有兩個以上；二、這些事物之間，必須有高低、大小、輕重、深淺等的比率；三、彼此的比率要有一定的次序，並且互相銜接。」⑨陳騤所說的「層遞特點」與陳望道、譚正璧所謂的「層遞條件」，其觀點大致相同，惟一不同者，是陳望道、譚正璧詳述，陳騤略說而已。現代修辭書論述「層遞」，曾經引用陳騤《文則·丁一》者，有陳介白《修辭學講話》與陳望道《修辭學發凡》⑩、徐芹庭《修辭學發微》⑪，可見陳騤《文則》對後世修辭學具有影響力。

陳騤《文則·丁一》不止提出層遞的特點，又將層遞分為三種，並舉例詮證。本節擬先闡析陳騤《文則》論層遞的分類，再闡述《文則》之後各家論層遞的分類，最後才比較陳騤與各家論層遞分類的異同，並提出理想的分類。

一、陳騤《文則》論層遞的分類

陳騤《文則》論層遞的分類，並舉例論證，他在《文則·丁一》中說：

> 文有上下相接，若繼踵然，其體有三：其一曰敘積小至大，如〈中庸〉曰：「能盡其性，則能盡人之性，能盡人之性，則能盡物之性，能盡物之性，則可以贊天地之化育，可以贊天地之化

育，則可以與天地參矣。」此類是也。其二曰敘由精及粗，如《莊子》曰：「古之明大道者，先明天，而道德次之；道德已明，而仁義次之；仁義已明，而分守次之；分守已明，而形名次之；形名已明，而因任次之；因任已明，而原省次之；原省已明，而是非次之；是非已明，而賞罰次之。」此類是也。其三敘自流極原，如〈大學〉曰：「古之欲明明德於天下者，先治其國；欲治其國者，先齊其家；欲齊其家者，先脩其身；欲脩其身者，先正其心；欲正其心者，先誠其意；欲誠其意者，先致其知。」此類是也。

陳氏不僅指出層遞的特點，是「文有上下相接，若繼踵然」，並將層遞分爲「積小至大」、「由精及粗」、「自流極原」三種，每種均舉例說明。

第一種「積小至大」的層遞，即一般修辭學書所謂的「遞升」的層遞⑫，也叫做「順層遞」⑬，又叫做「前進式」的層遞⑭，也稱爲「遞增」的層遞或「階升」的層遞⑮。陳騤舉《禮記·中庸》：「能盡其性，則能盡人之性；能盡人之性，則能盡物之性；能盡物之性，則可以贊天地之化育；可以贊天地之化育，則可以與天地參矣。」的例子，是按作用小到作用大，依次遞進敘述。此外，如墨子主張非攻，也運用了「積小至大」的「遞升」層遞，他在《墨子·非攻上》說：

今有一人，入人園圃，竊其桃李。衆聞則非之，上爲政者得則罰之。此何也？以虧人自利也。至攘人犬豕雞豚者，其不義又甚入人園圃，竊桃李。是何故也？以虧人愈多。苟虧人愈，其不仁慈甚，罪益厚。至入人欄廄，取人馬牛者，其不仁義又甚攘人犬豕雞豚。此何故也？以其虧人愈多。苟虧人愈多，其不仁茲甚，罪益厚。至殺不辜人也，拕其衣裳，取戈劍者，其不義又甚入人欄廄，取人馬牛？此何故也？以其虧人愈多。苟虧人愈多，其不仁茲甚矣，罪益厚。當此，天下之君子，皆知而非之，謂之不義；今至大爲攻國，則弗知非，從而譽之，謂之義；此何謂知義與不義之別乎？

墨子從「竊人桃李」到「攘人犬豕雞豚」、「取人馬牛」、「殺不辜」，最後到「攻國」，不僅從小到大，也由輕至重，充分闡述攻國的不仁不義。又如《戰國策·楚策》：

莊幸至。襄王曰：「寡人不能用先王之言，今事至於此，爲之奈何？」莊幸對曰：「臣聞鄙語：『見兔而顧犬，未爲晚也；亡羊而補牢，未爲遲也。』臣聞昔湯、武以百里昌，桀、紂以天下亡。今楚國雖小，絕長續短，猶以數千里，豈持百里哉？王獨不見夫蜻蛉乎？六足四翼，飛翔乎天地之間，俛啄蚊虻而食之，仰承甘露而飲之。自以爲無患，與人無爭也；不知夫五尺童子，方將調飴膠絲，加己乎四仞之上，而下爲螻蟻食也。夫蜻蛉其小者也，黃雀因是以。俯噣白粒，仰棲茂樹，鼓翅奮翼。自以爲無患，與人無爭也；不知夫公子王孫，左挾彈，右攝丸，將加己乎十仞之上，以其類爲招。晝游乎茂樹，夕調乎酸鹹。倏忽之間，墜於公子之手。夫黃雀其小者也，黃鵠因是以。游於江海，淹乎大沼；俯噣鱔鯉，仰嚙菱衡；奮其六翮，而凌清風，飄搖乎高翔，自以爲無患，與人無爭也；不知夫射者，方將修其磻盧，治其矰繳，將加己乎百仞之上，被䃈磻，引微繳，折清風而抎矣。故晝游乎江河，夕調乎鼎鼐。夫黃鵠其小者也，蔡靈侯之事因是以。南游乎高陂，北陵乎巫山，飲茹溪之流，食湘波之魚，左抱幼妾，右擁嬖女，與之馳騁乎高蔡之中，而不以國家爲事；不知夫子發方受命乎靈王，繫己以朱絲而見之也。蔡靈侯之事其小者也，君王之事因是以。左州侯，右夏侯，輦從鄢陵君與壽陵君，飯封祿之粟，而載方府之金，與之馳騁乎雲夢之中，而不以天下國家爲事；不知夫穰侯方受命乎秦王，塡黽塞之內，而投己乎黽塞之外。」襄王聞之，顏色變作，身體戰慄。於是乃以執珪而授之爲陽陵君，與之淮北之地也。

莊辛也是運用了「積小至大」的「遞升」層遞，說服楚襄王，使楚襄王頓悟逸樂誤國的道理。莊辛先從蜻蜓說到黃雀、黃鵠，再從黃鵠說到蔡靈侯、楚襄王。不止是從小到大，也由物及人。前三層是譬喻，後二層是事實，層層遞進，具有說服力。「遞升」的層遞，除了陳騤《文則》所說的「積小至大」之外，尙有從淺到深，從短到長，從低到高，從近到遠，從輕到重，從少到多，從窄到寬。如張潮《幽夢影》：「少年讀書，如隙中窺月；中年讀書，如庭中望月；老年讀書，如台上玩月；皆以閱歷之淺深，爲所得之淺深耳。」少年閱歷淺、老年閱歷深，這例句是由淺到深的「遞升」層遞。又如孔子自述治學進德的次第，他說：「吾十有五而志於學，三十而立，四十而不惑，五十而知天命，六十而耳順，七十而從心所欲，不踰矩。」從年齡而言，十五、三十、四十、五十、六十、七十是「遞升」的層遞，也是由少而多的「遞升」層遞；但從立志、而立、不惑、知天命、耳順、不踰矩而言，是屬於程度上由淺而深的「遞升」層遞。

第二種「由精及粗」的層遞，即一般修辭學書所謂的「層降」的層遞⑰，也叫做「倒層遞」⑱，又叫做「後退式」的層遞⑲，也稱爲「遞減」的層遞或「趨下」的層遞⑳。陳騤舉《莊子·天道》：「古之明大道者，先明天，而道德次之；道德已明，而仁義次之；仁義已明，而守分次之；守分已明，而形名次之；形名已明，而因任之；因任已明，而原省次之；原省已明，而是非次之；是非已明，而賞罰次之。」的例子，是按照天、道德、仁義、守分、形名、因任、原省、是非、賞罰的順序，「由精及粗」，依次遞降敘述。此外，如老子也運用了「由精及粗」的「遞降」層遞，闡述「道是最高」，他在《道德經·第三十八章》中說：

失道而後德，失德而後仁，失仁而後義，失義而後禮。夫禮者，忠信之薄也，而亂之首也。

老子主張「道是最高」，其次是「德」、「仁」、「義」，最後是「禮」。老子主張與孔子思想迥異，儒道之道亦殊。老子運用「由精及粗」的層遞技巧，闡明「道」的最高境界。又如《莊子·知北遊》：

東郭子問於莊子曰：「所謂道，惡乎在？」莊子曰：「無所不在。」東郭子曰：「期而後可。」莊子曰：「在螻蟻。」曰：「何其下耶？」曰：「在稊稗。」曰：「何其愈下耶？」曰：「在瓦甓。」曰：「何其愈下耶？」曰：「在屎溺。」東郭子不應。莊子曰：「夫子之問也，固不及質。正獲之問於監市履狶也，每下愈況。」

莊子運用了「由精及粗」的「遞降」修辭技巧，從動物的「螻蟻」，降到植物的「梯稗」，再降到無生物的「瓦甓」，又降到廢物的「屎溺」，闡明道「無所不在」。「遞降」的層遞，除了陳騤《文則》所說的「由精及粗」之外，尙有從大到小，從親及疏，從重到輕，從深到淺，從遠到近，從多到少，從寬到窄，從高到低，從長到短。如宋玉〈登徒子好色賦序〉：

天下之佳人，莫若楚國；楚之麗者，莫若臣里；臣里之美者，莫若臣東家之子。

宋玉運用了「從大到小」的「遞降」修辭技巧，從「天下」降到「楚國」，再從「楚國」降到「臣里」，又從「臣里」降到「臣東家」，範圍由大而小，是「遞降」的層遞。又如《孫子·謀攻》：

凡用兵之法，全國爲上，破國次之；全軍爲上，破軍次之；全旅爲上，破旅次之；全卒爲上，破卒次之；全伍爲上，破伍次之。是故百戰百勝，非善之善者也；不戰而屈人之兵，善之善者也。

孫子也是運用「從大到小」的「遞降」修辭技巧，從「國」降到「軍」，再從「軍」降到「旅」，又從「旅」降到「卒」，最後從「卒」降到「伍」。排列層次，由大及小，議論範圍逐漸縮小，條理淸晰，次序井然。又如趙威后問齊國使者，從問候的事情，可以看出「從重到輕」，《戰國策·齊策四》記載此事，其言曰：

齊王使使者問趙威后。書未發，威后問使者曰：「歲亦無恙耶？民亦無恙耶？王亦無恙耶？」使者不悅曰：「臣奉使使威后，今不問王，而先問歲與民，豈先賤而後尊貴者乎？」威后曰：「不然。苟無歲，何以有民？苟無民，何以有君？故有問，舍本而問末者耶？」乃進而問之曰：「齊有處士曰鍾離子無恙耶？是其爲人也，有糧者亦食，無糧者亦食，有衣者亦衣，無衣者亦衣；是助王養其民也。何以至今不業也？葉陽子無恙乎？是其爲人也，哀鰥寡，卹孤獨，振困窮，補不足；是助王息其民者也，何以至今不業也？此宮之女嬰兒子無恙耶？徹其環瑱，至老不嫁，以養父母；是皆率民而出於孝情者也，胡爲至今不朝也？此二士弗業，一女不朝，何以王齊國，子萬民乎？」

趙威后問齊國使者，不先問候齊王，卻問農作物每年是否豐收，再問人民是否安居樂業，最後才問齊王是否政躬康泰？齊國使者以爲「舍本問末，先賤後貴」，趙威后又義正辭嚴地反駁道：「農作物歉收，人民生活必然疾苦；若沒有人民，那來國君？」因此，趙威后再進一步問候齊國兩位賢士、一位孝女，近況如何？並且認爲國君不能禮賢納士，知人善任，如何統治國家，領導人民？趙威后運用「遞降」的修辭技巧，先問重要，再問次要，這是「從重到輕」的「遞降」。

第三種「自流極原」的層遞，即「從末到本」的層遞，也是「原委式」的層遞或稱「源流式」的層遞㉑。陳騤舉《禮記·大學》：「古之欲明明德於天下者，先治其國；欲治其國者，先齊其家；欲齊其家者，先脩其身；欲脩其身者，先正其心；欲正其心者，先誠其意；欲誠其意者，先致其知；致知在格物。」的例子，是從「天下」到「治國」、「齊家」，再從「齊家」到「脩身」，又從「脩身」到「正心」、「誠意」、「致知」、「格物」，「格物致知」是本，「治國齊家」是末，因此這是「從末到本」屬於「原委式」的層遞。此外，如《禮記·中庸》：

在下位，不獲乎上，民不可得而治；獲乎上有道，不信乎朋友，不獲乎上矣；信乎朋友有道，不順乎親，不信乎朋友矣；順乎親有道，反諸身不誠，不順乎親矣；誠身有道，不明乎善，不誠乎身矣。

這也是「從末到本」的「層遞」，由「治民」、「獲」到「信乎朋友」、「順親」，再到「誠身」、「明善」，「明善」是本，「治民」是末。又如《管子·權修》：

凡牧民者，欲民之正也；欲民之正，則微邪不可不禁也；微邪者，大邪之所生也。微邪不禁，而求大邪之無傷國，不可得也。凡牧民者，欲民之有禮也；欲民之有禮，則小禮不可不謹；小禮不謹於國，而求百姓之行大禮，不可得也。凡牧民者，欲民之有義也；欲民之有義，則小義不可不行；小義不行於國，而求百姓之行大義，不可得也。凡牧民者，欲民之有廉也；欲民之有廉，則小廉不可不修也；小廉不修於國，而求百姓之行大廉，不可得也。凡牧民者，欲民之有恥也；欲民之有恥，則小恥不可不飾也；小恥不飾於國，而求百姓之行大恥，不可得也。

這也是「從末到本」的「層遞」。從「牧民」到「民正」、「民禁邪」、「民禁大邪」，再到「君禁微邪」。「君禁微邪」，是本；「牧民」，是末。又從「牧民」到「民有禮、有義、有廉、有恥」、「民行大禮、大義、大廉、大恥」，再到「君行小禮、小義、小廉、小恥」。「君行小禮、小義、小廉、小恥」，也是本；「牧民」，也是末。總而言之，上行下效，國君必須以身作則。又如王符《潛夫論·愛日》：

國之所以爲國者，以有民也；民之所以爲民者，以有穀也；穀之所以豐殖者，以有人功也；功之所以能建者，以有日力也。

王符也是運用「從末到本」的「層遞」，從「國」到「民」、「穀」、「豐殖」、「人功」，再到「日力」。「日力」是本，「國」是末。尚有「從本到末」的層遞，如《禮記·文王世子》：

君子曰德，德成而教尊，教尊而官正，官正而國治，君之謂也。

這是從「德成」、「教尊」到「官正」、「國治」；「德成」是本，「國治」是末；這例句是「從本到末」的層遞。又如《禮記·大學》：

物格而后知至，知至而后意誠，意誠而后心正，心正而后身脩，身脩而后家齊，家齊而后國治，國治而后天下平。

這也是「從本到末」的層遞。由「物格」、「知至」、「意誠」、「心正」、「身脩」到「家齊」、「國治」、「天下平」。「格物」、「致知」、「誠意」、「正心」、「脩身」，都是內聖，也是本；「齊家」、「治國」、「平天下」，都是外王，也是末。

綜觀陳騤《文則》將層遞分爲積小至大、由精及粗、自流極原三種，相當於現代修辭學的遞升的層遞(又叫做前進式的層遞)、遞降的層遞(又稱爲後退式的層遞)、原委式的層遞(也叫做源流式的層遞)㉒三種。陳氏論層遞的分類雖然不多，但有首創之功。

二、《文則》以後各家論層遞的分類

陳騤《文則》以後論層遞的分類，仍有持續的發展，迄今研究修辭學的專家學者甚多，著作如林，茲以各家論層遞的分類爲主，以作者時代、著作出版時間先後爲輔，比較其異同，並加以闡析。

《文則》以後各家論層遞的分類甚多，可以歸納爲下列數類：㈠僅舉例闡明層遞的意義，並未分類者，有陳介白《修辭學講話》㉓、陳望道《修辭學發凡》㉔、傅隸樸《脩辭學》㉕、徐芹庭《修辭學發微》㉖、蔣金龍《演講修辭學》㉗、曾師忠華《作文津梁》㉘、蔣希文《修辭淺說》㉙。㈡既舉例詮證層遞的意義，又加以分類，並分爲兩類者，有譚正璧《修辭新例》分爲階升、趨下兩種形式㉚，黃永武《字句鍛鍊法》、宋文翰《國文修辭學》、黃民裕《辭格匯編》、宋振華、吳士文、張國慶、王興林《現代漢語修辭學》、路燈照、成九田《古詩文修辭例話》、鄭頤壽、林承璋《新編修辭學》、唐松波、黃建霖主編《漢語修辭格大辭典》、浙江省修辭研究會編著《修辭方式例解詞典》、劉煥輝《修辭學綱要》皆將層遞分爲遞升和遞降兩種㉛，黎運漢、張維耿《現代漢語修辭學》將層遞分爲遞昇和遞降兩種㉜，程希嵐《修辭學新編》將層遞分爲階升、遞降兩種㉝，季紹德《古漢語修辭》將層遞分爲遞增、遞減兩種㉞，董季棠《修辭析論》、王德春主編《修辭學詞典》皆將層遞分爲順層遞、倒層遞兩種㉟。以上各家所分類別，雖然名異，但實同，而且都是將層遞分爲兩類。㈢既舉例論證層遞的意義，又分類不止兩種者，有黃永武《字句鍛鍊法》除了將層遞分爲遞升、遞降兩種之外，又有二種特殊的例子：一種是把「遞升」、「遞降」接續成句，一種是將「遞升」、「遞降」錯綜成句。㊱尙有黃師慶萱《修辭學》、沈謙《修辭學》皆將層遞分爲單式、複式兩大類，又各分爲三小類：單式層遞分爲前進式、後退式、比較式三種，複式層遞分爲反復式、並立式、雙遞式三種。㊲董季棠《修辭析論》除了將層遞分爲順層遞、倒層遞兩種之外，又認爲層遞修辭法適合記叙、論說、抒情各種文體。㊳高登偉《第一流修辭法》將層遞分爲遞升、遞降、連續遞升遞降、錯綜遞升遞降四種。㊴王希杰《漢語修辭學》將遞進分爲時間上的遞進、空間上的遞進、數量上的遞進、程度或範圍上的遞進四種。㊵鄭頤壽、林承璋《新編修辭學》除了將層遞分爲遞升式層遞、遞降式層遞兩種之外，又從語言結構形式上，又分爲詞語層遞、句子層遞、段落層遞三種。㊶浙江省修辭研究會編著《修辭方式例解詞典》除了將層遞分爲遞升式層遞、遞降式層遞兩種之外，又從構成的成分上，分爲短語層遞、分句層遞、句子層遞、段落層遞四種。㊷成偉鈞、唐仲揚、向宏業主編《修辭通鑒》除了將層遞分爲遞升和遞降兩類之外，又分爲由小漸大，由淺漸深，由輕漸重，由低漸高，由近漸遠，由短漸長，由少漸多，由深漸淺，由大漸小，由長漸短，由高漸低，由遠漸近，由重漸輕、由多漸少、遞增與遞減兼用十五種。㊸

通觀陳騤《文則》以後各家論層遞的分類，除了不分類之外，以分爲遞升、遞降兩大類佔最多，其他或從內容上，或從形式上，或從方式上，或從大類上分類，又分爲若干小類。層遞的分類，應從不同角度分類，以免滄海遺珠。筆者集各家之精英，並攄己見，認爲層遞的分類，從形式上，可分爲單式、複式兩大類；從結構上，可分爲短語、分句、句子、段落四種；從方式上，可分爲前進式、後退式、比較式、反復式、並立式、雙遞式、因果式、源流式八種；從內容上，可分爲時間、空間、數量、程度、範圍五種。㊹

陳騤《文則》將層遞分為三種，《文則》以後各家論層遞的分類，見仁見智，各有特，色為了簡明方便起見，以作者時代、著作出版時間的先後為經，以各家分類或說明為緯，茲繪「陳騤與各家論層遞分類一覽表」如下：

陳騤與各家論層遞分類一覽表

書名或篇名	時代	作者	辭格名稱	分類或說明	備註（民國以後註明書刊出版年月，以先後為序。）
《文則·丁二》	宋朝	陳騤	繼踵	「文有上下相接，若繼踵然，其體有三：其一曰叙積小至大，其二曰叙由精及粗，其三曰叙自流極原。」所謂「繼踵」，就是「層遞」。「繼踵」分為三類：積小至大、由精及粗、自流極原。	
《修辭學講話》	民國	陳介白	漸層法	所謂「漸層法」，就是「層遞」。僅舉例說明層遞的意義，並未分類，但引用陳騤《文則·丁二》全文。	二十年八月
《修辭學發凡》	民國	陳望道	層遞	僅詮證層遞的意義，並未分類，但引用陳騤《文則·丁二》。	二十一年四月
《修辭新例》	民國	譚正璧	層遞	層遞法也叫做層疊法。層遞法分為階升、趨下兩種形式。	四十二年三月
《脩辭學》	民國	傅師隸樸	連鎖	傅師所謂「連鎖」，就是「層遞」。沒有分類，僅詮證其意義。	五十八年三月

《字句鍛鍊法》	民國	黃永武	層遞	層遞可分為遞升、遞降二種。層遞的修辭中，還有二種特殊的例子：一種是把「遞升」、「遞降」接續成句，一種是把「遞升」、「遞降」錯綜成句。	五十八年八月
《修辭學發微》	民國	徐芹庭	層遞法	沒有分類，僅舉例說明層遞的意義，並引用陳騤《文則》。	六十年三月。
《國文修辭學》	民國	宋文翰	層遞	層遞分為遞升和遞降兩種。	六十年十一月
《修辭學》	民國	黃師慶萱	層遞	層遞可分單式、複式兩大類，又各分三小類：單式層遞分為三種方式：前進式、後退式、比較式。複式層遞分為三種方式：反復式、並立式、雙遞式。	六十四年一月
《演講修辭學》	民國	蔣金龍	層遞	沒有分類，僅詮證層遞的意義。	七十年六月
《修辭析論》	民國	董季棠	層遞	層遞分為順層遞、倒層遞兩種。層遞修辭法適合記敘、論說、抒情各種文體。	七十年十月
《第一流修辭法》	民國	高登偉	層遞法	層遞法可分為遞升、遞降、連續遞升遞降、錯綜遞升遞降四種。	七十一年十一月
《漢語修辭學》	民國	王希杰	遞進	又叫層遞。遞進分為四類：時間上的遞進、空間上的遞進、數量上的遞進、程度或範圍上的遞進。	七十二年十二月
《辭格滙編》	民國	黃民裕	層遞	層遞可以分為兩種形式：遞升、遞降。	七十三年四月

《修辭學新編》	民國	程希嵐	層遞	層遞分爲兩種：階升、遞降。	七十三年七月
《現代漢語修辭學》	民國	宋振華、吳士文、張國慶、王興林	層遞	層遞分爲遞升、遞降兩類。	七十三年九月
《作文津梁》	民國	曾師忠華	層遞法	沒有分類，詮釋層遞法，並舉例印證。	七十四年八月
《古漢語修辭》	民國	季紹德	層遞	按層遞的內容分，可分爲遞增、遞減兩種。	七十五年五月
《現代漢語修辭學》	民國	黎運漢、張維耿	層遞	層遞有遞昇和遞降兩種。	七十五年八月
《修辭學詞典》	民國	王德春主編	層遞	層遞分爲順層遞和倒層遞兩種。	七十六年五月
《古詩文修辭例話》	民國	路燈照、成九田	層遞	層遞分爲遞升和遞降兩種。	七十六年十月
《新編修辭學》	民國	鄭頤壽、林承璋	層遞	從內容上分，層遞有兩種類型：遞升式層遞、遞降式層遞。從語言結構形式上分，層遞有三種類型：詞語層遞、句子層遞、段落層遞。	七十六年十月
《修辭淺說》	民國	蔣希文	遞進	沒有分類，僅闡述遞進的意義，並舉例說明。	七十七年五月
《漢語修辭格大辭典》	民國	唐松波、黃建霖主編	層遞	層遞大致可按照各項排列的方式分爲遞升（順層遞）和遞降（倒層遞）兩種。	七十八年十二月
《修辭方式例解詞典》	民國	浙江省修辭研究會編著	層遞	從內容上，可分爲兩類：遞升式層遞、遞降式層遞。從構成的成分看，又可分爲四類：短語層遞、分句層遞、句子層遞、段落層遞。	七十九年九月

《修辭學》	民國	沈謙	層遞	層遞可分兩類：單式層遞、複式層遞。 單式層遞又分爲三種：前進式（或稱遞增、遞昇）、後退式（或稱遞減、遞降）、比較式。 複式層遞又分爲三種：反復式、並立式、雙遞式。	八十年二月
《修辭學綱要》	民國	劉煥輝	層遞	層遞分爲遞升、遞降兩種。	八十年二月
《修辭通鑒》	民國	成偉鈞、唐仲揚、向宏業主編	層遞	層遞分爲遞升和遞降兩大類，又分爲十五種：由小漸大、由淺漸深、由輕漸重、由低漸高、由近漸遠、由短漸長、由少漸多、由深漸淺、由大漸小、由長漸短、由高漸低、由遠漸近、由重漸輕、由多漸少、遞增與遞減兼用。遞升又叫遞增、階升，如由小漸大，由淺漸深，由低漸高，由短漸長，由近漸遠，由少漸多、由輕漸重。遞降又叫遞減、階降，如由大漸小、由深漸淺、由高漸低，由長漸短、由遠漸近、由多漸少、由重漸輕。	八十年六月
	民國	蔡宗陽	層遞	層遞的分類，從形式上，可分爲單式、複式兩大類；從結構上，可分爲詞語、分句、句子、段落四種；從方式上，可分爲前進式、後退式、比較式、反復式、並立式、雙遞式、因果式、源流式八種；從內容上，可分爲時間、空間、數量、程度、範圍五種。	

【附　註】

①參閱李金苓〈宋代修辭理論的特點〉：「繼踵手法，約相當於現在所說的層遞。」（見中國華東修辭學會編《修辭學研究》，語文出版社印行，民國七十六年十月初版，頁一四三。）鄭子瑜《中國修辭學史》：「他（指陳騤）用『上下相接，若繼踵然』八個字來形容層遞辭格。」（見該書頁二三四，文史哲出版社印行，民國七十九年二月初版。）周振甫《中國修辭學史》：「這（指陳騤《文則·丁一》：『文有上下相接，若繼踵然。』）是講分出層次，有從小到大的，有從精到粗的等，層層叙說，屬於修辭上的層遞格。」（見該書頁二四四，北京商務印書館印行，民國八十年一月初版。）李、鄭、周三位先生一致認爲「繼踵」即現在所謂的「層遞」。

②陳介白《修辭學講話》採用「漸層法」。（見該書頁一六五，啓明書局印行，民國四十八年十一月初版。）

③譚正璧《修辭新例》：「層遞法在有的修辭學書上，也叫做層疊法。」（見該書頁一七五，棠棣出版社印行，民國四十二年三月初版。）

④傅師隸樸《脩辭學》採用「連鎖」，他說：「連鎖，是上下句首尾如連環相扣，語絕而意不絕的一種辭格。」（見該書頁一一九，正中書局印行，民國五十八年三月臺初版。）黃永武先生《字句鍛鍊法》又叫「聯鎖」，他說：「用銜尾相接的句法，如連環相扣，或者推原竟委，自下而上；或者依因求果，自上而下，造成一種不容間斷的語勢，來表現旺足的氣勢，這種修辭法，叫做「聯鎖」。聯鎖是但有層次或因果的先後，而沒有升降的比例，所以與「層遞」不同。」（詳見該書增訂本，頁一二七至一三〇，洪範書店印行，民國七十五年一月。）黃氏以爲「聯瑣」與「層遞」有別，不宜混淆，是因爲黃氏將層遞分爲遞升、遞降兩種，若再增加兩小類，不是可以迎刃而解嗎？筆者認爲「聯鎖」既有層次或因果、原委關係，何不歸入「層遞」，再增加兩小類：一是因果式的層遞，一是原委

式（或「源流式」）的層遞。何況黃師慶萱《修辭學》將層遞分爲單式、複式兩大類，單式層遞又分爲前進式、後退式、比較式，複式層遞又分爲反復式、並立式、雙遞式。（詳見頁四八八至四九〇，三民書局印行，民國六十四年一月。）在「層遞」中，黃氏的「遞升」相當於黃師的「前進式層遞」，黃氏的「遞降」相當於黃師的「後退式層遞」。若黃氏的「聯鎖」歸入「層遞」，可以增加兩小類：一是因果式的層遞，二是原委式（或「源流式」）的層遞。如此，陳騤《文則》將層遞分爲三種，其中第三種「自流極原」的層遞，就可以歸入「原委式」（或「源流式」）的層遞，豈不是兩全其美？因此，筆者將「連鎖」（或稱「聯鎖」）暫時歸入「層遞」。至於黃氏依句法形式，將「聯鎖」分爲三類：「輕重層遞」式、「首尾迴環」式、「聯鎖進逼」式。這三類也可以分別增加三小類：一是輕重式層遞（或歸入「前進式」或「後退式」），二是迴環式層遞（或歸入「反復式」），三是進逼式層遞（或歸入「前進式」）。

⑤王希杰《漢語修辭學》：「遞進，又叫『層遞』。」（見該書二七〇至二七三，北京出版社印行，七十二年十二月初版。）蔣希文《修辭淺說》也採用「遞進」，他說：「『遞進』是指文章的內容，由淺入深，由輕轉重，由小到大，由近及遠。」（見該書頁六九，貴州人民出版社印行，民國七十七年五月初版。）王、蔣二氏皆採用「遞進」，與「層遞」是名異實同。

⑥陳望道《修辭學發凡》、黃永武《字句鍛鍊法》、徐芹庭《修辭學發微》、黃師慶萱《修辭學》、董季棠《修辭析論》……等都採用「層遞」，詳見「陳騤與各家論層遞分類一覽表」。

⑦見陳騤《文則》，（北京）人民出版社印行，民國四十九年四月北京第一版，五十一年八月上海第二次印刷，頁一七。

⑧見陳望道《修辭學發凡》，上海教育出版社印行，民國六十九年九月新一版，頁二〇五。

⑨同③書，頁一七五至一七六。

⑩陳介白《修辭學講話》引用《文則·丁一》全文，作爲「漸層法」的參證，他說：「關於漸層法，陳騤《文則》曾說過，茲錄之於下，以爲參證。」（詳見同②書，頁一六六至一六七。）陳望道《修辭學發凡》：「從輕小而到重大，如陳騤所謂『上下相接，若繼踵然。』（《文則·卷上丁》）」（見同⑧，頁二〇六。）

⑪徐芹庭《修辭學發微》引用陳騤《文則·丁一》全文，並闡述「其於層遞法，可謂得其要矣」。（詳見該書一二六至一二七，臺灣中華書局印行，民國六十年三月初版，六十三年八月二版。）

⑫採用「遞升」的層遞者，有黃永武《字句鍛鍊法》（詳見該書頁五四至五六，臺灣商務印書館印行，民國五十八年八月初版。）宋文翰《國文修辭學》（詳見該書頁三三，新陸書局印行，民國六十年十一月初版。）高登偉《第一流修辭法》（詳見該書頁一三五至一四二，金陵圖書股份有限公司印行，民國七十一年十一月初版。）黃民裕《辭格匯編》（詳見該書一七四至一七六，湖南人民出版社印行，民國七十三年四月初版。）宋振華、吳士文、張國慶、王興林《現代漢語修辭學》（詳見該書頁一五四至一五六，吉林人民出版社印行，民國七十三年九月初版。）路燈照、成九田《古詩文修辭例話》（詳見該書一九六至二〇二，臺灣商務印書館印行，民國七十六年十月初版。）鄭頤壽、林承璋主編《新編修辭學》（詳見該書一八八至一八九，鷺江出版社印行，民國七十六年十月初版。）唐松波、黃建霖主編《漢語修辭格大辭典》（詳見該書頁二九四至三〇〇，中國國際廣播出版社印行，民國七十八年十二月初版。）浙江省修辭研究會編著《修辭方式例解詞典》（詳見該書頁三四至三七，浙江教育出版社印行，民國七十九年九月初版。）劉煥輝《修辭學綱要》（詳見該書頁三七五至三七七，百花洲文藝出版社印行，民國八十

年二月初版。）成偉鈞、唐仲揚、向宏業主編《修辭通鑑》（見該書頁六二〇至六二五，中國青年出版社印行，民國八十年六月初版。）

⑬採用「順層遞」者，有董季棠《修辭析論》（詳見該書頁三六三至三六四，益智書局印行，民國七十年十月初版。）王德春主編《修辭學詞典》（詳見該書頁一八以及一四一，浙江教育出版社印行，民國七十六年五月初版。）

⑭採用「前進式」的層遞者，有黃師慶萱《修辭學》（詳見該書頁四八八，三民書局印行，民國六十四年一月初版。）沈謙《修辭學》（詳見該書下冊，頁七〇八，國立空中大學印行，民國八十年二月初版，八十年十二月再版。）

⑮採用「遞增」的層遞者，係季紹德《古漢語修辭》（詳見該書頁九五至九八，吉林文史出版社印行，民國七十三年五月初版。）採用「階升」的層遞者，有譚正璧《修辭新例》（詳見同③書，頁一七六。）程希嵐《修辭學新編》（詳見該書二七七至二七八，吉林人民出版社印行，民國七十三年七月初版。）

⑯見《論語·爲政》。

⑰採用「遞降」的層遞者，同⑫。另增程希嵐《修辭學新編》，見同⑮。

⑱採用「倒層遞」者，同⑬董書，頁三六六至三六八；王書，頁一八以及三二至三三。

⑲採用「後退式」的層遞者，同⑭。

⑳採用「遞減」的層遞者，係季紹德，見同⑮，頁九八至一〇一。採用「趨下」的層遞者，是譚正璧，見同⑮。

㉑黃永武先生將「原委式（或稱源流式）的層遞」獨立，另增「聯鎖」一個辭格，筆者以爲可以合併，歸入「層遞」，其理由請詳見④。

㉒原委式的層遞，也叫做源流式的層遞，是筆者爲論述方便而杜撰，其理由詳見④、㉑。

㉓見同②書，頁一六五至一六七。
㉔同⑧書，頁二〇五至二〇七。
㉕同④傅書，頁一一九至一二二。
㉖同⑪書，頁一二五至一二八。
㉗見蔣金龍《演講修辭學》，黎明文化事業有限公司印行，民國七十年六月初版，頁一七五至一七九。
㉘見曾師忠華《作文津梁》，學人文教出版社印行，民國七十四年八月初版，頁一一六至一一七。
㉙見蔣希文《修辭學淺說》，貴州人民出版社印行，民國七十七年五月初版，頁六九至七二。
㉚見同③。
㉛見同⑫。
㉜見黎運漢、張維耿《現代漢語修辭學》，商務印書館香港分館印行，民國七十五年八月初版，頁一五〇至一五二。
㉝見同⑮程書。
㉞見同⑮季書。
㉟見同⑬董書、王書。唐松波、黃建霖主編《漢語修辭格大詞典》也蒐集順層遞和倒層遞兩種。（詳見⑫）。
㊱見同⑫黃書。
㊲見同⑭。
㊳見同⑬董書。
㊴見同⑫高書。

㊵見同⑤王書。

㊶見同⑫鄭、林書。

㊷見同⑫《修辭方式例解典》。

㊸見同⑫成、唐、向書。

㊹理想的層遞分類，從形式上，可分爲單式、複式兩大類。單式層遞，如《禮記·中庸》：「天命之謂性，率性之謂道，修道之謂教。」複式層遞，如蘇軾〈祭歐陽文忠公文〉：「昔其未用也，天下以爲病；而其既用也，則又以爲遲；及其釋位而去也，莫不冀其復用；至其請老而歸也，莫不惆悵失望。」從結構上，可分爲短語、分句、句子、段落四種。短語層遞，如魯迅〈談金聖嘆〉：「賊來如梳，兵來如蓖，官來如剃。」分句層遞，如郭小川〈祝酒歌〉：「祖國是一座花園，北方就是園中的臘梅；小興安嶺是一朵花，森林就是花中的蕊。」句子層遞如徐遲〈哥德巴赫猜想〉：「生活條件很差，疾病嚴重，生命垂危。」段落層遞，如郭沫若、周揚編〈紅旗歌謠〉：「前天路過黃泥坡，黃泥坡上草成窩。草窩窩裏跑野兔，黃泥坡上多寂寞。　昨天路過黃泥坡，黃泥坡上人馬多。千軍萬馬齊開荒，梯田塊塊遍山坡。　今日路過黃泥坡，坡上姑娘唱山歌。合作社裏力量大，荒坡要變米糧坡。」「前天」、「昨天」、「今日」，是時間的層遞，又因分爲三小段，所以是「段落層遞」。從方式上，可分爲前進式、後退式、比較式、反復式、並立式、雙遞式、因果式、源流式八種。前進式的層遞，如張潮《幽夢影》：「藏書不難，能看爲難；看書不難，能讀爲難；讀書不難，能用爲難；能用不難，能記爲難。」後退式的層遞，如余光中〈或者所謂春天〉：「所謂妻，曾是新娘，所謂新娘，曾是女友，所謂女友，曾非常害羞。」比較式的層遞，如《論語·雍也》：「知之者，不如好之者；好之者，不如樂之者。」反復式的層遞，如賈誼《新書·大政下》：「教者，政之本也；道

者，教之本也。有道然後教也；有教然後政治也；政治然後民勸之；民勸之然後國豐富也。」並立式的層遞，如《管子·治國》：「民富則安鄉重家，安鄉重家則敬上畏罪，敬上畏罪則易治也。民貧則危鄉輕家，危鄉輕家則敢陵上犯禁，陵上犯禁則難治也。」雙遞式的層遞，如《戰國策·齊策》：「羣臣吏民能面刺寡人之過者，受上賞；上書諫寡人者，受中賞；能謗譏於市朝，聞寡人之耳者，受下賞。」因果式的層遞，如《韓非子·解老》：「人有福，則富貴至；富貴至，則衣食美；衣食美，則驕心生；驕心生，則行邪僻而動棄理；行邪僻則身夭死，動棄理則無成功。」源流式的層遞，如《淮南子·主術》：「夫寸生於標，標生於形，形生於景，景生於日，此度之本也；樂生於音，音生於律，律生於風，此聲之宗也。」從內容上，可分爲時間、空間、數量、程度、範圍五種。時間的層遞，如蔣捷〈虞美人〉：「少年聽雨歌樓上，紅燭昏羅帳。壯年聽雨客舟中，江闊雲低，斷雁叫西風。而今聽雨僧廬下，鬢已星星也。悲歡離合總無情，一任階前點滴到天明。」少年、中年、晚年，循序漸進，是時間的層遞。空間的層遞，如〈木蘭詩〉：「朝辭爺孃去，暮宿黃河邊；不聞爺孃喚女聲，但聞黃河流水鳴濺濺。旦辭黃河去，暮宿黑山頭；不聞爺孃喚女聲，但聞燕山胡騎聲啾啾。」從花木蘭的家，到黃河邊，再到黑山頭，越來越遠，這是空間的層遞。數量的層遞，如宋玉〈對楚王問〉：「客有歌於郢中者，其始曰下里巴人，國中屬而和者數千人；其爲陽阿薤露，國中屬而和者數百人；其爲陽春白雪，國中屬而和者不過數十人；引商刻羽，雜以流徵，國中屬而和者，不過數人而已；是其曲彌高，其和彌寡。」從「數千人」到「數百人」、「數十人」、「數人」，依次遞降，這是數量的層遞。程度的層遞，如連橫〈臺灣通史序〉：「顧修史固難，修臺之史更難，以今日修之尤難！」「固難」、「更難」、「尤難」，依次遞升，說明修史愈來愈難，這是程度的層遞。範圍的層遞，如《孟子·梁惠王下》：「左右皆曰賢，未可也；諸大夫皆曰賢，未可也；國人皆曰賢，然後察之；見賢焉，然後用之。左右皆曰不可，勿聽；

諸大夫皆曰不可，勿聽；國人皆曰不可，然後察之；見不可焉，然後去之。左右皆曰可殺，勿聽；諸大夫皆曰可殺，勿聽；國人皆曰可殺，然後察之；見可殺焉，然後殺之：故曰「國人殺之也」。由「左右」而「諸大夫」，由「諸大夫」而「國人」，範圍愈來愈大，是範圍的層遞，也是遞升的層遞。若就親疏而言，「左右、諸大夫、國人」是由親及疏，又是遞降的層遞。

第四節　對偶

所謂對偶，是指在語文中，凡是同一句中的上下兩個短語以及上下兩個、四個、六個或六個以上短句中的奇句與偶句，字數相等，句法相似，詞性相同，平仄相對的一種修辭技巧。對偶又叫對仗、對句，也稱爲駢麗、麗辭，也叫對子①，又稱爲儷辭、對耦②。一般修辭學都用「對偶」③或「儷辭」④，以用「對偶」爲最多。陳騤《文則》也用「對偶」一詞。

陳騤在《文則·甲七》中，將對偶分爲兩類，但在《文則》前後各家論對偶的分類，亦不乏其人，因此本節擬分陳騤《文則》論對偶的分類、《文則》前後各家論對偶的分類兩項，加以闡析，再比較其異同，並提出理想的對偶分類。

一、陳騤《文則》論對偶的分類

陳騤運用歸納法，將對偶分爲「意相屬而對偶」、「事相類而對偶」兩類，他在《文則·甲七》中說：

> 文有意相屬而對偶者，如「發彼小豝，殪此大兕。」「誨爾諄諄，聽我藐藐。」「故謀用是作，而兵由此起。」有事相類而對偶者，如「威侮五行，怠棄三正。」「佑賢輔德，顯忠遂良。」此皆渾然而成，初非有意媲配。凡文之對偶者，如此，則工矣。

陳氏不止依句意來分，將對偶分爲兩類，也舉例詮證，又認爲對偶是自然成對，並非有意媲配，誠如劉勰《文心雕龍·麗辭》所說：「夫心生文辭，運裁百慮，高下相須，自然成對。」也正如黃永武《字句鍛鍊法·怎樣使文句華美》所說：「原始的對句，是出於自然而不勞經營的。」⑤陳氏所謂「意相屬而對偶」，是指兩件事情的意義是前後相連貫的對偶；簡言之，是指兩事先後相聯的對偶；也是相當於黃永武《字句鍛鍊法》所說的「句意相聯的對句」⑥。陳氏舉了《詩經》、《禮記》的例子，加以論證，茲逐一闡析。《詩經·小雅·吉日》：「發彼小豝，殪此大兕。」此言先射死小野豕，再射死大兕牛，這兩件事是前後相聯。「發」對「殪」，「彼」對「此」，「小」對「大」，「豝」對「兕」，皆詞性相對。《詩經·大雅·抑》：「誨爾諄諄，聽我藐藐。」此言我不厭倦地教誨你，你卻漫不經心地不聽講，這兩件事也是前後相聯。「誨」對「聽」，「爾」對「我」，「諄諄」對「藐藐」，皆詞性相對。《禮記·禮運》：「故謀用是作，而兵由此起。」此言陰謀詭計因此產生，軍事爭端也隨著發生，這兩件事也是前後相聯。「故」對「而」，「謀」對「兵」，「用」對「由」，「是」對「此」，「作」對「起」，皆詞性相對。這三個例子，都是屬於「句意相聯的對句」。此外，如梁元帝〈蕩婦秋思賦〉：「坐視帶長，轉看腰細。」「帶長」、「腰細」，這兩件事是前後相聯。「坐」對「轉」，「視」對「看」，「帶」對「腰」，「長」對「細」，皆詞性相對。又如王之渙〈登鸛雀樓〉：「欲窮千里目，更上一層樓。」此言想要看千里之遠，必須再上一層樓。「欲窮千里目」與「更上一層樓」，也是彼此相連貫。只有「更上一層樓」，才能「看千里之遠」。「欲」對「更」，「窮」對「上」，「千」對「一」，「里」對「層」，「目」對「樓」，皆詞性相對。除了「欲」與「更」之外，其他平仄也協調。以上這些例句都是「句意相聯的對句」，也是陳騤所謂的「意相屬而對偶」。這類對偶很像一般所謂的「意對」、「流水對」、「串對」、「連對」、「走馬對」，只是陳騤所舉的例句，對仗都很工整，屬於嚴式對偶。一般的「意對」、「流水對」、「串對」、「連對」、「走馬對」，對仗比較放寬，屬於寬式對偶。如李白〈送友人詩〉：「此地一爲別，孤蓬萬里征。」杜甫〈野望詩〉：「惟將遲暮供多病，未有涓埃答聖朝。」李商隱〈南朝詩〉：「誰言瓊樹朝朝見，不及金蓮步步來。」白樸〈沈醉東風〉：「雖無刎頸交，卻有忘機友。」這些都是屬於流水對，也是寬式對偶，簡稱寬對。陳騤所謂的「意相屬而對偶」，就內容而言，跟流水對是相同；就形式而言，和流水對不同。流水對在形式上是屬於寬式對偶；陳騤所謂的「意相屬而對偶」在形式上卻是屬於嚴式對偶。渾言之則相同，析言之則有別。

陳騤所謂「事相類而對偶」，是指兩件事相類似的對偶，也是相當於蔣金龍《演講修辭學》所說的「相似對句」⑦，這是就對偶的內容而言。陳騤舉了《尚書》的例子，來論證「事相類而對偶」的體例。他首先舉《尚書·甘誓》：「威侮五行，怠棄三正。」「五行」、「三正」，有二解：一是屈萬里先生《尚書釋義》：「此五行，當指終始五德言。威侮五行，意謂輕蔑侮慢應運之帝王（此指夏王言）也。怠，惰慢不恭。三正，謂建子、建丑、建寅。王者受命，必改正朔。此言怠棄三正，意謂不奉夏之正朔也。」⑧二是吳師仲寶《新譯尚書讀書》：「威侮五行，怠棄三正，二句乃係一事，即：（有扈氏）暴虐了五官之長，更滅了三正之一。威侮，暴虐、輕蔑也。五行，《左傳·昭公二十九年》云：『五行之官，是謂五官。』此乃指木正、火正、金正、水正、土正等五官之長。怠棄，謂懈怠拋棄也，猶之於滅絕。三正，乃指五正之三也（說詳拙著《尚書新證》）。以屈氏釋義而言，威侮五行，指輕蔑侮慢夏王；怠棄三正，指不奉夏朝正朔；這兩件事是相類似，因此屬於「事相類而對偶」。以吳師釋義而言，「威侮五行」中之「五行」，與「怠棄三正」中之「三正」，是同一件事，「三正」是屬於「五行」之三。因爲「五行」是指「木正、火正、金正、水正、土正」等五官之長，各有一個「正」字。以吳師之義，「威侮五行，怠棄三正」，是屬於事相「同」而對偶，亦有創見。但「三正」屬於「五行」一部分，一是一偏，一是全，並非完全相同，因此也是屬於「事相類而對偶」。「威侮」對「怠棄」，「五行」對「三正」，都是詞性相對。「五行」與「三正」，又是平仄協調。所以，這例句也是屬於嚴式對偶。陳騤又舉《尚書·仲虺之誥》：「佑賢輔德，顯忠遂良。」「佑」對「顯」，「輔」對「遂」，

「賢德」對「忠良」，皆詞性相對。「賢德」、「忠良」，其意義是相類似，因此這例句是「相似對句」，也是「事相類而對偶」。蔣金龍所謂的「相似對句」與陳騤所說的「事相類而對偶」，就內容而言，是完全相同；但就形式而言，「相似對句」有使用相同的字詞，而「事相類而對偶」卻沒有運用相同的字詞。如蔣經國先生演講詞：「清清白白的做人，實實在在的做事」，是「相似對句」；張九齡〈感遇詩〉：「蘭葉春葳蕤，桂花秋皎潔。」是「事相類而對偶」。「事相類而對偶」者，在古代詩文中甚多，如《禮記‧禮運》：「選賢與能，講信修睦。」「賢」、「能」、「信」、「睦」，是相類似的性質。「選」、「與」、「講」、「修」，都是動詞，詞性相對。「賢」對「信」，「能」對「睦」，都是平仄相對。因此，這例句是「事相類而對偶」。又如曹植〈洛神賦〉：「榮曜秋菊，華茂春松。」「榮曜」對「華茂」，「秋菊」對「春松」，都是詞性相對。「春」、「秋」，都是屬於四季。「菊」、「松」，都是屬於植物。所以，這例句也是「事相類而對偶」。又如王和卿〈喜春來〉：「柳梢淡淡鵝黃染，波面澄澄鴨綠添。」「柳梢」對「波面」，「淡淡」對「澄澄」，「鵝黃」對「鴨綠」，「染」對「添」，前後二句性質相類似；因此這例句屬於「事相類而對偶」。又如白樸〈沈醉東風〉：「黃蘆岸白蘋渡口，綠楊隄紅蓼灘頭。」「黃蘆岸」對「綠楊隄」，「白蘋」對「紅蓼」，「渡口」對「灘頭」，其性質相類似，所以這例句也是「事相類而對偶」。此外，如岑參〈和賈舍人早朝大明宮詩〉：「花迎劍佩星初落，柳拂旌旗露未乾。」江淹〈別賦〉：「意奪神駭，心折骨驚。」徐陵〈玉臺新詠序〉：「琉璃硯匣，終日隨身；翡翠筆牀，無時離手。」王勃〈滕王閣餞別序〉：「時維九日，序屬三秋。」吳錫麒〈熊母章太宜人七十壽序〉：「蓮心自苦，梅子常酸。」這些例句都是陳騤所謂的「事相類而對偶」。

陳騤《文則》依內容分，將對偶分為「意相屬而對偶」、「事相類而對偶」兩類。第一類「意相屬而對偶」，相當於黃永武《字句鍛鍊法》所謂的「句意相聯的對句」，第二類「事相類而對偶」，相當於蔣金龍《演講修辭學》所謂的「相似對句，也相當於黃永武《字句鍛鍊法》所謂的「句意相偶的對句」。黃永武《字句鍛鍊法》就句意來分，將對偶分為句意相背的對句、句意相向的對句、句意相聯的對句、句意相偶的對句四種。⑩陳騤《文則》已有句意相聯和句意相偶的對句。句意相背的對句，如《尚書·大禹謨》：「滿招損，謙受益。」「謙」、「益」是正面意義，「滿」、「損」是反面意義。「滿」對「謙」，「招」對「受」，「損」對「益」，皆詞性相對。因此，這例句是「句意相背的對句，即一般修辭學書所謂的「反對」，劉勰《文心雕龍·事類》也稱為「反對」。又如《論語·述而》：「君子坦蕩蕩，小人長戚戚。」「君子」與「小人」是意義相背；「坦蕩蕩」與「長戚戚」，也是意義相背。「君子」對「小人」，「坦」對「長」，「蕩蕩」對「戚戚」，皆詞性相對，平仄協調。所以，這例句也是「句意相背的對句」，又叫「反對」。句意相向的對句，如梁元帝〈蕩婦秋思賦〉：「妾怨迴文之錦，君息出塞之歌。」及「秋何月而不清，月何秋而不明。」總而言之，陳騤《文則》論對偶的分類，是依句意而分，至於依句型而分，陳騤《文則》並未論及。依句型而分，一般將對偶分為當句對（又叫句中對）、單句對（又叫單句）、隔句對（又叫扇面對）、長偶對（又叫長對）。當句對，如王勃〈滕王閣序〉：「人傑地靈，徐孺下陳蕃之榻。」「人傑」對「地靈」，就是「當句對」。單句對，如曹雪芹《紅樓夢·第十九回》：「情切切良宵花解語，意綿綿靜日玉生香。」「情」對「意」，「切切」對「綿綿」，「良宵」對「靜日」，「花」對「玉」，「解」對「生」，「語」對「香」，不止詞性相對，平仄也協調。隔句對，如辛棄疾〈沁園春〉：「驚湍直下，跳珠倒濺；小橋橫截，缺月如弓。」「驚湍直下」對「小橋橫截」，「跳珠倒濺」對「缺月如弓」，這是隔句相對的扇面對，也叫隔句對。長偶對，如顧憲成〈無錫東林書院楹聯〉：「風聲、雨聲、讀書聲，聲聲入耳；家事、國事、天下事，事事關心。」「風聲」對「家事」，「雨聲」對「國事」，「讀書聲」對「天下事」，「聲聲入耳」對「事事關心」；這是奇句對奇句，偶句對偶句，共有四組，所以稱爲「長偶對」，又叫「長對」。

二、《文則》前後各家論對偶的分類

陳騤《文則》論對偶的分類，係就句意來分，易言之，依內容而分。在《文則》之前，按內容而分，有劉勰，他在《文心雕龍·麗辭》中，將對偶分爲言對、事對、正對、反對四類，並舉例詮證。言對，如司馬相如〈上林賦〉：「修容乎禮園，翱翔乎書圃。」事對，如宋玉〈神女賦〉：「毛嬙鄣袂，不足程式；西施掩面，比之無色。」反對，如王粲〈登樓賦〉：「鍾儀幽而楚奏，莊舄顯而越吟。」正對，如張載〈七哀〉：「漢祖想枌榆，光武思白水。」此外，在《文則》前後，論及對偶分類者甚多，茲比較、分析，加以歸納爲下列數類，並加以闡析。

㈠不分類：僅闡述對偶的意義，並舉例論證，但不分類者，如唐鉞《修辭格》[11]、陳介白《修辭學講話》、陳望道《修辭學發凡》⑫、張志公《修辭概要》⑬、鄭文貞《篇章修辭學》、馬鳴春《稱謂修辭學》、胡性初《實用修辭》⑭。

㈡**二分法**：將對偶分爲兩種者，除了陳騤《文則》分爲意相屬而對偶、事相類而對偶兩種之外，還有元朝王構《修辭鑑衡》分爲蹉對和假對兩種；鄭業建《修辭學》分爲自然對偶和矯揉對偶兩種⑮；宋文翰《國文修辭學》分爲正對、反對兩種⑯；華中師範學院中文系現代漢語教研組編《現代漢語修辭知識》分爲嚴式和寬式兩種⑰；蔣金龍《演講修辭學》分爲相似對句、相反對句兩種⑱；鄭頤壽《比較修辭》從形式上，分爲嚴對、寬對兩種；從內容上，分爲正對、反對和串對三種⑲；王希杰《漢語修辭學》認爲對偶有嚴式、寬式之分；從內容上，可分爲正對和反對兩種⑳。主張從形式上分爲嚴對和寬對兩種者，鄭頤壽、林承璋主編《新編修辭學》、唐松波、黃建霖主編《漢語修辭格大辭典》、浙江省修辭研究會編著《修辭方式例解詞典》㉑。從形式上，分爲工對和寬對兩種者，有成偉鈞、唐仲揚、向宏業主編《修辭通鑒》㉒。

㈢**三分法**：將對偶分爲三種者，有唐朝崔融《唐朝新定詩格》分爲切側對、雙聲側對、疊韻側對三種㉓。將對偶分爲正對、反對和串對三種，有高葆泰《語法修辭六講》、黃民裕《辭格匯編》、錢覺民、李延祐《修辭知識十八講》、程希嵐《修辭學新編》、鄭頤壽《比較修辭學》、宋振華、吳士文、張國慶、王興林《現代漢語修辭學》、黎運漢、張維耿《現代漢語修辭學》、李維琦《修辭學》、湖北省天門師範語文教研組編《語文基礎知識》、吳桂海、鮑慶林主編《語法修辭新編》、唐松波、黃建霖主編《漢語修辭格大辭典》、武占坤主編《常用辭格通論》、劉煥輝《修辭學綱要》、周靖《現代漢語語法修辭》。㉔譚正璧《修辭新例》將對偶分為相似、相對、相連三種。㉕季紹德《古漢語修辭》將對偶分為正對、反對、借對三種。正對包括平對和串對。借對又分為借義、借音兩種。㉖鄭頤壽、林承璋主編《新編修辭學》按內容分，對偶有平對、反對、串對三種；在形式上，可以分為短語對、句子對和篇章對。㉗武占坤主編《常用辭格通論》從結構的角度，對偶可分為語對、句對和章對三種。㉘王了一《中國詩律研究》將對仗分為工對、寬對、鄰對三種。㉙

㈣**四分法**：將對偶分為四種者，有劉勰《文心雕龍·麗辭》：「麗辭之體，凡有四對：言對為易，事對為難；反對為優，正對為劣。」將對偶分為言對、事對、反對、正對四種。將對偶分為當句對（又叫句中對）、單句對（又叫單對）、隔句對（又叫偶對、扇面對）、長偶對（又叫長對）四種。黃永武《字句鍛鍊法》㉚、徐芹庭《修辭學發微》㉛、黃師慶萱《修辭學》㉜、高登偉《第一流修辭法》㉝、沈謙《修辭學》㉞。董季棠《修辭析論》將對偶分為正名對、隔句對、長句對、當句對。㉟李維琦《修辭學》將對偶分為當句對、單句對、偶句對、多句對四種。㊱

㈤**五分法**：將對偶分為五種者，有上海師範學院中文系漢語教研室編《修辭》將對偶分為嚴對、寬對、正對、反對、串對五種。㊲從形式上分，是嚴對和寬對二種；從內容上分，是正對、反對、串對三種。

㈥**六分法**：將對偶分為六種者，有唐朝上官儀將詩分為正名對、同類對、連珠對、雙聲對、疊韻對、雙擬對等六種。㊳元兢《詩髓腦》將詩分爲平對、奇對、同對、字對、聲對、側對六種。㊴浙江省修辭研究會編著《修辭方式例解詞典》，從內容上，可分爲正對、反對、串對、借對、隔句對、當句對等六種。㊵隔句對、當句對兩種，應該屬於形式，而非內容。

(七)七分法：將對偶分爲七種者，有唐松波、黃建霖主編《漢語修辭格大辭典》，特殊形式的對偶，有自對、互對、倒對、扇對、借對、蹉對、鼎對七種。

(八)八分法：將對偶分爲八種者，有唐朝上官儀將詩分爲的名對、異類對、雙聲對、疊韻對、聯綿對、雙擬對、回文對、隔句對八種。㊶皎然《詩議》將詩分爲鄰近對、交絡對、當句對、含境對、背體對、偏對、雙虛實對、假對八種。㊷張嚴《修辭論說與方法》將對偶分爲正名對、隔句對、雙擬對、連緜對、互成對、雙聲對、疊韻對、迴文對八種。㊸王德春主編《修辭學詞典》按上句和下句的語義關係，將對偶分爲正對、反對、串對、當句對、互文對、倒裝對、借對、合掌對八種。㊹當句對、倒裝對，應該歸入形式，而非內容。

(九)二十八分法：將對偶分爲二十八種者，有王了一《中國詩律研究》把對仗分作十一類二十八種：第一類甲天文門、乙時令門；第二類甲地理門、乙宮室門；第三類甲器物門、乙衣飾門、丙飲食門；第四類甲文具門、乙文學門；第五類甲草木花果門、乙鳥獸魚門；第六類甲形體門、乙人事門；第七類甲人倫門、乙代名對，第八類甲方位對、乙數目對、丙顏色對、丁干支對，第九類甲人名對、乙地名對，第十類甲同義連用字、乙反義連用字、丙連綿字、丁重疊字，第十一類甲副詞、乙連介詞、丙助詞。㊺第一至九類都是就內容而分類，第十、十一類，乃就文法而分類。

㈩二十九分法：將對偶分爲二十九種者，是日僧弘法大師《文鏡秘府論》，認爲對偶有二十九種：的名對、隔句對、雙擬對、聯綿對、互成對、異類對、賦體對、雙聲對、疊韻對、迴文對、意對、平對、奇對、同對、字對、聲對、側對、鄰近對、交絡對、當句對、含境對、背體對、偏對、雙虛實對、假對、切側對、雙聲側對、疊韻側對、總不對。㊻弘法大師集各家對偶的分類，再加上自己的意見，而成爲二十九種，每類很多，並舉例印證，可惜沒有詮解每類的意義。

(十一)三十分法：將對偶分爲三十種者，有成偉鈞、唐仲揚、向宏業主編《修辭通鑒》，認爲特殊形式的對偶有三十種：駢文中運用對偶、古體詩中運用對偶、近體詩中運用對偶、詞中運用對偶、曲中運用對偶、文言散文中運用對偶、小說中運用對偶、白話散文中運用對偶、新詩中運用對偶、正對、反對、串對、互文對、禽獸對、設問對、反問對、情景對、合掌對、工對、寬對、當句對、隔句對、倒裝對、回文對、數字對、疊字對、鼎足對、排比對、嵌字對、諧音對。㊼前九種，就文體來分類。其他二十一種或就內容分類，或就形式分類。張仁青《駢文學》提出駢體文三十種對偶法：單句對、偶句對、長偶對、異類對、同類對、方位對、當句對、虛字對、實字對、有無對、疊字對、數字對、渾括對、彩色對、成語對、聯綿對、雙聲對、疊韻對、雙雙疊韻對、疊韻雙聲對、流水對、回文對、巧對、雙擬對、懸橋對、借對、假對、虛實對、蹉對、互文對。㊽張氏每類都有舉例，並加以說明。前十六種是對仗的正格，也是一般常用，常見的對偶；後十四種是對仗的變格，一般比較少用，也比較罕見。

綜觀各家論對偶的分類，或以形式分，或以內容分，或以文體分，見仁見智，各有特色。茲會通各家說，並附己見，認爲理想的對偶分類，應該就不同角度來分。就文體與作法分類，除了成偉鈞、唐仲揚、向宏業主編《修辭通鑒》依文體的性質，分爲九種之外，還可以依文章作法，分爲記敘、抒情、論說三種㊾。就形式的結構分類，又分爲限制和句型。以限制分，可分爲嚴對（又叫嚴式對偶）、寬對（又叫寬式對偶）兩種。以句型分，可分爲當句對（又叫句中對）、單句對（又叫單對）、隔句對（又叫對偶、扇對、扇面對）、長偶對（又叫長對）四種。就內涵的意義分，一般分爲正對、反對、串對三種，可以再細分若干類，如人名對、地名對、方位對、顏色對、干支對、數目對等等。

陳騤《文則》將對偶分爲兩種，《文則》前後各家論對偶的分類，或多或少，或精或粗，見仁見智，各有特色。爲了簡明方便起見，以作者時代、著作出版時間先後爲經，以各家分類或說明爲緯，茲繪「陳騤與各家論對偶分類一覽表」於後：

陳騤與各家論對偶分類一覽表

書名或篇名	時代	作者	辭格名稱	分類或說明	備註（民國以後註明書刊出版年月，以先後爲序。）

《文心雕龍·麗辭》	梁朝	劉勰	麗辭	麗辭之體，凡有四對：言對、事對、正對、反對。	
《詩人玉屑》引《詩苑類格》	（唐朝）	（上官儀）㊿	對偶	詩有六對：正名對、同類對、連珠對、雙聲對、疊韻對、雙擬對。詩有八對：的名對、異類對、雙聲對、疊韻對、聯綿對、雙擬對、回文對、隔句對。	
《詩髓腦》	唐朝	元兢	對偶	詩有六種對：平對、奇對、同對、字對、聲對、側對。	
《唐朝新定詩格》	唐朝	崔融	對偶	詩有三種對：切側對、雙聲側對、疊韻側對。	
《詩議》	唐朝	皎然	對偶	詩有八種對：鄰近對、交絡對、當句對、含境對、背體對、偏對、雙虛實對、假對。	
《文鏡秘府論》	唐朝（日僧）	弘法大師（空海）	對偶	對偶有二十九種：的名對、隔句對、雙擬對、聯綿對、互成對、異類對、賦體對、雙聲對、疊韻對、迴文對、意對、平對、奇對、同對、字對、聲對、側對、鄰近對、交絡對、當句對、含境對、背體對、偏對、雙虛實對、假對、切側對、雙聲側對、疊韻側對、總不對。	
《文則·甲七》	宋朝	陳騤	對偶	文有意相屬而對偶者，有事相類而對偶者。	

《修辭鑑衡》	元朝	王構	對偶	對偶分爲蹉對和假對兩種。	
《修辭格》	民國	唐鉞	儷辭	僅舉例詮證儷辭的意義，沒有分類。	十八年十月
《修辭學講話》	民國	陳介白	對偶	僅舉例詮證對偶的意義，沒有分類。	二十年八月
《修辭學發凡》	民國	陳望道	對偶	僅舉例詮證對偶的意義，沒有分類。	二十一年四月
《修辭學》	民國	鄭業建	對偶	對偶分爲自然對偶與矯揉對偶兩種。	三十三年五月
《修辭新例》	民國	譚正璧	對偶	對偶分爲相似、相對、相連三種。	四十二年三月
《修辭概要》	民國	張志公	對偶	沒有分類，僅舉例詮證對偶的意義。	四十二年十一月
《字句鍛鍊法》	民國	黃永武	儷辭	一、從句型上分類，不外乎當句對、單對、偶對、長偶對四種。二、從句意上分類，不外乎相背、相向、相聯、相偶四種。	五十八年八月
《中國詩律研究》	民國	王了一	對仗	對仗分作十一類二十八種：第一類甲天文門、乙時令門，第二類甲地理門、乙宮室門，第三類甲器物門、乙衣飾門、丙飲食門，第四類甲文具門、乙文學門，第五類甲草木花果門、乙鳥獸魚門，第六類甲形體門、乙人	

				事門，第七類甲人倫門、乙代名對，第八類甲方位對、乙數目對、丙顏色對、丁干支對，第九類甲人名對，乙地名對，第十類甲同義連用字，乙反義連用字、丙連綿字、丁重疊字，第十一類甲副詞、乙連介詞、丙助詞。對仗可分爲工對、寬對、鄰對三類。	五十九年九月
《修辭學發微》	民國	徐芹庭	對偶法	依句型分類，可歸納爲四類：當句對、單對、偶對、長偶對。	六十年三月
《國文修辭學》	民國	宋文翰	對偶	對句有二種：正對、反對。	六十年十一月
《現代漢語修辭知識》	民國	華中師範學院中文系現代漢語教研組編	對偶	對偶分爲嚴式和寬式兩種。	六十一年六月
《修辭學》	民國	黃師慶萱	對偶	從句型上分類，不外乎句中對、單句對、隔句對、長對。	六十四年一月
《修辭論說與方法》	民國	張嚴	對耦法	對偶有八種：正名對、隔句對、雙擬對、連緜對、互成對、雙聲對、疊韻對、迴文對。	六十四年十月
《語法修辭六講》	民國	高葆泰	對偶	對偶可分爲正對、反對和串對三種。	七十年四月
《演講修辭學》	民國	蔣金龍	對偶	對偶分爲相似對句、相反對句兩種。	七十年六月

《修辭析論》	民國	董季棠	對偶	從形式上說，可分爲四種：正名對、隔句對、長句對、當句對。	七十年十月
《第一流修辭法》	民國	高登偉	儷辭法	一、從對仗的句型來分類，只有四種：當句對、偶對、長偶對、單對。二、從句意上分，也只有四種：相向、相背、相聯、相偶。	七十一年十一月
《比較修辭》	民國	鄭頤壽	對偶	從形式分，可分爲嚴對、寬對。從內容分，可分爲正對、反對、串對。	七十二年十月
《漢語修辭學》	民國	王希杰	對偶	對偶有嚴式和寬式之分。對偶從內容上，可分爲正對和反對。	七十二年十二月
《修辭知識十八講》	民國	錢覺民、李延祐	對偶	對偶大致分爲正對、反對、串對三種。	七十三年一月
《修辭》	民國	上海師範學院中文系漢語教研室編	對偶	對偶有嚴對、寬對、正對、反對、串對五種。	七十三年三月
《駢文學》	民國	張仁青	對偶	駢體文三十種對偶法：單句對、偶句對、長偶對、異類對、同類對、方位對、當句對、虛字對、實字對、有無對、疊字對、數字對、渾括對、彩色對、成語對、聯綿對、雙聲對、疊韻對、雙聲疊韻對、疊韻雙聲對、流水對、回文對、巧對、假對、雙擬對、懸橋對、借對、虛實對、蹉對、互文對。	七十三年三月

《辭格匯編》	民國	黃民裕	對偶	對偶分爲三種：正對、反對、串對。	七十三年四月
《修辭學新編》	民國	程希嵐	對偶	對偶的類型有三種：正對、反對、串對。	七十三年七月
《現代漢語修辭學》	民國	宋振華、吳士文、張國慶、王興林	對偶	對偶分爲三種：正對、反對、串對(也叫連對、流水對)。	七十三年九月
《古漢語修辭》	民國	季紹德	對偶	對偶從意義上分，可以分爲三種：正對、反對、借對。正對包括平對和串對。借對又分爲借義、借音兩種。	七十五年五月
《現代漢語修辭學》	民國	黎運漢、張維耿	對偶	對偶分爲三種：正對、反對、串對。	七十五年八月
《修辭學》	民國	李維琦	對偶	從形式上，對偶分爲當句對、單句對、偶句對、多句對四種。從內容上，對偶分爲正對、反對和串對三種。	七十五年十月
《修辭學詞典》	民國	王德春主編	對偶	對偶按上句和下句的語義關係，可分爲八種：正對、反對、串對、當句對、互文對、倒裝對、借對、合掌對。	七十六年五月
《語文基礎知識》	民國	湖北省天門師範語文教研組編	對偶	從語意上分，對偶有三種：正對、反對、串對。	七十六年八月
《古詩文修辭例話》	民國	路燈照、成九田	對偶	對偶分爲四類：議論中的對偶句、抒情中的對偶句、寫景中的對偶句、記敘中的對偶句。	七十六年十月

《新編修辭學》	民國	鄭頤壽、林承璋	對偶	一、按內容分，對偶有平對、反對、串對三種。二、按形式分，對偶分成嚴對和寬對兩種。三、對偶在形式上，還可以分為短語對、句子對和篇章對。	七十六年十月
《語法修辭新編》	民國	吳桂海、鮑慶林	對偶	對偶分為正對、反對和串對三種。	七十八年七月
《漢語修辭格大辭典》	民國	唐松波、黃建霖主編	對偶	一、從結構上看，對偶分為嚴式和寬式兩種。二、從意義上看，對偶基本上有三種：正對、反對和串對。三、特殊形式的對偶，有自對、互對、倒對、扇對、借對、蹉對、鼎對七種。	七十八年十二月
《修辭方式例解詞典》	民國	浙江省修辭研究會編著	對偶	一、從形式上，可分為兩類：嚴對、寬對。二、從內容上分，可分為六種：正對、反對、串對、借對、當句對、隔句對。	七十九年九月
《常用辭格通論》	民國	武占坤主編	對偶	從語義的角度，對偶可分為正對、反對和串對三種。從結構的角度，對偶可分為語對、句對和章對三種。	七十九年十月
《現代漢語語法修辭》	民國	周靖	對偶	從意義上看，可以把對偶分成正對、反對、串對三種。	八十年二月
《修辭學》	民國	沈謙	對偶	依句型分，對偶分為四類：當句對、單句對、隔句對、長偶對。	八十年二月

《修辭學綱要》	民國	劉煥輝	對偶	在意義上，對偶可分爲正對、反對、串對三種。	八十年二月
《修辭通鑑》	民國	成偉鈞、唐仲揚、向宏業主編	對偶	從形式看，對偶可分爲工對和寬對兩類。特殊形式的對偶有三十種：當句對、隔句對、倒裝對、回文對、疊字對、數字對、鼎足對、排比對、嵌字對、諧音對、正對、反對、串對、互文對、禽獸對、設問對、反問對、情景對、合掌對、工對、寬對、駢文中運用對偶、古體詩中運用對偶、近體詩中運用對偶、詞中運用對偶、曲中運用對偶、文言散文中運用對偶、小說中運用對偶、白話散文中運用對偶、新詩中運用對偶。	八十年六月
《篇章修辭學》	民國	鄭文貞	對偶	沒有分類，僅舉例說明對偶的意義。	八十年六月
《稱謂修辭學》	民國	馬鳴春	對偶	沒有分類，僅舉例詮證對偶的意義。	八十一年六月
《實用修辭》	民國	胡性初	對偶	沒有分類，僅舉例詮證對偶的意義。	八十一年十一月
	民國	蔡宗陽	對偶	就文體與作法分類，依文體的性質，分爲駢文的對偶、古體詩的對偶、近體詩的對偶、詞的對偶、曲的對偶、文言散文的對	

偶、小說的對偶、白話散文的對偶、新詩的對偶等九種;依文章作法,可分爲記敘文的對偶、論說文的對偶、抒情文的對偶等三種。就形式的結構分類,又分爲原則和句型。以限制分,可分爲嚴對、寬對兩種。以句型分,可分爲當句對、單句對、隔句對、長偶對四種。就內涵的意義,一般分爲正對、反對、串對三種,可以再細分若干類,如人名對、地名對、方位對、顏色對、干支對、數目對等等。

【附　註】

①張仁青《駢文學》說:「對偶亦稱對仗,爲文章修辭法之一。『仗』字之意義蓋自『儀仗』而來,『儀仗』爲兩兩相對,故兩兩相對之辭句謂之對仗,亦謂之對句。」(見該書頁九五,文史哲出版社印行,民國七十三年三月初版。)張氏認爲對偶也稱爲對仗,又叫對句。成偉鈞、唐仲揚、向宏業主編的《修辭通鑒》也說:「古代宮廷護衛列隊持仗(杖)相對而立,在形式上跟對偶一樣對偶,故對偶又叫對仗。漢語中的『駢』字有並列對偶的意思,『麗』字也有成對之意,加以漢、魏、南北朝的駢文中對偶句極多,故對偶又稱爲駢麗、麗辭,民間則俗稱爲對子。」(見該書頁五九八,中國青年出版社印行,民國八十年六月北京初版。)張志公《修辭概要》:「所謂對子,……修辭學上叫作『對偶』。」(見該書頁九一,中國青年出版社印行,民國四十二年十一月初版。)張氏認爲「對

子」在修辭學上叫做「對偶」。成、唐、向三氏以爲對偶又叫對仗，又稱爲駢麗、麗辭，俗稱爲對子。

②對偶又稱爲儷辭，見於譚正璧《修辭新例》：「對偶法，在有的修辭學書上，叫做儷辭法。」（見該書頁一六九，棠棣出版社印行，民國四十二年三月初版。）宋文翰《國文修辭學》：「對偶也叫儷辭。」（見該書頁二九，新陸書局印行，民國六十年十一月出版。）徐芹庭《修辭學發微》：「對偶或稱儷辭。」（見該書頁一二一，臺灣中華書局印行，民國六十年三月初版，六十三年八月二版。）蔣金龍《演講修辭學》：「對偶又稱儷辭。」（見該書頁一六三，黎明文化事業公司印行，民國七十年六月初版。譚、宋、徐、蔣四氏認爲對偶也叫儷辭。對偶又叫對耦，見於張嚴《修辭論說與方法》，頁一一八，臺灣商務印書館印行，民國六十四年十月初版。

③採用「對偶」一詞者，除了陳騤《文則·甲七》：「文有意相屬而對偶者。」之外，尚有陳望道《修辭學發凡》（見該書頁二〇二至二〇三，上海教育出版社印行，民國六十八年九月新一版。）鄭業建《修辭學》（見該書頁一三五至一四一，上海正中書局印行，民國三十三年五月初版。）陳介白《修辭學講話》（原版係民國二十年八月上海開明書店印行，民國四十八年十一月啓明書局印行，民國六十七年七月信誼書局印行，見頁一六四至一六五。）徐芹庭《修辭學發微》（見該書頁一二一至一二四。）宋文翰《國文修辭學》（見該書頁二九至三〇。）黃師慶萱《修辭學》（見該書頁四四七至四六七，三民書局印行，民國六十四年一月初版。）華中師範學院中文系現代漢語教研組編《現代漢語修辭知識》（見該書頁六一至六五，湖北人民出版社印行，民國六十一年六月初版。）蔣金龍《演講修辭學》（見同②。）董季棠《修辭析論》（見該書頁三一九至三三一，益智書局印行，民國七十年十月初版；增訂本係文史哲出版社印行，民國八十一年六月增訂初版，見頁三二七至三四〇。）鄭頤壽《比較修辭》（見該書頁一八九至一九六，福建人民出版社印行，民國七十二年十月初版。）王希杰《漢語修辭學》（見該書頁一九七至二

○三，北京出版社印行，民國七十二年十二月初版。）上海師範學院中文系漢語教研室編《修辭》（見該書頁九八至一○二，上海教育出版社印行。民國七十三年三月初版。）黃民裕《辭格匯編》（見該書頁一六八至一七一，湖南人民出版社印行，民國七十三年四月初版。）高葆泰《語法修辭六講》（見該書頁三七至三三九，寧夏人民出版社印行，民國七十年四月初版。）程希嵐《修辭學新編》（見該書頁二五一至二六○，吉林人民出版社印行，民國七十三年七月初版。）宋振華、吳士文、張國慶、王興林主編《現代漢語修辭學》（見該書頁一四七至一五○，吉林人民出版社印行，民國七十三年九月初版。）錢覺民、李延祐《修辭知識十八講》（見該書頁六一至六八，甘肅少年兒童出版社印行，民國七十三年一月初版。）季紹德《古漢語修辭》（見該書頁一五二至一八一，吉林文史出版社印行，民國七十五年五月初版。）黎運漢、張維耿《現代漢語修辭學》（見該書頁一四五至一四七，商務印書館香港分館印行，民國七十五年八月初版。）李維琦《修辭學》（見該書頁二四四至二五○，湖南人民出版社印行，民國七十五年十月初版。）王德春主編《修辭學詞典》（見該書頁四一至四二，浙江教育出版社印行，民國七十六年五月初版。）張仁青《駢文學》（見同①）。湖北省天門師範語文教研組編《語文基礎知識》（見該書頁二四二至二四三，華中工學院出版社印行，民國七十六年八月初版。）路燈照、成九田《古詩文修辭例話》（見該書頁一六三至一七二，臺灣商務印書館印行，民國七十六年十月初版。）鄭頤壽、林承璋主編《新編修辭學》（見該書頁一九一至一九五，鷺江出版社印行，民國七十六年十月初版。）唐松波、黃建霖主編《漢語修辭格大辭典》（見該書頁二二九至二四六，中國國際廣播出版社印行，民國七十八年十二月初版。）吳桂海、鮑慶林主編《語法修辭新編》（見該書頁二六九至二七一，中共中央黨校出版社印行，民國七十八年七月二版。）浙江省修辭研究會編著《修辭方式例解詞典》（見該書頁六二至六五，浙江教育出版社印行，民國七十九年九月初版。）武占坤主編

《常用辭格通論》（見該書頁一五九至一八四，河北教育出版社印行，民國七十九年十月初版。）沈謙《修辭學》（見下冊頁六二九至六七〇，國立空中大學印行，民國八十年二月初版。）劉煥輝《修辭學綱要》（見該書頁三六八至三七一，百花洲文藝出版社印行，民國八十年二月初版。）周靖《現代漢語語法修辭》（見該書頁三一一至三一四，中國經濟出版社印行，民國八十年二月初版。）鄭文貞《篇章修辭學》（見該書頁三一三至三一四，廈門大學出版社印行，民國八十年六月初版。）成偉鈞、唐仲揚、向宏業主編《修辭通鑒》（見該書頁五九八至六〇八，中國青年出版社印行，民國八十年六月初版。）馬鳴春《稱謂修辭學》（見該書頁四三五至四三六，陝西人民出版社印行，民國八十一年六月初版。）胡性初《實用修辭》（見該書頁二六七至二六八，華南理工大學出版社印行，民國八十一年十一月初版。）

④採用「儷辭」一詞者，唐鉞《修辭格》（見該書頁七一至七二，上海商務印書館印行，民國十八年十月初版。）黃永武《字句鍛鍊法》（見原版臺灣商務印書館印行，民國五十八年八月初版，頁二八至三一；增訂版洪範書店印行，民國七十五年一月初版，頁六三至六九。）高登偉《第一流修辭法》（見該書頁七九至八九，金陵圖書股份有限公司印行，民國七十一年十一月初版。）

⑤見同④，原版頁二八，增訂版頁六四。

⑥見同④，原版頁三〇，增訂版頁六六。

⑦見同②蔣氏書。

⑧見屈萬里先生《尚書釋義》，中華文化出版事業社印行，民國四十五年八月初版，五十七年十月五版，頁四〇。

⑨見吳師仲寶《新譯尚書讀書》，三民書局印行，民國六十六年十一月初版，頁五一。

⑩參閱同④黃氏書，增訂版頁六五至六六。

⑪見同④唐氏書。

⑫見同③二陳氏書。

⑬見同①張氏書。

⑭見同③鄭、馬、胡三氏書。

⑮見元朝王構《修辭鑑衡》，臺灣商務印書館印行，民國五十七年六月臺一版，頁至二；又見同③鄭氏書。

⑯見同②宋氏書。

⑰見同③。

⑱見同②蔣氏書。

⑲見同③鄭氏書。

⑳見同③王氏書。

㉑見同③、鄭、林、唐、黃四氏書。

㉒見同③成、唐、向三氏書。

㉓見日僧空海《文鏡祕府論》，蘭臺書局印行，民國五十八年七月初版，頁一〇九至一一〇。

㉔見同③。

㉕見同②譚氏書。

㉖見同③季氏書。

㉗見同③鄭、林二氏書。
㉘見同③武氏書。
㉙見王了一《中國詩律研究》，文津出版社印行，民國五十九年九月初版，頁一六六至一八三。
㉚見同④黃氏書。
㉛見同②徐氏書。
㉜見同③黃氏書。
㉝見同④高氏書。
㉞見同③沈氏書。
㉟見同③董氏書。
㊱見同③李氏書。
㊲見同③。
㊳見同③沈謙《修辭學》下冊，頁六三四引。
㊴詳見王晉江《文鏡秘府論探源》，香港天地圖書有限公司印行，民國六十九年十二月初版，頁一一四至一一五。
㊵見同③。
㊶見同㊳，頁六三四至六三五引。
㊷見同㉓，頁一〇九及一三七至一四〇。
㊸見同②，頁一一九至一二一。

㊹詳見同③王氏書。

㊺詳見同㉙，頁一五三至一六六。

㊻詳見同㉓，頁一〇八至一四四。

㊼詳見同①成、唐、向三氏書，頁六〇〇至六〇八。

㊽詳見同①張氏書，頁九八至一一六。

㊾對偶依文章作法分類，可分爲記叙、抒情、論說三種。記叙文的對偶，如歐陽脩〈醉翁亭記〉：「蒼顏白髮，頹然乎其間者，太守醉也。」「蒼」對「白」，「顏」對「髮」，不止詞性相對，平仄也協調。又如歸有光〈項脊軒志〉：「余區區處敗屋中，方揚眉瞬目，謂有奇景。」「揚」對「瞬」，「眉」對「目」，不僅詞性相對，平仄也協調。因此，這兩個例句都是當句對。抒情文的對偶，如孟浩然〈宿建德江〉：「野曠天低樹，江清月近人。」「野曠」對「江清」，「天」對「月」，「低樹」對「近人」，不但詞性相對，平仄也協調。這例句是單句對。又如朱自清的〈春〉：「呼朋引伴地賣弄清脆的喉嚨。」「呼」對「引」，「朋」對「伴」，不止詞性相對，平仄也協調。這例句是當句對。論說文的對偶，如蘇洵〈六國論〉：「古人云：『以地事秦，猶抱薪救火，薪不盡，火不滅。』此言得之。」「抱」對「救」，「薪」對「火」，是詞性相對，因此「抱薪救火」是當句對。又如黃宗羲〈原君〉：「好逸惡勞，亦猶夫人之情也。」「好」對「惡」，「逸」對「勞」，都是詞性相對，所以「好逸惡勞」也是當句對。

㊿《詩人玉屑》引《詩苑類格》有關唐朝上官儀論對偶的分類。

第五節　析字

所謂析字，是指在語文中，故意就文字的形體、聲音、意義加以分析，使形、音、義發生變化，以便產生新的意義，來提高表達語文的效果的一種修辭技巧，叫做析字①，又稱爲柝字②，也稱爲離合③，又叫做析合法④。有人根據「析字」，推衍爲析詞，也叫做拆詞⑤。一般修辭學書都用「析字」，陳騤《文則》所論的，也是「析字」。

陳騤在《文則·乙三》中，論析字的特點，是「字有偏旁，故文有取偏旁以成句；字有音韻，故文有取音韻以成句；皆所以明其義也」。鄭子瑜《中國修辭學史》說：「這是論析字的修辭法。所謂取偏旁以成句，就是化形析字；所謂取音韻以成句，就是諧音析字。」⑥

陳騤將析字分爲兩種，並舉例論證，因此，本節擬先闡述陳騤《文則》論析字的分類，再闡析《文則》前後各家論析字的分類，最後才比較其異同，並提出理想的分類。

一、陳騤《文則》論析字的分類

陳騤將析字分爲取偏旁以成句、取音韻以成句兩種，並舉例加以印證，他在《文則·乙三》中說：

字有偏旁，故文有取偏旁以成句；字有音韻，故文有取音韻以成句；皆所以明其義也。《周禮》曰：「五人爲伍。」〈中庸〉曰：「誠者自成也。」《孟子》曰：「征之爲言正也。」《莊子》曰：「庸也者，用也。」〈檀弓〉曰：「夫祖者，且也。」〈祭統〉曰：「銘者，自名也。」〈表記〉曰：「仁者，人也。」凡此皆取偏旁者也。〈鄉飲酒義〉曰：「秋之爲言愁也。」又曰：「冬者，中也。」《易》曰：「嗑者，合也。」〈樂記〉曰：「樂者，樂也。」《孟子》曰：「校者，教也。」揚子曰：「禮以體之。」凡此皆取音韻者也。

陳氏不僅論述析字的特點，也將析字分爲兩種，並舉例詮證。他將析字分爲「取偏旁以成句」、「取音韻以成句」兩種。「取偏旁以成句」，即現代修辭學所說的「化形析字」；「取音韻以成句」，即現代修辭學所說的「諧音析字」。

第一種「取偏旁以成句」的「化形析字」，陳騤在《文則》中，舉了《周禮》、〈中庸〉、《孟子》、《莊子》、〈檀弓〉、〈祭統〉、〈表記〉等七個例子，茲逐一加以闡析。陳望道《修辭學發凡》將化形析字分爲三種：一是離合，二是增損，三是借形。⑦這三種當中，「離合」是最常見，也最常用。陳騤所舉的七個例子，經過分析、比較、歸納，卻發現僅有《周禮》一例是離合字形，其他六個例子都是增損字形中的損形，但沒有借形析字的例子。所謂「離合」，是指依文字形體加以離析或合併而言。如《周禮·地官·族師》：「五人爲伍。」「五人」，合併爲「伍」字；「伍」字，析離就是「五人」，所以這例句是離合析字。離合析字的例子，在陳騤《文則》前後都有，而且很多。茲舉例加以補充說明，如范曄《後漢書·五行志》：

千里草，何青青；十日卜，不得生。

「千里草」，合併爲「董」字；「十日卜」，合併爲「卓」字，所以這例子是「離合析字」。此言董卓活不了。這是那時民間流行的一首童謠。又如陳壽《三國志·魏延傳》：

延夢頭上生角，以問占夢趙直，直詐延曰：「夫麒麟有角而不用；此不戰而賊欲自破之象也。」退而告人曰：「角之爲字，刀下用也。頭上有刀，其凶甚矣。」

「角」字，在文字學上屬於獨體象形，是不可以拆開的，但「角」字的俗體作「甪」，因此可以拆開而成「刀用」。「甪」字，離析爲「刀用」；「刀用」，合併爲「甪」，所以是「離合析字」。又如劉義慶《世說新語·捷語》：

人餉魏武一杯酪，魏武噉少許，蓋頭上題「合」字，以示衆。衆莫能解，次至楊修，修便噉，曰：「公教人噉一口也，復何疑？」

「合」字，拆開是「人、一、口」三個字，即每人一口之意。曹操本想用「析字」來試探部下的才智，詎料被楊修猜中了。「人、一、口」，合併爲「合」字；「合」字，離析爲「人、一、口」三字，因此這例子是「離合析字」。又如唐朝李白〈永王東巡歌〉：

長風掛席勢難回，海動山傾古月摧。

「古月」，合併爲「胡」字，即指安祿山、史思明叛軍。李白用「析字」寫詩，不止是爲了含蓄，同時又增加風趣。「胡」字，是由「古月」二字合併而成的，所以這例句是「離合析字」。又如宋朝蘇軾《夜燒松明火》：

坐看十八公，俯仰灰燼殘。

「十八公」，合併爲「松」字，作者這樣寫，也是爲了含蓄，又增加風趣。宋朝劉一止寫了一首析字詩，被認爲是「上乘之作」，茲迻錄如下：

日月明朝昏，山風嵐自起，石皮破仍堅，古木枯不死。可人何當來，意若重千里，永言詠黃鶴，志士心未已。⑧

「日月」，合併爲「明」字；「山風」，合併爲「嵐」字；「石皮」，合併爲「破」字；「古木」，合併爲「枯」字；「可人」，合併爲「何」字；「重」字，析離爲「千里」；「永言」，合併爲「詠」字；「志」字，析離爲「士心」。因此，這例子是「離合析字」。又如元朝施耐庵《水滸傳·第三十九回》：

黃文炳道：「『耗國因家木』，耗散國家錢糧的人，必定是『家』頭著個木字，明明是個『宋』字。第二句『刀兵點水工』，興起刀兵之人，水邊著個『工』字，明是個『江』字。這個人姓宋名江。」

此言「宋」字，是由「山」、「木」合併而成；「江」字，是由「工」、「水」合併而成；所以這例子是「離合析字」。又如明朝吳承恩《西遊記》：

處世須存心上刃，修身切記寸邊而。

「心上刃」，合併爲「忍」字；「寸邊而」，合併爲「耐」字。其實，是「刃心」合併爲「忍」字，「而寸」合併爲「耐」字，這是告訴我們修身處世必須做到「忍耐」二字。這例子也是「離合析字」。又如清朝吳敬梓《儒林外史·第三十三回》：

張俊民道：「鬍子老官，這事憑你作法便了。做成了，少不得言身寸。」王鬍子道：「我那個要你謝……」

「言身寸」，合併爲「謝」字，這是「離合析字」。但「謝」字，由「言身寸」，可以再衍義爲「請問三圍」。這是從化形析字、衍義析字組合而成，也是黃師慶萱的創見，他另立一類，叫做「綜合析字」。

⑨又如曹雪芹《紅樓夢·第五回》：

凡鳥偏從末世來，都知愛慕此生才，一從二令三人木，哭向金陵事更哀。

「凡鳥」，合併爲「鳳」字，指王熙鳳。「二令」，合併爲「冷」字；「人木」，合併爲「休」字。這是暗示賈璉對王熙鳳的態度，由聽從到冷淡，最後休棄。這例子也是「離合析字」。又如周作人〈談酒〉：

我既是酒鄉的一個土著，又這樣的喜歡談酒，好像一定是個與「三酉」結不解的酒徒了。

「三酉」，合併爲「酒」字，這也是「離合析字」。還有很多謎語，多半是「離合析字」，如

加水可養魚蝦，加土可種桑麻，加人不是你我，加馬跑遍天下。

謎底是「也」字，加「水」成爲「池」字，加「土」成爲「地」字，加「人」成爲「他」字，加

「馬」成爲「馳」字。這是「水也」，合併爲「池」字；「土也」，合併爲「地」字；「馬也」，合併爲「馳」字，也是「離合析字」。平常介紹姓氏，也常用「離合析字」，如「弓長」張，「木子」李或「十八子」李，「言午」許，「三」横、「｜」豎「王」。

所謂「增損」，是指增加或減少文字形體的某一部分而言，如《禮記·中庸》：「誠者，自誠也。」「誠」字，減少「言」字，就變爲「成」字。又如《孟子·盡心下》：「征之爲言正也。」「征」字，減去「彳」字，就變成「正」字。《莊子·齊物論》：「庸者用也。」「庸」字，減去「声」，就變成「用」字。《禮記·檀弓》：「夫祖者，且也。」「祖」字，減少「示」字，就變成「且」字。《禮記·祭義》：「銘者，自名也。」「銘」字，去掉「金」字，就成爲「名」字。《禮記·表記》：「仁者人也。」「仁」字，去掉「二」字，就變成「人」字。陳騤所舉的這六個例子，都偏向「增損析字」中的「損形」。尚有「增損析字」中的「增形」，如《北齊書·徐之才傳》：

> 徐之才聰辯強識，有兼人之敏。尤好劇談謔語，公私言聚，多相嘲戲。嘲王昕姓云：「有言則誑，近犬便狂。加頸足而爲馬，施角尾而爲羊。」

「言王」，合併爲「誑」字；「犬王」，合併爲「狂」字。「王」加「頸足」，合併爲「馬」字；「王」加「角尾」，合併爲「羊」字。這是「增形」的「增損析字」。還有「借形析字」，如朱揆《諧噱錄》：

> 有人將虞永興手寫《尚書》典錢。李尚書選曰：「經書那可典？」其人曰：「前已是〈堯典〉、〈舜典〉。」

《尙書》中的〈堯典〉、〈舜典〉，本是篇名。「典錢」的「典」，是「典當」之意。這是借「典」字的形體，來產生不同的意義，屬於「借形析字」。

第二種「取音韻以成句」的「諧音析字」，陳騤在《文則》中，舉了《禮記》、《周易》、《孟子》、《法言》等六個例子，茲加以闡論。陳望道《修辭學發凡》將諧音析字也分爲三種：一是借音，二是切腳，三是雙反。這三種之中，以「借音」爲最普通、最常用、最常見。陳騤所舉的六個例子，都是屬於「借音析字」。所謂借音，是指單純諧音而言。如《禮記·鄉飲酒義》：「秋之爲言愁也。」「秋」字，於段玉裁「古十七部諧聲表」中之第三部⑩；「愁」字，也是，段氏第三部，因此「秋」、「愁」是諧音，屬於「借音析字」。又如《禮記·鄉飲酒義》：「冬者，中也。」「冬」、「中」二字都是段氏第九部；同是九部，所以「冬」、「中」是諧音，也是屬於「借音析字」。《周易·序卦傳》：「嗑者，合也。」「嗑」字，是段氏第八部；「合」字，是段氏第七部，韻部相近，因此「嗑」、「合」也是諧音，屬於「借音析字」。《孟子·滕文公上》：「校者，教也。」「校」、「教」二字，都是段氏第二部；聲韻俱同，因此「校」、「教」是諧音，屬於「借音析字」。《法言·問道》：「禮以體之。」「禮」「體」二字，都是段氏第十五部；韻部相同，所以「禮」、「體」是諧音，屬於「借音析字」。此外，「借音析字」還有很多，如吳兢《唐闕史·下卷》：

> 咸通中，優人李可及者，滑稽諧戲，獨出輩流。雖不能託諷匡正，然智巧敏捷，亦不可多得。嘗因延慶節緇黃講論畢，次及倡優爲戲。可及乃儒服險巾，褒衣博帶，攝齊以升講座。自稱

「三教論衡」。其偶坐者問曰：「既言博通三教，釋迦如來是何人？」對曰：「是婦人。」問者驚曰：「何謂也？」對曰：「《金剛經》云：『敷坐而坐。』若非婦人，何煩夫坐，然後兒坐也！」上爲之啓齒。又問曰：「太上老君何人也？」對曰：「亦婦人也。」問者益所不喻。乃曰：「《道德經》云：『吾有大患，以吾有身。及吾無身，吾復何患？』倘非婦人，何患乎有娠乎？」上大悅。又問：「文宣王何人也？」對曰：「婦人也。」問者曰：「何以知之？」對曰：「《論語》云：『沽之哉！沽之哉！吾待賈者也。』倘非婦人，待嫁奚爲？」上意極歡，寵錫甚厚。翌日，授環衛之員外職。

借「敷坐而坐」之音作「夫坐兒坐」，借「有身」之音作「有娠」，借「待賈」之音作「待嫁」。又「敷」字，芳無切，段氏第五部；「夫」字，甫無切，段氏第五部；同是第五部，因此「敷」、「夫」是諧音，屬於「借音析字」。「而」字，如之切，段氏第一部；「兒」字，汝移切，段氏第十六部；「如」、「汝」都是「日紐」，所以「而」、「兒」雖然韻部不同，但聲紐相同，還是屬於「借音析字」。「身」字，失人切，段氏第十二部；「娠」字，失人切，段氏第十三部；「身」、「娠」是聲同韻部相近，但同是《廣韻》中的「眞」韻，這也是屬於「借音析字」。「賈」字公戶切，段氏第五部；「嫁」字，古訝切，段氏第五部；「公」、「古」都是「見」紐，因此「賈」、「嫁」是聲韻皆同，屬於「借音析字」。又如唐朝劉禹錫〈陋室銘〉：

談笑有鴻儒，往來無白丁。

「鴻」字借音作「紅」字，「紅」、「白」相對，不止顏色對，平仄也協調，詞性也相對。「鴻」字，戶工切，段氏第九部；「紅」字，戶公切，段氏第九部，所以「鴻」、「紅」是聲韻皆同，屬於「借音析字」。又如吳敬梓《儒林外史·第二十七回》：

> 南京的風俗，但凡新媳婦進門，三天就要到廚下收拾一樣菜發個利市。這菜一定是魚，取「富貴有餘」的意思。

借「魚」之音作「餘」。「魚」字，語居切，段氏第五部；「餘」字，以諸切，段氏第五部；同是第五部，所以「魚」、「餘」是諧音，屬於「借音析字」。中國傳統家庭常用諧音，象徵吉祥，如畫蝙蝠、畫貓蝶、畫鹿，「蝠」與「福」、「貓蝶」與「耄耋」、「鹿」與「祿」都是諧音，含有吉祥之意。這些例子都是「借音析字」。還有切腳析字，所謂切腳，是指用兩個反切的字，合併在一起，產生另外一個形、音、義的字。如李汝珍《鏡花緣·第十九回》：

> 多九公道：「林兄且慢取笑，我把來路說說。當時談論切音，那紫衣女子因我們不知反切，向紅衣女子輕輕笑道：『若以本題而論，豈非「吳郡大老，倚閭滿盈」麼？』那紅衣女子聽了，也笑一笑，這就是當時說話光景。」林之洋道：「這話既是談論反切起的，據俺看來，他這本題兩字自然就是甚麼；你們只管向這反切書上找去，包你找得出。」多九公猛然醒悟道：「唐兄，我們被這女子罵了。按反切而論：『吳郡』是個『問』字，『大老』是個『道』字，『倚閭』是個『於』字，『滿盈』是個『盲』字。他因請教反切，我們都回不知，所以他說：『豈

非問道於盲麼?」」

本來「問」字,是「吳郡切」;「道」字,是「大老切」;「於」字,是「倚閭切」;「盲」字,是「滿盈切」。原來是想表達「問道於盲」,這裏故意運用切語來表達,所以才講成「吳郡大老,倚閭滿盈」,這就是「切腳析字」,也叫「合音析字」。像「不可」合音成「叵」,「何不」合音成「盍」,「奈何」合音成「那」,「之於」合音成「諸」,「而已」合音成「耳」,「之焉」合音成「旃」,在古籍中也是常見,這些例子都是「合音析字」,又叫「切腳析字」。⑪此外,尚有「雙反析字」,所謂雙反,是指順倒雙重反切。如唐朝李延壽《南史·鬱林王紀》:

先是,文惠太子立樓館於鍾山下,號曰東田。東田,反語為顛童也。武帝又於青溪立宮,號曰舊宮,反之窮廐也。至是,鬱林果以輕狷而至於窮。

「東田」二字的順反,「東田」是「顛」;倒反,「田東」是「童」;「東田」的雙反,是「顛童」。「舊宮」二字的順反,「舊宮」是「窮」;倒反,「宮舊」是「廄」;「舊宮」的雙反,是「窮廄」。因此,這例子是「雙反析字」。

陳騤《文則》所詮證的析字,只有化形析字、諧音析字兩種,另外還有衍義析字、綜合析字兩種⑫。陳氏雖照隅隙,鮮觀衢路,但仍有首創之功,功不可沒。

二、《文則》前後各家論析字的分類

在陳騤《文則》前後論及「析字」者，最早的是梁朝劉勰《文心雕龍·明詩》：「離合之發，則萌於圖讖。」他雖然僅闡述「離合」起源於圖讖，但也是最早發現「析字」辭格的第一個人，而且「離合」成爲現代修辭學「析字」中的一小類，又是最常見、最常用、最普遍的一類。其次是淸朝顧炎武《日知錄·卷二七》：

或曰：「『析字』之體，只當著之讖文，豈可以入詩乎？『藁砧今何在？山上復有山。』古詩固有之矣。⑬

顏氏是最早運用「析字」一詞，他認爲「析字」是讖文早已有之，但懷疑是否可以運用在詩文中？迨及民國，研究修辭學，人才輩出，著作頗豐，如雨後春筍。茲將民國以來，各家論析字的分類，加以歸納，分爲下列數類：

㈠**不分類**：僅舉例詮證析字意義，並沒有加以分類者，有張嚴《修辭論說與方法》⑭、王希杰《漢語修辭學》。⑮

㈡**一分法**：僅論及化形析字者，有季紹德《古漢語修辭》、張靜，鄭遠漢主編《修辭學教程》，並舉例闡述析字的意義。⑯

㈢**二分法**：將析字分爲兩種者，有譚正璧《修辭新例》分爲分體的析字法、合形的析字法兩種。

⑰唐松波、黃建霖主編《漢語修辭格大辭典》分爲離合析字、減損字形兩種。⑱

(四)三分法：將析字分爲三種者甚多，但分法有同有異。分爲化形、諧音、衍義三大類者，有陳望道《修辭學發凡》、董季棠《修辭析論》、黃民裕《辭格匯編》、王德春《修辭學詞典》、浙江省修辭研究會編《修辭方式例解詞典》、成偉鈞、唐仲揚、向宏業《修辭通鑒》、胡性初《實用修辭》⑲。三大類又各分爲三小類者，僅陳望道、董季棠二人。化形析字又分作離合、增損、借形三種。諧音析字又分作借音、切腳、雙反三種。衍義析字也分作代換、牽附、演化三種。⑳宋振華、吳士文、張國慶、王興林《現代漢語修辭學》將析字分爲離合字形、增減字形、借用字形三類。㉑

(五)四分法：將析字分爲四種者，僅黃師慶萱《修辭學》。他將析字分爲化形析字、諧音析字、衍義析字、綜合析字四種。化形析字又分爲離合、借形兩類。諧音析字又分爲借音、合音兩類。衍義析字又分爲演化、牽附兩類。㉒

茲鎔各家精華及芻見於一爐，認爲理想的析字分類，除了採用陳望道、董季棠二氏的三大類、三小類之外，又增加黃師慶萱的「綜合析字」一大類，以及「綜合析字」可以再分爲綜合諧音衍義、綜合諧音化形、綜合化形衍義三小類㉓，合成四大類各分三小類。

陳騤《文則》將析字分爲兩種，《文則》前後各家論析字的分類，見仁見智，各有特點。爲了簡明方便起見，以作者時代、著作出版時間先後爲經，以各家分類或說明爲緯，茲繪「陳騤與各家論析字分類一覽表」於後：

陳騤與各家論析字分類一覽表

書名或篇名	時代	作者	辭格名稱	分類或說明	備註（民國以後註明書籍出版年月，以先後爲序。）
《文心雕龍·明詩》	梁朝	劉勰	離合	「離合之發，則萌於圖讖。」《後漢書·光武帝紀上》：「讖記曰：『劉秀發兵捕不道，卯金修德爲天子。』」「卯金」，即「卯金刀」，是「劉」的析字，此暗示劉季該做天子了。	
《文則·乙三》	宋朝	陳騤	析字	「字有偏旁，故文有取偏旁以成句；字有音韻，故文有取音韻以成句；皆所以明其義也。」所謂「取偏旁以成句」，就是「化形析字」；所謂「取音韻以成句」，就是「諧音析字」。	
《日知錄·卷二八》	清朝	顧炎武	析字	「或曰：『析字之體，止當著之讖文，豈可以入詩乎？』『藁砧今何在？山上復有山。』古詩固有之矣。」	
《修辭學發凡》	民國	陳望道	析字	析字修辭的基本方法，共有三類：化形、諧音、衍義。化形析字又分作三式：離合、增損、借形。諧音析字也分作三式：借音、切腳、雙反。衍義析字也可分作三式：代換、牽附、演化。	二十一年四月

《修辭新例》	民國	譚正璧	析字	析字分爲分體的析字法、合形的析字法兩種。	四十三年三月
《修辭學》	民國	黃師慶萱	析字	析字分爲四種：化形析字、諧音析字、衍義析字、綜合析字。化形析字又分爲離合、借形兩類。諧音析字又分爲借音、合音兩類。衍義析字又分爲演化、牽附兩類。	六十四年一月
《修辭論說與方法》	民國	張嚴	析合法	所謂析合法，是利用文字之復合體，加以分合、增損或牽引，或附會，以成他種意義。沒有分類。	六十四年十月
《修辭析論》	民國	董季棠	析字	析字分爲化形析字、諧音析字、衍義析字三種。化形析字又分爲離合、增損、借形三種。諧音析字又分爲借音、切腳、雙反三種。衍義析字又分爲代換、牽附、演化三種。	七十年十月
《漢語修辭學》	民國	王希杰	析字	析字，就是分解字形并重新組合。常見於民謠、謎語，詩詞中有時也應用。	七十二年十二月
《辭格匯編》	民國	黃民裕	析字	析字可分爲三種類式：化形、諧音、衍義。	七十三年四月
《現代漢語修辭學》	民國	宋振華、吳士文、張國慶、王興林	析字	析字分爲三類：離合字形、增減字形、借用字形。	七十三年九月
《古漢語修辭》	民國	季紹德	析字	析字的方式很多，這裏只介紹一種，即拆開字形來表示某一意思的修辭方式。季氏僅論及「化形析字」。	七十五年五月

《修辭學詞典》	民國	王德春主編	析字	析字基本方法有化形、諧音和衍義三類。	七十六年五月
《修辭學教程》	民國	張靜、鄭遠漢主編	析字	「析字」是利用漢字字形的特點，一般是把合體字（如江、休）分開來，或離或合，以曲折地表達思想的一種修辭方法。此書僅言及「化形析字」。	七十八年十二月
《漢語修辭格大辭典》	民國	唐松波、黃建霖主編	析字	析字可分爲兩類：離合字形、減損字形。	七十八年十二月
《修辭方式例解詞典》	民國	浙江省修辭研究會編著	析字	根據形式，析字可以分爲三類：一、化形析字；二、諧音析字；三、衍義析字。	七十九年九月
《修辭學綱要》	民國	劉煥輝	析字	析字格分爲化形、諧音、衍義三種方式。由於諧音已獨立一格，爲避免交叉、重複，我們抓住漢字的字形結構及其表意特點，分析字、離合、增損、衍義等法。	八十年二月
《修辭通鑒》	民國	成偉鈞、唐仲揚、向宏業主編	析字	析字分爲化形析字、諧音析字和衍義析字三類。化形析字，其中最常見的是離合析字。	八十年六月
《實用修辭》	民國	胡性初	析字（析字）	析字格一般較常見的有以下三種：化形析字、諧音析字、衍義析字。	八十一年十一月
	民國	蔡宗陽	析字	析字分爲化形析字、諧音析字、衍義析字、綜合析字四種。化形析字	

				又分為離合、增損、借形三類。諧音析字又分為借音、切腳、雙反三類。衍義析字又分為代換、牽附、演化三類。綜合析字又分為綜合諧音衍義的析字、綜合諧音化形的析字、綜合化形衍義的析字三類。	

【附　註】

①採用「析字」一詞者，有陳望道《修辭學發凡》（詳見該書頁一四五至一五九，上海教育出版社，六十九年九月新一版。）譚正璧《修辭新例》（詳見該書頁一二〇至一二四，棠棣出版社印行，民國四十二年三月初版。）黃師慶萱《修辭學》（詳見該書頁一五九至一七五，三民書局印行，民國六十四年一月初版。）董季棠《修辭析論》（詳見該書頁二四三至二五七，益智書局印行，民國七十年十月初版。）黃民裕《辭格匯編》（詳見該書頁一二二至一二五，湖南人民出版社印行，民國七十三年四月初版。）季紹德《古漢語修辭》（詳見該書頁四一一至四一五，吉林文史出版社，七十五年五月初版。）宋振華、吳士文、張國慶、王興林主編《現代漢語修辭學》（詳見該書頁一六六至一六八，吉林人民出版社印行，民國七十三年九月初版。）王德春主編《修辭學詞典》（詳見該書頁一六〇，浙江教育出版社，民國七十六年五月初版。）張靜、鄭遠漢《修辭學教程》（詳見該書頁三〇〇至三〇二，河南教育出版社、香港文化教育出版社印行，民國七十八年十二月初版。）唐松波、黃建霖主編《漢語修辭格大辭典》（詳見該書頁四四〇至四四七，中國國際廣播出版社印行，民國七十八年十二月初版。）浙江省修辭研究會編《修辭方

式例解詞典》（詳見該書頁二五一至二五四，浙江教育出版社印行，民國七十九年九月初版。）劉煥輝《修辭學綱要》（詳見該書頁三四四至三四六，百花洲文藝出版社印行，民國八十年二月初版。）成偉鈞、唐仲揚、向宏業主編《修辭通鑒》（詳見該書頁五五〇至五五二，中國青年出版社印行，民國八十年六月初版。）胡性初《實用修辭》（詳見該書頁八二至八八，華南理工大學出版社印行，民國八十一年十一月初版。）

②採用「析字」一詞者，有王希杰《漢語修辭學》（詳見該書頁二四七至二五一，北京出版社印行，民國七十二年十二月初版。）胡性初《實用修辭》也談到「析字」一詞，詳見同①胡書。

③「離合」一詞，見於劉勰《文心雕龍·明詩》：「離合之發，萌於圖讖。」范曄《後漢書·光武帝紀上》：「讖記曰：『劉秀發兵捕不道，卯金修德爲天子。』」「卯金」，即「卯金刀」，是「劉」的析字，此暗示劉秀該做天子了。

④採用「析合法」一詞者，係張嚴《修辭論說與方法》（詳見該書頁一二七至一三〇，臺灣商務印書館印行，民國六十四年十月初版。）

⑤採用「析詞」一語者，有黃民裕《辭格匯編》（詳見同①黃氏書頁一三八至一四〇。）黃氏說：「析詞，又叫拆詞。」王德春《修辭學詞典》：「析詞，辭格之一，相當於『拆詞』。」（詳見同①王氏書，頁一六〇。）浙江省修辭研究會《修辭方式例解詞》：「根據方法，析詞可以分爲兩類：一、隔離析詞；二、拈用析詞。」（詳見同①該書頁二四七至二四九。）劉煥輝《修辭學綱要》（詳見同①劉氏書，頁三六一至三六二。）成偉鈞、唐仲揚、向宏業主編《修辭通鑒》：「析詞又稱『拆詞』。……析詞分爲合成詞的拆用和成語的拆用兩種。」（詳見同①成、唐、向三氏書，頁五五二至五五三。）張春榮《修辭散步》：「析詞之運用，大抵可分三類：一、用以造句，一新耳目。二、辨析異同，鎖定意義。三、變化行文，強調音節。」（詳見該書頁六五至八〇，東大圖書公司印行，民國八十年九

月初版。）採用「拆詞」一語者，有王希杰《漢語修辭學》（詳見同②王氏書。）張靜、鄭遠漢《修辭學教程》：「拆詞有三種形式：隔離法、顛倒法、拈用法。」（詳見同①張、鄭二氏書，頁三〇二至三〇五。）

⑥見鄭子瑜《中國修辭學史》，文史哲出版社印行，民國七十九年二月初版，頁二三四。

⑦參閱同①陳氏書。

⑧見同①，張靜、鄭遠漢主編《修辭學教程》，頁三〇一引。

⑨參閱同①，黃師慶萱《修辭學》，頁一七四。

⑩以上簡稱段氏第幾部。

⑪參閱同①，黃師慶萱《修辭學》，頁一六六。

⑫衍義析字又分爲代換、牽附、演化三小類，詳見同①陳氏書，頁一五四至一五八。綜合析字，詳見同⑨。

⑬見黃汝成《日知錄集釋》，世界書局印行，民國六十一年十二月四版，下冊頁六四六。

⑭詳見同④。

⑮詳見同②。

⑯詳見同①。

⑰詳見同①。

⑱詳見同①。

⑲詳見同①。

⑳詳見同①。

㉑詳見同①。

㉒詳見同①，黃氏書。

㉓綜合析字可以再分爲綜合諧音衍義、綜合諧音化形、綜合化形衍義三小類，這是筆者的淺見，因此舉例說明，其他各類詳見前述，不復贅及。所謂綜合諧音衍義的析字，是指先借音，再衍義的析字。如「妙不可言」的「言」，借音作「鹽」，「鹽」再牽附衍義爲「醬油」；因爲製造「醬油」需要用「鹽」。又如「豈有此理」的「理」，借音作「裡」，「裡」再牽附衍義爲「外」；因爲「裡」、「外」是相對的。又如「莫名其妙」的「妙」，借音作「廟」，「廟」再牽附衍義爲「土地堂」；因爲祭祀土地公的「廟」叫做「土地堂」。所謂綜合諧音化形的析字，是指先借音，再化形的析字。如「假」字，借音作「賈」，再化形作「西貝」，這是綜合諧音化形的析字。所謂綜合化形衍義的析字，是指先化形，再衍義的析字。如「謝」字，先化形作「言、身、寸」，再衍義作「請問三圍」；因爲當有人「請問」你的「三圍」，你必須「說」明自己「身」體上胸、腰、臀三部分的尺「寸」。其實，綜合析字三小類可以簡化名稱爲：合音義、合音形、合形義。

第六節　答問

陳騤《文則》所謂的「答問」，約類似現代修辭學「設問」中的「提問」，但稍有不同。臺灣修辭學專家學者多半將「設問」分爲「提問」、「激問」、「疑問」三種①，或分爲「提問」、「激問」、「懸問」三種②，或僅分爲「提問」、「激問」兩種③。但大陸修辭學專家學者卻大部分把「提問」當作

「設問」，「激問」當作「反問」，又叫「反詰」、「詰問」，各立一個辭格，成爲「設問」、「反問」兩種辭格。④尤其是民國七十年以後，大陸出版修辭學書，多半是將「設問」、「反問」，各立一個辭格；而臺灣修辭學專家學者不論分爲兩類或三類，皆合併爲「設問」一個辭格，不另立辭格。

陳騤所謂的「答問」，雖然也是一問一答，類似「設問」中的「提問」，但「提問」是「自問自答」的「設問」，與「答問」係回答別人的問題，略有不同。又陳氏所謂的「答問」，是有其特點，與一般的「答問」，僅是普通的回答，亦有差別。因此，本節擬討論陳氏的「答問」，與《文則》之後，現代修辭學所說的「設問」、「反問」，有何迥異？茲先分爲陳騤《文則》論「答問」、《文則》之後，各家論「設問」、「反問」兩項，加以闡析，再比較其異同，並提出理想的辭格名稱與分類。

一、陳騤《文則》論「答問」

陳騤《文則》先闡述「答問」的特點，再舉例詮證，他在《文則·丁七》中說：

> 載言之文，又有答問，若止及一事，文固不難，至於數端，文實未易，所問不言問，所對不言對，言雖簡略，意實周贍，讀之續如貫珠，應如答響。

陳氏認爲「答問」的特點有三項：一是表達的形式，雖然也是一問一答，但必須做到「所問不言問，所對不言對」。二是「答問」的形式，雖然是「簡略」，但意義卻必須十分「周贍」。三是讀起文章來，必須做到「續如貫珠，應如答響」，合乎聲律上的效果。

陳騤在《文則·丁七》中，又舉《左傳》、《禮記》的文章，闡論「答問」的體例，他說：

若《左氏傳》載楚望晉軍問伯犂，蓋得此也。至於問，則屢稱「何也」，答則屢稱「對曰」，其文與意，有異《左氏》，若〈樂記〉載賓牟賈與孔子言樂，皆拘此也。二文具載，則可考矣。

王曰：「騁而左右，何也？」曰：「召軍吏也。」「皆聚於中軍矣。」曰：「合謀也。」「張幕矣。」曰：「虔卜於先君也。」「撤幕矣。」曰：「將發命也。」「甚囂，且塵上矣。」曰：「將塞井夷竈而爲行也。」「皆乘矣，左右執兵而下矣。」曰：「聽誓也。」「戰乎？」曰：「未可知也。」「乘而左右皆下矣。」曰：「戰禱也。」

曰：「夫武之備戒之已久，何也？」對曰：「病不得其衆也。」「咏歎之，淫液之，何也？」對曰：「恐不逮事也。」「發揚蹈厲之已蚤，何也？」對曰：「及時事也。」「武坐致右憲左，何也？」對曰：「非武坐也。」「聲淫及商，何也？」對曰：「非武音也。」子曰：「若非武音，則何音也？」對曰：「有司失其傳也。」（觀孟子與陳相答問許子之事曰：「許子必種粟而後食乎？」曰：「然。」「許子必織布而後衣乎？」曰：「否。」「許子衣褐，許子冠乎？」曰：「冠。」曰：「奚冠？」曰：「冠素。」曰：「自織之與？」曰：「否，以粟易之。」曰：「害於耕。」曰：「許子以釜甑爨，以鐵耘乎？」曰：「然。」「自爲之與？」曰：「否，以粟易之。」此文但存「曰許子」，以下「許子」字皆可除，信乎答問之文爲難也。）

陳氏舉《左傳·成公十六年》與《禮記·樂記》兩篇文章，加以比較。《左傳·成公十六年》記載晉、楚在鄢陵交戰，楚王親自臨陣觀察敵營，並向伯犁詢問晉軍的情況。在首句僅用「王曰」二字，以下「王」字省略，僅言「曰」，亦不言「王問曰」，這就是陳騤所謂的「所問不言問」。又描述伯犁回答時，不言「對曰」，僅用一個「曰」字，言簡意賅，這也是陳騤所說的「所對不言對」。

《禮記·樂記》記載孔子與賓牟賈討論音樂的對話。在這篇文章中，僅末句用「子曰」二字，前者皆省略，亦不用「孔子問曰」，眞正做到陳騤所說的「所問不言問」。但賓牟賈的回答，卻連用六次「對曰」，若刪掉六個「對」字，就可以做到陳騤所謂的「所對不言對」。

茲比較《左傳》、《禮記》兩篇文章，可以發現《左傳》比《禮記》簡潔有力，《左傳》的文章，就是陳騤心目中的「答問」，也是理想的「答問」修辭技巧；而《禮記》卻是一般所指述的「答問」，比一般所謂的「答問」稍佳。因此，陳騤在《文則》自注中，又提出《孟子·滕文公上》的文章，再進一步加以闡析，說明若「但存『曰許子』，以下『許子』字皆可除」，這篇文章就完全符合「所問不言問，所對不言對」的要求。此外，《左傳》例中，每句用「王曰」二字，以下「王」字皆省略，這是「承上省略」。而《禮記》例中，末句用「子曰」二字，前者「子」字皆省略，則屬於「探下省略」。《左傳》運用「承上省略」，《禮記》使用「探下省略」。渾言之則同，二者皆「省略」；析言之則異，「承上」、「探下」有別；可以說是同中有異，異中有同。

古代文章運用如《左傳》的「答問」者，亦不乏其例，像《孟子·梁惠王下》：

> 莊暴見孟子曰：「暴見於王，王語暴以好樂，暴未有以對也。曰：『好樂』，何如？」

孟子曰：「王之好樂甚，則齊國其庶幾乎！」

他日，見於王曰：「王嘗語莊子以好樂，有諸？」

王變乎色，曰：「寡人非能好先王之樂也，眞好世俗之樂耳。」

曰：「王之好樂甚，則齊其庶幾乎！今之樂，由古之樂也。」

曰：「可得聞與？」

曰：「獨樂樂，與人樂樂，孰樂？」

曰：「不若與人。」

曰：「與少樂樂，與衆樂樂，孰樂？」

曰：「不若與與衆。」

此言獨自聽音樂很快樂，不如與別人共同聽音樂來得更快樂。前二句係莊暴與孟子一問一答，並未有「問」、「對」二字，合乎陳騤所謂的「所問不言問，所對不言對」。第三句以下，係孟子與齊宣王一問一答，也未有「問」、「對」二字，也是符合陳騤所說的「所問不言問，所對不言對。」第五句以下省略「孟子」、「王」，僅言「曰」字，這也是「承上省略」。又像《孟子·告子上》：

告子曰：「食色，性也。仁，內也，非外也；義，外也，非內也。」

孟子曰：「何以謂仁內義外也？」

曰：「彼長而我長之，非有長於我也；猶彼白而我白之，從其白於外也；故謂之外也。」

曰：「異。於白馬之白也，無以異於白人之白也；不識長馬之長也，無以異於長人之長與？且謂長者義乎？長之者義乎？」

曰：「吾弟則愛之，秦人之弟則不愛也，是以我爲悅者也，故謂之內。長楚人之長，亦長吾之長，是以長爲悅者也，故謂之外也。」

曰：「耆秦人之炙，無以異於耆吾炙，夫物則亦有然者也。然則耆炙亦有外與？」

此言事雖在外，行其事者皆發於中，闡明仁義由內的道理。第二句「孟子曰」以下，係孟子與告子一問一答，並未「言問」、「言對」，也是合乎陳騤的「答問」。第三句以下省略「告子」、「孟子」，僅言「曰」字，這也是「承上省略。」

又有以假設「答問」，而「不言問」、「不言對」者，如《荀子·天論》：

「治亂，天邪？」

曰：「日月星辰瑞厤，是禹、桀之所同也；禹以治，桀以亂；治亂，非天也。」

「時邪？」

曰：「繁啓蕃長於春夏，畜積收臧於秋冬，是又禹、桀之所同也；禹以治，桀以亂；治亂，非時也。」

「地邪？」

曰：「得地則生，失地則死，是又禹、桀之所同也；禹以治，桀以亂；治亂，非地也。」

此言治亂非關天、時、地。全文一問一答，也是「所問不言問，所對不言對的「答問」，合乎陳騤《文則》所謂「答問」的體例。

又有「承上省略」、「探下省略」合用「答問」，如《戰國策·趙策》：

左師公曰：「今三世以前，至於趙之爲趙，趙主之子孫侯者，其繼有在者乎？」

曰：「無有。」

曰：「微獨趙，諸侯有在者乎？」

曰：「老婦不聞也。」

「此其近者禍及身，遠者及其子孫，豈人主之子孫，則必不善哉？位尊而無功，奉厚而無勞，而挾重器多也。今媼尊長安君之位，而封之以膏腴之地，多予以重器，而不及今令有功於國。一旦山陵崩，長安君何以自託於趙？老臣以媼爲長安君計短也，故以爲其愛不若燕后。」

太后曰：「諾！恣君之所使之！」

此言觸讋勸諫趙太后，不僅沒有遭到唾面之辱，並且在愉快的氣氛中達成目的。全文答問，並未「言問」、「言對」，卻表現一問一答的效果，眞是陳騤所說的「所問不言問，所對不言對」。首句用「左師公曰」，以下「左師公」省略，僅言「曰」字，甚至不言「曰」字，這是「承上省略」。又末句用「太后曰」，前者皆省略「太后」二字，這是「探下省略」。

又有不「言問」，而「言對」的「答問」，如《左傳·昭公十二年》：

右伊子革夕，王見之。去冠被，舍鞭，與之語。曰：「昔我先王熊繹，與呂伋、王孫牟、燮父、禽父，並事康王。四國皆有分，我獨無有。今吾使人于周，求鼎以爲分，王其與我乎？」

對曰：「與居王哉！昔我先王熊繹，避在荊山，篳路藍縷，以處草莽。跋涉山林，以事天子。唯是桃弧棘矢，以共禦王事。齊，王舅也。晉及魯衛，王母弟也。楚是以無分，而彼皆有。今周與四國，服事君王。將唯命是從，豈其愛鼎？」

王曰：「昔我皇祖伯父昆吾，舊許是宅。今鄭人貪賴其田而不我與，我若求之，其與我乎？」

對曰：「與君王哉！周不愛鼎，鄭敢愛田？」

王曰：「昔諸侯遠我而畏晉，今我大城陳蔡不羹，賦皆千乘，子與有勞焉。諸侯其畏我乎？」

對曰：「畏君王哉！是四國者，專足畏也。又加之以楚，敢不畏君王哉？」

此言子革進諫楚靈王的對話。全文並未「言問」，但皆「言對」，而且「對曰」的「對」字都沒有省略，這是只做到「所問不言問」。若將「對曰」的「對」字省略，就完全符合陳騤所說的「答問」。又如《孟子·梁惠王上》：

梁惠王曰：「寡人願安承教。」

孟子對曰：「殺人以梃與刃，有以異乎？」

曰：「無以異也。」

「以刃與政，有以異乎？」

曰：「無以異也。」

曰：「庖有肥肉，廄有肥馬；民有肌色，野有餓莩；此率獸而食人也！獸相食，且人惡之；爲民父母行政，不免於率獸而食人，惡在其爲民父母也？仲尼曰：『始作俑者，其無後乎！』爲其象人而用之也。如之何其使斯民飢而死也？」

此言王者爲政，生民爲首。以政殺人，正如同以刀殺人。全文僅第二句多用「對」字，若將此字刪掉，就合乎「所問不言問，所對不言對」。此例比《左傳·昭公十二年》的例子簡潔有力，第三句以下「梁惠王」、「孟子對」皆省略，僅剩下一個「曰」字，甚至第四句連「曰」字也省略，因此這例子也完全做到「承上省略」。

又有不「言對」，而「言問」的「答問」，如屈原《漁父》：

屈原既放，游於江潭，行吟澤畔；顏色憔悴，形容枯槁。漁父見而問之曰：「子非三閭大夫與！何故至於斯？」

屈原曰：「舉世皆濁我獨清，衆人皆醉我獨醒，是以見放。」

漁父曰：「聖人不凝滯於物，而能與世推移。世人皆濁，何不淈其泥而揚其波？衆人皆醉，何不餔其糟而歠其釃？何故深思高舉，自令放爲？」

屈原曰：「吾聞之，新沐者必彈冠，新浴者必振衣；安能以身之察察，受物之汶汶者乎？寧赴湘流，葬於江魚之腹中；安能以皓皓之白，而蒙世俗之塵埃乎？」

漁父莞爾而笑，鼓枻而去，乃歌曰：「滄浪之水清兮，可以濯吾纓；滄浪之水濁兮，可以濯吾足。」遂去，不復與言。

此言屈原被放逐後的氣憤，並透露有意自殺。全文僅用一個「問」字，若刪掉此「問」字，就完全合乎陳騤所謂「所問不言問，所對不言對」的「答問」。若未刪掉「問」字，僅做到「所對不言對」。「漁父見而問之曰」以下，兩個「屈原曰」、一個「漁父曰」，若都刪掉，就更簡潔有力；若保留，就有此累贅。又如《孟子．滕文公下》：

周霄問曰：「古之君子仕乎？」

孟子曰：「仕。傳曰：『孔子三月無君，則皇皇如也。出疆必載質。』公明儀曰：『古之人，三月無君則弔。』」

「三月無君則弔，不以急乎？」

曰：「士之失位也，猶諸侯之失國家也。禮曰：『諸侯耕助，以供粢盛；夫人蠶繅，以爲衣服。犧牲不成，粢盛不潔，衣服不備，不敢以祭。惟士無田，則亦不祭。』牲殺、器皿、衣服不備，不敢以祭，則不敢以宴，亦不足弔乎？」

「出疆必須載質，何也？」

曰：「士之仕也，猶農夫之耕也；農夫豈爲出疆舍其耒耜哉？」

曰：「晉國，亦仕國也，未嘗聞仕如此其急。仕如此其急也，君子之難仕，何也？」

曰：「丈夫生而願爲之有室，女子生而願爲之有家；父母之心，人皆有之。不待父母之命、媒妁之言，鑽穴隙相窺，踰牆相從，則父母國人皆賤之。古之人未嘗不欲仕也，又惡不由其道；不由其道而往者，與鑽穴隙之類也。」

此言君子有機會一定出來做官，目的是想發揮他的理念。這例子也是不「言對」，而「言問」的「答問」，而且僅用一個「問」字，若將此「問」字刪掉，就完全符合陳騤所謂「所問不言問，所對不言對」的「答問」。又第三句以下「周霄問曰」的「周霄問」以及「孟子曰」的「孟子」，皆省略，這是「承上省略」，文字簡明有力。

二、《文則》之後各家論「設問」、「反問」

陳騤《文則》論述「答問」，以「一問一答」方式而言，類似「設問」，而「設問」又有廣義、狹義之分。狹義的「設問」，僅指自問自答的「提問」；廣義的「設問」，則包括自問自答的「提問」和問而不答的「激問」。「激問」，又叫「反問」。廣義的「反問」，則單獨成立一類辭格，不屬於「設問」的範疇。因此，擬分廣義的「提問」與「反問」、狹義的「設問」與「反問」兩項來探究。

㈠廣義的「設問」與「反問」

所謂廣義的「設問」，是包括「反問」。廣義的「設問」，有二分法、三分法。二分法的「設問」，即將「設問」分爲「提問」和「激問」兩種，有陳望道《修辭學發凡》⑤、宋文翰《國文修辭學》⑥、倪寶元《修辭》⑦、鄭遠漢《辭格辨異》⑧、季紹德《古漢語修辭》⑨、曾師忠華《作文津梁》及沈謙《修辭學》⑩、程祥徽、田小琳《現代漢語》⑪。三分法的「設問」，有黃師慶萱《修辭學》及蔣金龍《演講修辭學》都將「設問」分爲「提問」、「激問」、「疑問」三種。⑫尚有董季棠《修辭析論》將「設問」分爲「提問」、「激問」、「懸問」三種；吳正吉將「提問」分爲「懸問」、「問答」（又叫「提問」）、「反問」（又叫「激問」）三種。所以，董、吳二氏的分類，名異實同。⑬譚正璧《修辭新例》將「設問」分爲「提問」、「激問」、「提問」兼「激問」三種。⑭程希嵐《修辭新編》將「提問」分爲「提問」、「反詰」、「提問」兼「反詰」三種。⑮「反詰」又叫「激問」，因此譚、程二氏的分類，名異實同。

㈡狹義的「設問」與「反問」

所謂狹義的「設問」，是指自問自答的「提問」，「提問」單獨成立一類，叫做「設問」，不包括「反問」。「反問」又叫「激問」、「詰問」、「反詰」，單獨成立一類，稱爲「反問」。民國七十年以後，大陸修辭學專家學者多半將「設問」、「反問」分爲兩個辭格，有些專家學者又各分爲若干小類，有些專家學者則不分類。不分類者，有華中師範學院中文系現代漢語教研組編《現代漢語修辭知識》⑯、鄭頤壽《比較修辭》、錢覺民、李延祐《修辭知識十八講》⑰、吳桂海、鮑慶林《語法修辭新編》⑱、鄭文貞《篇章修辭學》⑲、胡性初《實用修辭》⑳。至於各家論「設問」、「反問」的分類，各有千秋，如宋振華、吳士文、張國慶、王興林主編《現代漢語修辭學》將「設問」分爲一問一答、數問一答、連問連答三種，「反問」分爲單提式、對舉式兩種。㉑黎運漢、張維耿將「設問」分爲一問一答、多問一答、連問連答、問而不答四種，「反問」分爲用否定的形式表示肯定的意思、用肯定的形式表示否定的意思兩種。㉒王德春主編《修辭詞典》及唐松波、黃建霖主編《中國修辭格大辭典》都將「設問」分爲一問一答、數問一答、連問連答三種，「反問」分爲以肯定形式表示否定意思、以否定形式表示肯定意思兩種。㉓浙江省修辭研究會編著《修辭方式例解詞典》將「設問」分爲一問一答式設問、一問兩答或數答式設問、兩問或數問一答式設問、連問連答式設問四種，「反問」分爲是非型、特指型、選擇型、正反型四種。㉔劉煥輝《修辭學綱要》將「設問」分爲一問一答、二問一答、三問一答、兩個一問一答、三個一問一答五種，「反問」分爲用否定的反問形式表達肯定的意思、用肯定的形式表達否定的意思。㉕周靖《現代漢語修辭學》將「設問」分爲一問一答式、多問多答式、多問一答、連問連答式四種，「反問」分爲用否定的反問表示肯定之意、用肯定的反問表示否定之意、用肯定及否定選用方式表示肯定、否定之意、肯定反問和否定反問綜合運用四種。㉖成偉鈞、唐仲揚、向宏業主編《修辭通鑒》根據性質，將「設問」分爲啓發性設問、強調性設問、抒情性設問三種；根據問數，分爲單問和連問兩種；從設問者角度看，分爲有作者設問、讓人物設問、借他人設問三種。設問共分爲啓發式設問、強調式設問、問答式設問、無回答式設問、單一設問、反復設問、篇首設問、篇末設問、直接設問、讓人物設問、借他人設問十一種。「反問」分爲肯定式反問、否定式反問、選擇式反問、單一反問、連續反問、篇首反問、篇末反問、自我反問、對人反問九種。㉗此外，尙有王希杰將「設問」分爲自問自答式、問而不答式兩種，「反問」沒有分類。㉘黃民裕《辭格匯編》將「設問」分爲一問一答、二問一答、連續三個一問一答、二問不答、四問不答五種，「反問」沒有分類。㉙各家分類，或詳或略，各有特色。

除了「設問」、「反問」之外，還有運用其他名稱來論「設問」或「反問」者，如唐鉞《修辭格》將「詰問格」分爲說明的詰問格、申重的詰問格兩種。㉚「詰問」又叫「反問」。陳介白《修辭學講話》將「問答法」分爲造出空想的人物使之能言語、假借歷史上的人物而對問、假借現代的人物而答問、以目前的人而答問、自問而自答五種。㉛傅師隸樸《修辭學》舉例闡述「反意問語」的意義，並未分類。㉜「反意問語」，就是「反問」。徐芹庭《修辭學發微》舉例闡述「問答法」的意義，並未分類。㉝陳、徐所謂「問答法」，就是「設問」。

綜觀陳騤《文則》論「答問」以及《文則》以後各家論「設問」、「反問」，見仁見智，各有特點。筆者會通各家精華，附加淺見，以爲當作理想的辭格名稱是「設問」。至於理想的「設問」分類，可以從不同角度來分。就內容上，可以分爲提問、激問、懸問三種。㉞就問數上，可以分爲一問一答、一問多答、多問一答、多問多答、連問連答、一問不答、多問不答七種。㉟就性質上，可以分爲啓發性設問、強調性設問、抒情性設問三種。㊱就形式上，可以分爲以肯定形式表達否定之意、以否定形式表達肯定之意、迭用肯定和否定的形式表達肯定、否定之意、綜合運用肯定和否定的形式四種。㊲就類型上，可以分爲是非型、選擇型、正反型、特指型四種。㊳就對象上，可以分爲自我設問、對人設問、借他人設問三種。㊴就位置上，可以分爲篇首、篇中、篇末。㊵爲了簡明方便起見，以作者時代、著作出版時間的先後爲經，以各家分類或說明爲緯，茲繪「陳騤論『答問』與各家論「設問」、「提問」一覽表於後：

陳騤論「答問」與各家論「設問」、「提問」一覽表

書名或篇名	時代	作者	辭格名稱	類別或說明	備註（民國以後註明書刊出版年月以先後爲序。）
《文則·丁七》	宋朝	陳騤	答問	「載言之文，又有答問，若止及一事，文固不難，至於數端，文實未易，所問不言問，所對不言對，言雖簡略，意實周贍，讀之續如貫珠，應如答響。」答問法表達形式是一問一答，要「所問不言問，所對不言	

				對」，形式簡略，意義周贍，並須兼顧聲律上的效果。	
《修辭格》	民國	唐鉞	詰問格	詰問格分為兩種：說明的詰問格、中重的詰問格。	十八年十月
《修辭學講話》	民國	陳介白	問答法	問答法分為五種：造出空想的人物使之能言語、假設歷史上的人物而對問、假借現代的人物而答問、以目前的人而答問、自問而自答。	二十年八月
《修辭學發凡》	民國	陳望道	設問	設問分為兩類：提問、激問。	二十一年四月
《修辭新例》	民國	譚正璧	設問	設問法可以有三種形式，就是：一、提問；二、激問；三、提問兼激問。	四十二年三月
《修辭學》	民國	傅師隸樸	反意問語	「反意問語」，就是「詰問」，也叫「反問」，又叫「激問」。	五十八年三月
《國文修辭學》	民國	宋文翰	設問	設問也叫詰問，就作用看，可分為兩類：一為提醒下文，一為激發話中本意。前者就是「提問」，後者就是「激問」。	六十年十一月
《現代漢語修辭知識》	民國	華中師範學院中文系現代漢語教研組編	設問 反問	僅舉例說明設問的意義，並未分類。反問又叫反詰、詰問、激問。	六十二年六月
《修辭學發微》	民國	徐芹庭	問答法	先闡釋問答法的眞諦，後舉《公羊傳》、《大戴禮記》的例子加以說明，並未分類。	六十三年八月

《修辭學》	民國	黃師慶萱	設問	設問分為三種：疑問、激問、提問。	六十四年一月
《修辭》	民國	倪寶元	設問	設問，有的稱做「問語」，又分為兩類：提問、激問（又叫反問、反詰）。	六十九年六月
《演講修辭學》	民國	蔣金龍	設問	設問又稱為詰問，分為疑問、激問、提問三種。	七十年六月
《修辭析論》	民國	董季棠	設問	設問分為三種：提問、激問、懸問。	七十年十月
《辭格辨異》	民國	鄭遠漢	設問	設問有的稱做問語，分為兩類：一為提問，一為激問。	七十一年七月
《比較修辭》	民國	鄭頤壽	設問 反問	僅舉例闡述「設問」、「反問」的意義，並未分類。	七十二年十月
《漢語修辭學》	民國	王希杰	設問 反問	設問分為兩種方式：自問自答式、問而不答式。反問也叫反詰、詰問、激問。	七十二年十二月
《修辭知識十八講》	民國	錢覺民、李延祜	設問 反問	自問自答是設問，只問不答是反問。	七十三年一月
《辭格匯編》	民國	黃民裕	設問 反問	設問、反問先舉例說明其意義，再比較反問和設問的不同。設問分為一問一答、二問一答、連續三個一問一答、二問不答、四問不答。	七十三年四月
《活用修辭》	民國	吳正吉	設問	設問呈現的方式，可以區分為懸問、問答與反問三種。	七十三年六月

《修辭新編》	民國	程希嵐	設問	設問的形式有三種：提問、反詰、提問兼反詰。	七十三年七月
《現代漢語修辭學》	民國	宋振華、吳士文、張國慶、王興林	設問 反問	設問分爲三種：一問一答、數問一答、連問連答。反問分爲兩種：單提式、對舉式。	七十三年九月
《作文津梁》	民國	曾師忠華	設問	設問分爲提問和激問兩種。	七十四年八月
《古漢語修辭》	民國	季紹德	設問	從內容上分，設問可分爲提問和激問兩種。激問又分爲兩小類：甲、用否定的問話表示肯定的意思。乙、用肯定的問話表示否定的意思。	七十五年五月
《現代漢語修辭學》	民國	黎運漢、張維耿編著	設問 反問	設問分爲四種：一問一答、多問一答、連問連答、問而不答。反問的形式有兩種：一、用否定的形式，表示肯定的意思。二、用肯定的形式，表示否定的意思。	七十五年八月
《修辭學詞典》	民國	王德春主編	設問 反問	設問分爲一問一答、數問一答、連問連答三種形式。反問又名反詰、激問，反問的形式有二：一是以否定的形式，表示肯定的意思，一是以肯定的形式表示否定的意思。	七十六年五月
《語文基礎知識》	民國	湖北省天門師範語文教研組編	設問 反問	設問可用在文章的開頭、中間、結尾，甚至用作標題。	七十六年八月

				反問又叫反詰或激問，反問有兩種類型：一是否定形式的反問，表示肯定的答案。二是肯定形式的反問，表示否定的內容。	
《語法修辭新編》	民國	吳桂海、鮑慶林	設問 反問	僅舉例闡述「設問」、「反問」的意義，並未分類	七十八年七月
《現代漢語》	民國	程祥徽、田小琳	設問	設問分爲提問和激問兩種。	七十八年十一月
《中國修辭格大辭典》	民國	唐松波、黃建霖主編	設問 反問	設問分爲自問自答和只問不答兩種形式，而在自問自答中，又可分爲一問一答、數問一答和連問連答三小類。 反問又叫反詰、激問、詰問、反問、有兩種基本形式：一種以肯定形式表示否定意思，一種以否定形式表肯定意思。	七十八年十二月
《修辭方式例解詞典》	民國	浙江省修辭研究會編著	設問 反問	設問根據形式可分成四類：一、一問一答式；二、一問兩答或數答式設問；三、兩問或數問一答式設問；四、連問連答式設問。 反問分爲是非型、特指型、選擇型、正反型四種。	七十九年九月
《修辭學》	民國	沈謙	設問	設問分爲兩類：提問和激問。	八十年二月
《修辭學綱要》	民國	劉煥輝	設問 反詰	設問分爲五種：一問一答、二問一答、三問一答、兩個一問一答、三個一問一答。	八十年二月

				反詰又叫反問或激問、詰問，一般表現為用否定的反問形式表達肯定的意思，或用肯定的反問表示否定的意思。	
《現代漢語語法修辭》	民國	周靖	設問 反問	設問分為四種：一問一答式、多問多答式、多問一答式、連問連答式。反問也分為四種：一是用否定的反問，表示肯定之意。二是用肯定的反問，表示否定之意。三是用肯定和否定迭用的方式表示肯定、否定之意。四是肯定反問和否定反問綜合運用。	八十年二月
《篇章修辭學》	民國	鄭文貞	設問 反問	僅舉例闡述「設問」、「反問」的意義，並未分類。	八十年六月
《修辭通鑑》	民國	成偉鈞 唐仲揚主編 向宏業	設問 反問	根據性質，設問可分為啓發性設問、強調性設問和抒情性設問三種。根據問數，設問可分為單問和連問兩種。從設問者角度看，設問可分為有作者設問、讓人物設問和借他人設問三種。設問共分為十一種：啓發式設問、強調式設問、問答式設問、無回答式設問、單一設問、反復設問、篇首設問、篇末設問、直接設問、讓人物設問、借他人設問。反問分為肯定式反問、否定式反問、選擇式反問、單一反問、連續反問、篇首	八十年六月

				反問、篇末反問、自我反問、對人反問九種。	
《稱謂修辭學》	民國	馬鳴春	設問 反問	僅舉例闡述「設問」、「反問」的意義，並未分類。	八十一年六月
《實用修辭》	民國	胡性初	設問 反問	僅舉例闡述「設問」、「反問」的意義，並未分類。	八十一年十一月
	民國	蔡宗陽	設問	就內容上，可以分爲提問、激問、懸問三種。 就問數上，可以分爲一問一答、一問多答、多問一答、多問多答、連問連答、一問不答、多問不答七種。 就性質上，可以分爲啓發性設問、強調性設問、抒情性設問三種。 就形式上，可以分爲以肯定形式表達否定之意，以否定形式表達肯定之意、迭用肯定和否定的形式表達肯定、否定之意、綜合運用肯定和否定的形式四種。 就類型上，可以分爲是非型、選擇型、正反型、特指型四種。 就對象上，可以分爲自我設問、對人設問、借他人設問三種。 就篇首、篇中、篇末。	

【附　註】

①黃師慶萱《修辭學》將「設問」分爲「提問」、「激問」、「疑問」三種。（詳見該書頁三五至四九，三民書局印行，民國六十四年一月初版。）蔣金龍《演講修辭學》也將「設問」分爲「疑問」、「激問」、「提問」三種。（詳見該書頁一三七至一四二，黎明文化事業公司印行，民國七十年六月初版。）所謂「設問」，是指在語文中，故意採用詢問語氣，以引起對方注意的一種修辭技巧。

②董季棠《修辭析論》將「設問」分爲「提問」、「激問」、「懸問」三種。（詳見原版頁一〇三至一一三，益智書局印行，民國七十年十月初版；增訂版頁一〇七至一一七，文史哲出版社印行，民國八十一年六月初版。）吳正吉《活用修辭》將設問呈現的方式，分爲「懸問」、「問答」與「反問」三種。「問答」，又稱爲「提問」；「反問」，又叫做「激問」。（詳見該書頁四八至五一，復文圖書出版社印行，民國七十三年六月初版。）

③曾師忠華《作文津梁》將「設問」分爲「提問」和「激問」兩種。（詳見該書第一冊頁七五至七七，學人文教出版社印行，民國七十四年八月初版。）沈謙《修辭學》也將「設問」分爲「提問」和「激問」兩種。（詳見該書上冊頁三六七至三八五，國立空中大學印行，民國八十年二月初版。）凡是提醒下文而問，叫做「提問」，這是「自問自答」。凡是激發本意而問，叫做「激問」，這是「問而不答」。

④大陸修辭學專家學者將「設問」、「反問」，各單獨成立辭格者，有鄭頤壽《比較修辭》（詳見該書頁二〇七至二一〇，福建人民出版社印行，民國七十二年十月初版。）王希杰《漢語修辭學》（詳見該書二七六至二八〇，北京出版社印行，民國七十二年十二月初版。）錢覺民、李延祐《修辭知識十八講》（見該書頁一二〇至一二七，甘肅少年兒童出版社印行，民國七十三年一月初版。）黃民裕《辭格匯編》（見該書頁七三至七六，湖南人民出版社印行，民國七十三年四月初版。）宋振華、吳士文、張國慶、王興林《現代漢語修辭學》（見該書頁一三七至一四〇以及

頁一七六至一七九，吉林人民出版社印行，民國七十三年九月初版。）黎運漢、張維耿《現代漢語修辭學》（見該書頁一五二至一五九，商務印書館、香港分館印行，民國七十五年八月初版。）王德春《修辭學詞典》（見該書頁四六及頁一三一，浙江教育出版社印行，民國七十六年五月初版。）湖北省天門師範語文教研組編《語文基礎知識》（見該書頁二四五至二四八，華中工學院出版社印行，民國七十六年八月初版。）吳桂海、鮑慶林主編《語法修辭新編》（見該書頁二六六至二六八，中共中央黨校出版社印行，民國七十八年七月二版。）唐松波、黃建霖主編《中國修辭格大辭典》（見該書頁三九二至四〇二，中國國際廣播出版社印行，民國七十八年十二月初版。）浙江省修辭研究會編著《修辭方式例解詞典》（見該書頁二〇七至二一〇以及頁七三，浙江教育出版社印行，民國七十九年九月初版。）劉煥輝《修辭學綱要》（見該書頁三九一至三九二以及二九三至二九四，百花洲文藝出版社印行，民國八十年二月初版。）周靖《現代漢語語法修辭》（見該書頁三二三至三二八，中國經濟出版社印行，民國八十年二月初版。）成偉鈞、唐仲揚、向宏業主編《修辭通鑒》（見該書頁五二二至五二八以及頁六四一至六四六，中國青年出版社印行，民國八十年六月初版。）鄭文貞《篇章修辭學》（見該書頁三三八至三四四，廈門大學出版社印行，民國八十年六月初版。）馬鳴春《稱謂修辭學》（見該書頁四三〇，陝西人民出版社印行，民國八十一年六月初版。）胡性初《實用修辭》（見該書頁二七一至二七三，華南理工大學出版社印行，民國八十一年十一月初版。）

⑤見陳望道《修辭學發凡》，上海教育出版社印行，民國六十八年九月新一版，頁一四〇至一四三；原版係上海開明書店印行，民國二十年八月初版。

⑥見宋文翰《國文修辭學》，新陸書局印行，民國六十年十一月初版，頁二一至二二。

⑦見倪寶元《修辭》，浙江人民出版社印行，民國六十九年六月初版，頁一八五至一九二。
⑧見鄭遠漢《辭格辨異》，湖北人民出版社印行，民國七十一年七月初版，頁七四至八三。
⑨見季紹德《古漢語修辭》，吉林文史出版社印行，民國七十五年五月初版，頁三七五至三八六。
⑩見同③。
⑪見程祥徽、田小琳《現代漢語》，香港三聯書店印行，民國七十八年十一月初版，頁三九三至三九五。
⑫見同①。
⑬見同②。
⑭見譚正璧《修辭新例》，棠棣出版社印行，民國四十二年三月初版，頁一一二至一一七。
⑮見程希嵐《修辭學新編》，吉林人民出版社印行，民國七十三年九月初版，頁二九四至三〇〇。
⑯見華中師範學院中文系現代漢語教研組編《現代漢語修辭知識》，湖北人民出版社印行，民國六十一年六月初版，頁八五至九五。
⑰見同④。
⑱見同④。
⑲見同④。
⑳見同④。
㉑見同④。
㉒見同④。

㉓見同④。

㉔見同④。

㉕見同④。

㉖見同④。

㉗見同④。

㉘見同④。

㉙見同④。

㉚見唐鉞《修辭格》，上海商務印書館印行，民國十八年十月初版，頁六一至六四。

㉛見陳介白《修辭學講話》，信誼書局印行，民國六十七年七月初版，頁一四五至一四七；原版係上海開明書店印行，民國二十年八月初版。

㉜見傅師隸樸《脩辭學》，正中書局印行，民國五十八年三臺初版，頁一一一至一一三。

㉝見徐芹庭《修辭學發微》，臺灣中華書局印行，民國六十年三月初版、六十三年八月二版，頁一〇五至一〇六。

㉞此類分法採用董季棠、吳正吉二氏之說，見同②。

㉟此類分法採用各家說，附加己見，其中「多問不答」係淺見，如《論語·學而》：「學而時習之，不亦說乎？有朋自遠方來，不亦樂乎？人不知而不慍，不亦君子乎？」又「吾日三省吾身：爲人謀而不忠乎？與朋友交，而不信乎？傳，不習乎？」此二例皆屬於「多問不答」的「設問」。

㊱此類分法採用成、唐、向三氏主編的《修辭通鑒》，見同④。

㊲此類分法採用周靖的分類，見同④。
㊳此類分法採用浙江省修辭研究會的分類，見同④。
㊴見同㊱。
㊵此類分法，除了參閱同㊱之外，其中「篇中」的「設問」是淺見，如韓愈〈原道〉：「夫所謂先王之教者，何也？博愛之謂仁，行而宜之之謂義，由是而之焉之謂道，足乎己無待於外之謂德。」又如蔣中正先生〈我們的校訓〉：「所謂『做人的道理』是什麼呢？簡單地講，就是我們的校訓——禮、義、廉、恥——四個字。」此二例在全文中，皆屬於「篇中」的「設問」。

第七節　倒語

陳騤《文則》所謂的「倒語」，約相當於現代修辭學所說的「倒裝」。所謂「倒裝」，是指在語文中，顛倒語文詞句的次序，以加強語氣，美化句法或押韻的一種修辭技巧。在《文則》前後有不同名稱，《文則》之前，唐朝孔穎達《毛詩正義》用「倒言」一詞①；《文則》之後，宋朝孫奕《履齋示兒編·卷二》用「倒文」一詞②、羅大經《鶴林玉露·卷十二》用「反言」一詞③，民國楊樹達《漢文文言修辭學》用「顛倒」一詞④，現代修辭學多半用「倒裝」一詞⑤。

陳騤《文則》先闡述「倒語」的作用、條件，再舉例論證，他在《文則·乙二》中說：

倒言而不失其言者，言之妙也；倒文而不失其文者，文之妙也。文有倒語之法，知者罕矣。

陳氏指出「倒語」的作用，在於使語文產生美妙的表達效果⑥，但其條件是必須在顛倒後，內容仍然不變，並且文句也要通暢。他將「倒語」分爲兩類，在《文則》之後各家也論「倒裝」的分類，因此本節擬分陳騤《文則》論「倒語」的分類、《文則》之後各家論「倒裝」的分類兩項，加以闡析，再比較其異同，並提出理想的辭格名稱與分類。

一、陳騤《文則》論「倒語」的分類

陳騤不止闡述「倒語」的作用和條件，也將「倒語」分爲「倒言」、「倒文」兩類，並舉例詮證，他在《文則·乙二》中說：

倒言而不失其言者，言之妙也；倒文而不失其文者，文之妙也。文有倒語之法，知者罕矣。《春秋》書曰：「吳子遏伐楚，門于巢，卒。」《公羊傳》曰：「門于巢卒者何？入門乎巢而卒也。」然夫子先言門，後言于巢者，於文雖倒，而寓意深矣。（何休曰：「吳子欲伐楚，過巢，不假塗，卒暴入巢門，門者以爲欲犯巢而射殺之，故與巢得殺之，若吳爲自死文，所以彊守禦也。」仲山甫誠歸于謝，《詩》則曰：「謝于誠歸。」隱，盜所得器，《左氏傳》則曰：「盜所隱器。」於義皆不害也。〈禹貢〉曰：「厥篚玄纖縞。」又曰：「雲土夢作乂。」用纖字不在玄上，土字不在夢下，亦一倒法也。（司馬遷作〈夏本紀〉改曰：「雲夢土作乂。」烏足與知此？）

陳氏舉《春秋經》、《公羊傳·襄公二十五年》的例子，闡析「倒語」的作用，在於加強語意，突出重點。《春秋經》記載：「吳子遏伐楚，門于巢，卒。」其中，「門于巢，卒。」順言當作「于巢門，卒」，而《春秋經》特別將「門」字提前，旨在強調堅守禦敵的行爲。因此，陳騤《文則》才說：「夫子先言門，後言于巢者，於文雖倒，而寓意深矣。」何休也說：「吳子欲伐楚，過巢，不假塗，卒暴入巢門，門者以爲欲犯巢而射殺之，故與巢得殺之，若吳爲自死文，所以彊守禦也。」這是強調語意，突顯重點的「倒文」，也是「爲強調而倒裝」⑦。

陳騤又舉仲山甫誠心要去謝邑這件事，《詩經·大雅·嵩高》說：「謝于誠歸。」順言就是「誠歸于謝。」特別將「謝」字提前，表示強調仲山甫誠心到謝邑去，這也是強調語意，突顯重點的「倒文」。陳氏再舉「隱藏盜賊的贓物」這句話，《左傳·昭公七年》卻說：「盜所隱器。」順言就是「隱，盜所得器」，特別將「盜」字提前，表示強調「盜賊」，這是強調語意，突出重點的「倒文」，也是「爲強調而倒裝」。

「爲強調而倒裝」的文章，古今皆有，如《論語·衛靈公》：「水、火，吾見蹈而死者矣。」順言就是「吾見蹈水、火而死者矣。」爲加強「水、火」二字，因此特別提前，表示加強語意，突出重點，這是「爲強調而倒裝」。又如《先進》：「孝哉，閔子騫！」順言就是「閔子騫孝哉！」特別將「孝哉」提前，是強調閔子騫的孝順，這也是「爲強調而倒裝」。如：

《孟子·離婁上》：

恭儉，豈可以聲音笑貌爲哉？

順言就是「豈可以聲音笑貌爲恭儉哉？」爲強調「恭儉」二字，所以特別提前，表示加強語意，突顯重點，這也是「爲強調而倒裝」。又如《禮記·檀弓下》：

仁親以爲寶。

順言就是「以仁親爲寶」，爲強調「仁親」二字，因此特別提前，表示強調語意，突出重點，這也是「爲強調而倒裝」。又如《莊子·齊物論》：

偃，不亦善乎，而問之也！

順言就是「偃，而（而，猶汝也。）問之也，不亦善乎！」爲強調「不亦善乎」四字，所以特別提前，表示加強語意，突顯重點，這也是「爲強調而倒裝」。又如《戰國策·齊策》：

君美甚，徐公何能及君也！

順言就是「徐公何能及君也，君美甚！」爲強調「君美甚」三個字，因此特別提前，表示強調語意，突出重點，這也是「爲強調而倒裝」。又如陶淵明〈詠荆軻〉：

君子死知己，提劍出燕京。

其中「死知己」，順言就是「知己死」，不僅與下句「出燕京」對偶，並且強調荆軻以「死」報答知己的決心，這也是爲強調「死」字，所以特別提前，表示強調語意，突顯重點。又如杜甫〈登樓詩〉：

花近高樓傷客心，萬方多難此登臨。錦江春色來天地，玉壘浮雲變古今。

其中「萬方多難此登臨」，順言就是「此登臨萬方多難」，一方面爲平仄、韻腳而倒裝，另一方面爲強調「萬方多難」四個字而倒裝，這也是表示強調語意，突出重點的「倒文」。又如鄭板橋〈寄弟墨書〉：

一捧書本，便想中舉人，中進士，作官如何攫取金錢，造大房屋，置多田產。起手便錯走了路頭，後來越走越壞，總沒有個好結果。

其中「起手便錯走了路頭」，順言就是「起手便走錯了路頭」，「錯」字提前，表示強調語意，突顯重點，這也是「爲強調而倒裝」。又如林覺民〈與妻訣別書〉：

吾至愛汝，即此愛汝一念，使吾勇於就死也。吾自遇汝以來，常願天下有情人都成眷屬；然徧地腥羶，滿街狼犬，稱心快意，幾家能夠？

其中「稱心快意，幾家能夠」，順言就是「幾家能夠稱心快意」，爲強調情意，使情意淋漓抒發，因此才特別將「稱心快意」四個字提前，這也是「爲強調而倒裝」。又如徐志摩〈我所知道的康橋〉：

朝陽是難得見的，這初春的天氣；但它來時是起早人莫大的愉快。

其中「朝陽是難得見的，這初春的天氣」，順言就是「這初春的天氣，朝陽是難得見的」。將「朝陽是難得見的」一句，特別提前，表示強調語意，突出重點，這也是「爲強調而倒裝」。又如朱自清〈說話〉：

會說話的教你眉飛色舞，不會說的教你昏頭搭腦；即使是同一個意思，甚至同一句話。

全句順言就是「即使是同一個意思，甚至同一句話，會說的教你眉飛色舞，不會說的教你昏頭搭腦」將「會說的教你眉飛色舞，不會說的教你昏頭搭腦」特別提前，表示強調說話的重要性，這是強調語意，突顯重點的「倒文」，也是「爲強調而倒裝」。

陳騤再舉《尚書‧禹貢》：「厥篚玄纖縞。」順言就是「厥篚玄纖縞」，此言筐裏放著纖細的黑繒和白繒，作爲貢物獻給國君。再舉〈禹貢〉：「雲土夢作乂。」順言就是司馬遷《史記‧夏本紀》：「雲夢土作乂。」陳騤《文則》以爲司馬遷不知「倒裝」的作用，而加以更改。陳氏舉《尚書》二例，旨在闡析「爲文章波瀾而倒裝」⑧，切忌文句呆板而毫無變化，誠如傅師隸樸《脩辭學‧倒裝》所說：「倒裝是言語倫次上下顛倒的安置法。言辭本該依事的程序排列，但有時嫌其平板爛熟，反容易使閱讀者眼滑口滑，而囫圇其深情曠旨，故善爲文者，往往在關要處，故亂其序，一方面梗澀閱讀者的眼口，喚起其注意，一方面增加文章的波瀾，正如瞿塘江水，必藉灩澦堆的阻遏，才成它的壯觀。」

「爲文章波瀾而倒裝」者，如《論語‧子罕》：

三軍可奪帥也，匹夫不可奪志也。

此言勉勵人堅守志節，不爲外力所奪。全句順言就是「三軍之帥可奪也，匹夫之志不可奪也。」倒裝之後，文句比較剛健有力，這例句是「爲文章波瀾而倒裝」。蘇東坡在〈潮州韓文公廟碑〉一文中，改作「勇奪三軍之帥」，不如原句警策。又如《墨子‧非樂上》：

武觀曰：啓乃淫溢，野於飲食。

其中「野於飲食」，順言就是「飲食於野」。倒裝之後，使得語勢強烈，文章警策，這也是「爲文章波瀾而倒裝」。又如《孟子·萬章上》：

仁人固如是乎？在他人則誅之，在弟則封之。

全句順言就是「在他人則誅之，在弟則封之，仁人固如是乎？」倒裝之後，文句更強勁有力，這也是「爲文章波瀾而倒裝」。又如《莊子·養生主》：

技經肯綮之未嘗。

順言就是「未嘗技經肯綮」，倒裝之後，語勢更強烈，文章更警策，這也是「爲文章波瀾而倒裝」。又如《戰國策·趙策》：

辛垣衍怏然不悅曰：「嘻！亦太甚矣，先生之言也！」

其中「亦太甚矣，先生之言也！」順言就是「先生之言也，亦太甚矣！」倒裝之後，語氣更剛健有力，這也是「爲文章波瀾而倒裝」。又如《禮記·檀弓上》：

蓋殯也，問於郰曼父之母。

順言就是「問於郰曼父之母，蓋殯也。」倒裝之後，語勢更強烈，文章亦警策，這也是「爲文章波瀾而倒裝」。又如司馬遷《史記·報任少卿書》：

彼觀其意，且欲得其當而報漢。

其中「彼觀其意」，順言就是「觀彼其意」，倒裝之後，顯得文句警策，剛健有力，這也是「爲文章波瀾而倒裝」。又如《漢書‧賈誼傳》：

主上遇其大臣如犬馬，彼得犬馬自爲也。如遇官徒，彼將官徒自爲也。

其中「犬馬自爲」，順言就是「自爲犬馬」；「官徒自爲」，順言就是「自爲官徒」。倒裝之後，語勢更強烈，文章亦警策，這也是「爲文章波瀾而倒裝」。此外，倒裝詩詞中文句的次第，或文字的順序，也可以使語勢增強，筆力遒勁，甚至更有情趣。正如黃永武《中國詩學‧設計篇‧談詩的強度》所說：「倒裝詩中文句的次第，或倒裝詩句中文字的次第，往往能增強語勢，構成豪邁的筆力。像高巖上逆生的奇松，像急灘中回折的波瀾，足以成其壯觀，強化聲勢。」倒裝詩詞中文句或文字的次第者，如王維〈觀獵詩〉：

風勁角弓鳴，將軍獵渭城。

順言就是「將軍獵渭城，風勁角弓鳴。」倒裝之後，先呈現「風勁角弓鳴」的場面和音響，再補充說明「將軍獵渭城」的情形，使筆勢突兀有力。又如李白〈把酒問月〉：

青天有月來幾時？我今停盃一問之。

順言就是「我今停盃一問之，青天有月來幾時？」若不倒裝，平淡無奇，一經倒裝，詩句更有氣勢，也可以顯現李白飛躍的豪情與雄偉的氣魄。又如宋朝黃大受〈早作詩〉：

乾盡小園花上露，日痕恰恰到牕前。

順言就是「日痕恰恰到牕前，乾盡小園花上露。」若不倒裝，平板呆滯，了無情趣，一經倒裝，有情有趣。以上所舉的例子，都是倒裝詩中文句的次第。尙有倒裝詩詞中文字的順序，如孟浩然〈夏日浮舟過滕逸人別業〉：

澗影見藤竹，潭香聞芰荷。

順言就是「澗（中）見籐竹影，潭（裏）聞芰荷香。」若不倒裝，平淡乏味，毫無情趣，一經倒裝，韻味十足，筆勢突兀有力。又如王維〈漢江臨泛〉：

楚塞三湘接，荊門九派通。

順言就是「楚塞接三湘，荊門通九派。」若不倒裝，平順乏味，一經倒裝，筆力遒勁，語勢強烈。又如王觀〈卜算子〉：

水是眼波橫，山是眉峰聚。

順言就是「眼是水波橫，眉是山峰聚。」這是兩句「譬喻」中的「隱喻」，作者本來以「水波橫」譬喻「眼」，「山峰聚」譬喻「眉」，可以說是精妙的譬喻。一經倒裝，語勢更強烈，筆力更遒勁。以上這些例句都是倒裝詩詞中的文字順序。

陳騤《文則》闡述「倒語」的體例，雖僅論證「爲強調而倒裝」、「爲文章波瀾而倒裝」，但其闡析之深入，令人佩服。《文則》之後，論「倒裝」仍有持續發展，尤其至民國以後，論述者更多。

二、《文則》之後各家論「倒裝」的分類

陳騤《文則》將「倒裝」分爲「倒言」和「倒文」兩種。在《文則》之前，孔穎達《毛詩正義》僅論及「倒言」，但並未分類⑨；與陳騤同時代的孫奕《履齋示兒編・卷一》亦僅言及「倒文」⑩、羅大經《鶴林玉露・卷十二》也只論述「反言」⑪，皆未分類。民國陳介白《修辭學講話》⑫、傅師隸樸《脩辭學》⑬、黃永武《字句鍛鍊法》⑭、高登偉《第一流修辭法》⑮也皆僅舉例闡述「倒裝」的意義，並未分類。論「倒裝」雖有不分類，但也有分類，茲歸納爲二分法、三分法、五分法、六分法、九分法，並加闡論。

㈠**二分法**：除了陳騤《文則》分爲兩類之外，尙有將倒裝分爲隨語倒裝、變言倒裝兩種，如陳望道《修辭學發凡》⑯、黃師慶萱《修辭學》⑰、浙江修辭研究會編著《修辭方式例解詞典》⑱。黃師又將變言倒裝分爲兩種：爲平仄韻腳而倒裝、爲引起他人注意而倒裝。⑲浙江修辭研究會又將隨言倒裝分爲五種：主謂倒裝、動賓倒裝、定語後置、狀語移位、偏向正句移位。⑳徐芹庭《修辭學發微》將倒裝分爲順文倒裝、變言倒裝兩種。㉑楊樹達《漢文文言修辭學》將倒裝分詞的顚倒、句的顚倒兩種。㉒宋振華、吳士文、張國慶、王興林主編《現代漢語修辭學》將倒裝分爲單句成分倒裝、分句的倒裝兩種。㉓沈謙《修辭學》將倒裝分爲兩種：爲詩文格律而倒裝、爲文章波瀾而倒裝。㉔二分法最多，但多半係以「變言倒裝」演變若干類別。

㈡三分法：王德春主編《修辭學詞典》按倒裝的形式，分爲變言倒裝、隨言倒裝、旋造三種。㉕除了採用二分法的「變言倒裝」、「隨言倒裝」之外，又增加「旋造」一類。董季棠將倒裝分爲三種：爲文意需要而倒裝、爲格律需要而倒裝、不必要的倒裝。㉖譚正璧《修辭新例》將倒裝分爲三部分：爲著重句子的某一成分、爲如實地表出事物的本身和它的行動次序、爲強調否定語氣。㉗董、譚二氏的分類，皆以倒裝的目的來分。

㈢五分法：張嚴《修辭論說與方法》將倒裝分爲倒詞、倒句、衍文倒裝、減字倒裝、錯綜倒裝五類。㉘黃民裕《辭格匯編》將倒裝分爲主謂倒置、定語後置、狀語後置、稱呼移後、偏正互換五種。㉙唐松波、黃建霖主編《漢語修辭格大辭典》將倒裝分爲主謂倒裝、定語後置、狀語後置、賓語前置、偏正互換五種。㉚成偉鈞、唐仲揚、向宏業《修辭通鑑》將倒裝分爲主謂倒裝、定中倒裝、狀中倒裝、述賓倒裝、偏正倒裝五種。㉛五分法多半以文法成分來分類，大陸修辭學專家學者稱爲「語法修辭」，臺灣則是文法、修辭壁壘分明。在研究上，可以科技整合；在學術上，必須涇渭分明。

㈣六分法：僅吳正吉《活用修辭》認爲倒裝的修辭方法有六種：因逼眞而倒裝、因增強語氣而倒裝、因配合格律而倒裝、因引人注意而倒裝、因強調而倒裝、因避免重複而倒裝。吳氏就倒裝的目的，加以分類，有其獨特的卓見，並且闡論詳盡。

㈤九分法：僅鄭業建《修辭學》將倒裝分爲九類：倒字句、倒語句、添字倒裝句、減字倒裝句、詢問式倒裝句、否定式倒裝句、驚歎式倒裝句、加重式倒裝句、複沓式倒裝句。這是將倒裝分爲最多類別，係就形式而分。

各家論「倒裝」的分類，或以形式來分，或以目的來分，或以句型來分，或以文法成分來分，各有特色。筆者會通各家的特點，附加己見，認爲理想的「倒裝」分類，必須從不同角度去考慮。就目的上，分爲因逼眞而倒裝、因加強語勢而倒裝、因詩文格律而倒裝、因引人注意而倒裝、因強調語意而倒裝、因避免重複而倒裝六種。㉞就方式上，分爲疑問式倒裝、否定式倒裝、讚歎式倒裝、肯定式倒裝、加重式倒裝、複沓式倒裝六種。㉟就句型上，分爲倒詞、倒句、衍文倒裝、減字倒裝、錯綜倒裝五種。㊱就文法成分上，分爲主謂倒裝、動賓倒裝、定語後置、狀語後置、偏正互換五種。㊲

陳騤論「倒語」與各家論「倒裝」一覽表

書名或篇名	時代	作者	辭格名稱	分類或說明	備註（民國以後註明書刊出版年月以先後爲序。）
《毛詩正義》	唐朝	孔穎達	倒言	《詩經·周南·葛覃》：「葛之覃兮，施于中谷。」孔穎達《毛詩正義》疏曰：「中谷，谷中。倒其言者，古人之語皆然。詩文多此類也。」	
《文則·乙二》	宋朝	陳騤	倒語	倒語分爲倒言和倒文兩類。	
《履齋示兒編·卷二》	宋朝	孫奕	倒文	六經或倒其文，如《易》之「西南	

				得朋」、「吉凶者失得之象」，類皆有之。唯《詩》爲多。	
《鶴林玉露·卷十二》	宋朝	羅大經	反言	杜詩有反言之者，如云：「久判野鶴如雙鬢。」若正言之，當云：「雙鬢如野鶴」也。又云：「黃鵠高於五尺僮，化爲白皃似老翁。」若正言之，當云：「五尺僮時似黃鵠，化爲老翁似白皃」也。	
《修辭學講話》	民國	陳介白	倒裝法	沒有分類，僅闡述倒裝的意義，並舉例說明。	二十年八月
《修辭學發凡》	民國	陳望道	倒裝	倒裝分爲隨語倒裝、變言倒裝兩類。	二十一年四月
《修辭學》	民國	鄭業建	倒裝	倒裝分爲九類：倒字句、倒語句、添字倒裝句、減字倒裝句、詢問式倒裝句、否定式倒裝句、驚歎式倒裝句、加重式倒裝句、複沓式倒裝句。	三十三年五月
《修辭新例》	民國	譚正璧	倒裝	倒裝法又叫倒置法。倒裝分爲三部分：爲了著重句子的某一成分、爲了如實地表出事物本身和它的行動次序、爲了強調否定語氣。	四十三年三月
《中國修辭學》	民國	楊樹達	顛倒	顛倒分爲詞的顛倒、句的顛倒兩種。	四十三年十二月
《脩辭學》	民國	傅師隸樸	倒裝	僅詮證倒裝的意義，並沒有分類。	五十八年三月
《字句鍛鍊法》	民國	黃永武	倒裝	舉例闡明倒裝的眞諦，並未分類。	五十八年八月

《修辭學發微》	民國	徐芹庭	倒裝法	倒裝可分兩類：一曰順文倒裝，二曰變言倒裝。	六十年三月
《修辭學》	民國	黃師慶萱	倒裝	倒裝分爲隨言倒裝、變言倒裝兩類。變言倒裝又分二種：爲平仄韵腳而倒裝、爲引起他人注意而倒裝。	六十四年一月
《修辭論說與方法》	民國	張嚴	倒裝法	就倒裝之方法言，有倒詞、倒句、衍文倒裝、減字倒裝、錯綜倒裝五類。	六十四年十月
《漢文文言修辭學》	民國	楊樹達	顚倒	顚倒分爲詞的顚倒、句的顚倒兩種。	六十九年九月
《修辭析論》	民國	董季棠	倒裝	倒裝爲三種：爲文意需要而倒裝、爲格律需要而倒裝、不必要的倒裝。	七十年十月
《第一流修辭法》	民國	高登偉	倒裝法	舉例說明倒裝的意義，並未分類。	七十一年十一月
《辭格匯編》	民國	黃民裕	倒裝	倒裝可分爲主謂倒置、定語後置、狀語後置、稱呼移後、偏正互換五種。	七十二年十二月
《活用修辭》	民國	吳正吉	倒裝	倒裝的修辭方法有六種：因逼眞而倒裝、因增強語氣而倒裝、因配合格律而倒裝、因引人注意而倒裝、因強調而倒裝、因避免重複而倒裝。	七十三年六月
《現代漢語修辭學》	民國	宋振華、吳士文、張國慶、王興林	倒裝	倒裝分爲單句成分倒裝、分句的倒裝兩種。	七十三年九月
《修辭學詞典》	民國	王德春主編	倒裝	按倒裝的形式，可分爲變言倒裝、隨言倒裝、旋造三種。	七十六年五月

《漢語修辭格大辭典》	民國	唐松波 黃建霖主編	倒裝	倒裝分爲五種：主謂倒裝、定語後置、狀語後置、賓語前置、偏正互換五種。	七十八年十二月
《修辭方式例解詞典》	民國	浙江省修辭研究會編著	倒裝	按倒裝的形式，可分爲隨言倒裝、變言倒裝兩種。隨言倒裝又分爲五種：主謂倒裝、動賓倒裝、定語後置、狀語移位、偏句正句移位。	七十九年九月
《修辭學》	民國	沈謙	倒裝	修辭學上的倒裝，可以分爲兩類：爲詩文格律而倒裝、爲文章波瀾而倒裝。	八十年二月
《修辭通鑑》	民國	成偉鈞 唐仲揚主編 向宏業	倒裝	倒裝可分爲五種：主謂倒裝、定中倒裝、狀中倒裝、述賓倒裝、偏正倒裝。	八十年六月
	民國	蔡宗陽	倒裝	就目的上，分爲因逼眞而倒裝、因加強語勢而倒裝、因詩文格律而倒裝、因引人注意而倒裝、因強調語意而倒裝、因避免重複而倒裝六種。就方式上，分爲疑問式倒裝、否定式倒裝、讚歎式倒裝、肯定式倒裝、加重式倒裝、複沓式倒裝六種。就句型上，分爲倒詞、倒句、衍文倒裝、減字倒裝、錯綜倒裝五種。就文法成分上，分爲主謂倒裝、動賓倒裝、定語後置、狀語後置、偏正互換五種。	

【附　註】

①孔穎達《毛詩正義》在〈周南・葛覃〉疏云：「中谷，谷中。倒其言者，古人之語皆然。詩文多此類也。」孔穎達用「倒言」一詞，由此可證。

②孫奕《履齋示兒編・卷一》：「六經或倒其文，如《易》之『西南得朋』、『吉凶者失得之象』，類皆有之。唯《詩》爲多。」孫奕用「倒文」一詞，由此可證。

③羅大經《鶴林玉露・卷十二》：「杜詩有反言之者，如云：『久判野鶴如雙鬢。』若正言之，當云：『雙鬢如野鶴』也。又云：『黃鵠高於五尺僮，化爲白凫似老翁。』若正言之，當云：『五尺僮時似黃鵠，化爲老翁似白凫』也。」羅大經用「反言」一詞，由此可證。

④楊樹達《漢文文言修辭學》用「顚倒」一詞，見於該書頁一八三至一八九，北京中華書局印行，民國六十九年九月新一版；原版書名《中國修辭學》，北京科學出版社印行，民國四十三年十二月初版，頁碼相同；新版改書名爲《漢文文言修辭學》。

⑤用「倒裝」一詞者，有陳介白《修辭學講話》（見該書頁一六八至一六九，信誼書局印行，民國六十七年七月初版；原版係上海開明書店印行，民國二十年八月初版。）陳望道《修辭學發凡》（見該書頁二一九至二二一，上海教育出版社印行，民國六十八年九月新一版；原版係上海開明書店印行，民國二十一年四月初版。）鄭業建《修辭學》（見該書頁一一八至一二九，上海正中書局印行，民國三十三年五月初版。）譚正璧《修辭新例》（見該書頁一八六至一九〇，棠棣出版社印行，民國四十二年三月初版。）傅師隸樸《脩辭學》（見該書頁三四至三七，正中書局印行，民國五十八年三月臺初版；原版書名係《中文脩辭學》，友聯出版社有限公司印行，民國五十三年六

月初版；臺初版改書名爲《脩辭學》。）黃永武《字句鍛鍊法》（見該書頁七〇至七一，臺灣商務印書館印行，民國五十八年八月初版；增訂版係洪範書店印行，民國七十五年一月初版，頁一五〇至一五四。）徐芹庭《修辭學發微》（見該書頁一五八至一六〇，臺灣中華書局印行，民國六十三年八月初版。）黃師慶萱《修辭學》（見該書頁五五一至五六四，三民書局印行，民國六十四年一月初版。）張嚴《修辭論說與方法》（見該書頁一一三至一一七，臺灣商務印書館印行，民國六十四年十月初版。）董季棠《修辭析論》（見該書頁四一五至四二六，益智書局印行，民國七十年十月初版；增訂版係文史哲出版社印行，民國八十一年六月初版，頁四三一至四四二。）高登偉《第一流修辭法》（見該書頁一七〇至一七四，金陵圖書股份有限公司印行，民國七十一年十一月初版。）黃民裕《辭格匯編》（見該書頁一七九至一八二，湖南人民出版社印行，民國七十二年十二月初版。）吳正吉《活用修辭》（見該書頁三一九至三三九，復文圖書出版社印行，民國七十三年六月初版。）宋振華、吳士文、張國慶、王興林主編《現代漢語修辭學》（見該書頁一八三至一八五，吉林人民出版社印行，民國七十三年九月初版。）王德春主編《修辭學詞典》（見該書頁三三，浙江教育出版社印行，民國七十六年五月初版。）唐松波、黃建霖主編《漢語修辭格大辭典》（見該書頁三八八至三九二，中國國際廣播出版社印行，民國七十八年十二月初版。）浙江省修辭研究會編著《修辭方式例解詞典》（見該書頁四六至四八，浙江教育出版社印行，民國七十九年九月初版。）沈謙《修辭學》（見該書下冊頁八七一至九一一，國立空中大學印行，民國八十年二月初版。）成偉鈞、唐仲揚、向宏業主編《修辭通鑒》（見該書頁六四八至六五〇，中國青年出版社印行，民國八十年六月初版。）

⑥成偉鈞、唐仲揚、向宏業主編《修辭通鑒》也指出「倒裝」的作用，但比陳騤《文則》詳盡，該書提出四點作用：一是使句式新穎，富有變化的美，令人有耳目一新之感。二是使語意突出，語氣急切，也就是使語意和語氣

都得到加強。三是使結構清晰，語句順暢。四是使聲音和諧，即配合上下文，使音節、平仄、韻腳等的安排和諧悅耳。（見同⑤，頁六四七至六四八。）其實，「倒裝」的作用，不外乎加強語氣，強調語意，突顯重點，錯綜句法，協調音節，使詩文具有音樂美。

⑦「為強調而倒裝」，這是吳正吉《活用修辭》所說「倒裝修辭方法」的六種之一，他認為「倒裝」的修辭方法有六種：因逼真而倒裝、因增強語氣而倒裝、因配合格律而倒裝、因引人注意而倒裝、因強調而倒裝、因避免重複而倒裝。（見同⑤）。

⑧沈謙《修辭學》認為修辭學上的倒裝，可以分為兩類：為詩文格律而倒裝、為文章波瀾而倒裝。（見同⑤）「為文章波瀾而倒裝」，是沈氏倒裝分類的兩類之一。

⑨見同①。

⑩見同②。

⑪見同③。

⑫見同⑤。

⑬見同⑤。

⑭見同⑤。

⑮見同⑤。

⑯見同⑤。

⑰見同⑤。

⑱見同⑤。
⑲見同⑤。
⑳見同⑤。
㉑見同⑤。
㉒見同④。
㉓見同⑤。
㉔見同⑤。
㉕見同⑤。
㉖見同⑤。
㉗見同⑤。
㉘見同⑤。
㉙見同⑤。
㉚見同⑤。
㉛見同⑤。
㉜見同⑤。
㉝見同⑤。
㉞參閱吳正吉《活用修辭》（見同⑤），稍微潤飾。

㉟參閱鄭業建《修辭學》(見同⑤)，將「驚歎式倒裝」改爲「讚歎式倒裝」，除了驚歎之外，還有讚美式倒裝，如「賢哉回也」、「美哉中華」、「孝哉閔子騫」，皆屬於此類。另外增加「肯定式倒裝」一類，如「唯利是圖」、「唯兄嫂是依」、「道之以德」、「齊之以禮」，皆屬此類。

㊱參閱張嚴《修辭論說與方法》(見同⑤)。

㊲參閱黃民裕《辭格匯編》、唐松波、黃建霖主編《漢語修辭格大辭典》、浙江省修辭研究會編著《修辭方式例解詞典》、成偉鈞、唐仲揚、向宏業主編《修辭通鑒》(見同⑤)，博採衆說而成。

第八節　類字、交錯、曲折、重複、同目

陳騤《文則》論述「類字」、「交錯」①、「曲折」②，這三類約相當於現代修辭學的「複疊」，也相當於黃師慶萱《修辭學》「類疊」中的「類字」；「重複」、「同目」，這兩類約相當於現代修辭學的「反復」，也相當於黃師「類疊」中的「類句」。一言以蔽之，「類字」、「交錯」、「曲折」、「重複」、「同目」等五類，可以合併爲一大類，約相當於黃師的「類疊」，因此才將這五類合併探討。本節擬先分別闡析類字、交錯、曲折、重複、同目等五類，再論述《文則》之後，民國以來有關反復、複疊的分類，最後比較其異同，並提出理想的辭格名稱與分類。

甲、陳騤《文則》論類字、交錯、曲折、重複、同目

一、類字

陳騤《文則》所謂的「類字」，約相當於現代修辭學「複疊」中的「複辭」，也是黃師慶萱《修辭學》「類疊」中的「類字」。黃師說：「陳騤《文則》對類字討論甚詳。」③陳騤不止在《文則·庚一》中，先闡述「類字」的作用，並舉了四十五個例子，加以詮證，他說：

文有數句用一類字，所以壯文勢，廣文義也，然皆有法。

陳氏認爲在文章中，凡是數句運用「類字」者，旨在壯大文章的氣勢，增廣文章的含義。但「類字」是有方法可循，並非漫無標準，因此他運用分析、比較，而歸納出四十五種方法，並舉例論證。

第一種是「或」法的「類字」，陳騤在《文則·庚一》中說：

或法。（《詩·北山》曰：「或燕燕居息，或盡瘁事國；或息偃在牀，或不已于行；或不知叫號，或慘慘劬勞；或棲遲偃仰，或王事鞅掌；或湛樂飲酒，或慘慘畏咎；或出入風議，或靡事不爲。」退之〈南山詩〉云：「或連若相從，或蹙若相鬭，或妥若弭伏，或竦若驚雊，或散若瓦解，或赴若輻輳，或翩若盤遊，或決若馬驟。」此句稍多不能備載，皆廣〈北山〉「或」字法而用之也。《老子》曰：「故物或行或隨，或歔或吹，或強或羸，或載或隳。」又一法也。）

陳氏認爲《詩經·小雅·北山》重複使用十二個「或」字，韓愈〈南山詩〉反復運用八個「或」字，《老子·第二十九章》重複應用八個「或」字，這些例句都是「或」法的「類字」。此外，如《禮記·中庸》：「或生而知之，或學而知之，或困而知之，及其知之，一也。」反復運用三個「或」字，這也是「類字」。又〈中庸〉：「或安而行之，或利而行之，或勉強而行之，及其成功，一也。」重複使用三個「或」字，這也是「或」法的「類字」。韓愈〈送孟東野序〉：「其躍也，或激之；其趨也，或梗之；其沸也，或炙之。」反復運用三個「或」字，這也是「或」法的「類字」。

第二種是「者」法的「類字」，陳騤在《文則·庚一》中說：

> 者法。（〈考工記〉曰：「脂者，膏者，臝者，羽者，鱗者。」又曰：「以脰鳴者，以注鳴者，以旁鳴者，以翼鳴者，以股鳴者，以胸鳴者。」《莊子》曰：「激者，謞者，叱者，吸者，叫者，譹者，宎者，咬者。」韓退之〈畫記〉云：「行者，牽者，奔者，涉者，陸者，翹者，顧者，鳴者，寢者，訛者，立者，齕者，飲者，溲者，陟者，降者。」凡此用「者」字，其原出於〈考工記〉，因用《莊子》法也。）

陳氏認爲《周禮·考工記》先反復使用五個「者」字，又重複運用六個「者」字，《莊子·齊物論》反復運用八個「者」字，韓愈〈畫記〉重複使用十六個「者」字，這些例句都是「者」法的「類字」。「者」字法的「類字」，陳騤以爲《周禮·考工記》最早運用此法。此外，如《老子·第三十三章》：「知人者智，自知者明。勝人者有力，自勝者自強。知足者富，強行者有志。不失其所者久，死而不亡者壽。」反復運用八個「者」字，這例句也是「者」法的「類字」。又如《論語·子罕》：「子見齊衰者，冕衣裳者，與瞽者。」重複使用三個「者」字，這例句也是「者」法的「類字」。

第三種是「之謂」法的「類字」，陳騤在《文則·庚一》中說：

之謂法。(〈繫辭〉曰：「富有之謂大業，日新之謂盛德，生生之謂易，成象之謂乾，效法之謂坤，極數知來之謂占，通變之謂事，陰陽不測之謂神。」韓退之〈賀册尊號表〉云：「臣聞體仁以長人之謂元，發而中節之謂和，無所不通之謂聖，妙而無方之謂神，經緯天地之謂文，戡定禍亂之謂武，先天不違之謂法天，道濟天下之謂應道。」蓋取《易·繫辭》也。)

陳氏以為《周易·繫辭上》重複使用「之謂」八次，韓愈〈賀冊尊號表〉反復運用「之謂」也八次，這些例句都是「之謂」法的「類字」。此外，如《禮記·中庸》：「天命之謂性，率性之謂道，脩道之謂教。」反復使用三次「之謂」，這也是「之謂」法的「類字」。韓愈〈原道〉：「博愛之謂仁，行而宜之之謂義。由是而之焉之謂道，足乎己無待於外之謂德。」重複運用四次「之謂」，這也是「之謂」法的「類字」。

第四種「謂之」法的「類字」，陳騤在《文則·庚一》中說：

謂之法。(《易·繫辭》曰：「闔户謂之坤，闢户謂之乾，一闔一闢謂之變，往來不窮謂之通，見乃謂之象，形乃謂之器，制而用之謂之法，利用出入，民咸用之謂之神。」凡經子傳記用此多矣，故不悉載。)

陳氏認為《周易·繫辭上》反復運用七次「謂之」，這是「謂之」法的「類字」。此外，如《荀子·修身》：「以善先人者謂之教，以善和人者謂之順，以不善先人者謂之諂，以不善和人者謂之諛。是是非非謂之知，非是是非謂之愚。」重複使用六次「謂之」，這也是「謂之」法的「類字」。又〈儒效〉：「積土而爲山，積水而爲海，旦暮積謂之歲。至高謂之天，至下謂之地，宇中六指謂之極。涂人之百姓，積善而全盡謂之聖人。」重複運用五次「謂之」，這也是「謂之」法的「類字」。

第五種「之」法的「類字」，陳騤在《文則·庚一》中說：

之法。（《孟子》曰：「勞之來之，正之直之，輔之翼之。」《老子》曰：「故道生之，德畜之，長之育之，成之熟之，養之覆之。」故《易·說卦》曰：「雷以動之，風以散之，雨以潤之，日以烜之，艮以止之，兌以說之，乾以君之，坤以藏之。」此又一法也。）

陳氏以爲《孟子·滕文公上》反復運用六次「之」字，《老子·第五十一章》重復使用十次「之」字，《周易·說卦》反復使用八次「之」字，這些例句都是「之」法的「類字」。此外，如《老子·第三十六章》：「將欲歙之，必固張之；將欲弱之，必固強之；將欲廢之，必固興之；將欲奪之，必固與之。」重複運用八次「之」字，這也是「之」法的「類字」。

第六種「可」法的「類字」，陳騤在《文則·庚一》中說：

可法。（〈考工記〉曰：「故可規可萬，可水可縣，可量可權。」〈表記〉曰：「事君可貴可賤，可富可貧，可生可殺。」

陳氏以爲《周禮·考工記》反復運用六次「可」字，《禮記·表記》也重複使用六次「可」字，這些例句都是「可」法的「類字」。

第七種「可以」法的「類字」，陳騤在《文則·庚一》中說：

可以法。（《論語》曰：「《詩》，可以興，可以觀，可以羣，可以怨。」〈月令〉曰：「可以登高明，可以遠眺望，可以升山陵，可以處臺榭。」《莊子》曰：「可以保身，可以全生，可以養親，可以盡年。」）

陳氏認爲《論語·陽貨》反復運用四次「可以」，《禮記·月令》也重複使用四次「可以」，《莊子·養生主》也反復使用四次「可以」，這些例句都是「可以」法的「類字」。

第八種「爲」法的「類字」，陳騤在《文則·庚一》中說：

爲法。（《易·說卦》曰：「乾爲天爲圜，爲君爲父，爲玉爲金，爲寒爲冰，爲大赤，爲良馬，爲老馬，爲瘠馬，爲駁馬，爲木果。」《莊子》曰：「形就而入，且爲顚爲滅，爲崩爲蹶，心和而出，且爲聲爲名，爲妖爲孽。」此又一法也。

陳氏以爲《周易·說卦》反復運用十四次「爲」字，《莊子·人間世》重複使用八次「爲」字，這些例句都是「爲」法的「類字」。此外，唐朝柳宗元〈梓人傳〉：「其上爲下士，又其上爲中士，爲上士。又其上爲大夫，爲卿，爲公。」重複使用六次「爲」字，這也是「爲」法的「類字」。宋朝張載的名句：「爲天地立心，爲生民立命，爲往聖繼絕學，爲萬世開太平。」反復使用四次「爲」字，這也是「爲」法的「類字」。

第九種「必」法的「類字」，陳騤在《文則·庚一》中說：

必法。（〈考工記〉曰：「容轂必直，陳篆必正，施膠必厚，施筋必數。」〈月令〉曰：「秫稻必齊，麴蘗必時，湛熾必潔，水泉必香，陶器必良，火齊必得。」）

陳氏認爲《禮記·考工記》反復運用四次「必」字，《禮記·月令》重複使用六次「必」字，這些例句都是「必」法的「類字」。

第十種「不以」法的「類字」，陳騤在《文則·庚二》中說：

不以法。（《左氏傳》曰：「不以國，不以官，不以山川，不以隱疾，不以畜牲，不以器幣。」）

陳氏以爲《左傳·桓公六年》反復運用六次「不以」，這例句是「不以」法的「類字」。此外，如《孟子·離婁上》：「離婁之明，公輸子之巧，不以規矩，不能成方員；師曠之聰，不以六律，不能正五音；堯舜之道，不以仁政，不能平治天下。」重複使用三次「不以」，這也是「不以」法的「類字」。

第十一種「無」法的「類字」，陳騤在《文則·庚二》中說：

無法。（《左氏傳》曰：「無始亂，無怙富，無恃寵，無違同，無敖禮，無驕能，無復怨，無謀非德，無犯非義。」）

陳氏認爲《左傳·定公四年》反復運用九次「無」字，這是「無」法的「類字」。此外，如《老子·第六十四章》：「是以聖人無爲故無敗，無執故無失。」重複運用四個「無」字，這也是「無」法的「類字」。又如《莊子·天道》：「知樂天者，無天怨，無人非，無物累，無鬼責。」重複使用四次「無」字，這也是「無」法的「類字」。

第十二種「而不」法的「類字」，陳騤在《文則·庚一》中說：

> 而不法。（《左氏傳》曰：「直而不倨，曲而不屈，邇而不偪，遠而不攜，遷而不淫，復而不厭，哀而不愁，樂而不荒，用而不匱，廣而不宣，施而不責，取而不貪，處而不底，行而不流。」）

陳氏以爲《左傳·襄公二十九年》反復運用十四次「而不」，這是「而不」法的「類字」。此外，如《莊子·齊物論》：「道昭而不道，言辯而不及，仁常而不成，廉清而不信，勇忮而不成。」重複使用五次「而不」，這也是「而不」法的「類字」。又如《老子·第二章》：「萬物作焉而不辭，生而不有，爲而不恃，功成而弗居。」反復運用三次「而不」，這也是「而不」法的「類字」。

第十三「其」法的「類字」，陳騤在《文則·庚一》中說：

> 其法。（《易·繫辭》曰：「其稱名也小，其取類也大，其旨遠，其辭文，其言曲而中，其事肆而隱。」《樂記》曰：「其哀心感者，其聲噍以殺；其樂心感者，其聲嘽以緩；其喜心感者，其聲發以散；其怒心感者，其聲粗以厲；其敬心感者，其聲直以廉；其愛心感者，其聲和以柔。」此雖每句用「其」字，而二句以見意，又一法也。）

陳氏認爲《周易·繫辭下》反復運用六次「其」字，《禮記·樂記》重複使用十二次「其」字，這些例句都是「其」法的「類字」。此外，如《老子·第四章》：「挫其銳，解其紛，和其光，同其塵。」重複運用四個「其」字，這也是「其」法的「類字」。《莊子·大宗師》：「古之眞人，其寢不夢，其覺無憂，其食不甘，其息深深。」反復使用四次「其」字，這也是「其」法的「類字」。又如韓愈〈原道〉：「其文，《詩》、《書》、《易》、《春秋》；其法，禮樂刑政；其民，士農工賈；其位，君臣父子師友賓主昆弟夫婦；其服，麻絲；其居，宮室；其食，粟米果蔬魚肉；其爲道易明，而其爲教易行也。」重複使用八次「其」字，這也是「其」法的「類字」。

第十四種「焉」法的「類字」，陳騤在《文則·庚一》中說：

焉法。（〈祭統〉曰：「見事鬼神之道焉，見君臣之義焉，見父子之倫焉，見貴賤之等焉，見親踈之殺焉，見爵賞之施焉，見夫婦之別焉，見政事之均焉，見長幼之序焉，見上下之際焉。」〈學記〉曰：「藏焉脩焉，息焉游焉。」〈三年問〉曰：「翔回焉，鳴號焉，蹢躅焉，踟躕焉。」又一法也。）

陳氏以爲《禮記·祭統》反復運用十次「焉」字，〈學記〉重複使用四次「焉」字，〈三年問〉也重複使用四次「焉」字，這些例句都是「焉」法的「類字」。

第十五種「于時」法的「類字」，陳騤在《文則·庚一》中說：

于時法。（《詩》曰：「于時處處，于時盧旅，于時言言，于時語語。」鄭康成云：「時，是也。」

陳氏認爲《詩經·大雅·公劉》反復使用四次「于時」，這是「于時」法的「類字」。

第十六種「實」法的「類字」，陳騤在《文則·庚一》中說：

賓法。（《詩》曰：「實方實苞，實種實褎，實發實秀，實堅實好，實穎實栗。」）

陳氏以爲《詩經·大雅·生民》反復運用十次「實」字，這是「實」法的「類字」。

第十七種「曾是」法的「類字」，陳騤在《文則·庚一》中說：

曾是法。（《詩》曰：「曾是彊禦，曾是掊克，曾是在位，曾是在服。」）

陳氏認爲《詩經·大雅·蕩》反復使用四次「曾是」，這是「曾是」法的「類字」。

第十八種「侯」法的「類字」，陳騤在《文則·庚一》中說：

侯法。（《詩》曰：「侯主侯伯，侯亞侯旅，侯彊侯以。」）

陳氏以爲《詩經·周頌·載芟》反復運用六次「侯」字，這是「侯」法的「類字」。

第十九種「有若」法的「類字」，陳騤在《文則·庚一》中說：

有若法。（《書》曰：「有若虢叔，有若閎夭，有若散宜生，有若泰顚，有若南宮括。」）

陳氏認爲《尙書·周書·君奭》反復使用「有若」五次，這是「有若」法的「類字」。

第二十種「未嘗」法的「類字」，陳騤在《文則·庚一》中說：

未嘗法。（《家語》曰：「未嘗知哀，未嘗知憂，未嘗知懼，未嘗知危。」）

陳氏以爲《孔子家語·五儀解》重複使用四次「未嘗」，這是「未嘗」法的「類字」。

第二十一種「斯」法的「類字」，陳騤在《文則·庚一》中說：

斯法，（〈檀弓〉曰：「人喜則斯陶，陶斯咏，咏斯猶，猶斯舞，舞斯慍，慍斯戚，戚斯歎，歎斯辟，辟斯踊矣。」）

陳氏認爲《禮記·檀弓》反復運用九次「斯」字，這是「斯」法的「類字」。

第二十二種「於是乎」法，陳騤在《文則·庚二》中說：

於是乎法。（《國語》曰：「上帝之粢盛於是乎出，民之蕃庶於是乎生，事之供給於是乎在，和協輯睦於是乎興，財用蕃殖於是乎始，敦厖純固於是乎成。」）

陳氏以爲《國語·周語上》重複使用六次「於是乎」，這是「於是乎」法的「類字」。

第二十三種「有」法的「類字」，陳騤在《文則·庚一》中說：

有法。（〈禮器〉曰：「有直而行也，有曲而殺也，有經而等也，有順而討也，有撕而播也，有推而進也，有放而文也，有放而不致也，有順而摭也。」〈樂師〉曰：「有帗舞，有羽舞，有皇舞，有旄舞，有干舞，有人舞。」《左氏傳》曰：「名有五：有信，有義，有象，有假，有類。」又一法也。《孟子》曰：「父子有親，君臣有義，夫婦有別，長幼有序，朋友有信。」此又一法也。）

陳氏認爲《禮記·禮器》反復使用九次「有」字，《周禮·春官·樂師》重複運用六次「有」字，《左傳·桓公六年》也反復應用六次「有」字，《孟子·滕文公上》重複使用五次「有」字，這些例句都是「有」法的「類字」。此外，如《老子·第十八章》：「大道廢，有仁義；智慧出，有大僞；六親不和，有孝慈；國家昏亂，有忠臣。」反復運用四個「有」字，這例句也是「有」法的「類字」。

第二十四種「兮」法的「類字」，陳騤在《文則·庚一》中說：

兮法。（《荀子》曰：「井井兮其有條理也，嚴嚴兮其能敬己也，分分兮其有終始也，猒猒兮其能長久也，樂樂兮其執道不殆也，炤炤兮其用之明也，修修兮其用統類之行也，綏綏兮其有文章也，熙熙兮其樂人之臧也，隱隱兮其恐人不當也。」）

陳氏以爲《荀子·儒效》反復運用十次「兮」，這是「兮」法的「類字」。此外，《楚辭》反復運用「兮」者甚多，如《楚辭·九歌》：「操吳戈兮被犀甲，車錯轂兮短兵接；旌蔽日兮敵若雲，矢交墜兮士爭先。」重複使用「兮」字十次，這也是「兮」法的「類字」。又如漢高祖劉邦〈大風歌〉：「大風起兮雲飛揚，威加海內兮歸故鄉，安得猛士兮守四方。」反復使用三個「兮」字，這也是「兮」法的「類字」。

第二十五種「則」法的「類字」，陳騤在《文則·庚一》中說：

則法。（〈中庸〉曰：「誠則形，形則著，著則明，明則動，動則變，變則化。」）

陳氏認爲《禮記·中庸》重複使用六個「則」字，這是「則」法的「類字」。此外，如《老子·第二十二章》：「曲則全，枉則直，窪則盈，敝則新，少則得，多則惑。」也反復運用六個「則」字，這也是「則」法的「類字」。

第二十六種「然」法的「類字」，陳騤在《文則·庚一》中說：

然法。（《荀子》曰：「儼然壯然，祺然蕼然，恢恢然，廣廣然，昭昭然，蕩蕩然。」）

陳氏以爲《荀子·非十二子》重複使用八個「然」字，這是「然」法的「類字」。

第二十七種「奚」法的「類字」，陳騤在《文則·庚一》中說：

> 奚法。(《莊子》曰：「奚爲奚據？奚避奚處？奚就奚去？奚樂奚惡？」)

陳氏認爲《莊子·至樂》反復使用八個「奚」字，這是「奚」法的「類字」。

第二十八種「而」法的「類字」，陳騤在《文則·庚一》中說：

> 而法。(《莊子》曰：「而容崖然，而目衝然，而顙頯然，而口闞然，而狀義然。」又一法也。《考工記》曰：「清其灰而盝之，而揮之，而沃之，而盝之，而塗之，而宿之。」)

陳氏以爲《莊子·天道》重複使用五個「而」字，《周禮·考工記》反復運用六個「而」字，這些例句都是「而」法的「類字」。此外，如韓愈〈祭十二郎文〉：「吾年未四十，而視茫茫，而髮蒼蒼，而齒牙動搖。」重複使用三個「而」字，這也是「而」法的「類字」。又如柳宗元〈種樹郭橐駝傳〉：「蚤繅而緒，蚤織而縷，字而幼孩，遂而雞豚。」反復運用四個「而」字，這也是「而」法的「類字」；但這裏的四個「而」字，都當代名詞，是「你們」的意思。「而」法相同，但內容有別。

第二十九種「方且」法的「類字」，陳騤在《文則·庚一》中說：

> 方且法。(《莊子》曰：「方且本身而異形，方且尊知而火馳，方且爲緒使，方且爲物絯，方且四顧而物應，方且應衆宜，方且與物化。」)

陳氏認爲《莊子·天地》反復使用七次「方且」，這是「方且」法的「類字」。

第三十種「似」法的「類字」，陳騤在《文則·庚一》中說：

似法。（《莊子》曰：「似鼻，似目，似耳，似枅，似圈，似臼，似洼者，似污者。」此言風吹竅穴動作之貌。）

陳氏以爲《莊子·齊物論》重複使用八個「似」字，這是「似」法的「類字」。

第三十一種「乎」法的「類字」，陳騤在《文則·庚一》中說：

乎法。（《莊子》曰：「與乎其觚而不堅也，張乎其虛而不華也；邴邴乎其似喜乎！崔乎其不得已乎！滀乎進我色也，與乎止我德也；厲乎其似世乎！謷乎其未可制也；連乎其似好閉也，悗乎忘其言也。」《祭義》曰：「洞洞乎其敬也，屬屬乎其忠也，勿勿乎其欲其饗之也。」《莊子》蓋廣此法而用之。）

陳氏認爲《莊子·大宗師》反復運用十個「乎」字，《禮記·祭義》重複使用三個「乎」字，這些例句都是「而」法的「類字」。

第三十二種「迺」法的「類字」，陳騤在《文則·庚一》中說：

迺法。（《詩》曰：「迺慰迺止，迺左迺右，迺彊迺理，迺宣迺畝。」）

陳氏以爲《詩經·大雅·緜》重複使用八個「迺」字，這是「迺」法的「類字」。

第三十三種「以之」法的「類字」，陳騤在《文則·庚一》中說：

以之法。（《仲尼燕居》曰：「以之居處有禮，故長幼辨也；以之閨門之內有禮，故三族和也；

以之朝廷有禮，故官爵序也；以之田獵有禮，故戎事閑也；以之軍旅有禮，故武功成也。」）
陳氏認爲《禮記·仲尼燕居》反復運用五次「以之」，這是「以之」法的「類字」。

第三十四種「足以」法的「類字」，陳騤在《文則·庚二》中說：

足以法。（《易》曰：「體仁足以長人，嘉會足以合禮，利物足以和義，貞固足以幹事。」《中庸》曰：「聰明睿智，足以有臨也；寬裕溫柔，足以有容也；發強剛毅，足以有執也；齊莊中正，足以有敬也；文理密察，足以有別也。」此一法也。）

陳氏以爲《周易·乾·文言》重複使用四次「足以」，《禮記·中庸》反復運用五次「足以」，這些例句都是「足以」法的「類字」。

第三十五種「也」法的「類字」，陳騤在《文則·庚二》中說：

也法。（《中庸》曰：「脩身也，尊賢也，親親也，敬大臣也，體羣臣也，子庶民也，來百工也，柔遠人也，懷諸侯也。」若《周易·雜卦》一篇，全用「也」字，又不可盡法。）

陳氏認爲《禮記·中庸》反復使用九次「也」字，這是「也」法的「類字」。此外，如《周易·雜卦》全篇也都運用「也」法的「類字」。又《說卦》：「乾，健也；坤，順也；震，動也；巽，入也；坎，陷也；離，麗也；艮，止也；兌，說也。」重複運用八個「也」字，這也是「也」法的「類字」。

第三十六種「得其」法的「類字」，陳騤在《文則·庚二》中說：

得其法。（《仲尼燕居》曰：「宮室得其度，量鼎得其象，味得其時，樂得其節，車得其式，鬼神得其饗，喪紀得其哀，辨説得其黨，官得其體，政事得其施。」）

陳氏以爲《禮記·仲尼燕居》反復運用十次「得其」，這是「得其」法的「類字」。

第三十七種「以」法的「類字」，陳騤在《文則·庚一》中說：

以法。（〈大司樂〉曰：「以致鬼神，以和邦國，以諧萬民，以安賓客，以説遠人，以作動物。」《周禮》此法極多，今不備載。）

陳氏認爲《周禮·春官宗伯·大司樂》重複使用六個「以」字，這是「以」法的「類字」。陳氏也以爲《周禮》不止此例，尚有很多例子，不勝枚舉。又《周禮·地官司徒·師氏》：「一曰孝行，以親父母，二曰友行，以尊賢良，三曰順行，以事師長。」反復運用三個「以」字，這也是「以」法的「類字」。又如《論語·八佾》：「夏后氏以松，殷人以柏，周人以栗。」重複使用三個「以」字，這也是「以」法的「類字」。《老子·第五十七章》：「以平治國，以奇用兵，以無事取天下。」反復運用三個「以」字，這也是「以」法的「類字」。

第三十八種「曰」法的「類字」，陳騤在《文則·庚一》中說：

曰法。（〈洪範〉曰：「一曰水，二曰火，三曰木，四曰金，五曰土。」《周禮》凡所次序，其事皆類，此一法也。《周禮·大師》：「曰風，曰賦，曰比，曰興，曰雅，曰頌。」〈洪範〉：「曰雨，曰霽，曰蒙，曰驛，曰克，曰貞，曰悔。」凡此類不言數，又一法也。〈大宗伯〉曰：「春見曰朝，夏見曰宗，秋見曰覲，冬見曰遇，時見曰會，殷見曰同。」《易·繫辭》曰：「天地之大德曰生，聖人之大寶曰位，何以守位曰仁，何以聚人曰財，理財正辭禁民爲非曰義。」凡此類，又一法也。）

陳氏以爲「曰」法的「類字」有三種：一是列出數目，如《尚書·洪範》，反復運用五個「曰」字，這是「曰」法的「類字」。二是不列數目，如《周禮·春官宗伯·大師》重複使用六個「曰」字，《尚書·洪範》反復使用七個「曰」字，這些都是「曰」法的「類字」。三是闡釋意義，如《周禮·春官·大宗伯》反復運用六個「曰」字，《周易·繫辭下》重複使用五個「曰」字，這些都是「曰」法的「類字」。

第三十九種「得之」法的「類字」，陳騤在《文則·庚一》中說：

得之法。（《莊子》曰：「狶韋氏得之，以挈天地；伏羲得之，以襲氣母；維斗得之，終古不忒；日月得之，終古不息；堪坏得之，以襲崑崙；馮夷得之，以游大川；肩吾得之，以處大山；黃帝得之，以登雲天；顓頊得之，以處玄宮；禺強得之，立乎北極；西王母得之，坐乎少廣，莫知其始，莫知其終；彭祖得之，上及有虞，不及五伯；傅說得之，以相武丁，奄有天下，乘東維，騎箕尾，而比於列星。」）

陳氏認爲《莊子·大宗師》反復運用十二次「得之」，這是「得之」法的「類字」。

第四十種「之以」法的「類字」，陳騤在《文則·庚一》中說：

之以法。（《禮記》曰：「慮之以大，愛之以敬，行之以禮，脩之以孝養，紀之以義，終之以仁。」）

陳氏以爲《禮記·文王世子》重複使用六次「之以」，這是「之以」法的「類字」。此外，如《論語·爲政》：「道之以政，齊之以刑，民免而無恥；道之以德，齊之以禮，有恥且格。」反復運用「之以」四次，這也是「之以」法的「類字」。

第四十一種「所以」法的「類字」，陳騤在《文則·庚一》中說：

所以法。（《禮運》曰：「祭帝於郊，所以定天位也；祀社於國，所以列地利也；祖廟，所以本仁也；山川，所以儐鬼神也；五祀，所以本事也。」）

陳氏認爲《禮記·禮運》反復運用五次「所以」，這是「所以」法的「類字」。此外，如《禮記·中庸》：「齊明盛服，非禮不動，所以脩身也；去讒遠色，賤貨而貴德，所以勸賢也；尊其位，重其祿，同其好惡，所以勸親親也；官盛任使，所以勸大臣也；忠信重祿，所以勸士也；時使薄斂，所以勸百姓也；日省月試，既稟稱事，所以勸百工也；送往迎來，嘉善而矜不能，所以柔遠人也；繼絕世，舉廢國，治亂特危，朝聘以時，厚往而薄來，所以懷諸侯也。凡爲天下國家有九經，所以行之者，一也。」重複使用「所以」十次，這是「所以」法的「類字」。

第四十二種「存乎」法的「類字」，陳騤在《文則·庚一》中說：

存乎法。（《易·繫辭》曰：「列貴賤者存乎位，齊大小者存乎卦，辨吉凶者存乎辭，憂悔吝者存乎介，震无咎者存乎悔。」）

陳氏以爲《周易·繫辭上》反復使用「存乎」五次，這是「存乎」法的「類字」。

第四十三種「莫大乎」法的「類字」，陳騤在《文則·庚一》中說：

莫大乎法，（《易·繫辭》曰：「法象莫大乎天地，變通莫大乎四時，懸象著明，莫大乎日月，崇高莫大乎富貴，備物致用，立成器以爲天下利，莫大乎聖人。探賾索隱，鉤深致遠，以定天下之吉凶，成天下之亹亹者，莫大乎蓍龜。」）

陳氏認爲《周易·繫辭上》反復運用「莫大乎」六次，這是「莫大乎」法的「類字」。

第四十四種「知所以」法的「類字」，陳騤在《文則·庚一》中說：

知所以法。（《中庸》曰：「子曰：好學近乎知，力行近乎仁，知恥近乎勇，斯三者，則知所以脩身；知所以脩身，則知所以治人；知所以治人，則知所以治天下國家矣。」）

陳氏以爲《禮記·中庸》重複使用「知所以」五次，這是「知所以」法的「類字」。

第四十五種「矣」法的「類字」，陳騤在《文則·庚一》中說：

矣法。（〈六月詩序〉曰：「〈鹿鳴〉廢，則和樂缺矣；〈四牡〉廢，則君臣缺矣；〈皇皇者華〉廢，則忠信缺矣；〈棠棣〉廢，則兄弟缺矣。」下皆類此，不能悉載。〈板〉詩曰：「辭之輯矣，民之洽矣，辭之懌矣，民之莫矣。」此雖每句用「矣」字，而上下之意相關。）

陳氏認爲〈六月詩序〉反復運用四個「矣」字，《詩經·大雅·板》也重複使用四個「矣」字，這些都是「矣」法的「類字」。

綜觀陳騤「類字四十五法」，就部分形式而言，是「複疊」，也叫「類疊」；就整體而言，是「排比」。宗廷虎、李金苓《漢語修辭學史綱》把「類字」當作「排比」④，係就整體形式而言；黃師慶萱《修辭學》將「類字」列爲「類疊」⑤，係就部分形式而言。

陳騤《文則》以《周易》、《尙書》、《周禮》、《禮記》、《論語》、《孟子》、《孔子家語》、《老子》、《莊子》、《荀子》、《國語》以及韓愈的詩文爲例，列舉「類字四十五法」，其實不止這些類別，還可以再分更多不同的類別，誠如宗廷虎、李金苓所說：「再舉幾十、幾百種都行。」⑥筆者僅就陳騤《文則》漏列部分，再補充一些，茲以《論語》、《老子》、《莊子》爲例，各舉數條，以資參考，其他典籍亦可以再整理很多的類別。

(一)《論語》

第一種「毋」法的「類字」，如《論語·子罕》⑦：「子絕四：毋意，毋必，毋固，毋我。」反復運用四個「毋」字，這例句屬於此類。

第二種「畏」法的「類字」，如〈季氏〉：「君子有三畏：畏天命，畏大人，畏聖人之言。」重複使用三個「畏」字，這例句屬於此類。

第三種「於」法的「類字」，如〈述而〉：「志於道，據於德，依於仁，游於藝。」〈泰伯〉：「興於詩，立於禮，成於樂。」前者反復運用四個「於」字，後者重複使用三個「於」字，這兩個例句都屬於此類。

第四種「思」法的「類字」，如〈季氏〉：「君子有九思：視思明，聽思聰，色思溫，貌思恭，言思忠，事思敬，疑思問，忿思難，見得思義。」反復運用十個「思」字，這例句屬於此類。

第五種「不」法的「類字」，如〈述而〉：「德之不修，學之不講，聞義不能徒，不善不能改，是吾憂也。」又「不憤不啓。不悱不發。舉一隅不以三隅反，則不復也。」前者反復運用四個「不」字，前者重複使用六個「不」字，這兩個例句都屬於此類。

第六種「如」法的「類字」，如〈學而〉：「如切如磋，如琢如磨。」反復運用四個「如」字，這例句屬於此類。

(二)《老子》

第一種「善」法的「類字」，如《老子·第八章》⑧：「居善地，心善淵，與善仁，言善信，正善治，事善能，動善時。」反復運用七個「善」字，這例句屬於此類，〈第二十七章〉：「善行無轍迹，善言無瑕謫，善數不用籌策。」重複使用三個「善」字，這例句也屬於此類。

第二種「大」法的「類字」，如〈二十五章〉：「故道大，天大，地大，人亦大。」重複使用四個「大」字，這例句也屬於此類。

第三種「足」法的「類字」，如〈第四十六章〉：「知足之足，常足矣。」反復運用三個「足」字，這例句屬於此類。

第四種「甚」法的「類字」，如〈第五十三章〉：「朝甚除，田甚蕪，倉甚虛。」重複使用三個「甚」字，這例句屬於此類。

第五種「令人」法的「類字」，如〈第十二章〉：「五色令人目盲；五音令人耳聾；五味令人口爽；馳騁畋獵，令人心發狂；難得之貨，令人行妨。」反復運用五次「令人」，這例句屬於此類。

第六種「得一」法的「類字」，如〈第三十九章〉：「昔之得一者，天得一以清，地得一以寧，神得一以靈，谷得一以盈，萬物得一以生，侯王得一以為天下貞。」重複使用七次「得一」，這例句屬於此類。

此外，尚有「生」法（〈第四十二章〉）、「法」法（〈第二十五章〉）、「若驚」法（〈第十三章〉）、「之不」法（〈第十四章〉）、「其次」法（〈第十七章〉）、「不自」法（〈第二十二章〉）、「同於」法（〈第二十三章〉）、「無所」（〈第五十章〉）、「無以」法（〈第三十九章〉）、「十有三」法（〈第五十章〉）、「之不足」法（〈第三十五章〉）等等，不勝枚舉。

㈢《莊子》

第一種「憐」法的「類字」，如《莊子．秋水》⑨：「夔憐蚿，蚿憐蛇，蛇憐風，風憐目，目憐心。」就內容而言，是「層遞」；就部分形式而言，反復運用五個「憐」字，屬於「憐」法的「類字」。

第二種「一」法的「類字」，如〈田子方〉：「昔之見我者，進退一成規，一成矩，從容一若龍，一若虎。」反復運用四個「一」字，這例句屬於此類。

第三種「之所」法的「類字」，如〈養生主〉：「庖丁爲文惠君解牛，手之所觸，肩之所倚，足之所履，膝之所踦。」重複使用四次「之所」，這例句屬於此類。

第四種「無不」法的「類字」，如〈大宗師〉：「其爲物，無不將也，無不迎也，無不毀也，無不成也。」反復運用四次「無不」，這例句屬於此類。

第五種「惡用」法的「類字」，如〈德充符〉：「聖人不謀，惡用知？不斲，惡用膠？無喪，惡用德？不貨，惡用商？」重複使用四次「惡用」，這例句屬於此類。

第六種「方且」法的「類字」，如〈天地〉：「方且本身而異形，方且尊知而火馳，方且爲緒使，方且爲物絯，方且四顧而物應，方且應衆宜，方且與物化而未始有恆。」反復運用七次「方且」，這例句屬於此類。

此外，尚有「以爲」法（〈人間世〉）、「無爲」法（〈應帝王〉）、「而不爲」法（〈大宗師〉）、「不足則」法（〈則陽〉）。

二、交錯

所謂「交錯」，又稱爲「交錯之體」⑩，也叫做「纏糾」⑪，是指在語文中，上下句重複使用同一字詞的修辭技巧，約相當於現代修辭學「複疊」中心的「複疊」⑫，也相當於黃師慶萱《修辭學》

「類疊」中的「類字」⑬。陳騤在《文則·丁二》中，先闡述「交錯」的作用，再舉例論證，他說：

> 文有交錯之體，若纏糾然，主在析理，理盡後已。《書》曰：「念茲在茲，釋茲在茲，名言茲在茲，允出茲在茲。」《莊子》曰：「有始也者，有未始有始也者，有未始有夫未始有始也者。」又曰：「以指喻指之非指，不若以非指喻指之非指也。」《荀子》曰：「不利而利之，不如利而後利之之利也。不愛而用之，不如愛而後用之之功。利而後利之，不如利而不利者之利也。」《國語》曰：「成人在始與善，始與善，善進善，不善蔑由至矣，始與不善，不善進不善，善亦蔑由至矣。」《穀梁》曰：「人之所以爲人者，言也。人而不能言，何以爲人？言之所以爲言者，信也。言而不信，何以爲言？信之所以爲信者，道也。信而不道，何以爲道？」此類多矣，不可悉舉，然取《莊子》而法之，則文斯邃矣。

陳氏認爲「交錯」的作用，在於析理。他舉了《尚書》、《莊子》、《荀子》、《國語》、《穀梁傳》的文章，闡述「交錯」的體例。《尚書·大禹謨》：「念茲在茲，釋茲在茲，名言茲在茲，允出茲在茲。」此言舜要讓位給禹，禹自謙而推薦皋陶，在盛贊皋陶功德之後，講了這四句話。四小句皆重複運用「茲」字，而且是隔離使用，因此這例子是「交錯」，也相當於「類疊」中的「類字」。《莊子·齊物論》：「有始也者，有未始有始也者，有未始有夫未始有始也者。」此言若追溯到天地的原始以前及其更前，那麼意境就更高，還有什麼是非可言？「始」是「開始」之意。「未始」，是「未曾」之意。三小句重複使用「始」字，後二小句重複運用「未始」二字，又是間隔應用，所以這例子是「交錯」。

又《齊物論》：「以指喻指之非指，不若以非指喻指之非指也。」此言以大拇指來解說大拇指不是手指，不如以非大拇指（即手指）來解說大拇指不是手指。假如用符號來說明，即從甲的觀點來解說甲不是乙，不如從乙的觀點來解說甲不是乙。⑭由此可知，重複使用不同兩種意義的「指」字，各三次。就內容而言，是「錯綜」；就形式而言，是「複疊」，又叫「類疊」，也叫「交錯」。《莊子》這類文章甚多，如「以馬喻馬之非馬，不如以非馬喻馬之非馬也。」（《齊物論》）也是屬於此類。《荀子·富國》：「不利而利之，不如利而後利之之利也。不愛而用之，不如愛而後用之之功也。利而後利之，不如利而不利者之利也。」陳騤為了說明「交錯」的體例，將其中兩句「不愛而用之，不如愛而後用之之功也。」刪掉。此言不利民而取民之利，不如利民而後取民利來得好。不愛民而用民，不如愛民而後用民來得有效。利民而後取民利，不如利民而不取民利來得好。⑮「利」字，含有「利民」、「取民利」兩種不同意義。荀子重複使用不同兩種意義的「利」字各四次，因此就形式而言，是「複疊」，也叫「類疊」，又叫「交錯」；就詞性而言，是「轉品」。「民利」是名詞，「取民利」是動詞。《國語·晉語六》：「成人在始與善，始與善，善進善，不善蔑由至矣；始與不善，不善進不善，善亦蔑由至矣。」此言成人最重要的是，在於開始就給「善」，不應該給「不善」。這七小句都重複運用「善」字，這也是「交錯」，又叫「類字」。《穀梁傳·僖公十二年》：「人之所以為人者，言也，人而不能言，何以為人？言之所以為言者，信也。言而不信，何以為言？信之所以為信者，道也。信而不道，何以為道？」此言人之所以為人，最重要在於「道」。全句就整體內容而言，是「層遞」，因此鄭子瑜《中國修辭學史》認爲這例子是「層遞」的修辭技巧⑯。就部分形式而言，如「何以爲人？」「何以爲言？」「何以爲道？」」是「設問」中的「激問」。所謂「激問」，是問而不答。又如重複使用「人」四次、「言」六次、「信」五次、「道」三次，這是「類疊」中的「類字」，又叫「交錯」，因此鄭子瑜認爲這例子不是「交錯」，並非完全正確。辨析辭格，必須從形式、內容、整體、部分四個角度去闡析，就可以明瞭這例句屬於何類辭格，而且一個例句含有兩種或兩種以上的辭格，也是經常可見。

陳騤《文則》所舉《尚書》、《莊子》、《荀子》、《國語》、《穀梁傳》等五個例子，來詮證「交錯」的體例，都沒有瑕疵，只是有些例句兼有其他辭格，被現代修辭學專家學者誤爲非「交錯」的體例。古今文章運用「交錯」者甚多，如《詩經·小雅·蓼莪》：「父兮生我，母兮鞠我，拊我畜我，長我育我，顧我復我，出入腹我。」重複使用「我」字九次，這也是「交錯」的例子。又如《孫子兵法·行軍》：「吾遠之，敵近之；吾迎之，敵背之。」重複使用「之」字四次，這也是「交錯」的例子。白話文如蔣經國先生演講詞：「做人要眞，要坦率，要眞誠，要自然。」重複使用「要」字四次，這也是「交錯」的例子。又如寶島鐘錶行廣告：「上班要準時，吃飯要定時，趕車要及時，約會要守時；這是成功的一半！」重複運用「要」、「時」各四次，這也是「交錯」的例子。又如陳曉薔〈萬籟〉：「你如能側耳傾聽曇花的乍放，爲什麼就聽不見青草在抽芽，陽光在放射，露珠在滾動，霧氣在升騰，白雲在舒卷，落花在歎息呢？」重複使用「在」字六次，這也是「交錯」的例子。又如朱自清的〈春〉：「閉了眼，樹上髣髴已經滿是桃兒、杏兒、梨兒！」重複使用三個「兒」字，這也是「交錯」

的例子。又如梁實秋〈第六倫〉：「我覺得慘的是僕人大概永遠像莎士比亞『暴風雨』中那個卡力班，又蠢笨，又狡猾，又怯儒，又大膽，又服從，又反抗，又不知足，又安天命，陷入極端的矛盾。」重複使用八個「又」字，這也是「交錯」的例子。又如徐志摩〈我所知道的康橋〉：「遠近的炊煙，成絲的、成縷的、成捲的、輕快的、遲重的、濃灰的、淡青的、慘白的。」重複使用九個「的」字，三個「成」字，這也是「交錯」的例子。

三、曲折

陳騤《文則》所謂的「曲折」，約相當於現代修辭學的「複疊」兼「婉曲」⑰，也相當於黃師慶萱《修辭學》的「類疊」兼「婉曲」。⑱陳騤在《文則·甲六》中，舉例詮證「曲折」的體例，他說：

> 《詩》、《書》之文，有若重複而意實曲折者。《詩》曰：「云誰之思？西方美人。彼美人兮，西方之人兮！」此思賢之意，自曲折也。又曰：「自古在昔，先民有作。」此考古之意，自曲折也。《書》曰：「眇眇予未小子。」此謙托之意，自曲折也。又曰：「孺子其朋，孺子其朋，其往。」此告戒之意，自曲折也。

陳氏認爲《尚書》、《詩經》的文章，從形式上，是「複疊」；從內容上，是「婉曲」。《詩經·邶風·簡兮》：「云誰之思？西方美人。彼美人兮，西方之人兮！」從形式上，「美人」、「西方」各重複運用兩次，屬於「複疊」；從內容上，此句含有思賢之意，這例句又是「婉曲」。又「云誰之思？西方美人。」

是「設問」中的「提問」。所謂「提問」，係自問自答的「設問」。《詩經·商頌·那》：「自古在昔，先民有作。」此言考古之意，這例句純屬「婉曲」。《尚書·顧命》：「眇眇予未小子。」從形式上，「眇眇」是「類疊」中的「疊字」，也是「複疊」中的「疊字」；從內容上，此句含有「謙托」之意，這例句屬於「婉曲」。《尚書·洛誥》：「孺子其朋，孺子其朋，其往。」就全部形式中的「其」字而言，反復運用三個「其」字，這例句是「類疊」中的「類字」；就重複使用「孺子其朋」二次而言，這例句又是「類疊」中的「疊句」，也是一般修辭學所謂的「反復」。就內容而言，此句含有「告誡」之意，這例句又屬於「婉曲」。

從陳騤《文則·甲六》舉例闡析「曲折」的體例，可見純屬「婉曲」者僅一例，其他三例皆「類疊」兼「婉曲」。又有一例，兼有「設問」中的「提問」；也有一例，兼有「反復」。

四、重複

陳騤《文則》所謂「重複」，約相當於一般修辭所謂的「反復」，也相當於黃師慶萱《修辭學》所謂「類疊」中的「類句」[19]。陳騤將載言之文，分為不避重複、避重複兩種，他在《文則·丁六》中說：

> 載言之文，有不避重複，如《穀梁傳》載麗姬故謂君曰：「吾夜者夢夫人趨而來曰：『吾苦畏，胡不使大夫將衛士而衛冢乎？』」故君謂世子曰：「麗姬夢夫人趨而來曰：『吾苦畏。』」女

其將衛士而往衛冢乎！』」此不避重複一也。《家語》載魯公索氏將祭，而忘其牲，孔子聞之曰：「公索氏不及二年將亡。」後一年而亡，門人問曰：「昔公索氏亡其祭牲，而夫子曰：『不及二年必亡。』今過朞而亡。」此不避重複二也。《公羊傳》載陽處父諫曰：「射姑民衆不悅，不可使將。」於是廢將。射姑入，君謂射姑曰：「陽處父言曰：『射姑民衆不悅，不可使將。』」此不避重複三也。及觀《檀弓》載子游曰：「昔者夫子居於宋，見桓司馬自爲石椁，三年不成，夫子曰：『若是其靡也，死不如速朽之愈也。』死之欲速朽，爲桓司馬言之也。」南宮敬叔反，必載寶而朝。夫子曰：「若是其貨也，喪不如速貧之愈也。」喪之欲速貧，爲敬叔言之也。」曾子以子游之言告於有子，然《檀弓》但云以子游之言，蓋避重複也。又《左氏傳》載「晉師歸，郤伯見，公曰：『子之力也夫！』范叔見，勞之如郤伯，欒伯見，公亦如之。」夫三述晉侯之語，固未爲害，而《左氏》兩變其文，蓋避重複也。

陳氏舉《穀梁傳》、《孔子家語》、《公羊傳》的文章，闡析「不避重複」的體例；又舉《禮記》、《左傳》的文章，論述「避重複」的體例。

所謂「不避重複」者，如《穀梁傳·僖公十年》重複使用「夢夫人趨而來」、「吾苦畏」，《孔子家語·好生》反復運用「不及二年」，《公羊傳·文公六年》重複運用「射姑民衆不悅，不可使將」，這些例子都是現代修辭學所謂的「反復」，也就是黃師慶萱《修辭學》所說「類疊」中的「類句」。古今詩文運用「類句」者甚多，如《詩經·周南·桃夭》：「桃之夭夭，灼灼其華；之子于歸，宜其室家。桃之夭夭，有蕡其實；之子于歸，宜其家室。桃之夭夭，其葉蓁蓁；之子于歸，宜其家人。」反復運用「桃之夭夭」「之子于歸」各三次，這是「類句」。又〈秦風·無衣〉：「豈曰無衣？與子同袍。王于興師，脩我戈矛，與子同仇。豈曰無衣？與子同澤。王于興師，脩我矛戟，與子偕作。豈曰無衣？與子同裳。王于興師，脩我甲兵，與子同行。」重複使用「豈曰無衣」、「王于興師」，這也是「類句」。又如《論語·公冶長》：「巧言、令色、足恭，左丘明恥之，丘亦恥之。匿怨而友其人，左丘明恥之，丘亦恥之。」反復使用「左丘明恥之，丘亦恥之」，這也是「類句」。又如魯蛟〈鑽〉：「總是忙者，把自己的臉孔，到處張貼；總是忙著，把自己的名字，喊成一句口號。」反復運用「總是忙著」，這也是「類句」。又如王幻〈椰子樹〉：「白雲的變幻，你無動於衷；山月的冷默，你無動於衷；你昂藏而立，寧折不屈；無懼於風風雨雨，爲勇者畫像。」重複使用「你無動於衷」，這也是「類句」。

所謂「避重複」者，如《禮記·檀弓上》以「子游之言」，代替子游所言之內容，不必再重述內容，是爲了避免重複。《左傳·成公二年》敘述晉侯慰勞郤伯，用「子之力也夫」；慰勞范叔，就用「勞之如郤伯」；慰勞欒伯，改用「公亦如之」。所敘述三句，各有變化，是爲了避免重複。因此，所謂「避重複」，約相當於現代修辭學的「錯綜」⑳。古代文章運用「避重複」的例子也不少，如李斯〈諫逐客書〉：「惠王用張儀之計，拔三川之地，西幷巴蜀，北收上郡，南取漢中，包九夷，制鄢郢，東據成皋之險，割膏腴之壤，遂散六國之從，使之西面事秦，功施到今。」其中「拔」、「幷」、「收」、「取」、「包」、「制」、「據」、「割」八個字，都是動詞，也是攻城略地之意。這是爲了「避免重複」，也是現代修辭學所謂的「錯綜」。又如《孟子·梁惠王上》：「孟子見梁惠王。王曰：「叟！不遠千里而來，亦將有以利吾國乎？」孟子對曰：「王何必曰利？亦有仁義而已矣。王曰：『何以利吾國？』大夫曰：『何以利吾家？』士庶人曰：『何以利吾身？』上下交征利，而國危矣。萬乘之國，弒其君者，必千乘之家；千乘之國，弒其君者，必百乘之家。萬取千焉，千取百焉，不爲不多矣；苟爲後義而先利，不奪不饜。未有仁而遺其親也；未有義而後其君者也。王亦曰仁義而已矣，何必曰利？」其中「王何必曰利？亦有仁義而已矣。」與「王亦曰仁義而已矣，何必曰利？」意義相同，但爲了「避免重複」，故意使文句參差不齊，結構力求變化，韻味也隨著不同。又如《戰國策·齊策》：

齊人有馮諼者，貧乏不能自存，使人屬孟嘗君，願寄食門下。孟嘗君曰：「客何好？」曰：「客無好也。」曰：「客何能？」曰：「客無能也。」孟嘗君笑而受之，曰：「諾！」左右以君賤之也，食以草具。居有頃，倚柱彈其劍，歌曰：「長鋏歸來乎！食無魚！」左右以告。孟嘗君曰：「食之，比門下之客。」居有頃，復彈其鋏，歌曰：「長鋏歸來乎！出無車！」左右皆笑之，以告。孟嘗君曰：「爲之駕，比門下之車客。」於是，乘其車，揭其劍，過其友，曰：「孟嘗君客我！」後有頃，復彈其劍鋏，歌曰：「長鋏歸來乎！無以爲家！」左右皆惡之，以爲貪而不知足。孟嘗君問：「馮公有親乎？」對曰：「有老母？」孟嘗君使人給其食用，無使乏。於是馮諼不復歌。

其中「倚柱彈其劍」、「復彈其鋏」、「復彈其劍鋏」，三句內容相同，爲了「避免重複」，詞句稍作更動，力求變化；因此，這是「錯綜」。又「左右以告」、「左右皆笑之，以告」、「左右皆惡之，以爲貪而不知足」，文句有增有減，也是爲了「避免重複」，而求變化；所以，這也是「錯綜」。又如「居有頃」，反復運用，這是「不避重複」，屬於「類疊」中的「類句」。總而言之，所謂「不避重複」，約相當於黃師慶萱《修辭學》「類疊」中的「類句」，也相當於現代修辭學的「反復」。所謂「避重複」，約相當於現代修辭學的「錯綜」。

五、同目

陳騤《文則》所謂的「同目」，約相當於現代修辭學的「反復」，也相當於黃師慶萱《修辭學》「類疊」中的「類句」。㉑陳騤在《文則·丁三》中，舉例詮證「同目」的作用與體例，他說：

載事之文，有上下同目之法，謂其事斷可書，其人斷可美也。

陳氏認爲「同目」的作用，在於「其事可書，其人可美」。陳氏舉《論語》、《禮記》、《公羊傳》的文章，闡述「同目」的體例。陳氏在《文則·丁三》中，先舉《論語》的例子，他說：

《論語》載孔子之美禹顏。（子曰：「禹吾無間然矣，菲飲食而致孝乎鬼神；惡衣服，而致美乎黻冕；卑宮室，而盡力乎溝洫，禹吾無間然矣。」又曰：「賢哉回也，一簞食，一瓢飲，在陋巷，人不堪其憂，回也不改其樂，賢哉回也。」）

陳氏認爲《論語·泰伯》中的「禹吾無間然矣」，《論語·雍也》的「賢哉回也」，二者各重複使用兩次，都屬於「同目」，也是「類疊」中的「類字」。陳氏在《文則·丁三》中，又舉《禮記》的例子，他說：

《戴禮》之記文王、周公（〈文王世子篇〉曰：「文王之爲世子，朝於王季日三，雞初鳴而衣服，至於寢門外，問內豎之御者曰：『今日安否何如？』內豎曰：『安！』文王乃喜，及日中又至，亦如之；及莫又至，亦如之。其有不安節，則內豎以告文王，文王色憂，行不能正履。王季復膳，然後亦復初，食上，必在視寒煖之節，食下，問所膳，命膳宰曰：『末有原。』應曰：『諾！』然後退。武王帥而行之，不敢有加焉。文王有疾，武王不說，冠帶而養，文王一飯亦一飯，文王再飯亦再飯，旬有二日乃閒。文王謂武王曰：『女何夢矣？』武王對曰：『夢帝與我九齡。』文王曰：『女以爲何也？』武王曰：『西方有九國焉，君王其終撫諸？』文王曰：『非也。古者謂年齡，齒亦齡也。我百爾九十，吾與爾三焉。』文王九十七乃終，武王九十三而終。成王幼，不能涖阼，周公相，踐阼而治，抗世子法於伯禽，欲令成王之知父子君臣長幼之道也。成王有過，則撻伯禽，所以示成王世子之道也，文王之爲世子也。」又曰：「昔者，周公攝政踐祚而治，抗世子法於伯禽，所以善成王也。聞之曰：『爲人臣者，殺其身有益於君則爲之，況于其身以善其君乎？』周公優爲之。是故知爲人子，然後可以爲人父；知爲人臣，然後可以爲人君；知事人，然後能使人。成王幼不能涖阼，以爲世子，則無爲也，是故抗世子法於伯禽，使之與成王居，欲令成王之知父子君臣長幼之義也。居之於世子也，親則父也，尊則君也。有父之親，有君之尊，然後兼天下而有之，是故養世子不可不愼也。行一物而三善皆得者，唯世子而已。其齒於學之謂也，故世子齒於學，國人觀之曰：『將君我而與我齒讓，何也？』曰：『有父在則禮然，然而衆知父子之道矣。』其二曰：『將君我而與我齒讓，何也？』曰：『有君在則禮然，然而衆著於君臣之義也。』其三曰：『將君我而與我齒讓，何也？』曰：『長長也，然而衆知長幼之節矣。』故父在斯爲子，君在斯謂之臣。居子與臣之節，所以尊君親親也，故學之爲父子焉，學之爲君臣焉，學之爲長幼焉，父子君臣長幼之道得而國治。語曰：「樂正司業，父師司成，一有元良，萬國以貞，世子之謂也。」』周公踐祚。」）

陳氏以爲《禮記·文王世子》中的「文王之爲世子也」、「周公踐祚」，二者各反復運用兩次，都屬於「同目」，也是「類疊」中的「類字」。陳氏在《文則·丁三》中，再舉《公羊傳·桓公二年》的例子，他說：

《公羊》之傳孔父、仇牧、荀息。（《公羊傳》曰：「孔父可謂義形於色矣。其義形於色何？督將弑殤公，孔父生而存，則殤公不可得而弑也。故於是先攻孔父之家，殤公知孔父死，己必死，趨而救之，皆死焉。孔父正色而立於朝，則人莫敢過而致難於其君者，孔父可謂義形於色矣。」又曰：「仇牧可謂不畏彊禦奈何？萬嘗與莊公戰，獲乎莊公。莊公歸，散舍諸宮中，數月然後歸之，歸反爲大夫於宋，與閔公博，婦人皆在側，萬曰：「甚矣！魯侯之淑，魯侯之美也。天下諸侯宜爲君者，唯魯侯爾。」閔公矜此婦人，妒其言，顧曰：「此虜也。爾虜焉故，魯侯之美惡乎至？」萬怒，搏閔公，絕其脰。仇牧聞君弒，趨而至，遇之于門，手劍而叱之。萬臂摋仇牧，碎其首，齒著乎門闔，仇牧可謂不畏彊禦矣。」又曰：「荀息可謂不食其言矣。其不食其言奈何？奚齊卓子者，驪姬之子也，荀息傅焉。驪姬者，國色也。獻公愛之甚，欲立其子，於是殺世子申生。申生者，里克傅之。獻公病將死，謂荀息曰：『士何如則可謂之信矣？』荀息對曰：『使死者反生，生者不愧乎其言，則可謂信矣。』獻公死，奚齊立。里克謂荀息曰：『君殺正而立不正，廢長而立幼，如之何？願與子慮之。』荀息曰：『君嘗訊臣矣。臣對曰：「使死者反生，生者不愧乎其言，則可謂信矣。」』里克知其不可與謀，退弒奚齊。荀息立卓子，里克弒卓子，荀息死之。荀息可謂不食其言矣。」）皆其法也。

陳氏認爲《公羊傳·桓公二年》中的「孔父可謂義形於色矣」，《公羊傳·莊公十二年》中的「仇牧可謂不畏彊禦矣」，《公羊傳·僖公十年》中的「荀息可謂不食其言矣」，三者各重複運用兩次，都屬於「同目」，也是「類疊」中的「類句」。

從闡析陳騤所列舉《論語》、《禮記》、《公羊傳》的例證，可知陳氏所謂的「同目」，雖是相當於黃師慶萱《修辭學》的「類句」，但其內容卻側重於人事；而黃師《修辭學》所說的「類句」，不拘於人事；只要有反復間隔運用同一語句兩個或兩個以上者，就可以算是「類句」。

通觀陳騤《文則》闡述「類字」，約相當於黃師慶萱《修辭學》所謂「類疊」中的「類字」，「交錯」也相當於「類疊」中的「類字」，「曲折」約相當於「類疊」中的「類字」兼「婉曲」，因此「類字」、「交錯」、「曲折」皆是「類疊」中的「類字」，也是一般修辭學所說的「複疊」。「重複」約相當於黃師慶萱《修辭學》所謂「類疊」中的「類句」，「同目」也相當於「類疊」中的「類句」，所以「重複」、「同目」皆屬於「類疊」中的「類句」，也是一般修辭學所說的「反復」。黃師將「反復」、「複疊」合併為「類疊」，但「類疊」分為「類字」、「類句」、「疊字」、「疊句」[22]，至於「疊句」，陳騤《文則》並未論述。

乙、《文則》之後各家論反復、複疊、類疊、重複

一、反復

陳騤《文則》之後，各家論「反復」者甚多。「反復」，又叫「反覆」，但一般修辭學多半採用「反復」。陳介白《修辭學講話》將反覆分為同語而同義的反覆、異語而同義的反覆兩種。[23]唐鉞《修辭格》以及宋文翰《國文修辭學》[24]、蔣金龍《演講修辭學》[25]皆僅闡述「反覆」意義，並舉例詮證。將反復分為連接反復（又叫連續反復，也叫間隔反復）、隔離反復兩類者，有陳望道《修辭學發凡》[26]、譚正璧《修辭新例》[27]、王希杰《漢語修辭學》[28]、黃民裕《辭格匯編》[29]、宋振華、吳士文、張國慶、王興林《現代漢語修辭學》[30]、黎運漢、張維耿《現代漢語修辭學》[31]、王德春主編《修辭學詞典》[32]、湖北省天門師範語文教研組編《語文基礎知識》[33]、鄭頤壽、林承璋主編《新編修辭學》[34]、蔣希文《修辭淺說》[35]、唐松波、黃建霖《中國修辭格大辭典》[36]、浙江省修辭研究會

編著《修辭方式例解詞典》㊲、劉煥輝《修辭學綱要》㊳、成偉鈞、唐仲揚、向宏業主編《修辭通鑒》㊴、華中師範學院中文系現代漢語教研組編《現代漢語修辭知識》㊵、高葆泰《語法修辭六講》㊶、鄭頤壽《比較修辭》㊷路燈照、成九田《古詩文修辭例話》㊸、吳桂海、鮑慶林《語法修辭新編》㊹、周靖《現代漢語語法修辭》㊺。程希嵐《修辭學新編》將反復分爲連接的反復、間隔的重複兩種。㊻季紹德《古漢語修辭》認爲反復可分爲直接反復、間隔反復、首尾反復三種。㊼武占坤主編《常用辭格通論》按結構的標準，反復可分爲詞的反復、短語的反復、句子的反復、段落的反復四種。按部分距離的標準，反復還可分爲連續反復、間隔反復和緊縮反復三種。㊽成偉鈞、唐仲揚、向宏業主編《修辭通鑒》將反復分爲連續反復、間隔反復兩種。連續反復又分爲詞的連續反復、詞組的連續反復、句子的連續反復三種。間隔反復又分爲隔詞反復、隔詞組反復、隔句反復、隔段反復、首尾反復五種。㊾

各家論「反復」，或以形式分，或以語法單位分，或以結構分，或以大類分，或以小類分，各有不同特色，但以主張二分法爲最多。

二、複疊

陳騤《文則》之後，陳望道《修辭學發凡》㊿、譚正璧《修辭新例》及成偉鈞、唐仲揚、向宏業主編《修辭通鑒》(51)將複疊分爲複辭、疊字兩種。所謂「複辭」，即黃師慶萱《修辭學》所說「類疊」

中的「類字」，《文則》所闡論的「類字」、「交錯」、「曲折」，皆屬於此類。宋文翰《國文修辭學》所謂「複疊」，也叫疊字，並未包含類字。㊾董季棠《修辭析論》所謂「複疊」，卻包括字的連接複疊、字的隔離複疊、句子的連接複疊、句子的隔離複疊四類。㊿所謂字的連接複疊，是指疊字。所謂字的隔離複疊，是指類字。所謂句子的連接複疊，是指疊句。所謂句子的隔離複疊，是指類句。董氏所說的「複疊」，即黃師慶萱所謂的「類疊」。

各家論「複疊」，名同實異，陳、譚二氏所謂的「複疊」包括「類字」、「疊字」，宋氏所說的「複疊」，僅指「疊字」，董氏所謂的「複疊」，包含「類字」、「類句」、「疊字」、「疊句」。

三、類疊

陳騤《文則》之後，最早論「類疊」者，係黃師慶萱《修辭學》，他就類疊的內容說，有單音詞（字）複音詞（詞）的類疊、語句的類疊。就類疊的方式說，有連接的類疊、隔離的類疊。二者相乘，便有：疊字、類字、疊句、類句。㉔曾師忠華《作文津梁》也將類疊分為連接疊字、隔離疊字、連接疊句、隔離疊句四類。㉕所謂隔離疊字，即類字。所謂隔離疊句，即類句。沈謙《修辭學》以為類疊可以分為疊字、類字、疊句、類句四種。㉖黃、曾、沈三氏論類疊的分類，黃、沈二氏完全相同，曾師僅名異，但實同，因此黃、曾、沈三氏的分類，其實皆相同。

四、重複

陳騤《文則》之後，最早論「重複」者，係張志公《修辭概要》㊼，但他僅舉例詮證「重複」的體例，並未分類。傅師隸樸《脩辭學》㊽、黃永武《字句鍛鍊法》㊾、高登偉《第一流修辭法》㊿也僅舉例闡述「重複」的意義。「重複」一詞，見於陳騤《文則·甲六》、〈丁六〉。張、傅、黃三氏採用「重複」一詞，可能受《文則》之影響。

陳騤《文則》之後，各家不僅論反復、複疊、類疊、重複，也將「疊字」視爲一類者，有陳介白《修辭學講話》61、徐芹庭《修辭學發微》62、張春榮《修辭散步》63。張春榮認爲疊字的基本形式有四種：同一字相疊、複詞相疊、將複詞兩字拆開而各自重疊、在某字後面加上疊字。64又將「類字」也視爲一類者，有陳介白《修辭學講話》65、徐芹庭《修辭學發微》66。此外，現代修辭學者引用陳騤《文則·庚一》闡述「類字」者，有陳介白《修辭學講話》67、陳望道《修辭學發凡》68、徐芹庭《修辭學發微》69、黃師慶萱《修辭學》70。

通觀陳騤《文則》闡論類字、交錯、曲折、重複、同目，以及《文則》之後，各家論反復、複疊、類疊、重複、疊字、類字，其名稱異說紛紜，筆者以爲當作理想的辭格名稱是「類疊」，「類疊」既可以兼容並包各家的說法，又可以做到「言簡意賅」；但大陸修辭學書多半用「反復」。「類疊」的理想分類，依黃師慶萱綜合形式與內容，分爲類字、類句、疊字、疊句四類，此外，若再增加類詞、疊詞兩類，成爲六類，就更完整了。黃師將字、詞合爲一類，其實各分爲兩類，更詳細、更清楚。爲了簡明方便起見，以作者時代、著作出版時間的先後爲經，以各家的分類或說明爲緯，茲繪「陳騤與各家論類字等一覽表」於後：

陳騤與各家論類字等一覽表

書名或篇名	時代	作者	辭格名稱	分類或說明	備註（民國以後註明書刊出版年月以先後爲序。）
《文則·庚二》	宋朝	陳騤	類字	「文有數句用一類字，所以壯文勢，廣文義也，然皆有法。」類字有四十五種方法：或法、者法、之謂法、謂之法、之法、可法、可以法、爲法、必法、不以法、無法、而不法、其法、焉法、于時法、實法、曾是法、侯法、有若法、未嘗法、斯法、於是乎法、有法、兮法、則法、然法、奚法、而法、方且法、似法、乎法、乃法、以之法、足以法、也法、得其法、以法、曰法、得之法、之以法、所以法、存乎法、莫大乎法、知所以法、矣法。	
《文則·丁二》	宋朝	陳騤	交錯	文有交錯之體，若纏糾然，主在析理，理盡後已。	

《文則·甲六》	宋朝	陳騤	曲折	《詩》、《書》之文，有若重複而意實曲折者。	
《文則·丁六》	宋朝	陳騤	重複	載言之文，有「不避重複」和「避重複」兩種。	
《文則·丁三》	宋朝	陳騤	同目	載事之文，有上下同目之法，謂其事斷可書，其人斷可美也。	
《修辭格》	民國	唐鉞	反覆格	僅舉例闡述反覆格的意義。	十八年十月
《修辭學講話》	民國	陳介白	反覆法 疊字法 類字法	反覆法有兩類：同語而同義的反覆、異語而同義的反覆。 疊字亦稱重言，亦稱聯綿字，亦稱雙字。 類字就是於文句中往往同一類的字的方法。引用《文則》。	二十年八月
《修辭學發凡》	民國	陳望道	反復 複疊	用同一的語句，一再表現強烈的情思的修辭方法，叫做反復。反復的用法有連接的和隔離的兩種。複疊是把同一的字接二連三地用在一起的辭格。複疊有兩種：複辭、疊字。引用《文則》。	二十一年四月
《修辭新例》	民國	譚正璧	反復 複疊	反復，從形式來分，可以有同句和同義兩種，又各分為連接的和間隔的兩式。 複疊共有兩種方式：一是複雜，一是疊字。	四十二年三月

《修辭概要》	民國	張志公	重複	僅舉例詮證重複的意義。	四十二年十一月
《修辭學》	民國	傅師隸樸	重複	重複，即文辭之重累。	五十八年三月
《字句鍛鍊法》	民國	黃永武	重複	以同一語句，反復其辭，用來加強語勢，表現強烈感觸的辭格，叫做「重複」。	五十八年八月
《國文修辭學》	民國	宋文翰	複疊 反覆	複疊，也叫疊字，是表達繁複或渾漠不分明的情狀，故意使用複字、疊語的辭格。反覆僅舉例闡釋反覆的意義。	六十年十一月
《現代漢語修辭知識》	民國	華中師範學院中文系現代漢語教研組編	反復	反復有兩種格式：連續反復和隔離反復。	六十一年六月
《修辭學發微》	民國	徐芹庭	類字法 疊字法	類字者，在文句中，用同一類之字，以表達文意，發抒其思想也。疊字者，謂二字或二字以上之字，重疊使用也。引用《文則》。	六十三年八月
《修辭學》	民國	黃師慶萱	類疊	就類疊的內容說，有單音詞（字）複音詞（複詞）的類疊、語句的類疊。就類疊的方式說，有連接的類疊、隔離的類疊。二者相乘，便有：疊字、類字、疊句、類句四種。引用《文則》。	六十四年一月
《修辭論說與方法》	民國	張嚴	重疊法	重疊，當曰重言，惟今修辭學，於同字相疊為用者多稱「複疊」或「重疊」。	六十四年十月

《語法修辭六講》	民國	高葆泰	反復	反復分爲接連反復、隔離反復兩種。	七十年四月
《演講修辭學》	民國	蔣金龍	反覆	反覆是故意反覆其辭，用同一語句，一再表現強烈的情思，用以發洩強烈的感情的辭格。	七十年六月
《修辭析論》	民國	董季棠	複疊	複疊分爲四類：字的連接複疊、字的隔離複疊、句子的連接複疊、句子的隔離複疊。	七十年十月
《第一流修辭法》	民國	高登偉	重複法	重複法是使用同一語句，使文章一再重現相同的字眼，以增強讀者的印象；使用這一種方法同時也可以表現出作者胸中強烈的感觸。	七十一年十一月
《比較修辭》	民國	鄭頤壽	反復	反復分爲連續反復和隔離反復兩種。	七十二年十月
《漢語修辭學》	民國	王希杰	反復	從形式看，反復可以分爲連續反復和間隔反復兩種。	七十二年十二月
《辭格匯編》	民國	黃民裕	反復	反復有兩種形式：連續反復和隔離反復。	七十三年四月
《古漢語修辭》	民國	季紹德	反復	反復可分爲三種：直接反復、間隔反復、首尾反復。	七十三年五月
《修辭學新編》	民國	程希嵐	反復	反復的方式有兩種：連接的反復、間隔的重複。	七十三年七月
《現代漢語修辭學》	民國	宋振華、吳士文、張國慶、王興林	反復	反復有兩種：連續反復、間隔反復。	七十三年九月

《作文津梁》	民國	曾師忠華	類疊法	類疊分爲四類：連接疊字、隔離疊字、連接疊句、隔離疊句。	七十四年八月
《現代漢語修辭學》	民國	黎運漢、張維耿	反復	反復有兩種：連續反復和間隔反復。	七十五年八月
《修辭學詞典》	民國	王德春主編	反復	反復分爲連續反復和隔離反復兩種。	七十六年五月
《語文基礎知識》	民國	湖北省天門師範語文教研組編	反復	反復有兩種形式：連續反復和隔離反復。	七十六年八月
《古詩文修辭例話》	民國	路燈照、成九田著	反復	反復，也稱爲「重復」，可分爲兩種類型：連續反復、隔離反復。	七十六年十月
《新編修辭學》	民國	鄭頤壽、林承璋	反復	從形式上分，反復有連續反復和隔離反復兩種。	七十六年十月
《修辭淺說》	民國	蔣希文	反復	反復可以分兩種：連續反復、間隔反復。	七十七年五月
《語法修辭新編》	民國	吳桂海、鮑慶林	反復	反復分爲連續反復、間隔反復兩種。	七十八年七月
《中國修辭格大辭典》	民國	唐松坡、黃建霖	反復	反復主要分爲連續反復和間隔反復兩種	七十八年十二月
《修辭方式例解詞典》	民國	浙江省修辭研究會編著	反復	反復可分爲兩種：連續反復、間隔反復兩種。	七十九年九月
《常用辭格通論》	民國	武占坤主編	反復	按結構的標準，可以分爲詞的反復、短語的反復、句子的反復、段落的反復。按部分距離的標準，還可以	七十九年十月

				分爲連續反復、間隔反復，和緊縮反復三種。	
《現代漢語語法修辭》	民國	周靖	反復	按照形式，分爲連續反復和間隔反復兩種。按照語法單位，可以分爲詞的反復、詞組的反復、句子的反復三種。	八十年二月
《修辭學》	民國	沈謙	類疊	類疊可分爲四類：疊字、類字、疊句、類句。	八十年二月
《修辭學綱要》	民國	劉煥輝	反復	反復雖然有連續的，卻還有間隔的。	八十年二月
《修辭通鑑》	民國	成偉鈞、唐仲揚、向宏業主編	反復 複疊	反復可分爲兩種：連續反復、間隔反復。連續反復又分爲詞的連續反復、詞組的連續反復、句子的連續反復三種。間隔反復又分爲隔詞反復、隔詞組反復、隔句反復、隔段反復、首尾反復五種。複疊分複辭和疊字兩類。	八十年六月
《修辭散步》	民國	張春榮	疊字	疊字的基本形式有四：同一字相疊、複詞相疊、將複詞兩字拆開而各自重疊、在某字後面加上疊字。	八十年九月
	民國	蔡宗陽	類疊	綜合形式與內容，將類疊分爲類字、類詞、類句、疊字、疊詞、疊句等六種。	

【附註】

①「交錯」，全稱是「交錯之體」，見於陳騤《文則·丁二》：「文有交錯之體，若纏糾然。」陳望道《修辭學發凡》認爲陳騤所謂的「交錯之體」，就是「複疊」中的「複辭」，也就是黃師慶萱《修辭學》所說「類疊」中的「類字」。所謂「類字」，是指字詞隔離的「類疊」。所謂「類疊」，是指在語文中，接二連三地反復使用同一個字詞語句的一種修辭技巧。（參閱陳氏書，上海教育出版社，民國六十九年九月新一版，頁一六九至一七〇；此書原版係民國二十一年四月初版、二十九年十月九版，由上海開明書店印行。又參閱黃師書，三民書局印行，民國六十四年一月初版，頁四一三。）鄭子瑜《中國修辭學史》：「所謂交錯之體，就是錯綜的修辭。」（見該書頁二三三，文史哲出版社印行，民國七十九年二月初版。）就整體而言，是「錯綜」；就「部分」而言，是「複疊」中的「複辭」，也是「類疊」中的「類字」；因此陳騤所謂的「交錯之體」，實際上是「複疊」兼「錯綜」。

②陳騤所謂的「曲折」，就形式而言，是「複疊」；就內容而言，是「婉曲」；因此「曲折」是「複疊」兼「婉曲」。（參閱周振甫《中國修辭學史》，北京商務印書館印行，民國八十年一月初版，頁二四三。）

③見同②黃師書，頁四一四。

④見宗廷虎、李金苓《漢語修辭學史綱》，吉林教育出版社印行，民國七十八年五月初版，頁三〇五至三〇六。

⑤見同③，頁四一三至四二二。

⑥見同④，頁三〇六。

⑦以下引用《論語》時，逕稱篇名。

⑧以下引用《老子》時，逕稱第幾章。

⑨以下引用《莊子》時，逕稱篇名。

⑩詳見同①。

⑪陳騤《文則·丁二》：「文有交錯之體，若纏糾然。」譚全基《文則研究》採用其中「纏糾」一詞，因此「交錯」又叫「纏糾」。（譚氏書，見問學社印行，民國六十七年十二月初版，頁二一。）

⑫見同①。

⑬見同①。

⑭參閱陳鼓應《莊子今註今譯》，臺灣商務印書館印行，民國六十四年十二月初版、七十年十一月五版，頁六六至六七。

⑮參閱王師忠林《新譯荀子讀本》，三民書局印行，民國六十一年七月初版，頁一七四。

⑯見同①鄭氏書。

⑰詳見同②。

⑱黃師慶萱將「複疊」、「反復」合併爲「類疊」，因此「複疊」兼「婉曲」，也相當於「類疊」兼「婉曲」。

⑲所謂「類句」，是指語句隔離的類疊，約相當於一般修辭學的「反復」。

⑳所謂「錯綜」，是指在語文中，將排比、對偶、類疊等整齊的表達形式，故意抽換詞面、交蹉語次、伸縮文身、變化句式，使其形式參差、詞面別異的修辭技巧。

㉑見同⑲。

㉒見同①，黃師書，頁碼相同。

㉓見陳介白《修辭學講話》，信誼書局印行，民國六十七年七月初版，頁一六七至一六八；原版係民國二十年八月上海開明書店印行。
㉔見唐鉞《修辭格》，上海商務印書館印行，民國十八年十月初版，頁六九至七一；宋文翰《國文修辭學》，新陸書局印行，民國六十年十一月初版，頁三四至三五。
㉕見蔣金龍《演講修辭學》，黎明文化事業公司印行，民國七十年六月初版，頁一六八至一七一。
㉖見同①，陳氏書頁一九九至二〇一。
㉗見譚正璧《修辭新例》，棠棣出版社印行，民國四十二年三月初版，頁一六一至一六九。
㉘見王希杰《漢語修辭學》，北京出版社印行，民國七十二年十二月初版，頁二五八至二七〇。
㉙見黃民裕《辭格匯編》，湖南人民出版社印行，民國七十三年四月初版，頁一七六至一七八。
㉚見宋振華、吳士文、張國慶、王興林《現代漢語修辭學》，吉林人民出版社印行，民國七十三年九月初版，頁一四四至一四七。
㉛見黎運漢、張維耿《現代漢語修辭學》，商務印書館香港分館印行，民國七十五年八月初版，頁一五二至一五四。
㉜見王德春主編《修辭學詞典》，浙江教育出版社印行，民國七十六年五月初版，頁四五至四六。
㉝見湖北省天門師範語文教研組編《語文基礎知識》，華中工學院出版社印行，民國七十六年八月初版，頁二四〇至二四二。
㉞見鄭頤壽、林承璋主編《新編修辭學》，鷺江出版社印行，民國七十六年十月初版，頁二〇六至二〇七。
㉟見蔣希文《修辭淺說》，貴州人民出版社印行，民國七十七年五月初版，頁六一至六七。

㊱見唐松波、黃建霖主編《中國修辭格大辭典》，中國國際廣播出版社印行，民國七十八年十二月初版，頁三〇〇至三一〇。
㊲見浙江省修辭研究會編著《修辭方式例解詞典》，浙江教育出版社印行，民國七十九年九月初版，頁六八至六九。
㊳見劉煥輝《修辭學綱要》，百花洲文藝出版社印行，民國八十年二月初版，頁四一四。
㊴見成偉鈞、唐仲揚、向宏業主編《修辭通鑒》，中國青年出版社印行，民國八十年六月初版，頁六一六至六二〇。
㊵見華中師範學院中文系現代漢語教研組編《現代漢語修辭知識》，湖北人民出版社印行，民國六十一年六月初版，頁七七至八四。
㊶見高葆泰《語法修辭六講》，寧夏人民出版社印行，民國七十年四月初版，頁二四二至二四七。
㊷見鄭頤壽《比較修辭》，福建人民出版社印行，民國七十二年十月初版，頁一七九至一八二。
㊸見路燈照、成九田《古詩文修辭例話》，臺灣商務印書館印行，民國七十六年十月初版，頁一五一至一五八。
㊹見吳桂海、鮑慶林《語法修辭新編》，中共中央黨校出版社印行，民國七十八年七月初版，頁二六五至二六六。
㊺見周靖《現代漢語語法修辭》，中國經濟出版社印行，民國八十年二月初版，頁三三六至三三九。
㊻見程希嵐《修辭學新編》，吉林人民出版社印行，民國七十三年七月初版，頁二三三至二四〇。
㊼見季紹德《古漢語修辭》，吉林文史出版社印行，民國七十五年五月初版，頁一八二至一九九。
㊽見武占坤主編《常用辭格通論》，河北教育出版社印行，民國七十九年十月初版，頁二二七至二三一。
㊾見同㊴。
㊿見同①，陳氏書，頁碼相同。

㉛前者見同㉗書，頁一三六至一四○；後者見同㊴書，頁五六一。
㊾見同㉔。
㊿見董季棠《修辭析論》，益智書局印行，民國七十年十月初版，頁三四五至三六一；增訂版，文史哲出版社印行，民國八十一年六月初版，頁三五三至三七一。
54同㉒。
55見曾師忠華《作文津梁》，學人文教出版社印行，民國七十四年八月初版，第一冊頁七七至八三。
56見沈謙《修辭學》，國立空中大學印行，民國八十年二月初版，頁五七九至六二七。
57見張志公《修辭概要》，中國青年出版社印行，民國四十二年十一月初版，頁九五至九九。
58見傅師隸樸《脩辭學》，正中書局印行，民國五十八年三月臺初版，頁二一五至二一八。
59見黃永武《字句鍛鍊法》，臺灣商務印書館印行，民國五十八年八月初版，頁四六至四七；增訂版，洪範書店印行，民國七十五年一月初版，頁一○三至一○七。
60見高登偉《第一流修辭法》，金陵圖書股份有限公司，民國七十一年十一月初版，頁一二三至一二五。
61見同㉓書，頁一七七至一七八。
62見徐芹庭《修辭學發微》，臺灣中華書局印行，民國六十年三月初版，頁二○七至二一○。
63見張春榮《修辭散步》，東大圖書公司印行，民國八十年九月初版，頁一四七至一六五。
64見同63書，頁一五○至一五四。
65見同㉓書，頁一七九至一八四。

⑥⑥見同⑥②書，頁二〇〇至二〇六。
⑥⑦見同㉓書，頁一八〇至一八四。
⑥⑧見同①，陳氏書，頁一七〇。
⑥⑨見同⑥②書，頁二〇一至二〇六。
⑦⓪見同①，黃師書頁四一四至四二二。

第九節　助詞、句法、數人行事、章法

劉勰《文心雕龍·章句》說：「夫人之立言，因字而生句，積句而爲章，積章而成篇。」此言文章的四重結構，就分析文章的次第而言，是先有字、句，再有章、篇。〈章句〉又說：「夫裁文匠筆，篇有小大；離章合句，調有緩急；隨變適會，莫見定準。句句數字，待相接以爲用；章總一義，須意窮而成體。」此就創作文章的順序而言，是先有謀篇、裁章，再有造句、用字。本節依分析文章的次第，並參閱陳騤《文則》論述「助詞」、「句法」、「數人行事」的內容多寡爲順序，將「助詞」、「句法」歸入「語法修辭」①，「數人行事」、「章法」列入「篇章修辭」②，即本乎文章的四重結構③。因此，擬分「助詞」、「句法」、「數人行事」、「章法」四項，分別加以闡論之。

一、助詞

㈠《文則》前後各家論助詞

在陳騤《文則》之前，劉勰《文心雕龍·章句》已論及助詞。劉勰認爲《楚辭》的作者，將「兮」字放在句中，「兮」字僅是助詞，在句中並不含有任何意義，只是補助發展未完的語氣而已。至於「夫惟蓋故」、「之而於以」、「乎哉矣也」的用法，劉勰在《文心雕龍·章句》中說：

「夫惟蓋故」者，發端之首唱；「之而於以」者，乃劄句之舊體；「乎哉矣也」者，亦送末之常科。

劉勰闡論助詞的用法，「夫、惟、蓋、故」這四個虛字，是引發辭端，在句首運用的助詞。「之、而、於、以」這四個虛字，是插在句中，很早就已經運用的體式。「乎、哉、矣、也」這四個虛字，是句末送氣時，所用的助詞，這是永遠不變的科條。劉勰以爲虛字的助詞，在表面上沒有什麼作用，但實際上卻有莫大的修辭作用，用在句首、句中、句末，可以使全篇文章更精密、更完善，因此劉勰十分重視助詞在修辭上的作用。④唐朝劉知幾與劉勰有類似主張，他在《史通·浮詞》中說：「伊惟夫蓋，發語之端也；焉哉矣乎，斷句之助也；去之則言語不足，加之則章句獲全。」

與陳騤同時代闡論助詞者，有羅大經《鶴林玉露》，他闡述詩用助詞，貴在妥帖，在《鶴林玉露·

卷八》中說：

> 詩用助語字，貴妥帖，如杜少陵云：「古人稱逝矣，吾道卜終焉。」又云：「去矣英雄事，荒哉割據心。」山谷云：「且然聊爾耳，得也自知之。」

羅氏舉杜甫、黃庭堅的詩句，詮證助詞以妥帖爲貴。杜甫運用了「矣」、「焉」、「哉」三個助詞，黃庭堅使用了「然」、「耳」、「也」三個助詞。此外，尙有費袞也論及助詞，他在《梁谿漫志·卷六》中說：

> 文字中用語助詞太多，或令文氣卑弱。典謨訓誥之文，其末句初無「耶」、「歟」、「者」、「也」之辭，而渾渾灝灝噩噩，列於六經。然後之文人多因難以見巧，退之〈祭十二郎老成文〉一篇，大率皆用助語。

費氏以爲助詞運用太多，會使文氣卑弱，但後世文人認爲不用助詞難以見巧，他舉韓愈〈祭十二郎文〉的例子，加以論證。〈祭十二郎文〉全文反復運用「嗚呼」十次，尙有重複使用多次的助詞，有「也」、「邪」、「乎」、「哉」、「矣」等字。

洎乎民國，鄭業建《修辭學》也論述助詞，他不止將助詞分爲語首助詞、語中助詞、語末助詞三種，並舉例詮證；又闡析語末助詞不同的用法，並加以比較。⑤鄭氏所闡述助詞，以文言文爲主。此外，尙有傅師隸樸《修辭學·虛字》，他說：

> 虛字，是語助詞。有時用在句端，有時用在句尾，有時用爲轉折，有時用爲頓挫，語句的整齊

固賴之以彌縫，語句的參差，也賴之以抑揚，問語固藉以爲調，答語亦藉以範意。

傅師不僅說明助詞運用的方法，也闡析助詞在修辭學上的作用。此外，傅師又闡述助詞在句尾不可少的道理，並舉例論述「也」字、「焉」字等用法。⑥另有闡論以白話文爲主的助詞，如周靖《現代漢語語法修辭》，他先闡述助詞的定義，再將助詞分爲四類：結構助詞（的、地、得）、動態助詞（著、了、過）、比況助詞（似的、一樣）、其他助詞（所、給、連），並舉例說明助詞在修辭上的作用。⑦不論文言、白話，助詞不但在文章上的運用，是不容欠缺，而且助詞具有修辭作用，因此在修辭學上，不可遺棄「助詞」，一般都將它歸入「文法」（大陸叫語法）範疇，其實可與「修辭學」作科際整合，成爲一科專門的學問——文法修辭學（或叫「語法修辭學」）。

(二)陳騤《文則》論助詞

陳騤不止舉例闡析助詞的重要性，並且說明使用助詞方式的多樣化，也舉例論述助詞具有修辭作用，又舉例闡論助詞和音樂的關係。⑧他在《文則．乙二》中說：

> 文有助辭，猶禮之有儐，樂之有相也。禮無儐則不行，樂無相則不諧，文無助則不順。（唐有杜溫夫者，爲文不識助辭，疑之之辭如「耶」、「乎」之類，決之之辭如「耳」、「矣」之類，皆一用之，柳宗元所以深言其病，可不知哉？」）〈檀弓〉曰：「勿之有悔焉耳矣。」《孟子》曰：「寡人盡心焉耳矣。」〈檀弓〉曰：「我弔也與哉？」《左氏傳》曰：「獨吾君也乎哉！」凡此一

句而三字連助，不嫌其多也。《左氏傳》曰：「其有以知之矣。」又曰：「其無乃是也乎？」此二者，六字成句，而四字爲助，亦不嫌其多也。〈檀弓〉曰：「南宮縚之妻之姑之喪。」〈樂記〉曰：「不知手之舞之足之蹈之也。」凡此不嫌用之字爲多。《禮記》曰：「言則大矣美矣盛矣。」此不嫌用矣字爲多。〈檀弓〉曰：「美哉奐焉！」《論語》曰：「富哉言乎！」凡此四字成句，而助辭半之，不如是文不健也。〈司馬長卿〈封禪文〉曰：「避哉邈乎！」此雖知助辭，而「遐」、「邈」同義，又失矣。」《左氏》曰：「美哉泱泱乎，大風也哉！表東海者，其太公乎！國未可量也。」此文每句終用助，讀之殊無齟齬艱辛之態。《左氏傳》曰：「以三軍軍其前。」欲見下軍字有陳列之意，則當用其字爲有力。《公羊傳》曰：「入其大門，則無人門焉者。」欲見下門字有守禦之意，則當用焉者字爲有力。

陳騤先指出文章若無助詞，語氣就不通暢，再舉《禮記》、《孟子》、《左傳》的文章，詮證運用助詞，不嫌其多，同時也說明使用助詞方式的多樣化。使用助詞的方式有五種：一是一句連用三個助詞，如《禮記·檀弓上》、《孟子·梁惠王上》都用「焉耳矣」三個助詞，《禮記·檀弓下》用「也與哉」三個助詞，《左傳·襄公二十五年》用「也乎哉」三個助詞，這些例句不厭其多地運用助詞。二是六字成句而用四個助詞，如《左傳·昭公二年》用「其以之矣」四個助詞，（但其中「之」字可能不是助詞。）《左傳·昭公元年》用「其乃也乎」四個字助詞，也不嫌太多。三是句中用同一個助詞，如《禮記·檀弓上》用三「之」字的助詞，《禮記·樂記》用四個「之」字、一個「也」字的助詞，也不嫌太多。《禮記·孔子閒居》用三個「矣」字、一個「則」字的助詞，也不嫌其多。四是四字成句而一半用助詞，如《禮記·檀弓下》用「哉」字、「焉」字的助詞，《論語·顏淵》用「哉」字、「乎」字的助詞，助詞佔句子的一半，也不嫌太多。此外，如《孟子·滕文公上》：「君哉舜也！」也是屬於此類。五是每句末了都用助詞，如《左傳·襄公二十九年》在每句末了都有一個助詞，可以說是句句都用助詞，也不會覺得太多，而有齟齬艱辛的情形。除了陳騤所舉的這些例證之外，尚有宋朝費衮《梁谿漫志·卷六》，他認爲韓愈〈祭十二郎文〉，「其最妙處，自『其信然耶』以下，至『幾何不從汝而死也。』一段，僅三十句，凡句尾連用『耶』字者三，連用『乎』字者三，連用『也』字者四，連用『矣』字者七，幾於句句用助辭矣，而反覆出沒，如怒濤驚湍，變化不測，非妙於文章者安能及此？」韓愈運用很多助詞，也不嫌太多。此外，如《詩經·小雅·角弓》：

爾之遠矣，民胥然矣，爾之教矣，民胥傚矣。

連用四個語末助詞「矣」字，這是每句句末皆有助詞，亦不嫌其多。又如《禮記·中庸》：

脩身也，尊賢也，親親也，敬大臣也，體羣臣也，子庶民也，來百工也，柔遠人也，懷諸侯也。

連用九個語末助詞「也」字，這也是句句用助詞，不嫌太多。其中「親親」，上「親」字作動詞，是「親愛」之意，由名詞轉變爲動詞，因此在修辭學上是「轉品」。下「親」字作名詞，是「親族」、「親人」之意。又如《論語·八佾》：

純如也，皦如也，繹如也。

每句末了都有一個「也」字，這也是句句都有助詞。此外，如〈憲問〉：「鄙哉，硜硜乎！莫己知也，斯已而已矣。」〈衛靈公〉：「耕也，餒在其中矣，學也，祿在其中矣。」這些例句不僅在句子末了用助詞，也句句都有助詞。

陳騤又舉《左傳》、《公羊傳》的例子，闡述助詞具有修辭作用。《左傳·隱公五年》：「以三軍軍其前。」他指出一個「軍」字，是「陳列」之意，由名詞作動詞用，在修辭學上屬於「轉品」，但用「其」字，比較強勁有力，具有修辭作用。《公羊傳·宣公六年》：「入其大門，則無人門焉者。」他也指出下一個「門」字，是「守禦」之意，由名詞作動詞用，在修辭學上也屬於「轉品」，但用「焉者」二字，比較剛健有力，具有修辭作用。此外，與陳騤所舉《左傳·隱公五年》、《公羊傳·宣公六年》的類似例子，如《論語·公冶長》：

子謂公冶長，「可妻也，雖在縲絏之中，非其罪也。」

其中「可妻也」，「妻」是名詞作動詞用，「嫁給他」之意。「妻」字，在修辭學上是「轉品」。「妻」下，若無「也」字，語氣平板，加上「也」字，遒勁有力，具有修辭作用。又如〈公冶長〉：

匿怨而友其人，左丘明恥之，丘亦恥之。

其中「匿怨而友其人」，「友」係由名詞轉變爲形容詞，「友善」之意。「友」字，在修辭學上是「轉品」。「友」下有「其」字，比較強勁有力，具有修辭作用。又如《禮記·大學》：

> 君子賢其賢而親其親，小人樂其樂而利其利，此以沒世不忘也。

其中上一個「賢」字、「親」字、「樂」字、「利」字，都是名詞作動詞，在修辭學上是「轉品」。在每個動詞──「賢」、「親」、「樂」、「利」下，都用「其」字，比較剛健有力，具有修辭作用。「也」字，是助詞。

陳騤也闡論利用句末助詞上一字或二字押韻，可以增加文章的音樂性，他在《文則·己六》中說：

> 詩人之用助辭，辭必多用韻。有用「也」辭，若「何其處也，必有與也。」（「處」、「與」爲韻。）有用「而」辭，若「俟我于著乎而，充耳以素乎而。」（「著」、「素」爲韻。）有用「矣」辭，若「陟彼砠矣，我馬瘏矣。」（「砠」、「瘏」爲韻）有用「忌」辭，若「抑磬控忌，抑縱送忌。」（「控」、「送」爲韻。）有用「兮」辭，若「其實七兮，迨其吉兮。」（「七」、「吉」爲韻。）有用「之」辭，若「知子之順之，雜佩以問之。」（「順」、「問」爲韻。）有用「止」辭，如「既曰庸止，曷又從止。」（「庸」、「從」爲韻，止即只，《庸·柏舟》詩亦用「只」辭，《離騷》有《大招》用「只」辭，蓋法乎此。）有用「且」辭，若「椒聊且，遠條且。」（「聊」、「條」爲韻。）如四句六句者多矣，今不備載。又《禮記》非詩人之文，助辭之上，亦有韻協。如曰：「禮行於郊，而百神受職焉；禮行於社，而百貨可極焉；禮行於祖廟，而孝慈服焉；禮行於五祀，而正法則焉。」此則用「焉」辭，而「職」、「極」、「服」、「則」爲協。

陳騤指出利用「也」字作助詞，在「也」上一字押韻者，如《詩經·邶風·旄丘》：「何其處也，必有與也。」「處」、「與」二字，同屬段玉裁《詩經韵分十七部表》中的第五部⑨，韻部相同，因此「處」與「與」押韻。又利用「而」字作助詞，在「而」上二字押韻者，如《詩經·齊風·著》：「俟我于著乎而，充耳以素乎而。」「著」、「素」二字，在段氏十七部中都屬於第五部⑩，韻部相同，所以「著」與「素」押韻。再利用「矣」字作助詞，在「矣」上一字押韻者，如《詩經·周南·卷耳》：「陟彼阻矣，我馬瘏矣。」「阻」、「瘏」二字，在段氏十七部中都屬於第五部⑪，韻部相，因此「阻」與「瘏」押韻。利用「忌」字作助詞，在「忌」上一字押韻者，如《詩經·鄭風·大叔于田》：「抑磬控忌，抑縱送忌。」「控」、「送」二字，在段氏十七部中都屬於第九部⑫，韻部相同，所以「控」與「送」押韻。利用「兮」字作助詞，在「兮」上一字押韻者，如《詩經·召南·摽有梅》：「其實七兮，迨其吉矣。」「七」、「吉」二字，在段氏十七部中都屬於第十二部，韻部相同，因此「七」與「吉」押韻。又如〈周南·螽斯〉：「螽斯羽，詵詵兮，宜爾子孫，振振兮。」「詵」、「振」二字，在段氏十七中都屬於第十三部，韻部相同，所以「詵」與「振」押韻。利用「之」字作助詞，在「之」上一字押韻者，如《詩經·鄭風·女曰雞鳴》：「知子之順之，雜佩以問之。」「順」、「問」二字，在段氏十七部中都屬於第十三部，韻部相同，因此「順」與「問」押韻。利用「止」字作助詞，在「止」一字押韻者，如《詩經·齊風·南山》：「既曰庸止，曷又從止。」「庸」、「從」二字，在段氏十七部中都屬於第九部，韻部相同，所以「庸」與「從」押韻。又如〈小雅·車舝〉：「高山仰止，景行行止。」「仰」、「行」二字，在段氏十七部中都屬於第十部⑬，韻部相同，因此「仰」與「行」押韻。利用「且」字作助詞，在「且」上一字押韻者，如《詩經·唐風·椒聊》：「椒聊且，遠條且。」「聊」、「條」二字，在段氏十七部中都屬於第三部⑭，韻部相同，所以「聊」與「條」押韻。

除了陳騤《文則》闡述「也」、「而」、「矣」、「忌」、「兮」、「之」、「止」、「且」等助詞上一字押韻之外，尚有「思」字作助詞，「思」上一字押韻者，如《詩經·周南·漢廣》：

漢之廣矣，不可泳思；江之永矣，不可方思。

其中「廣」、「泳」、「永」、「方」四字皆屬於段氏十七部中的第十部⑮，韻部相同，因此互相押韻。

陳騤又指出不是詩歌，也有在助詞上一字押韻，如《禮記·禮運》：「禮行於郊，而有神受職焉；禮行於社，而百貨可極焉；禮行於祖廟，而孝慈服焉；禮行於五祀，而正法則焉。」這是用「焉」字作助詞，在「焉」上的「職」、「極」、「服」、「則」四字，同屬段玉裁〈羣經分十七部表〉中的第一部⑯，韻部相同，因此「職」、「極」、「服」、「則」互相押韻。又如《左傳·昭公二十五年》：「鸜之鵒之，公出辱之。」「鵒」、「辱」二字，在段氏十七部中都屬於第三部⑰，韻部相同，所以「鵒」與「辱」押韻。這是用「之」字作助詞，在「之」上一字押韻的例子。

陳騤認爲不止在《詩經》中的助詞上一字可以押韻，使文章具有音樂性，甚至他也指出《詩經》以外的《禮記》也可以有如此的現象，筆者再補充《左傳》的例子，加以闡析，使陳氏的理論更完善、更充足。

二、句法

(一)《文則》前後各家論句法

所謂「句法」，是指利用句子長短來產生修辭效果的方法。另一種是談句子中各成分的錯綜變化所產生的修辭效果的方法，也叫做句法，如倒文、倒言、倒語，在其他章節專門探討，茲不贅及。

在陳騤《文則》之前，梁朝劉勰認爲造句可長可短，可多可少，隨作者的感情來決定。雖然沒有固定的常規，但聯綴數句以成句子，卻有一定的規則可循。劉勰以爲四個字一句、六個字一句比較好，但三字句、五字句也可以運用，他在《文心雕龍‧章句》中說：

四字密而不促，六字裕而非緩。或變之以三五，蓋應機之權節也。

劉勰論述句法，認爲四字句是緊密而不急促，六字句是寬裕而不緩慢。在四六句法之間，也可以使用三字句或五字句，加以錯綜變化。洎乎唐朝，孔穎達亦論及句法。他認爲《詩經》雖然以四言爲主，但也有各種不同句法的變化。孔穎達在《毛詩正義》中〈關雎〉疏云：

句者，聯字以爲言，則一字不制也。以詩者申志，一字則言蹇而不會，故詩之句少不減二，即「祈父」、「肇禋」之類也。三字者，「綏萬邦，婁豐年」之類也。四字者，「關關雎鳩，窈窕淑女」之類也。五字者，「誰謂雀無角，何以穿我屋」之類也。六字者，「昔者先王受命，有如召公之臣」之類也。七字者，「如彼築室於道謀，尚之以瓊華乎而」之類也。八字者，「十月蟋蟀入我牀下，我不敢效我友自逸」是也。……句字之數，四言爲多，唯以二三七八者，將由言以申情，唯變所適，播之樂器，俱得成文故也。

孔穎達舉例詮證文句長短與修辭有密不可分的關係。他以《詩經》文句的例子，闡述有三字、五字、七字、八字的不同變化。宋朝魏慶之也蒐集很多關於句法的資料，如《詩人玉屑·卷三》有自然之句、容易之句、苦求之句三種，還有錯綜句法、影略句法、象外句、折句、佳句、雄偉句、雄健句、唐人句法、宋朝警句；此外〈卷四〉有風騷句法；〈卷五〉有八句法。王構也論述句法，他在《修辭鑑衡·卷二》中「四六」條說：

四六之工，在於剪裁，若全句對全句，亦何以見工？四六以經語對經語、史語對史語、詩語對詩語，方妥帖。（《四六談塵》）

王構指出以四字、六字爲對偶，就是四六文。作四六文的原則是：對偶精工、用典繁夥、辭藻華麗、聲律諧美、句法靈動。⑱王構論四六文的句法，重在對偶及辭藻兩方面。王構又主張句法必須安排平匀，他在《修辭鑑衡·卷二》中的「上重下輕爲文之病（起語）」條說：

凡爲文上句重、下句輕，則或爲上句顛倒。〈晝錦堂記〉云：「仕宦而至將相，富貴而歸故鄉。」下云：「此人情之所榮，而今昔之所同也。」非此兩句，莫能承上句。〈六一居士集序〉云：「言有大而非夸。」此雖只一句，而體勢則甚重；下乃云：「賢者信之，衆人疑焉。」非用

> 兩句，亦載上句不起。韓退之與人書：「泥水馬弱不敢出，不果鞠躬親問，而以書。」若無「而以書」三字，則上重甚矣，此爲文之法也。（〈唐子西語錄〉）

王構認爲歐陽脩〈晝錦堂記〉、蘇軾〈六一居士集序〉二文都能做到上下句相稱，使文句平勻安排；明朝歸有光《文章指南》也以爲這兩篇文章可以作爲軌範，遂有下句載上句法。⑲歸有光也論句法，他主張句法長短必須錯綜，在《文章指南·文章體則》中說：

> 韓公作文，專喜新奇，故於句法層疊處，必變化數樣，字有多少，句有長短，讀之尤覺有起伏，有頓挫、有波瀾，如〈上張僕射書〉是也。

歸有光指出韓愈〈上張僕射書〉的文章，句子長短，錯綜變化，有起伏、有波瀾。歸有光又主張文短氣長，他在《文章指南·文章體則》中說：

> 文章簡短，難得氣長，惟王介甫〈讀孟嘗君傳〉、韓退之〈送董邵南序〉，內有許多轉折，讀之不覺氣短，眞妙手也。（文章眞長，而簡直氣短者，如盧襄〈西征記〉是也。）

歸有光指出王安石〈讀孟嘗君傳〉、韓愈〈送董邵南序〉都是文短氣長；但也有文長氣短，如盧襄〈西征記〉，就不足爲法。迨及民國，論及句法，多半歸入「文法」範疇，但黃永武《字句鍛鍊法》，將鍛句的方法，分爲怎樣使文句「靈動」、「華美」、「有力」、「緊湊」、「變化」五種；又周靖在《現代漢語語法修辭》中，也論述句法。⑳

(二)陳騤《文則》論句法

陳騤認爲句法有長短，因此將句子分爲長句法、短句法兩種，並舉例詮證，他在《文則·己二》中說：

> 鶴脛雖長，斷之則悲；鳧脛雖短，續之則憂。〈檀弓〉文句，長短有法，不可增損，其類是哉？
>
> 長句法
>
> 「毋乃使人疑夫不以情居瘠者乎哉？」「孰有執親之喪而沐浴佩玉者乎？」「蕢尚不如杞梁之妻之知禮也。」「苟無禮義忠信誠慤之心以涖之。」
>
> 短句法
>
> 「華而睆」，「立孫」，「畏」，「厭」，「溺」。

陳騤舉《禮記·檀弓下》的文句，闡述長句法如「毋乃使人疑夫不以情居瘠者乎哉？」「孰有執親之喪而沐浴佩玉哉乎？」「蕢尚不如杞梁之妻之知禮也。」「苟無禮義忠信誠慤之心以涖之。」少則十二字，多則十四字的長句法。短句法如「華而睆」，「立孫」，「畏」，「厭」，「溺」。少則一字，多則三字的短句法。

陳騤又舉例闡述長短句法，多達三十多字，少至僅一字而已，他在《文則·己五》中說：

> 《春秋》文句，長者踰三十餘言，短者止於一言。（如〈季孫行父、臧孫許、叔孫僑如、公孫嬰齊帥師會晉郤克、衛孫良父、曹公子首，及齊侯戰于鞌」之類，是長句也。如「螽」之類，是短句也。）《詩》之文句，長不踰八言，短者不減二言。（八言者，如「我不敢效我友自逸」之類是也。摯虞云：「《詩》有九言，『洞酌彼行潦挹彼注兹』是也。」然此當爲二句，其說非也。二言者，若「肇禋」之類。）《春秋》主於褒貶，《詩》本於美刺，立言之間，莫不有法。

陳騤舉《左傳·成公二年》的文句，闡析長句如「季孫行父、臧孫許、叔孫僑如、公孫嬰齊帥師會晉郤克、衛孫良父、曹公子首及齊侯戰于鞌」等三十五字，短句如「螽」一個字。陳氏又舉《詩經·小雅·十月之交》的詩句，說明文句最多不超過八字句，最少不低於二字句。陳氏也認爲《春秋》以褒貶爲主，《詩經》以美刺爲主，因此所運用句子的長短，亦隨之而異。不論句子的長短，陳騤認爲以自然爲原則，正如同鶴脛長，鳧脛短，順其自然，不可增損。除了陳騤《文則》所舉長短句法的例子之外，尚有短句如《論語·雍也》：「知者動，仁者靜。知者樂，仁者壽。」又〈衛靈公〉：「衆惡之，必察焉；衆好之，必察焉。」這些例句都是三字句的短句法。又如《孟子·告子上》：「食色，性也。仁，內也，非外也；義，外也，非內也。」又〈盡心上〉：「堯、舜，性之也；湯、武，身之也，五霸，假之也。」這些例句有一字句、二字句、三字句，錯綜變化，並非一成不變。長句如《禮記·大學》：「所謂平天下在治其國者，上老老而民興孝，上長長而民興弟；上恤孤而民不倍。」首句十字句，其餘七字句。又如《論語·公冶長》：「我不欲人之加諸我也，吾亦欲無加諸人。」前者是九字句，後者是七字句。又〈雍也〉：「知之者不如好之者，好之者不如樂之者。」及〈堯曰〉：「因民之所利而利之，斯不亦惠而不費乎？」上下句皆八字句。又如《老子·第十五章》：「孰能濁以靜之徐情，孰能安以動之徐生。」又〈第六十一章〉：「大國不過欲兼畜人，小國不過欲入事人。」此二例皆八字句。又如《莊子·齊物論》：「天下莫大於秋毫之末。」這是九字句。又如《荀子·儒效》：「呼先王以欺愚者而求衣食焉，得委積足以揜其口。」前者十二字句，後者八字句。以上這些例子都是長句法。

陳騤認爲句法固然有長短不同，但最可貴的，在於煉句、鍊句工巧，才是最美、最好的文章，他在《文則·己三》中說：

鼓瑟不難，難於調弦；作文不難，難於鍊句。〈檀弓〉之文，鍊句益工，參之《家語》，其妙覩矣。

「遇負杖入保者息。」（《家語》曰：「遇人入保負杖者息。」）「皆死焉。」（《家語》曰：「命敵死焉。」）「比御而不入。」（《家語》曰：「可御而處內。」）「南宮縚之妻之姑之喪。」（《家語》曰：「南宮縚之妻，孔子之兄女，喪其姑。」）「予惡乎涕之無從也。」（《家語》曰：「吾惡乎涕而無以將之。」）「仲子亦猶行古之道也。」（《家語》曰：「仲子亦猶行古人之道。」）「夫子爲弗聞也者而過之。」（《家語》曰：「夫子爲之隱佯不聞以過之。」）「遂命覆醢。」（《家語》曰：「遂令左右皆覆醢。」）「死不如速朽之愈也。」（《家語》曰：「死不如朽之速愈。」）若魂氣，則無不之也。」（《家語》曰：「若魂氣，則無所不之。」）

陳騤先闡述作文最困難，在於錬句，正如同鼓瑟最困難，在於調弦。錬句好比調弦，是最難能可貴的。陳氏舉《禮記》十個例子與《孔子家語》比較，可以洞悉《禮記》的錬句比《孔子家語》更加工巧。如《禮記·檀弓下》說：「遇負杖入保者息。」《孔子家語·曲禮子貢問》卻說：「遇人入保負杖者息。」二者比較，《禮記》比《孔子家語》遒勁有力。其他九個例子，如《禮記·檀弓下》說：「皆死焉。」《孔子家語·曲禮子貢問》卻說：「奔敵死焉。」《禮記·檀弓上》說：「比御而不入。」《孔子家語·曲禮子貢問》卻說：「可御而不處內。」《禮記·檀弓上》說：「南宮之妻之姑之喪。」《孔子家語·曲禮子貢問》卻說：「南宮縚之妻，孔子之兄女，喪其姑。」《禮記·檀弓上》說：「予惡乎涕之無從也。」《孔子家語·曲禮子貢問》卻說：「吾惡乎涕而無以將之。」《禮記·檀弓上》說：「仲子亦猶行古之道也。」《孔子家語·曲禮公西赤問》卻說：「仲子亦獨行古人之道。」《禮記·檀弓下》說：「夫子爲弗聞也者而過之。」《孔子家語·屈節解》卻說：「夫子爲之隱，佯不聞以過之。」《禮記·檀弓上》說：「遂命覆醢。」《孔子家語·曲禮子夏問》卻說：「遂令左右皆覆醢。」《禮記·檀弓上》說：「死不如速朽之愈也。」《孔子家語·曲禮子貢問》卻說：「死不如朽之速愈。」《禮記·檀弓下》說：「若魂氣，則無不之也。」《孔子家語·曲禮子貢問》卻說：「若魂氣，則無所不之。」這些例句都是陳騤詮證《禮記》的錬句比《孔子家語》剛健有力，言簡意賅。

三、數人行事

陳騤闡述「數人行事」的體例有三種，並舉例論證，他在《文則·丁四》中說：

數（音所）人行事，其體有三：或先總而後數之，如孔子謂子產「有君子之道四焉：其行己也恭，其事上也敬，其養民也惠，其使民也義。」此類是也。或先數之而後總之，如子產數鄭公孫黑曰：「爾有亂心無厭，國不女堪，專伐伯有，而罪一也；昆弟爭室，而罪二也；董隧之盟，女矯君位，而罪三也。有死罪三，何以堪之？」此類是也。或先既總之而後復總之，如孔子言「臧文仲其不仁者三，不知者三：下展禽，廢六關，妾織蒲，三不仁也；作虛器，縱逆祀，祀爰居，三不知也。」此類是也。

陳騤指出數人行事的三種不同方式：一是先總而後數之，二是先數之而後總之，三是先既總之而後復總之。

所謂「先總而後數之」，即先總後分，也是歸有光所謂的「總提分應」，他在《文章指南·文章體則》中說：「文章有總提大意在前，中間逐段分應者，章法尤覺齊整。」這種「總提分應」的作法，猶如現在理則學的「演譯法」。唐彪《讀書作文譜·卷七》也說：「前總發者，後必分敘。」宋文蔚亦論及「總提分疏」，他在《文法津梁·謀篇》中說：「議論題中，有事理須條分縷析者，行文時於首段總挈大綱，先立一篇之局，以下即承首段，逐層分說，如此則眉目清楚，事理明晰。」不論是陳騤的

「先總而後數之」，或一般的「先總後分」，或歸有光的「總提分應」，或唐彪的「總發分敘」，或宋文蔚的「總提分疏」，或理則學的「演譯法」；一言以蔽之，名異實同。

陳騤舉《論語》的文章，闡述「先總後分」的體例。《論語·公冶長》：「子謂子產，『有君子之道四焉：其行己也恭，其事上也敬，其養民也惠，其使民也義。』」「君子之道四焉」，是「總提」；「其行己也恭，其事上也敬，其養民也惠，其使民也義。」是「分應」。此外，《論語》尙有很多「先總後分」的體例，如〈學而〉：「吾日三省吾身：爲人謀，而不忠乎？與朋友交，而不信乎？傳，不習乎？」「吾日三省吾身」，是「總提」；「爲人謀，而不忠乎？與朋友交，而不信乎？傳，不習乎？」是「分應」。又〈泰伯〉：「君子所貴乎道者三：動容貌，斯遠暴慢矣；正顏色，斯近信矣；出辭氣，斯遠鄙倍矣。」「君子所貴乎道者三」，是「總提」；其餘六小句，是「分應」。又〈憲問〉：「君子道者三，我無能焉：仁者不憂，知者不惑，勇者不懼。」「君子道者三」，是「總提」；「仁者不憂，知者不惑，勇者不懼」，是「分應」。除了《論語》有「先總後分」的文句之外，其他文章也有，如《孟子·離婁下》：「世俗所謂不孝者五：惰其四支，不顧父母之養，一不孝也。博弈，好飲酒，不顧父母之養，二不孝也。好貨財，私妻子，不顧父母之養，三不孝也。從耳目之欲，以爲父母戮，四不孝也。好勇鬥很，以危父母，五不孝也。」「世俗所謂不孝者五」，是「總提」；其他十七小句，都是「分應」。又如《大戴禮記·曾子大孝》：「孝有三：大孝尊親，其次不辱，其下能養。」「孝有三」，是「總提」；「大孝尊，其次不辱，其下能養」，是「分應」。又〈曾子大孝〉：「孝有三：大孝不匱，中孝用勞，小孝用力。」「孝有三」，是「總提」；「大孝不匱，中孝用勞，小孝用力」，是「分應」。陳騤所闡述的「先總後分」，是側重於文句，其實可以發揮爲段落，甚至整篇文章。整篇文章運用「先總後分」，如《莊子·養生主》，首段以「爲善無近名，爲惡無近刑，緣督以爲經」爲「總提」，次段以下，逐段分論「爲善無近名」、「爲惡無近刑」、「緣督以爲經」。

所謂「先數之而後總之」，即先分後總，也是理則學所說的「歸納法」，正如同清朝唐彪《讀者作文譜·卷七》云：「前分敘者，後必總發。」無論是陳騤的「先數之而後總之」，或一般的「先分後總」，或理則學的「歸納法」，或唐彪的「分敘總發」，一言以蔽之，名異實同。

陳騤舉《左傳》的例子，闡述「先分後總」的理論。《左傳·昭公二年》，先提出「分論」，即「爾有亂心無厭，國不女堪，專伐伯有，而罪一也；昆弟爭室，而罪二也；薰隧之盟，女矯君位，而罪三也。」再提出「總論」，即「有死罪，何以堪之？」這是「先分後總」的例子。此外，如《孟子·公孫丑上》：

孟子曰：「尊賢使能，俊傑在位，則天下之士，皆悅而願立於其朝矣；市，廛而不征，法而不廛，則天下之商，皆悅而願藏於其市矣；關，譏而不征，則天下之旅，皆悅而願出於其路矣；耕者，助而不稅，則天下之農，皆悅而願耕於其野矣；廛，無夫里之布，則天下之民，皆悅而願爲之氓矣。信能行此五者，則鄰國之民，仰之若父母矣。率其子弟，攻其父母，自生民以來，未有能濟者也。如此，則無敵於天下；無敵於天下者，天吏也。然而不王者，未之有也。」

孟子分述五種行業的人民，對國君若能心悅誠服，必然可以安居樂業。國君假如能夠使五種行業的人民心悅誠服，就可以實行王道，推行仁政，也可以無敵於天下，所以方宗誠在《柏堂讀書筆記・論文章本原・卷三》中說：「此章先分後總，先說政，後說效，如百川之匯大海，極波瀾瀠洄之致。」又如《大戴禮記・曾子大孝》：

居處不莊，非孝也；事居不忠，非孝也；蒞官不敬，非孝也；朋友不信，非孝也；戰陳無勇，非孝也。五者不遂，災及乎身，敢不敬乎？

首先提出「分論」，即「居處不莊」、「事居不忠」、「蒞官不敬」、「朋友不信」、「戰陳無勇」；再提出「總論」，即「五者不遂」。這是「先分後總」的例子。又有整篇文章運用「先分後總」者，如《莊子・應帝王》，也是先「分論」，後「結論」。「分論」有五端：一是藉齧缺與蒲衣子的對話，闡論得人之道，在於無意爲之；二是藉肩吾與狂接輿的對話，闡述以我強人，不如自己修爲；三是藉天根與無名人的對話，闡明無私之心，是出治之本；四是藉陽子居與老聃的對話，闡釋明王之治，在於無心任化；五是藉季咸、列子、壺子的對話，詮釋虛己應物，以默化羣生；這些都是無爲之理。「結論」有二項：一是正說，闡述因應無爲，虛以任實的眞義；二是反說，藉儵、忽、渾沌的故事，以針砭有爲，而主張無爲；這些正反論說，都是無爲之道。

所謂「先既總之而後復總之」，即歸有光所說的「總提總收」，也是一般的「先總後分又總」。歸有光在《文章指南・文章體則》中說：「賈誼先醒篇，前總提大意，中三段分應，末又一段總收。」

陳騤舉《左傳》的例子，詮證「先總後分又總」的論點。《左傳·文公二年》，先提出「總論」，即「臧文仲其不仁者三，不知者三」；再提出「分論」，即「下展禽，廢六關，妾組蒲」、「作虛器，縱逆祀，祀爰居」；最後又提出「總論」，即「三不仁也」、「三不知也」，以前呼後應。此外，如《禮記·中庸》：

天下之達道五，所以行之者三。曰：君臣也，父子也，夫婦也，昆弟也，朋友之交也，五者，天下之達道也。

首先提出「總論」，即「天下之達道五」；再提出「分論」，即「君臣也，父子也，夫婦也，昆弟也，朋友之交也」；最後又提出「總論」，即「五者，天下之達道也」。歸有光《文章指南·文章體則》認爲這種「總提總收」的作法，是「妙而又妙」。

陳騤《文則》析論「數人行事」的三種寫作方法：一是「先總而後數之」，二是「先數之而後總之」，三是「先既總之而後復總之」。這三種作法與清朝唐彪《讀書作文譜·卷七》所說的：「文章有總有分，則神氣清而力量勝，故前總發者，後必分敘；前分敘者，後必總發。又有迭總迭分，錯綜變化者，此又古文中之大化境也。」極爲類似。陳騤第一種的「先總而後數之」，即唐彪的「前總發者，後必分敘」；陳氏第二種的「先數之而後總之」，即唐氏的「前分敘者，後必總發」；陳氏第三種的「先既總之而後復總之」，約相當於唐氏「迭總迭分，錯綜變化」，但並不完全相同。「數人行事」的作法，雖然有三種不同的方式，但運用之妙，卻需存乎一心。

四、章法

陳騤《文則》所謂的「章法」，是指陳氏引用孔穎達的話，來闡述《詩經》各章的寫作方法，以供後人作詩的參考。陳騤在《文則·己七》中說：

孔穎達曰：「詩章之法，不常厥體，或重章共述一事，（〈采蘋〉之類。）或一事疊爲數章，（〈甘棠〉之類。）或初同而末異，（〈東山〉之類。）或首異而末同，（〈漢廣〉之類。）或事訖而更申，（〈既醉〉之類。）或章重而事別，（〈鴟鴞〉之類。）或隨時而改色，（〈何草不黃〉也。）或因事而變文，（〈文王有聲〉也。）或一章而再言，（〈采采芣苢〉。）或三章而一發，（〈賓之初筵〉。）篇有數章，章句衆寡不等，章有數句，句字多少不同。」包括詩體，孰踰此說，故特取焉。

陳騤指出《詩經》各章的作法，約可以歸納爲十類：一是重章共述一事，二是一事疊爲數章，三是初同而末異，四是首異而末同，五是事訖而更申，六是章重而事別，七是隨時而改色，八是因事而變文，九是一章而再言，十是三章而一發，並舉例詮證。

第一種「重章共述一事」的作法，如《詩經·召南·采蘋》：

于以采蘋，南澗之濱；于以采藻，于彼行潦。

于以盛之，維筐及筥；于以湘之，維錡及釜。

于以奠之，宗室牖下。誰其尸之？有齋季女。

〈采蘋〉分三章，每每四句，每句四字，全篇共四十八字。〈采蘋〉是詠將嫁女，採蘋藻，以奉祭祀的詩歌。首章先詠嫁女前，祭祀時必用的蘋藻。次章詠將已採得蘋藻，裝在筐筥中，然後再放在錡釜中煮。末章詠祭祀時，將蘋藻放在宗室戶牖間之前的景象。所謂重章，是指本詩共運用三章。所謂共述一事，是指祭祀。由先詠祭祀之物，再詠祭祀的景象，前後所述的內容，僅祭祀一事而已。

第二種「一事疊爲數章」的作法，如《詩經·召南·甘棠》：

蔽芾甘棠，勿剪勿伐，召伯所茇。

蔽芾甘棠，勿剪勿敗，召伯所憩。

蔽芾甘棠，勿剪勿拜，召伯所說。

〈甘棠〉分三章，每章三句，每句四字，全篇共三十六字。〈甘棠〉是詠南國百姓懷念召伯恩德的詩歌。首章叙述茂盛可以蔽風日的甘棠，不可砍伐，都是爲了懷念召伯的遺愛。次章、末章與首章意義相同，重疊三唱。三章重疊詠歌，以表達南國百姓思慕懷念召伯的情感，所謂「一事疊爲數章」是也。

第三種「初同而末異」的作法，如《詩經·豳風·東山》：

我徂東山，慆慆不歸。我來自東，零雨其濛。我東曰歸，我心西悲。制彼裳衣，勿士行枚。蜎蜎者蠋，烝在桑野。敦彼獨宿，亦在車下。

我徂東山，慆慆不歸。我來自東，零雨其濛。果蠃之實，亦施于宇。伊威在室，蠨蛸在户，町畽鹿場，熠燿宵行。不可畏也，伊可懷也。

我徂東山，慆慆不歸。我來自東，零雨其濛。鸛鳴于垤，婦歎于室；洒掃穹窒，我征聿至。有敦瓜苦，烝在栗薪。自我不見，于今三年。

我徂東山，慆慆不歸。我來自東，零雨其濛。倉庚于飛，熠燿其羽。之子于歸，皇駁其馬。親結其縭，九十其儀。其新孔嘉，其舊如之何？

〈東山〉分四章，每章十二句，每句四字，僅最後一句五字，全篇共一百九十三字。〈東山〉詠東征之士，記歸途及到家情狀的詩歌。首章詠征人回來，叙述路上的心情和狀況。次章叙述到家所見室屋荒廢的狀況。三章叙述婦待夫歸的情形，以及回家時看到苦瓜、栗薪的感想。末章叙述回家看到夫人，就回憶以前結婚當天喜樂的事。每章前四句都是「我徂東山，慆慆不歸。我來自東，零雨其濛」，所謂「初同」是也。每章後八句，字詞內容皆異，所謂「末異」是也。

第四種「首異而末同」的作法，如《詩經·周南·漢廣》：

南有喬木，不可休息。漢有游女，不可求思。漢之廣矣，不可泳思；江之永矣，不可方思。

翹翹錯薪，言刈其楚。之子于歸，言秣其馬。漢之廣矣，不可泳思；江之永矣，不可方思。

翹翹錯薪，言刈其蔞。之子于歸，言秣其駒。漢之廣矣，不可泳思；江之永矣，不可方思。

這是詩人追求游女，終於失望的戀歌。〈漢廣〉分三章，每章八句，每句四字，全篇共九十六字。首章由「南有喬木」，聯想游女雖美，不可追求。次章由「翹翹錯薪」，聯想追求游女，一定選擇美好者。末章形式與次章相同，只換蔞、駒二字以押韻，重疊前唱，反覆詠歎。所謂「末同」，是指每章末四句都運用相同的「漢之廣矣，不可泳思；江之永矣，不可方思。」所謂「首異」，是指每章前四句的字句、內容都不同。但次章、末章大部分相同，僅各二字不同，即次章的「楚」、「馬」與末章的「蔞」、「駒」迥異，其餘皆同。

第五種「事訖而更申」的作法，如《詩經·大雅·既醉》：

既醉以酒，既飽以德。君子萬年，介爾景福。
既醉以酒，爾殽既將。君子萬年，介爾昭明。
昭明有融，高朗令終，令終有俶，公尸嘉告。
其告維何？籩豆靜嘉。朋友攸攝，攝以威儀。
威儀孔時，君子有孝子。孝子不匱，永錫爾類。
其類維何？室家之壼。君子萬年，永錫祚胤。
其胤維何？天被爾祿。君子萬年，景命有僕。
其僕維何？釐爾女士。釐爾女士，從以孫子。

朱熹《詩集傳》說：「此父兄所以答行葦之詩。」〈既醉〉分八章，每章四句，每句多半是四個字，僅「君子有孝子」一句是五個字，全篇共一百二十九字。首章、次章，意義相同，都是「答燕之語」；第三章承接上章，繼續讚美君王的昭明；第四章承接上章，敘述公尸所告的內容；第五章承接上章，敘述祭祀的威儀；第六章承接上章，敘述室家能擴充，君子能萬年長久；第七章承接上章，敘述福祿的情形；第八章承接上章，敘述結婚生子。所謂「事訖」，是指首章、次章而言。所謂「更申」，是指末六章而言。自第三章以下，每章皆承上而申論，結構謹嚴，層次井然，以修辭學而言，屬於「層遞」。

第六種「章重而事別」的作法，如《詩經·豳風·鴟鴞》：

鴟鴞鴟鴞！既取我子，無毀我室！恩斯勤斯，鬻子之閔斯。

迨天之未陰雨，徹彼桑土，綢繆牖戶。今女下民，或敢侮予。

予手拮据，予所採荼，予所蓄租，予口卒瘏：曰予未有室家。

予羽譙譙，予尾翛翛，予室翹翹，風雨所漂搖。予維音嘵嘵。

高亨《詩經今注》說：「這是一首寓言詩，描寫大鳥在鴟鴞抓去她的一兩個雛兒之後，爲了防禦外來的侵害，保護自己的小鳥，不辭辛勞，不避艱苦，修築窩巢的事。」袁愈荌、唐莫堯《詩經新譯注》也說：「詩人以鳥築巢雛，歷盡艱苦來代言其窮苦經歷。〈鴟鴞〉分四章，每章五句，四言詩中雜出五言三句、六言兩句，全篇共八十七字。首章將自己比喻是鳥的愛巢者，次章將自己比喻作築鳥巢者，第三章敘述操作勞苦的情形，末章敘述所住的房子很危險。所謂「章重」，是指每章所敘述的都跟「鳥」有關。所謂「事別」，是指每章所敘述有關「鳥」的事情，各有不同。正如同王靜芝《詩經通釋》所說：「自首章敘憂巢愛子之義，次第敘未雨綢繆之心，手口皆病，羽殺尾敝之苦。然爲成其巢，安其室，保其子，固願盡瘁也。」

第七種「隨時而改色」的作法，如《詩經·小雅·何草不黃》：

何草不黃？何日不行？何人不將？經營四方。

何草不玄？何人不矜？哀我征夫，獨爲匪民。

匪兕匪虎，率彼曠野。哀我征夫，朝夕不暇！

有芃者狐，率彼幽草。有棧之車，行彼周道。

這是一首諷刺君王征役不息，人民受難不如野獸的詩歌。全篇分四章，每章四句，每句四字，共六十四字。陳騤所謂「隨時而改色」，是指前二章而言。秋冬之際，草都變黃了；時序改變，草又變玄了。季節不斷更迭，可是征役不息。

第八種「因事而變文」的作法，如《詩經·大雅·文王有聲》：

文王有聲，遹駿有聲，遹求厥寧，遹觀厥成。文王烝哉。

文王受命，有此武功；既伐于崇，作邑于豐。文王烝哉！

築城伊淢，作豐伊匹。匪棘其欲，遹追來孝。王后烝哉！

王公伊濯，維豐之垣。四方攸同，王后維翰。王后烝哉！

豐水東注，維禹之績。四方攸同，皇王維辟。皇王烝哉！

鎬京辟廱，自西自東，自南自北，無思不服。皇王烝哉！

考卜維王，宅是鎬京。維龜正之，武王成之。武王烝哉！
豐水有芑，武王豈不仕？詒厥孫謀，以燕翼子。武王烝哉！

朱熹《詩集傳》說：「此詩言文王遷豐、武王遷鎬之事。」全篇分八章，每章五句，每句四字，共一百六十字。首章敘述文王的美德，次章敘述文王遷都在豐邑，第三章敘述文王建築豐邑，第四章敘述四方諸侯來豐邑朝貢，第五章敘述武王繼承文王的志業，第六章敘述武王遷都到鎬京，第七章敘述武王遷都鎬京以後的情形，第八章武王遷都的原因。所謂「因事而變文」，是指前四章敘述文王遷都的情形，後四章描述武王遷都的情形，雖是同樣遷都，但由於敘述文王、武王的內容稍有不同，因此文句也隨之而異。

第九種「一章而再言」的作法，如《詩經·周南·芣苢》：

采采芣苢，薄言采之；采采芣苢，薄言有之。
采采芣苢，薄言掇之；采采芣苢，薄言捋之。
采采芣苢，薄言袺之；采采芣苢，薄言襭之。

這是一首詠婦人採芣苢的詩歌。全篇分三章，每章四句，每句四字，共四十八字。首章敘述採芣苢時，一唱一和，以助工作興趣。次章敘述採芣苢時的動作。末章敘述採得芣苢的情形。〈芣苢〉全文三章，僅各二字不同，即「采」、「有」與「掇」、「捋」及「袺」、「襭」，其他都相同，這就是陳騤所謂的「一章而再言」。誠如王靜芝《詩經通釋》所說：「一章爲開采，二章爲采時之動作，三章爲采得之情形。但實際亦不必執著於其程序。此皆采芣苢時，信口謳歌，惟任其情，歌其歌，自得其趣也。」

第十種「三章而一發」的作法，如《詩經·周南·螽斯》：

螽斯羽，詵詵兮；宜爾子孫，振振兮！
螽斯羽，薨薨兮；宜爾子孫，繩繩兮！
螽斯羽，揖揖兮；宜爾子孫，蟄蟄兮！

這是賀人生子的詩歌。糜文開、裴普賢《詩經欣賞與研究·螽斯》也說：「詩人詠螽斯的多子，以喻人之子孫昌盛，在適當場合由衆人合唱，便成爲祝賀多子多孫的歌詠。」全篇分三章，每章三個三字句、一個四字句，共三十九字。首章以螽斯繁殖極快，比喻子孫衆多；次章、末章作法仍舊，意義亦同，眞是陳騤所謂的「三章而一發」。陳騤所舉的《詩經·小雅·賓之初筵》，全詩分爲五章，每章十四句，每句四字，共二百八十字，是記叙周代射禮宴飲的情形，也是描述賓客醉態，由於不止三章，不適合「三章而一發」的體例，因此筆者換《詩經·周南·螽斯》的例子，比較適合「三章而一發」的體例。

陳騤將《詩經》章法分爲十類，並舉例詮證；或以形式而論，如「初同而末異」、「首異而末同」；或以內容而論，如「事訖而更申」、「隨時而改色」；或綜合形式、內容而論，如「重章共述一事」、「一事疊爲數章」、「章重而事別」、「因事而變文」；都是陳氏的獨特創見。

本節所闡述的「助詞」、「句法」、「數人行事」、「章法」，不論是屬於字法或句法、章法、篇法，都是文章的一貫性，不容分開，分開僅是便於分析、研究，其實文章是一體的。誠如明朝高琦的書名，叫做《文章一貫》。陳無功《續文章緣起·文類·章》也說：「古言曰：『章者，文之成；句者，詞之絕。』章者，明也，總義也，包體以明情也；句者，局也，聯字分疆以局言也。聯字成句，聯句成章，積章成篇，積篇成帙。」

【附　註】

①周靖在《現代漢語語法修辭》中，論述「助詞」、「句法」，是以筆者將這兩類合併爲「語法修辭」，殆本乎此。（周氏書，見該書頁六五至七〇及九三至二〇五，中國經濟出版社印行，民國八十年八月初版。）又陳騤在《文則》中，是用「助辭」一語，但由於現在習慣皆用「助詞」一語，很少用「助辭」一語，因此本文探討的內容，悉用「助詞」一語，不用「助辭」一語，惟引文依照原文，不加以更動。

②鄭文貝在《篇章修辭學》中，論述篇章的基本構件、最大構作、特殊構件以及篇章組織的方法，這些內容與陳騤《文則》所闡論的「數人行事」、「章法」，是息息相關，密不可分，因此筆者將「數人行事」、「章法」合併爲「篇章修辭」，即源於此。

③所謂文章的四重結構，就是字、句、章、篇。「助詞」屬於「字」的部分，劉勰《文心雕龍·章句》說：「詩人以兮字入於句限，《楚辭》用之，字出於句外。尋兮字承句，乃語助餘聲。」由此可證，「助詞」係「字」的部分。陳

騤所舉「數人行事」的例子，比較側重於「章法」，但也可以運用到「句法」，甚至運用到「篇法」，可以說是介乎「句法」、「章法」、「篇法」三者之間；而陳騤所舉的「章法」，比較側重整首詩歌，也可以運用到「篇法」，因此將「數人行事」排在「句法」的前面。

④參閱譚全基《文則研究》，香港問學社印行，民國六十七年十二月初版，頁三〇。
⑤參閱鄭業建《修辭學》，上海正中書局印行，民國三十三年五月初版、三十五年二月滬一版，頁一一一至一一八。
⑥見傅師隸樸《脩辭學》，正中書局印行，民國五十八年三月臺初版、六十六年十月臺修一版，頁五四至六一。
⑦見周靖《現代漢語語法修辭》，中國經濟出版社印行，民國八十二年二月初版，頁六五至七〇。
⑧參閱同④，頁三一至三三。
⑨以下簡稱「段氏十七部」。段玉裁〈詩經韵分十七部表〉，見段玉裁《說文解字注》附錄，蘭臺書局印行，民國五十九年十月再版，頁八五三。
⑩見同⑨書，頁八五二。
⑪同⑩。
⑫見同⑨書，頁八五六。
⑬見同⑨書，頁八五八。
⑭見同⑨書，頁八四八。
⑮見同⑨書，頁八五七。
⑯見同⑨書，頁八六九。段玉裁〈羣經韵分十七部表〉，以下簡稱「段氏十七部」。

⑰見同⑯，頁八七。

⑱參閱王妙櫻《王構修辭鑑衡研究》，民國七十六年四月東吳大學中國文學研究所碩士論文，作者自印，頁九二至九三。

⑲見明朝歸有光《文章指南》，廣大書局印行，民國六十一年四月初版，頁二五五至二六二。

⑳詳見黃永武《字句鍛鍊法》，臺灣商務印書館印行，民國五十八年八月初版，頁一至八一；增訂版洪範書店印行，民國七十五年一月初版，頁一至一七二；周靖《現代漢語語法修辭》，中國經濟出版社印行，民國八十年二月初版，頁一三三至二〇五。

第十節　蓄意、蹈襲、仿擬、目人、列氏

「蹈襲」、「仿擬」係類似，「目人」、「列氏」亦類似，但「蓄意」與前四項迥異。因此，本節不像第八、九節完全類似的合併探究，但由於「蓄意」、「蹈襲」、「仿擬」、「目人」、「列氏」五項，陳騤所論述的內容不多，就合併討論，以免章節繁瑣。又基於先單項討論，後合併探討的原則，單項討論如第一至第七節，合併探討如第八、九節，所以就先闡析「蓄意」，再論述「蹈襲」、「仿擬」、「目人」、「列氏」。

一、蓄意

陳騤《文則》所謂「蓄意」，譚全基認為「相當於現在所謂的『含蓄』，而略有不同，『蓄意』包含有精鍊的意思」。①鄭子瑜卻以為「所謂蓄意，是蓄其意而略其文，實質上是論省略或節縮的修辭法。」②譚氏所謂的「含蓄」，係就文章內容而言；所說的「精鍊」，係就寫作技巧而言。鄭氏所謂的「省略」、「節縮」，係就修辭方法而言。楊樹達《漢文文言修辭學》③、張嚴《修辭論說與方法》④、董季棠《修辭析論》⑤都採用「省略」一詞，而陳望道《修辭學發凡》⑥、黃永武《字句鍛鍊法》⑦、徐芹庭《修辭學發微》⑧、黃師慶萱《修辭學》⑨、沈謙《修辭學》⑩都採用「跳脫」一詞。其實，「跳脫」就是「省略」，正如傅師隸樸《脩辭學》所說：「跳脫是古文省略的一種格式。」⑪由於「省略」一詞，一般比較熟稔，易於明瞭，因此本文暫時用「省略」一詞。所謂「省略」，是指在語文中，或因事態突變，或因情勢急轉，或因心思含蓄，故意中斷語氣，造成語意不全，或句子成分殘缺的修辭技巧。

陳騤認為敘事的文章，以蓄意為佳，並舉例詮證，他在《文則·甲五》中說：

> 文之作也，以載事為難；事之載也，以蓄意為工。觀《左氏傳》載晉敗於邲之事，但云：「中軍下軍爭舟，舟中之指可掬。」則攀舟亂刀斷指之意，自蓄其中。又載楚師寒拊勉之事，但云：「三軍之士皆如挾纊。」則軍情愉悅之意，自蓄其中。《公羊傳》載秦敗於殽之事，但云：

「匹馬隻輪無反者。」則要擊之意，自蓄其中。若《公羊傳》載齊使人迓郤克臧孫之事，則曰：「客或跛或眇，齊使跛者迓跛者，眇者迓眇者。」《孟子》載天下歸舜之事，則曰：「天下諸侯朝覲者，不之堯之子而之舜，訟獄者不之堯之子而之舜，謳歌者不謳歌堯之子而謳歌舜。」凡此則意隨語竭，不容致思。

陳騤舉《左傳》、《公羊傳》、《孟子》的文章，闡論「蓄意」的體例。《左傳·宣公十二年》：「中軍下軍爭舟，舟中之指可掬。」其中省略「攀舟亂刀斷指」，此種省略，既不像承上省略，也不像探下省略，董季棠稱它爲「樞紐省」⑫，楊樹達稱它爲「語急省」⑬，這就是陳騤所謂的「蓄意」，因此他說：「攀舟亂刀斷指之意，自蓄其中。」全句還原應該是「中軍下軍爭舟，攀舟亂刀斷指，舟中之指可掬。」又舉《左傳·宣公十二年》記載楚國將士衣單體塞，楚王撫慰勉勵三軍，《左傳》只說：「三軍將士都像披上絲綿一般。」這句話含有楚軍情緒高漲歡愉之意，陳騤認爲這是「蓄意」。全句還原應該是「楚師雖衣單體寒，然軍情愉悅，三軍之士皆如挾纊。」其中省略「軍情愉悅」，由於此句是樞紐，所以稱爲「樞紐省」。

陳騤再舉《公羊傳·僖公三十三年》記載秦軍在殽之戰中失敗，《公羊傳》只說：「連一匹馬、一個車輪也不能回秦國。」這句話含有秦軍慘敗之意，陳氏認爲這也是「蓄意」。全句還原應該是「秦敗於殽，其慘敗之狀，匹馬隻輪無反者。」其中省略「其慘敗之狀」，由於這句是主要關鍵，因此叫做「樞紐省」。

除了陳騤舉例詮證「蓄意」之外，還有很多，如《禮記・檀弓下》：

戰手郎。公叔禺人遇負杖入保者息，曰：「使之雖病，任之雖重也，君子不能為謀也，士弗能死也；不可！我則既言之矣。」

根據《左傳・哀公十一年》：「公叔務人見保者而泣，曰：『事充政重，上不能謀，士不能死，何以治民？吾既言之矣，敢不勉乎！』」《孔子家語・曲禮子貢問》：「齊師侵魯。公叔務人遇人入保，負杖而息，務人泣曰：『使之雖病，任之雖重，君子弗能謀，士弗能死；不可也。吾既言之，敢不勉乎！』」《禮記・檀弓下》在「吾則既言之矣」下省略「敢不勉乎」一句，黃永武於《字句鍛鍊法・跳脫》中說：「如此跳脫一句，叙事乃覺緊湊，而事態迫促、激昂陳辭的情況，乃能如繪。」又如《左傳・哀公十一年》：

孟之側後入，以為殿，抽矢策其馬曰：「馬不進也！」

根據《論語・雍也》：「子曰：『孟之反不伐，奔而殿，將入門，策其馬，曰：「非敢後也，馬不進也！」』」孟之反，魯國大夫，名側。《左傳》在「馬不進也」上，省略「非敢後也」一句，黃永武認為「以當時急劇的情態衡之，《左傳》跳脫一句的筆法，比《論語》更為逼真」。又如司馬遷《史記・馮唐傳》：

上既聞廉頗、李牧為人，良說，而搏髀曰：「嗟乎！吾獨不得廉頗、李牧時為將，吾豈憂匈奴哉！」

楊樹達《漢文文言修辭學·省略》說：「本當云：吾若得廉頗、李牧為將，吾豈憂匈奴哉！」末三句還原應該是「嗟乎！吾獨不得廉頗、李牧時為將，若得廉頗、李牧為將，吾豈憂匈奴哉！」其中省略「若得廉頗、李牧為將」一句，黃永武認為「跳脫了一句，反而表現出心切思慕之情，同時使搏髀歡悅、手舞足蹈的情景活躍於目前了」。

陳騤以為「意隨語竭，不容致思」的文章，就不如「蓄意」來得好，如《公羊傳·成公二年》記載齊國派人去迎接郤克、臧孫，《公羊傳》說：「來客有的跛腳，有的眼瞎，齊國就派跛子去迎接跛子，盲者去迎接盲者。」又如《孟子·萬章上》記載天下人心歸順虞舜，《孟子》說：「天下諸侯朝見天子，不到唐堯的兒子那裏，卻到虞舜那兒；打官司的人，也不到唐堯兒子那裏，卻到虞舜那兒；唱歌的人，不歌頌唐堯的兒子，卻歌頌虞舜。」這些文章平鋪直敘，並沒有含蓄之意。陳騤認為記叙文以蓄意為主，才能使文章韻味無窮，耐人尋味，所謂「言有盡而意無窮」是也。

二、蹈襲、仿擬

陳騤所謂的「蹈襲」，即董季棠《修辭析論》所說的「襲改」、「仿擬」。董季棠說：「『襲改』是利用舊的材料，以新的形式表現出來，可稱它為『舊酒裝新瓶』；而『仿擬』是拿新的材料，用舊的形式來表現，可說是『舊瓶新酒』。」⑭董氏所謂的「襲改」，即唐朝劉知幾《史通·模擬》所說的「貌異心同」；董氏的「仿擬」，就是劉氏的「貌同心異」。⑮一般修辭學書都將二者合併為「仿擬」一類。

陳騤認爲經傳的文字有互相類似的地方，並非蹈襲，可能是不約而同的作品，並舉例加以論證，他在《文則·庚二》中說：

大抵經傳之文，有相類者，非固出於蹈襲，實理之所在，不約而同也。略條于後，則可推矣。《詩》曰：「禮義不衍，何恤於人言？」（此逸詩，《荀子》引兮云：「禮義之不愆兮，何恤人之言兮？」）《左氏傳》載士蔿稱諺曰：「心苟無瑕，何恤乎無家？」《詩》曰：「謂予不信，有如皦日。」《左氏傳》載公子重耳曰：「所不與舅氏同心者，有如白水。」（凡指物爲誓，語多類如此。）《詩》曰：「不憖遺一老，俾守我王。」《左氏傳》魯哀公誄孔丘曰：「不憖遺一老，俾屏予一人以在位。」此不約而同，一也。《左氏傳》曰：「晉韓起聘魯，觀書於太史氏，見《易》象與《魯春秋》，曰：『周禮盡在魯矣。吾乃今知周公之德與周之所以王也。』」《家語》曰：「孔子適周，歷郊社之所，考明堂之則，察廟朝之度，於是喟然曰：『吾乃今知周公之聖與周之所以王也。』」此不約而同，二也。《左氏傳》曰：「晉侯疾病，求醫于秦，秦伯使醫緩爲之，醫至，曰：『疾不可爲也，在肓之上，膏之下。』」《戰國策》曰：「扁鵲見秦武王，武王示之病，扁鵲請除左右，曰：『君之病在耳之前，目之下。』」此不約而同，三也。《左氏傳》載周子曰：「二三子用我，今日，否，亦今日。」《國語》載吳王曰：「孤之事君，在今日，不得事君，亦在今日。」此不約而同，四也。

《國語》載觀射父曰：「先王之祀也，以一純、二精、三牲、四時、五色、六律、七事、八種、九祭、十日、十二辰以致之。」《左氏傳》載晏子曰：「先王之濟五味，和五聲，以平其心，成其政也。聲亦如味，一氣、二體、三類、四物、五聲、六律、七音、八風、九歌，以相成也。」（此文既於物協數，又於數協序，亦文之工者。）此不約而同，五也。

《考工記》曰：「柘爲上，檍次之，檿桑次之，橘次之，木瓜次之，荊次之。」《禮器》曰：「禮，時爲大，順次之，體次之，宜次之，稱次之。」此不約而同，六也。

陳騤指出《荀子·正名》、《左傳·閔公元年》以及逸詩的內容，都是不約而同。其實，仔細比較，卻發現《荀子·正名》引用逸詩：「禮義不衍，何恤于人言。」稍加增損，而成爲「禮義之不愆兮，何恤人之言兮」，《左傳·閔公元年》卻大幅度修改爲「心苟無暇，何恤乎無家」。二者都是襲改，但前者稍微襲改，後者卻大幅度地襲改。陳騤又指出《左傳·僖公三十四年》與《詩經·王風·大車》的內容，是不約而同。其實，仔細比較，卻發現《左傳·僖公二十四年》：「所不與舅氏同心者，有如白水。」是襲改《詩經·王風·大車》：「謂予不信，有如皦日。」陳騤再指出《左傳·哀公十六年》與《詩經·小雅·十月之交》的內容，是不約而同。其實，仔細比較，卻發現《左傳·哀公十六年》：「不慭遺一老，俾屏予一人以在位。」是襲改《詩經·小雅·十月之交》：「不慭遺一老，俾守我王。」

此外，陳騤又列舉《左傳·昭公二年》與《孔子家語·觀周》、《左傳·成公十年》與《戰國策·秦策二》、《左傳·成公十八年》與《國語·吳語》、《國語·楚語下》與《左傳·昭公二十年》、《周禮·考工記》

與《禮記·禮器》，其內容都是不約而同，其實文字，都是稍加潤飾，各有不同，屬於「貌異心同」，也是經過襲改。

除了陳騤所舉不約而同的襲改之外，還有很多，如蘇東坡的〈水調歌頭〉：

> 明月幾時有？把酒問清天：「不知天上宮闕，今夕是何年？」

這首詞是襲改李白〈把酒問月〉：「青天有月來幾時？我今停杯一問之。」尤其是首句「明月幾時有」與「青天有月來幾時」，內容相同，僅是形式稍加潤飾。又如李白〈朝發白帝城〉：

> 朝辭白帝彩雲間，千里江陵一日還；兩岸猿聲啼不住，輕舟已過萬重山。

這首詩是襲改酈道元〈水經江水注〉：「或命急宣，有時朝發白帝，暮到江陵，其間千二百里，雖乘奔御風，不以疾也。……每至晴初霜旦，林寒澗肅，常有高猿長嘯，屬引淒異，空谷傳響，哀轉久絕。」又如鄭板橋〈滿江紅·金陵懷古〉：

> 淮水東頭，問夜月何時是了？空照徹，飄零宮殿，淒涼華表。

這首詞是襲改劉禹錫〈石頭城〉：「淮水東邊舊時月，夜深還過女墻來。」以及李後主〈浪淘沙〉：「晚涼天淨月華開，想得玉樓瑤殿影，空照秦淮。」董季棠認為「意境襲了七分，詞取了三分，就變成自己的作品。」[16]這些舊材料、新形式的襲改，都是大幅度地潤飾，因此有其文學價值。

陳騤不僅列舉六個不約而同的襲改，也列舉《孝經》的襲改，只是不約而同的襲改側重大幅度，而《孝經》僅稍加更動而已。陳騤在《文則·戊五》中說：

《孝經》之文，簡易醇正，蘊聖人之氣象，揭《六經》之表儀。夷考其文，有所未諭，〈三才章〉首，似摭子產言禮之辭，（子太叔對趙簡子曰：「聞諸先大夫子產曰：『夫禮，天之經也，地之義也，民之行也，天地之經，而民實則之，則天之明，因地之性。』」《孝經》止三字不同。）〈聖治章〉末似刪《文子》論儀之語，（北宮文子對衛襄侯曰：「故君子在位可畏，施舍可愛，進退可度，周旋可則，容止可觀，作事可法，德行可象，聲氣可樂。」《孝經》則曰：「君子則不然，言思可道，行思可樂，德義可尊，作事可法，容止可觀，進退可度。」）〈事君章〉曰：「進思盡忠，退思補過。」此乃士貞子諫晉景公之辭。〈聖治章〉曰：「以順則逆，民無則焉，不在於善，而皆在於凶德。」此乃季文子對魯宣公之辭，（《左氏傳》作「訓昏」，三字不同。）聖人雖遠稽格言，不應雷同如此。豈作傳者，反竊經與？

陳騤認爲《孝經·三才章》：「夫孝，天之經也，地之義也，民之行也。天地之經，而民是則之，則天之明，因地之性。」與《左傳·昭公二十五年》：「夫禮，天之經也，地之義也，民之行也。天地之經，而民實則之，則天之明，因地之性。」僅「孝」與「禮」、「是」與「實」不同，這是小幅度地修改，是「貌同心異」，屬於形式相同、內容不同的「仿擬」。又如《孝經·聖治章》：「君子則不然，言思可道，行思可樂，德義可尊，作事可法，容止可觀，進退可度。」與《左傳·襄公三十一年》：「故君子在位可畏，施舍可愛，進退可度，周旋可則，容止可觀，作事可法，德行可象，聲氣可樂。」這雖是大幅度修改，但屬於「貌同心異」，是形式相同、內容不同的「仿擬」。此外，《孝經·事君章》：「進思盡忠，退思補過。」是引用《左傳·宣公十二年》：「林父之事君也，進思盡忠，退思補過，社稷之衛也。」這是引用，既不是襲改，也不是仿擬。又如《孝經·聖治章》：「以順則逆，民無則焉，不在于善，而皆在于凶德。」與《左傳·文公十八年》：「以訓則昏，民無則焉，不度于善，而皆在于凶德。」這是小幅度地修改，是「貌同心異」，也是形式相同、內容不同的仿擬。

除了陳騤所列舉的小幅度修改的仿擬，還有很多其他例子，如王勃《滕王閣序》：

落霞與孤鶩齊飛，秋水共長天一色。

此二句仿擬庾信《馬射賦》：「落花與芝蓋齊飛，楊柳共春旗一色。」「落霞」與「落花」、「孤鶩」與「芝蓋」、「秋水」與「楊柳」、「長天」與「春旗」，內容各有不同，但形式卻相同，這是「貌同心異」的仿擬。又如王闢之《澠池燕談錄》：

貢父（劉攽）晚苦風疾，鬢眉皆落，鼻梁且斷。一日，與子瞻（蘇東坡）數人小酌，各引古人語相戲。子瞻戲貢父云：「大風起兮眉飛揚，安得猛士兮守鼻梁！」座中大噱，貢父恨悵不已。

其中「大風起兮眉飛揚，安得猛士兮守鼻梁」，是仿擬劉邦的《大風歌》：「大風起兮雲飛揚，威加海內兮歸故鄉，安得猛士兮守四方！」「眉」與「雲」、「鼻梁」與「四方」，內容各有不同，但形式卻相同，這也是「貌同心異」的仿擬。又如謝師冰瑩《紅豆戒指》：

後面有兩行小字：「吾不能去，姊不肯來，恐吾旦暮死，而姊抱無涯之憾也。」

其中「吾不能去，姊不肯來，恐吾旦暮死，而姊抱無涯之憾也」，是仿擬韓愈〈祭十二郎文〉：「吾不可去，汝不肯來，恐吾旦暮死，而如抱無涯之戚也。」「能」與「去」、「姊」與「汝」、「憾」與「戚」，各有不同，但形式卻相同，這也是「貌同心異」的仿擬。又如張曉風〈愁鄉石〉：

> 七月一過，蟬聲便老。

全句仿擬宋朝寇準的〈踏莎行〉：「春色將闌，鶯聲漸老。」尤其是第二句，僅「蟬」與「鶯」、「便」與「漸」，各有不同，其形式卻相同，這也是仿擬。又有人仿擬明朝顧憲成的名言：

> 風聲、雨聲、讀書聲，聲聲入耳。
> 家事、國事、天下事，事事關心！

寫成另外兩段文字，其一內容是這樣：

> 松聲、竹聲、鐘鼓聲，聲聲自在。
> 山色、水色、烟霞色，色色皆空。

其二內容是這樣：

> 打聲、罵聲、吵架聲，聲聲入耳。
> 閒事、雜事、無聊事，事事關心。⑰

前者僅是純粹仿擬，後者不止是仿擬，又含有諷刺之意。第一段「風」與「松」、「雨」與「竹」、「讀書」與「鐘鼓」、「入耳」與「自在」、「家事」與「山色」、「國事」與「水色」、「天下事」與「烟霞色」、「事事關心」與「色色皆空」，各有不同，但形式卻完全相同，這是仿擬。第二段「風」與「打」、「雨」與「罵」、「讀書」與「吵架」、「家」與「閒」、「國」與「雜」、「天下」與「無聊」，各有不同，但形式卻相同，這也是仿擬。

陳騤認爲不僅經傳的文章有互相模擬的現象，連經書亦有互相模仿的情形，他在《文則・甲二》中說：

> 或曰：「《六經》創意，皆不相師。」試探精微，足明詭說。〈洪範〉曰：「恭作肅，從作乂，明作哲，聰作謀，睿作聖。」〈小旻〉五章曰：「國雖靡止，或聖或否，民雖靡膴，或哲或謀，或肅或艾。」此《詩》創意師於《書》也。（鄭康成箋曰：「詩人之意，欲王敬用五事，以明天道。」）《儀禮》曰：「皇尸命工祝，承致多福無疆，于女孝孫，來女孝孫，使女受祿于天，宜稼于田，眉壽萬年，勿替引之。」（此〈少牢〉嘏辭。）〈楚茨〉四章曰：「工祝致告，徂賚孝孫，苾芬孝祀，神嗜飲食，卜爾百福，如幾如式。」此《詩》創意師於《禮》也。鄭康成箋云：「此皆嘏辭之意。」）

陳騤不同意《六經》各自創意，不互相模擬的說法，並且舉出例證，闡述互相模仿的情形。他舉《詩經・小雅・小旻》：「國雖靡止，或聖或否，民雖靡膴，或哲或謀，或肅或艾。」指其意師自《尚書・洪範》：「睿作聖，明作哲，聰作謀，恭作肅，從作乂。」這是《詩經》的創作旨意師法《尚書》的例證，也是內容不變，形式稍作改變的襲改。又舉《詩經・小雅・楚茨》：「工祝致告，徂賚孝孫，苾芬孝祀，神嗜飲食，卜爾百福，如幾如式。」亦指其意師自《儀禮·少牢饋食禮》：「皇尸命工祝，承致多福無疆，于女孝孫，來女孝孫，使女受祿于天，宜祿于田，眉壽萬年，勿替引之。」這是《詩經》的創作旨意師法《儀禮》的例證，也是「貌異心同」的襲改。

陳騤又指出《禮記·大學》模擬《爾雅·釋訓》、《左傳·昭公二十八年》模仿《逸周書·謚法解》，他在《文則·戊六》中說：

> 《爾雅》之作，主在訓言；〈謚法〉之作，用以定謚；皆周公之文也。戴聖之釋〈淇澳〉，備采《爾雅》之辭，（《禮記》曰：「『如切如磋』者，道學也；『如琢如磨』者，自修也；『瑟兮僩兮』者，恂慄也；『赫兮喧兮』者，威儀也；『有斐君子，終不可諠兮』者，道盛德至善，民之不能忘也。」此乃《爾雅·釋訓》文。）成鱄之釋〈皇矣〉，端倣〈謚法〉之體，（《左傳》曰：「心能制義曰度，德正應和曰莫，照臨四方曰明，勤施無私曰類，教誨不倦曰長，賞慶刑威曰君，慈和徧服曰順，經天緯地曰文。」〈謚法〉體如此，文亦有同者。）孰謂類皆後人之補緝，無補作者之監觀。

陳騤舉《禮記》模仿《爾雅》、《左傳》模擬《逸周書》，並加以詮證。《禮記·大學》詮釋《詩經·衛風·淇奧》的詩句，是模仿《爾雅·釋訓》。試比較《禮記·大學》：「『如切如磋』者，道學也；『如琢如磨』者，自修也；『瑟兮僩兮』者，恂慄也；『赫兮喧兮』者，威儀也；『有斐君子，終不可諠兮』者，道盛德至善，民之不能忘也。」《爾雅·釋訓》：「如切如磋，道學也。如琢如磨，自脩也。瑟兮僩兮，恂慄也。赫兮烜兮，威儀也。有斐君子，終不可諼兮，道盛德至善，民之不能忘也。」其中多加「者」字之外，「修」與「脩」、「喧」與「烜」、「諠」與「諼」，字異義同，因此屬於內容相同，文字稍異的襲改。陳騤又舉《左傳·昭公二十八年》闡釋《詩經·大雅·皇矣》的詩句，是模仿《逸周書·謚法》的體例。試比較《左傳·昭公二十八年》：「心能制義曰度，德正應和曰莫，照臨四方曰明，勤施無私曰類，教誨不倦曰長，賞慶刑威曰君，慈和徧服曰順，經天緯地曰文。」《逸周書·謚法》：「仁義所在曰王，賞慶刑威曰君，從之成羣曰君，立制及衆曰公，執應八方曰侯，壹德不解曰簡，平易不疵曰簡，經緯天地曰文。」其中「賞慶刑威曰君」一句相同，而「經天緯地曰文」一句，襲改自《逸周書》：「經緯天地曰文」。其他都是形式相同，而內容不同的仿擬。陳氏所舉的例子，既有襲改，又有仿擬。

陳騤雖然贊成最好的模仿，但他卻極力反對最差的模擬。他認爲揚雄模仿《論語》作《法言》，王通模儗《論語》作《中說》，都有一點畫虎類狗的感覺。陳騤在《文則·戊七》中說：

彼揚雄《法言》、王通《中說》，模儗此書（指《論語》），未免畫虎類狗之譏。（《法言》曰：「如其智，如其智。」「雖有民，焉得而塗諸？」「三年不目日，視必盲；三年不目月，精必矇。」「魯仲連傷而不剬，藺相如剬而不傷。」「請條，曰：『非正不視，非正不聽，非正不言，非正不行。』」「若張子房之智，陳平之無悞，絳侯勃之果，霍將軍之勇，終之以禮樂，則可謂社稷之臣矣。」《法言》之模儗《論語》，皆此類也。《中說》曰：「可與共樂，未可與共憂，可與共憂，未可與共樂。」「我未見勤者矣，蓋有焉，我未之見也。」「焉知來者之不如昔也。」「是故惡夫異端者。」「小不忍，致大災。」「知之者不如行之者，行之者不如安之者。」《中說》之模擬《論語》，皆此類也。）王充〈問孔〉之篇，而於此書多所指摘，亦未免桀犬吠堯之罪歟？

陳騤舉例詮證不好的模仿，他認為揚雄《法言》、王通《中說》模擬，都不免有畫虎類狗的感覺。他舉揚雄《法言·吾子》：「如其智，如其智。」是模仿《論語·憲問》：「如其仁，如其仁。」僅「智」與「仁」不同，其餘皆同。又《法言·問道》：「雖有民，焉得而塗諸？」是模擬《論語·顏淵》：「雖有粟，吾得而食諸？」「民」與「粟」、「吾焉得而塗諸」與「吾得而食諸」，內容不同，但形式卻相似。《法言·修身》：「三年不目日，視必盲；三年不目月，精必矇。」是模仿《論語·陽貨》：「三年不為禮，禮必壞；三年不為樂，樂必崩。」句型相同，內容不同。《法言·淵騫》：「魯仲連傷而不剬，藺相如剬而不傷。」是模擬《論語·憲問》：「晉文公譎而不正，齊桓公正而不譎。」這也是形式相同，內容不同。《法言·淵騫》：「請條，曰：『非正不視，非正不聽，非正不言，非正不行。」」是模仿《論語·顏淵》：「顏淵曰：『請問其目？』子曰：『非禮勿視，非禮勿聽，非禮勿言，非禮勿動。』」「請條」襲改自「請問其目」。「不」與「勿」、「行」與「動」，各不相同，但其形式卻相同。《法言·淵騫》：「若張子房之智，陳平之無悞，絳侯勃之果，霍將軍之勇，終之以禮樂，則可謂社稷之臣矣。」是模擬《論語·憲問》：「若臧武仲之知，公綽之不欲，卞莊子之勇，冉求之藝，文之以禮樂，亦可以為成人矣。」僅末句稍微改變，其他句型都相同，但內容卻不同。揚雄《法言》模仿《論語》，大部分是句型相同，內容不同，比較沒有變化，因此陳騤認爲揚雄太呆板。正如董季棠所說：「只求形式類似，不管內容順適，眞是膠柱鼓瑟，刻板難通了。」⑱

陳騤又舉王通《中說·述史》：「可與共樂，未可與共憂；可與共憂，未可與共樂。」是模擬《論語·子罕》：「可與共學，未可與適道；可與適道，未可與立。」形式相同，但內容卻不同。又《中說·魏相》：「我未見勤者矣，蓋有焉，我未之見也。」是模仿《論語·里仁》：「我未見力不足者，蓋有之，我未之見也。」首句「我未見勤者」，是襲改自「我未見力不足者」。次句「焉」與「之」，字異義通。末句「我未之見也」，完全相同。又《中說·問易》：「焉知來者之不如昔也。」是模擬《論語·子罕》：「焉知來者之不如今也。」僅將「今」字改爲「昔」字，其他都相同。《中說·問易》：「是故惡夫異端者。」是模仿《論語·先進》：「是故惡夫佞者。」將「佞者」改爲「異端者」。《中說·問易》：「小不忍，致大災。」是模擬《論語·衛靈公》：「小不忍，則亂大謀。」首句「小不忍」，完全相同。第二句「致大災」，是襲改自「則亂大謀」。《中說·中樂》：「知之者不如行之者，行之者不如安之者。」句型相同，但內容卻不同。王通《中說》模仿《論語》，也跟揚雄《法言》犯了同樣的毛病，但求形式類似，不求內容是否順適，而且句型多半相同，未免太呆板了，所以陳騤不欣賞刻板的模擬。

陳騤《文則》談模仿，有贊成，也有反對；其他文人談模擬，有贊成，也有反對。贊成模仿者，有明朝李夢陽、清朝曾國藩、民國王闓運；反對模擬者，有唐朝劉知幾、宋朝宋景文、明朝顧炎武。⑲初學寫作，不妨由模擬入手，再走向創作。誠如傅庚生《中國文學欣賞舉隅·書旨與序目》說：

「研究文學者，往往始之以欣賞，繼之以摹倣，而終之創作也。」西諺也說：「最好的模仿就創作。」只要是最好的模仿，不論是襲改或仿擬，都有其文學價值，但偉大的作家不能一直在模仿中成長，必須跳出「模仿」的窠臼，走向創新。

三、目人、列氏

陳騤認爲文章有「目人之體」，也有「列氏之體」。所謂「目人之體」，是指在語文中，敘述人名的體例。所謂「列氏之體」，是指在語文中，列舉姓氏的體例。不論是「目人之體」或「列氏之體」，都是將相同或相異性質、特點的人物，分門別類，加以闡論。

陳騤認爲「目人之體」，《論語》運用這種修辭技巧，揚雄的《法言》、班固的《漢書》也運用；而「列氏之體」，《左傳》使用這種修辭技巧，《莊子》、《史記》也使用。陳騤舉例闡述「目人之體」、「列氏之體」，他在《文則·丁八》中說：

> 文有目人之體，有列氏之體。《論語》曰：「德行：顏淵、閔子騫、冉伯牛、仲弓。言語：宰我、子貢。政事：冉有、季路。文學：子游、子夏。」此目人之體也。而揚雄、班固得之。（揚子《法言》曰：「美行：園公、綺里季、夏黃公、角里先生。言辭：婁敬、陸賈。執正：王陵、申屠嘉。折節：周昌、汲黯。守儒：轅固、申公。災異：董相、夏侯勝、京房。」班固作《公孫弘傳贊》曰：「儒雅則公孫弘、董仲舒、兒寬，篤行則石建、石慶，質直則汲黯、卜式，

推賢則韓安國、鄭當時，定令則趙禹、張湯，文章則司馬遷、相如，滑稽則東方朔、枚皋，應對則嚴助、朱買臣，歷數則唐都、洛下閎，協律則李延年，運籌則桑弘羊，奉使則張騫、蘇武，將率則衛青、霍去病，受遺則霍光、金日磾，其餘不可勝紀。」）《左氏傳》曰：「殷民六族：條氏、徐氏、蕭氏、索氏、長勺氏、尾勺氏。」此列氏之體也。而莊周、司馬遷得之。（《莊子》曰：「子獨不知至德之世乎？昔者，容成氏、大庭氏、伯皇氏、中央氏、栗陸氏、驪畜氏、軒轅氏、赫胥氏、尊盧氏、祝融氏、伏戲氏、神農氏。」司馬遷作〈夏本紀贊〉曰：「其後分封，用國爲姓，故有夏后氏、有扈氏、有男氏、斟尋氏、彤城氏、褒氏、費氏、杞氏、繒氏、辛氏、冥氏、斟戈氏。」

陳騤先舉《論語》的例子，闡論「目人之體」。《論語·先進》：「德行：顏淵、閔子騫、冉伯牛、仲弓。言語：宰我、子貢。政事：冉有、季路。文學：子游、子夏。」此將孔子十位弟子，分爲德行、言語、政事、文學四科，各有相同，也有不同。所舉的人名，是屬於「目人之體」。陳騤又舉揚雄《法言·淵騫》：「美行：園公、綺里季、夏黃公、角里先生。言辭：婁敬、陸賈。執正：王陵、申屠嘉。折節：周昌、汲黯。守儒：轅固、申公。災異：董相、夏侯勝、京房。」揚雄十五人的特點，分爲美行、執正、折節、守儒、災異五類，所列舉的都是人名，這也是「目人之體」。又如班固《漢書·公孫弘傳贊》將二十七人的特點，分爲儒雅、篤行、質直、推賢、定令、文章、滑稽、應對、歷數、協律、運籌、奉使、將率、受遺十四類，所列舉的也是人名，屬於「目人之體」。此外，如《論語·先進》：「子路，行行如也；冉有、子貢，侃侃如也。」「子路」、「冉有」、「子貢」，都是人名，這也是「目人之體」。又如曾國藩〈聖哲畫像記〉：「堯、舜、禹、湯，史臣記而已。」「堯、舜、禹、湯」，都是人名，這也是「目人之體」。

陳騤再舉《左傳》的例子，闡述「列氏之體」。《左傳·定公四年》：「殷民六族：條氏、徐氏、蕭氏、索氏、長勺氏、尾勺氏。」此言商朝遺民有六個家族，都是列舉姓氏。陳騤又舉《莊子·胠篋》：「子獨不知至德之世乎？昔者容成氏、大庭氏、伯皇氏、中央氏、栗陸氏、驪畜氏、軒轅氏、赫胥氏、尊盧氏、祝融氏、伏戲氏、神農氏，當是時也，民結繩而用之。」在容成氏等十二人的時代，人民用結繩來記事。這十二氏都是列舉姓氏，也是屬於「列氏之體」。又如司馬遷《史記·夏本紀贊》認爲諸侯以國號作姓氏，所以才有夏后氏、有扈氏、有男氏、斟尋氏、彤城氏、褒氏、費氏、杞氏、繒氏、辛氏、冥氏、斟戈氏，共十二氏，這也是「列氏之體」。

陳騤《文則》舉例闡論「目人之體」、「列氏之體」的修辭技巧，迄今仍然是空前的創見。楊樹達《漢文文言修辭學》雖然亦論及姓、名、字，但偏向於「省略」的辭格。⑳

作文若能以蓄意爲主，再適當地運用「襲改、仿擬、目人之體、列氏之體」的修辭技巧，然後走向創新，深信可以創造有口皆碑的上乘之作。

【附 註】

①見譚全基《文則研究》，香港問學社印行，民國六十七年十二月初版，頁一七。

②見鄭子瑜《中國修辭學史》，文史哲出版社印行，民國七十九年二月初版，頁二二七。

③見楊樹達《漢文文言修辭學》，北京中華書局印行，民國六十九年九月新一版，頁一八八至二〇九；另有民國二十二年上海世界書局印行，四十三年十二月北京科學出版社印行，五十八年六月臺灣世界書局印行三版，原書名係《中國修辭學》。

④見張嚴《修辭論說與方法》，臺灣商務印書館印行，民國六十四年十月初版，頁一九八至二〇四。

⑤見董季棠《修辭析論》，益智書局印行，民國七十年十月初版，頁四二七至四三七；增訂版係文史哲出版社印行，民國八十一年六月初版，頁四四三至四五四。

⑥見陳望道《修辭學發凡》，上海教育出版社印行，民國六十八年九月新一版，頁二二一至二二八；另有上海開明書店印行，民國二十一年四月初版；文史哲出版社印行，民國七十八年一月再版。

⑦見黃永武《字句鍛鍊法》，臺灣商務印書館印行，民國五十八年八月初版，頁六二至六四；增訂版係洪範書店印行，民國七十五年一月初版，頁一二七至一四〇。

⑧見徐芹庭《修辭學發微》，臺灣中華書局印行，民國六十年三月初版、六十三年八月再版，頁一六一至一六二。

⑨見黃師慶萱《修辭學》，三民書局印行，民國六十四年一月初版，頁五六五至五七七。

⑩見沈謙《修辭學》，國立空中大學印行，民國八十年二月初版，下冊頁九一三至九四二。

⑪見傅師隸樸《脩辭學》，正中書局印行，民國五十八年三月臺初版，頁一四七；原版書名係《中文脩辭學》，友聯出版社有限公司印行，民國五十三年六月初版。

⑫見同⑤，原版頁四三〇至四三二，增訂版頁四四七至四四九。

⑬見同②，頁二〇八至二〇九。

⑭見同⑤書，原版頁二〇三，增訂版頁二〇八。

⑮唐朝劉知幾《史通·模擬》：「模擬之體，厥途有二：一曰貌同而心異，二曰貌異而心同。」貌，指形式而言；心，指內容而言。因此，「貌異心同」就是「襲改」，「貌同心異」就是「仿擬」。

⑯以上參閱董季棠《修辭析論》，原版頁一九三至一九六，增訂版頁一九七至二〇一。

⑰以上二例，引自沈謙《修辭學》，上冊頁二一一。

⑱見董季棠《修辭析論》，原版頁二〇六，增訂版頁二一一。

⑲詳見同⑨書，頁七一至七七。

⑳詳見同③書，頁一八八至一九四。

第十一節　小結——陳騤研究修辭的方法

陳騤博覽羣書，在《文則》中，條分縷析很多修辭技巧，仔細探討其研究方法，不外乎比較法和歸納法兩種。茲分比較法、歸納法兩項，分別加以闡析。

一、比較法

李金苓〈宋代修辭理論的特點〉說：「我國古代有些學者曾經成功地運用比較法，寫成《班馬異同》、《史漢方駕》等書。陳騤則是最早運用比較法來研究修辭的學者。」①陳騤是我國最早運用比較法來研究修辭，他運用比較法闡述修辭的同一性、相異性、繼承性、多樣性②。

所謂修辭的同一性，是指在各種文體、各種著作中，有共同的修辭原則與技巧，這些原則與技巧可以用來從事各種寫作。《六經》本來各有不同，但陳騤卻從其中找到相同的修辭技巧，他在《文則·甲一》中說：

> 《六經》之文，既曰同歸，《六經》之文，容無異體。故《易》文似《詩》，《詩》文似《書》，《書》文似《禮》。

陳騤認爲《六經》的道理，既然殊塗同歸，一致百慮，《六經》的文章，其文體應該沒有太大的差異。他指出《周易·中孚》的九二爻辭：「鳴鶴在陰，其子和之；我有好爵，吾與爾靡之。」九二爻辭的詞句，很像《詩經》的句法。他又指出《詩經·大雅·抑》：「其在于今，興迷亂于政，顛覆厥德，荒湛于酒，女雖湛樂，從弗念厥紹，罔敷求先王，克共明刑。」其詩句很像《尙書》文告的的詞句。他再指出《尙書·顧命》：「牖間南嚮，敷重蔑席，黻純，華玉仍几。西序東嚮，敷重底席，綴純，文具仍几。東序西嚮，敷重豐席，畫純，雕玉仍几。西夾南嚮，敷重筍席，玄紛純，漆仍几。」這些文句很像《周禮·春官·司几筵》的詞句。由此可見，《周易》的文章很像《詩經》，《詩經》的文章很像《尚書》，《尚書》的文章很像《周禮》。陳騤僅就《六經》部分文章的修辭與體裁而言，其實《六經》文章包含各類體裁，各有特色，誠如劉勰《文心雕龍·宗經》所說：「論、說、辭、序，則《易》統其首；詔、策、章、奏，則《書》發其源；賦、頌、謌、贊，則《詩》立其本；銘、誄、箴、祝，則《禮》總其端。」顏之推《顏氏家訓·文章》也說：「夫文章者，原於五經。詔、命、策、檄，生於《書》者也；序述、論義，生於《易》者也；歌、詠、賦、頌，生於《詩》者也；祭祀、哀誄，生於《禮》者也；書、奏、箴、祝，生於《春秋》者也。」因此，薛鳳冒《文體論》也說：「《易》的爻辭，有很像《詩》體；《詩》的雅語，有很像《書》體；《書》的命誥，有很像《禮》體。似文體一道，儘有彼此相通，不必顯分畛域。但此不過據他（指陳騤）特異的說，並不是一例如此。實則《六經》文字，無體不備。後世能文的人，無有不源於《六經》；種種文體，也無有不自《六經》胎息而來。」

③ 陳騤不止論述《六經》之間有修辭共通的地方，經傳文章也有修辭共通的地方，所以他在《文則·庚二》中，提出六種「不約而同」的方式，或形式相似，或內容相似。這些都是陳騤利用比較法，提出修辭的同一性。

所謂修辭的相異，是指在各種文體、各種著作中，修辭技巧是各有不同。陳騤認爲《論語》的修辭技巧比《孔子家語》精煉，所以他在《文則·戊七》中說：

夫《論語》、《家語》，皆夫子與當時公卿大夫及羣弟子答問之文。然《家語》頗有浮辭衍說，蓋出於羣弟子共相敍述，加之潤色，其才或有優劣，故使然也。若《論語》雖亦出於羣弟子所記，疑若已經聖人之手。

陳騤以爲《論語》、《孔子家語》都是記載孔子、卿大夫以及學生對話的文字，《孔子家語》有很多不切實際的言辭，《論語》的文句比較簡潔有力。又如《論語·先進》說：「南容之復白圭。」司馬遷《史記·仲尼弟子列傳》卻說：「三復白圭玷。」司馬遷描述文辭雖然詳備，但卻把章蘊藉的意味都說盡了。又《論語·顏淵》：「在邦必達，在家必達。」《史記·仲尼弟子列傳》說：「在邦在家必達。」《史記》文辭雖然簡約，但意思卻不周密。以上就文章的優劣、繁簡，闡述修辭的相異性。此外，尙有文章修辭程度的深淺，也可以論述修辭的相異性，如陳騤在《文則·乙六》中說：

文有雖成一家，而有已經雕斲與其否者。且《左氏傳》前載辛伯諫曰：「並后匹嫡，兩政耦國。」後載狐突諫曰：「昔辛伯諗周桓公云：『內寵並后，外寵二政，嬖子配適，大都耦國。』」則知前載已雕斲，而後載否矣。《內傳》曰：「所謂生死而肉骨也。」《外傳》曰：「緊起死人而肉白骨也。」則知《內傳》雕斲，而《外傳》否矣。

陳騤舉例詮證文章是否經過雕飾，如《左傳·桓公十八年》：「辛伯諫曰：『並后匹嫡，兩政耦國。』」這是經過雕飾，文句精煉；而《左傳·閔公二年》：「狐突諫曰：『昔辛伯諗周桓公云：「內寵並后，外寵二政，嬖子配適，大都耦國。」』」這是沒有經過雕飾，詞句不夠簡潔。又如《左傳·襄公二十二年》：「所謂生死而肉骨也。」《國語·吳語》：「繄起死人而肉白骨。」《左傳》經過雕飾，《國語》並未雕飾，文章優劣，昭然若揭。

所謂修辭的繼承性，是指在古今的文章中，其修辭技巧是有承先啓後，繼往開來的現象。如陳騤在《文則·甲九》中所說：

> 大抵文士題命篇章，悉有所本。

陳騤指出文章命名，都有一定的根據。像《禮記》有〈曾子問〉，屈原才有〈天問〉；《周禮》有〈考工記〉，范仲淹才有〈岳陽樓記〉；《孔子家語》有〈王言解〉，韓愈才有〈進學解〉；《荀子》有〈天論〉，蘇軾才有〈賈誼論〉。這些都是前有所本，並非一味杜撰。此外，如韓愈〈賀冊尊號表〉用「之謂」字，是效法《周易·繫辭上》；〈畫記〉用「者」字，是效法《周禮·考工記》；〈南山詩〉用「或」字，是效法《詩經·小雅·北山》。韓愈可以說是善於繼承古書的修辭技巧，並發揚光大。

所謂修辭的多樣性，是指同一意義，可以運用很多不同的修辭技巧來表達。陳騤認爲文辭以內容爲主，因此文辭有舒緩、急促、輕柔、凝重的區別，他在《文則·乙五》中說：

> 辭以意爲主，故辭有緩有急，有輕有重，皆生乎意也。韓宣子曰：「吾淺之爲丈夫也。」則其辭緩。景春曰：「公孫衍、張儀豈不誠大丈夫哉？」則其辭急。「狼瞫於是乎君子。」則其辭輕。「子謂子賤君子哉若人。」則其辭重。

陳騤指出文辭的多樣性，有舒緩、急促、輕柔、凝重四種。文辭舒緩者，如《左傳·襄公十九年》：

「韓宣子曰：『吾淺之爲丈夫也。』」文辭急促者，如《孟子·滕文公下》：「景春曰：『公孫衍、張儀豈不誠丈夫哉？』」文辭輕柔者，如《左傳·文公二年》：「狼瞫於是乎君子。」文辭凝重者，如《論語·公冶長》：「子謂子賤，君子哉若人。」陳騤又認爲文章的作用不同，也會產生修辭的多樣性，他舉《儀禮》、《論語》的例子，加以比較。他在《文則·戊四》中說：

> 《儀禮》，周家之制也，事涉威儀，文苦而難讀。《鄉黨》，孔門之記也，言關訓則，文婉而易觀。今略摘《儀禮》之文，證以《鄉黨》，昭然辨矣。
>
> 「執圭，入門，鞠躬焉，如恐失之。」（《鄉黨》曰：「執圭，鞠躬如也，」如不勝。」）「下陛，發氣，怡焉，再三舉足，又趨。」（《鄉黨》曰：「出，降一等，逞顏色，怡怡如也，沒階趨，進，翼如也。」）「及享，發氣焉，盈容。」（《鄉黨》曰：「享禮，有容色。」）「賓出，公再拜送，賓不顧。」（《鄉黨》曰：「賓退，必復命曰，賓不顧矣。」）「若君賜之食，君祭先飯。」（《鄉黨》曰：「侍食於君，君祭先飯。」）

陳騤以爲《儀禮》是官書，比較嚴肅，因此「文苦而難讀」；《論語·鄉黨》是弟子所記用於訓誡，所以「文婉而易觀」。如《儀禮·聘禮》說：「執圭，入門，鞠躬焉，如恐失之。」《論語·鄉黨》卻說：「執圭，鞠躬如也，如不勝。」又如《儀禮·聘禮》說：「下陛，發氣，怡焉，再三舉足，又趨。」《論語·鄉黨》卻說：「出，降一等，逞顏色，怡怡如也，沒階趨，進，翼如也。」又《儀禮·聘禮》說：「及享，發氣焉，盈容。」《論語·鄉黨》卻說：「享禮，有容色。」又《儀禮·聘禮》說：「賓出，公再拜送，賓不顧。」《論語·鄉黨》卻說：「賓退，必復命曰：『賓不顧矣。』」又《儀禮·士相見禮》說：「若君賜之食，君祭先飯。」《論語·鄉黨》卻說：「侍食於君，君祭先飯。」《儀禮》文句比較艱澀難懂，《論語》比較簡明易懂。

陳騤又認爲引用古書有多樣性的變化，如用「先王之令」表示〈康誥〉，用「西方之書」表示《逸周書》，用「尹告」表示〈咸有一德〉，用「道經」表示〈大禹謨〉，用「仲虺之志」表示〈仲虺之誥〉，用「夏訓」表示〈五子之歌〉。

陳騤《文則》運用比較法是多方面的，不論是修辭的同一性、相異性、繼承性、多樣性，都是從時間上、著作上作比較，或從同一篇文章的前後作比較，或從不同體裁的著作上作比較，或從古今著作作比較，或從同時代的著作作比較，或以一本著作爲中心與其他著作作比較，或從同一意義而不同表達方式作比較，或從不同意義而同一表達方式作比較。一言以蔽之，陳騤研究修辭，運用多方面的比較法。

二、歸納法

所謂歸納法，是指陳騤蒐集大量的材料，將這些豐贍的材料，作歸納分類，分別提出每類的特點或意義，並舉例論證。如《文則·丙二》的「取喻」，蒐集了《孟子》、《尙書》、《論語》、《莊子》、《禮記》、《國語》、《左傳》、《公羊傳》、賈誼《新書》、《荀子》、揚雄《法言》、《老子》等十二本書的材料，作歸納分類，將譬喻分爲直喻、隱喻、類喻、詰喻、對喻、博喻、簡喻、詳喻、引喻、虛喻十類，並舉一至四例，闡述每類的特點。又如《文則·丙二》的「援引」，蒐集了《詩》、《尚書》、《左傳》、《國語》、《禮記》、《孝經》等五本書的材料，作歸納分類，將引用分爲以斷行事、以證立言兩大類，又各分爲三小類：以斷行爲又分爲獨引《詩》以斷之、各引《詩》以合斷之、既引《詩》文，又釋其義，以斷之三小類。以證立言又分爲采總羣言，以盡其義、言終引證、斷析本文，以成其言三小類。每小類都舉一至二例析論其特點。又如《文則·丁一》的「繼踵」，蒐集了《禮記》、《莊子》的資料，作歸納分類，將層遞分爲積小至大、由精及粗、自流極原三類，每類各舉一例，加以論證。又如《文則·甲七》的對偶，蒐集了《詩經》、《禮記》、《尚書》等三本書的材料，作歸納分類，將對偶分爲意相屬而對偶、事相類而對偶兩類，每類舉二至三例，加以詮證。又如《文則·乙三》的「析字」，蒐集了《周禮》、《禮記》、《孟子》、《莊子》、《周易》、《法言》等六本書的材料，作歸納分類，將析字分爲取偏旁以成句、取音韻以成句兩類，每類舉六至七例，加以闡述。又如《文則·庚一》的「類字」，蒐集了《周易》、《詩經》、《周禮》、《老子》、《莊子》、《孟子》、《禮記》、《左傳》、《尚書》、《孔子家語》、《荀子》等十一本書的材料，作歸納分類，將類字分爲四十五法：或法、者法、之謂法、謂之法、之法、可法、可以法、爲法、必法、不以法、而不法、其法、焉法、于時法、實法、曾是法、侯法、有若法、未嘗法、斯法、於是乎法、有法、兮法、則法、然法、奚法、而法、方且法、似法、乎法、乃法、以之法、足以法、也法、得其法、以法、曰法、得之法、之以法、所以法、存乎法、莫大法、知所以法、矣法。每種方法舉一至三例，加以闡論。以上就很多書的資料，加以歸納分類。

陳騤不僅將很多書的材料，作歸納分類，也有將一本書的豐富材料，加以歸納分類。如《文則·己六》的「助詞」，陳騤將《詩經》這本書的材料，有關「助詞」上一字押韻者，有用「而」字、「矣」字、「忌」字、「兮」字、「之」字「止」字、「且」字等七類，每類各舉一例，加以論述。又如《文則·己七》的「章法」，陳騤引用孔穎達《毛詩正義》，將《詩經》的章法，分爲重章共述一事、一事疊爲數章、初同而末異、首異而末同、事訖而更申、章重而事別、隨時而改色、因事而變文、一章而再言、三章而一發十類，每類各舉一例，加以析論。此外，又有以一篇文章的豐富材料，作歸納分類。如《文則·己二》的「句法」，將《禮記·檀弓下》有關「句法」，分爲長句法、短句法兩類。每類各舉四至五例，加以詮證。

陳騤《文則》運用歸納法，分析修辭技巧，或以許多書作分類，或以一本書作分類，或以一篇文章作分類，但其材料都是非常的豐茂。陳氏條分縷析，加以歸類，使豐富的材料更有系統，而不是零星的材料。

綜觀所述，陳騤《文則》運用比較法、歸納法，分析修辭技巧，使古書上的豐富修辭技巧，能夠躍然紙上，迸發出璀燦的光芒，對後世的修辭學有莫大的影響力。

【附　註】

①見中國華東修辭學會編《修辭學研究》，語文出版社印行，民國七十六年十月初版，頁一四四。
②參閱譚全基《文則研究》，香港問學社印行，民國六十七年十二月初版，頁三六至四三。
③見薛鳳昌《文體論》，臺灣商務印書館印行，民國五十七年三月臺一版，頁四。

第七章　《文則》論風格與文體

第一節　風格的意義與分類

在探究陳騤《文則》論風格分類之前，先闡述風格的定義。風格的意義，不僅中外各有不同，在古今也迥異，中國歷代的風格意義，亦隨著時代不同而改變，因此在探討風格分類之前，先析論風格的定義。

一、風格的定義

「風格」一詞，中外的用法很複雜。在外國最早見於希臘文，後來進入拉丁文。希臘語stylos和拉丁語stylus，本意是一把用來刻字、作圖的刀子；或指在塗蠟的木版上寫字用的一種削尖的小棒

(多爲骨制),它的另一頭是小鏟的形狀,修改文字時,就用這一頭把原先寫的磨掉。這詞的引申義是「對文字的修改」。後來逐漸發展爲「寫字的方法」,又逐漸地引申爲「以辭達意的方法」、「寫作的風度」、「作品的特殊格調」、「偉大作家的寫作格調」、「藝術作品的氣勢」,進而成爲一個國際科學術語,英語稱爲style,德文稱爲stil,法語稱爲le style,俄語稱爲СТИЛЬ。總而言之,「風格」一詞,最後發展成爲現代西方語言中的一個多義詞:風格、作風、風度、文體、筆調、方式、式樣等。①

「風格」一詞,在我國最早出現的是東晉葛洪《抱朴子·行品》:「士有行己高簡,風格峻峭。」《抱朴子·疾謬》:「以風格端嚴者,爲田舍樸騃。」這裏的「峻峭」、「端嚴」,都是用來形容人的風度品格。《晉書·和嶠傳》:「(嶠)少有風格。」這裏也是品評人物。但在東漢以前,早就有「風格」的概念,只是指文章風格與作者性情的關係而已。②到了晉朝葛洪、和嶠,才將「風格」一詞,開始引入文章的範疇,從比喻「人」變爲比喻「文章」。齊梁時代的劉勰,在《文心雕龍》中,又繼承了葛洪、和嶠評論風格的餘緒,採取風格的藝術形式意義,引用在文學領域中,使「風格」一詞,在晉朝只是形容人的風度品格,逐漸隱沒;齊、梁以後,大都作爲文學作品的藝術形態來理解。「風格」一詞,經劉勰引進文學領域以後,闡論作品的藝術形式,已略具規模。③劉勰用「風格」來論述作家的作風,像《文心雕龍·議對》:「仲瑗博古,而銓貫有叙;長虞識治,而屬辭枝繁;及陸機斷議,亦有鋒穎,而腴辭弗剪,頗累文骨;亦各有美,風格存焉。」又用「風格」來闡述作品的藝術特色,如《文心雕龍·夸飾》:「雖《詩》、《書》雅言,風格訓世,事必宜廣,文亦過焉。」④齊、梁以後,用

「風格」來評論文藝作品或文章者，如顏之推《顏氏家訓・文章》：「古人之文，宏材、逸氣、體度、風格，去今實遠，但輯綴疏樸，未爲密致耳。」陸時雍《詩鏡總論》：「齊梁人欲嫩而得老，唐人欲老而得嫩，其所別在風格之間。」《宋史・魏野傳》：「野爲詩精苦，有唐人風格，多第警句。」這些例句的「風格」，都是指作家、藝術家的作品。在我國傳統的文體論中，評論作品或文章時，也用「體」、「體性」、「品」等術語，表示風格的概念。如曹丕《典論・論文》：「文以氣爲主，氣之清濁有體。」劉勰《文心雕龍・體性》、司空圖《詩品》，都是講作家風格、文章風格或作品風格。⑤洎乎唐、宋，「風格」一詞，已成爲文學上表現藝術個性的概念。宋朝以後，被廣泛地運用，早已與當今文學、文章所說的「風格」，毫無差異。⑥陳騤是宋朝人，因此《文則》論風格，其風格概念與今天文學、文章所說的「風格」無異。

「風格」一詞，現在的含義和應用的範圍很廣泛，在社會生活中、在文學藝術上、在文章學裏、在語言學方面都運用它，它作爲一般術語是指作風、風貌、格調，是各種特點的綜合表現。⑦至於何謂風格？法國自然科學家布封在《論風格》中，說：「風格就是人本身。」⑧黑格爾在《美學・第一卷》裏，也說：「風格在這裏一般指的是個別藝術家在表現方式和筆調曲折等方面完全見出他的人格的一些特點。」⑨叔本華也說：「風格是心的面目，它是從作者的思想得到美的。」⑩所謂「風格」，是作者的個性與品格表現的結晶。所謂「文學風格」，是指作者的個性與品格，表現在文學作品的思想內容和藝術形式的一種綜合表現。誠如黎運漢所說：「文學風格是文學作品思想內容和藝術形式上的各種特點的綜合表現，是作家的思想修養、審美意識、藝術情趣、文藝素養（包括語言修辭）等構成的藝術個性在文學作品中的凝聚反映。……文章風格是文章的思想內容和表現形式上各種特點的綜合表現，是作者的思想、性格、興趣、愛好以及語言修辭等在文章中的凝聚反映。」⑪陳騤在《文則》中，論及「風格」，其含義殆指此。不過，他所論述的風格，偏向一篇文章和一本書的風格。

二、風格的分類

㈠《文則》以前的風格分類

風格的分類，歷代論述者甚多，茲擇要闡析。在陳騤《文則》之前，最早的是漢朝揚雄。他在《法言·吾子》中說：

> 詩人之賦麗以則，辭人之賦麗以淫。

揚氏認爲「詩人之賦」的風格是「麗以則」，「辭人之賦」的風格是「麗以淫」。因此，他依作家個性與文體特點，將風格分爲麗以則、麗以淫兩種。賦的特點是「麗」，詩人以「則」爲主，辭人以「淫」爲主。漢朝王充主張風格可以多樣化，他在《論衡·自紀》中說：

> 飾貌以強類者失形，調辭以務似者失情。有夫之子，不用父母，聚類而生，不必相似，各以所稟，自爲佳好。

王氏認爲不必拘泥於「飾貌」、「調辭」，強分風格的類別，主張風格應該多樣化、自由化。

洎乎魏朝，曹丕依文章體裁，提出八種文體、四種風格，他在《典論·論文》中說：

> 夫文，本同而末異。蓋奏議宜雅，書論宜理，銘誄尚實，詩賦欲麗。此四科不同，故能之者偏也。

曹氏以爲奏、議兩種文體的風格必須典雅；因爲奏、議是同一科的不同類別，要表達作者的政治理念，呈給最高領導者閱覽，所以必須雅正。書、論兩種文體的風格必須明理；因爲書、論又是同一科的兩種類型，貴在說理透徹，條理分明，所以表達要突顯出「理」字來。銘、誄兩種文體的風格必須眞實；因爲銘、誄也是同一科的兩類，旨在歌功頌德、悼念親故，所以必須要求眞實。詩、賦兩種文體的風格必須華麗；因爲詩、賦亦是同一科的兩種類別，旨在抒情賦物，感動讀者，所以必須要求語辭色彩豔麗。曹氏這些理論可以歸納爲兩個特點：一是涉及多種文體，層面比較廣；二是將文體與風格結合在一起，乃前所未有、未見、未聞的論點，是其獨特的眞知灼見。⑫曹氏在《典論·論文》中，又依作家的氣質，提出不同的風格，他說：

> 徐幹時有齊氣，……琳、瑀之章表書記，今之儁也。應瑒和而不壯，劉楨壯而不密。

曹氏認爲徐幹的風格是「齊氣」，「齊氣」含有「舒緩」之意；陳琳、阮瑀的風格是「儁」，「儁」是「俊逸」之意；應瑒的風格是「和」，「和」是「柔和」之意；劉楨的風格是「壯」，「壯」是「剛健」之意。曹氏依作家的氣質，將風格分爲舒緩、俊逸、柔和、剛健四種。

晉朝陸機繼承曹丕的理論，更有所發揮，他將曹氏的詩、賦、銘、誄、奏、論分爲六類，再增加頌、碑、箴、說四類，合爲文體十類，風格也分爲十種。他在《文賦》中說：

詩緣情而綺靡，賦體物而瀏亮，碑披文以相質，誄纏綿而淒愴，銘博約而溫潤，箴頓挫而清壯，頌優游以彬蔚，論精微而朗暢，奏平徹以閑雅，說煒曄而譎誑。

陸氏先把文體詳細分爲詩、賦、碑、誄、銘、箴、頌、論、奏、說十類，再依照文體來論述其風格。「詩」的風格是「綺靡」，「詩」旨在表達情感，必須細好、靡麗，因此才要求「綺靡」。「賦」的風格是「瀏亮」，「賦」旨在陳事體物，必須清明、明朗，所以才要求「瀏亮」。「碑」的風格是「質樸」，「碑」是指紀念文章，如用讚揚的文辭，與所敘述的事蹟，必須名副其實，因此才要求「質樸」。「誄」的風格是「悽愴」，「誄」是指哀悼的文章，必須表現衷心的感情，並帶著悲哀的氣息，所以才要求「悽愴」。「銘」的風格是「博約溫潤」，「銘」旨在歌功頌德，或警惕自己，所用辭藻必須溫和清潤，表達時要事博文約，意深文省，章法簡明，因此，才要求「博約溫潤」。「箴」的風格是「頓挫清壯」，「箴」旨在譏刺得失，表達時必須文理清壯，語調頓挫，所以才要求「頓挫清壯」。「頌」的風格是「優游彬蔚」，「頌」旨在褒述功德，以辭爲主，表達時必須氣度從容優游，詞旨莊嚴彬蔚，因此才要求「優游彬蔚」。「論」的風格是「精微朗暢」，「論」是議論的文章，見解必須精微，文句必須朗暢，所以才要求「精微朗暢」。「奏」的風格是「平徹閑雅」，「奏」旨在陳情述事，表達時必須平實、清晰、從容、大方，用詞要閑雅得體，因此才要求「平徹閑雅」。「說」的風格是「煒曄譎誑」，「說」旨在與敵人辯論，必須有條有理，入情入理，要有氣魄，要有斷制，要表達得通暢而有力，文辭要尖銳，要潑辣，要使敵人把握不住，甚至不敢直接面對我們的論點發言，所以才要求「煒曄譎誑」。⑬茲歸納陸機對風格分類的特點有四：一是分類比曹丕詳細，眞是前修未密，後出轉精。二是不同文體既有不同的內容，也有不同的風格。三是論述風格的要求，比曹丕更具體、更實際。四是論述風格，雖然是內容和形式結合，但比較偏於形式。⑭

梁朝劉勰《文心雕龍》的風格分類，更爲翔實。劉勰從不同角度，劃分風格的類型。他首先從作家作品的角度，將風格分爲八種，他在《文心雕龍·體性》中說：

若總其歸塗，則數窮八體：一曰典雅，二曰遠奧，三曰精約，四曰顯附，五曰繁縟，六曰壯麗，七曰新奇，八曰輕靡。典雅者，鎔式經誥，方軌儒門者也；遠奧者，複采曲文，經理玄宗者也；精約者，覈字省句，剖析毫釐者也；顯附者，辭直義暢，切理厭心者也；繁縟者，博喻釀采，煒燁枝派者也；壯麗者，高論宏裁，卓爍異采者也；新奇者，擯古競今，危側趣詭者也；輕靡者，浮文弱植，縹緲附俗者也。

劉氏依作家作品來分，將風格析爲八種：典雅、遠奧、精約、顯附、繁縟、壯麗、新奇、輕靡，並各詳述其特點。典雅的特點，是義歸正直，辭取雅馴，鎔式經誥，方軌儒門，像班固〈典引〉、〈幽通賦〉，劉歆〈讓太常博士〉，潘勗〈冊魏公九錫文〉，屬於此類。遠奧的特點，是理致淵深，辭采微妙，複采曲文，經理玄宗，像賈誼〈鵩鳥賦〉，李康〈運命論〉，阮籍〈大人先生論〉，嵇康〈聲無哀樂論〉，屬於此類。精約的特點，是斷義務明，練辭務簡，覈字省句，剖析毫釐，像賈誼〈過秦論〉，王粲〈登樓賦〉，陸機〈文賦〉，范曄〈後漢書〉，屬於此類。顯附的特點，是語貴丁寧，義求周浹，辭直義暢，切理厭心，像劉向〈諫起昌陵疏〉，諸葛亮〈出師表〉，曹冏〈六代論〉，潘岳〈閒居賦〉，屬於此類。繁縟的特點，是辭采紛披，意義稠複，博喻醲采，煒燁枝派，像枚乘〈七發〉，揚雄〈甘泉賦〉，陸機〈豪士賦序〉，劉峻〈辨命論〉，屬於此類。壯麗的特徵，是陳義俊偉，措辭雄瓌，高論宏裁，卓爍異采，像司馬相如〈大人賦〉，揚雄〈河東賦〉，班固〈典引〉，屬於此類。新奇的特點，是詞必研新，意必矜創，擯古競今，危側趣詭，像潘岳〈射雉〉、〈澤蘭金鹿哀辭〉，顏延之〈三月三日曲水詩序〉，王融〈三月三日曲水詩序〉，屬於此類。輕靡的特點，是辭須蒨秀，意取柔靡，浮文溺植，縹緲附俗，像江淹〈恨賦〉，孔稚圭〈北山移文〉，徐陵〈玉臺新詠〉，梁元帝蕭繹〈蕩婦秋思賦〉，屬於此類。⑮

通觀所述，在舉例當中，卻發現班固的〈典引〉，是含有典雅、壯麗兩種風格，由此可知，作品的風格，不限於某一種風格，而常有變化。所以，穆克宏在《文心雕龍研究》中說：「有的作品的風格，並不是單一的，而是比較錯綜複雜的。如枚乘的〈七發〉，既『獨拔』，又『偉麗』。禰衡的〈弔張衡文〉，既『縟麗』，又『輕清』。劉勰皆以如實的評論。」⑯誠哉斯言。

其次，劉勰從文章體裁的角度，將風格分爲六種，他在《文心雕龍·定勢》中說：

> 章、表、奏、議，則準的乎典雅；賦、頌、歌、詩，則羽儀乎清麗；符、檄、書、移，則楷式

於明斷；史、論、序、注，則師範於覈要；箴、銘、碑、誄，則體制於弘深；連珠、七辭，則從事於巧豔；此循體而成勢，隨變而立功者也。

劉氏將章、表、奏、議、賦、頌、歌、詩、符、檄、書、移、史、論、序、注、箴、銘、碑、誄、連珠、七辭等二十二種文體，歸納爲六種風格，但他在《文心雕龍》其餘篇章都有個別闡析各類文體的風格，在此作統整歸類，可以說是先分後總的歸納法，也是最完整的論述。⑰

「章、表、奏、議，則準的乎典雅。」「章」的風格，在《文心雕龍·章表》中說：「章式炳賁，志在典謨。」「章」的風格要求，是「炳賁典謨」。「表」的風格，在〈章表〉中也說：「表體多包，情位屢遷，必雅義以扇其風，清文以馳其麗。」「表」的風格要求，是「雅義清文」。「奏」的風格，在《文心雕龍·奏啓》中說：「夫奏之爲筆，固以明允篤誠爲本，辨析疏通爲首。……必使理有典刑，辭有風軌。」「奏」的風格要求，是「典刑風軌」。「議」的風格，在《文心雕龍·議對》也說：「議貴節制，經典之體也。」「議」的風格要求，是「節制」。「章、表、奏、議」的風格，一言以蔽之，要求「典雅」。「典雅」，在內容上，必須「思想純正」；在形式上，必須「辭取雅訓」；是內容與形式合一的風格，所以列爲第一，以示重視。⑱

「賦、頌、歌、詩，則羽儀乎清麗。」「賦」的風格，在《文心雕龍·詮賦》中說：「情以物興，故義必明雅；物以情覩，故詞必巧麗。麗詞雅義，符采相勝，……此立賦之大體也。」「賦」的風格要求，是「明雅巧麗」。這也是內容、形式合一的風格。在內容上，要求「明雅」；在形式上，要求「巧麗」。「頌」的風格，在《文心雕龍·頌贊》也說：「頌惟典懿，辭必清鑠。」「頌」的風格要求，是「典懿清鑠」。「典懿」，是指內容而言。「清鑠」，是指形式而言。樂府，本是詩歌中的一體。但樂府側重配「詩」的音樂，所以劉勰將樂府列入「歌」中，單獨成一體。他在《文心雕龍·樂府》中說：

> 昔子政品文，詩與歌別，故略具樂篇，以標區界。

雖然「歌」、「詩」可以分成兩體，但「歌」就樂辭而言，是「詩」；就詠聲而言，才是「歌」，因此其風格仍是與「詩」相同，都是以「雅潤清麗」爲主。劉勰在《文心雕龍·明詩》中說：

> 若夫四言正體，則雅潤爲本；五言流調，則清麗居宗。

劉氏雖然只談「詩」的風格要求，是「雅潤清麗」，其實「歌」的風格要求，亦是如此。「賦、頌、歌、詩」的風格，一言以蔽之，要求「清麗」。

「符、檄、書、移，則楷式於明斷；史、論、序、注，則師範於覈要；箴、銘、碑、誄，則體制於弘深；連珠、七辭，則從事於巧豔。」也是從劉勰《文心雕龍》的文體論中歸納而成，王師更生有詳盡闡述，不復贅述。⑲

劉勰就文體談風格，僅列舉二十二種比較重要的文體，其實根據王師更生考述，可以多達一百七十九種，筆者謹遵師訓，重新考述，去其重，補其闕，亦多達一百七十六種。⑳因此，劉勰僅舉其犖犖大者而言，若細分文體的風格，就有一百多種了。

迨及唐朝，除了皎然《詩式》將風格分爲十九種㉑之外，還有司空圖《詩品》總結「詩」的多樣化風格，分爲二十四種風格：雄渾、沖淡、纖穠、沈著、高古、典雅、洗鍊、勁健、綺麗、自然、含蓄、豪放、精神、縝密、疏野、清奇、委曲、實境、悲慨、形容、超詣、飄逸、曠達、流動。每種風格的特點，都用十二句四言詩來闡述。如「綺麗」的特點，是「神存富貴，始輕黃金。濃盡必枯，淺者屢深」。不靠堆砌華麗的辭藻來表現綺麗，而主要在於表現綺麗的意境。㉒《詩品》所論述的風格，是文學風格，分類太細。

綜觀陳騤《文則》以前的風格分類：漢朝揚雄《法言·吾子》依作家個性與文體特點，分爲麗以則、麗以淫兩種；魏朝曹丕《典論·論文》依文章的體裁，分爲雅、理、實、麗四種；依作家的氣質，分爲齊氣、雋、和、壯四種；晉朝陸機《文賦》依文體，分爲緣情綺靡、體物瀏亮、披文相質、纏綿淒愴、博約溫潤、頓挫清壯、優游彬蔚、精微朗暢、平徹閑雅、煒曄譎誑十種；梁朝劉勰《文心雕龍》依作家作品，分爲典雅、遠奧、精約、顯附、繁縟、壯麗、新奇、輕靡八種；依文體，分爲典雅、清麗、明斷、覈要、弘深、巧豔六種；唐朝司空圖《詩品》依詩文風格，分爲雄渾、沖淡、纖穠、沈著、高古、典雅、洗鍊、勁健、綺麗、自然、含蓄、豪放、精神、縝密、疏野、清奇、委曲、實境、悲慨、形容、超詣、飄逸、曠達、流動二十四種。各家分類，見仁見智，各有特色。

㈡陳騤《文則》的風格分類

陳騤可能繼承了揚雄《法言·吾子》、曹丕《典論·論文》、陸機《文賦》、劉勰《文心雕龍》、皎然

《詩式》、司空圖《詩品》論風格分類的優良傳統，他依具體的作品，將風格分爲一篇文章的風格、一本書的風格兩大類。

甲、一篇文章的風格

一篇文章的風格，依作品的句子，分爲三種風格，他以《考工記》一文爲例，在《文則·己四》中說：

> 《考工記》之文，権而論之，蓋有三美：一曰雄健而雅，二曰宛曲而峻，三曰整齊而醇。略條于後：
>
> 雄健而雅：「鄭之刀，宋之斤，魯之削，吳粵之劍，遷乎其地而弗能爲良。」「凡爲弓，方其峻而高其柎，長其畏而薄其敝。」
>
> 宛曲而峻：「凡攫閷援簭之類，必深其爪，出其目，作其鱗之而。深其爪，出其目，作其鱗之而，則於眡必撥爾而怒。苟頯爾如委，則加任焉，則必如將廢措，其匪色必似不鳴矣。」「引而信之，欲其直也。信之而直，則取材正也；信之而枉，則是一方緩、一方急也。若苟一方緩、一方急，則及其用之也，必自其急者先裂。若苟自急者先裂，則是以博爲帴也。」
>
> 整齊而醇：「爍金以爲刃，凝土以爲器。」「棧車欲弇，飾車欲侈。」「鍾大而短，則其聲疾而短聞；鍾小而長，則其聲舒而遠聞。」「已上則摩其旁，已下則摩其耑。」

陳氏將《考工記》一文的句子，分爲雄健而雅、宛曲而峻、整齊而醇三種風格，每種風格都有例證，並且在自注中，又舉《左傳》：「恤其患而補其闕，正其違而治其煩。」來印證這例子也是「雄健而雅」。陳氏以爲一篇文章可以包含各種不同的風格，〈考工記〉就是一個範例。其實，這個概念在劉勰《文心雕龍》中，就有同樣見解。像《文心雕龍·雜文》、《文心雕龍·哀弔》，就認爲枚乘〈七發〉含有「獨拔」和「偉麗」兩種風格，禰衡〈弔張衡文〉含有「縟麗」和「輕清」兩種風格，即其例證。㉓

陳氏就〈考工記〉一文評論各句子的不同風格，但也有就整篇文章來論風格者，他在《文則·己一》中說：

> 觀〈檀弓〉之載事，言簡而不疏，旨深而不晦。

陳氏認爲《禮記·檀弓》一文具有「言簡不疎」、「旨深不晦」的兩種風格，並且舉出兩個例證：「世子申生爲驪姬所譖，或令辯之。」「智悼子未葬，晉平公飲以樂，杜蕢謂大臣之喪，重於疾日不樂。」闡述〈檀弓〉「言簡不疎」、「旨深不晦」的特點。周振甫進一步說明〈檀弓〉中的「簡」、「疎」，〈考工記〉中的「雄健」、「雅」、「宛曲」、「醇」，是論修辭的風格。㉔

乙、一本書的風格

陳騤除了論一篇文章的風格之外，又進一步闡述一本書的風格，他在《文則·己一》中說：

> 雖《左氏》之富豔，敢奮飛於前乎？略舉二事以見。世子申生爲驪姬所譖，或令辨之。《左氏》載其事，則曰：「或謂太子：『子辭，君必辯焉。』太子曰：『君非姬氏，居不安，食不飽。我辭，姬必有罪。君老矣，吾又不樂。』」……智悼子未葬，晉平公飲以樂，杜蕢謂大臣之喪，

重於疾日不樂。《左氏》言其事，則曰：「辰在子卯，謂之疾日，君撤宴樂，學人舍業，爲疾故也。君之卿佐，是謂股肱，股肱或虧，何痛如之？」

陳氏闡述《左傳》一書的風格，是「富豔」，並且舉例詮證。他舉《左傳》記載「世子申生爲驪姬所譖」、「智悼子未葬，晉平公飲以樂」之事，說明「富豔」的特點。

陳騤不止論《左傳》一書的風格，又將《左傳》中的文體分爲八種，還闡述每種文體的風格，他在《文則·辛》中說：

春秋之時，王道雖微，文風未殄，森羅辭翰，備括規摹。考諸《左氏》，摘其英華，別爲八體，各繫本文：一曰命婉而當，二曰誓謹而嚴，三曰盟約而信，四曰禱切而慤，五曰諫和而直，六曰讓辨而正，七曰書達而法，八曰對美而敏。作者觀之，庶知古人之大全也。

陳氏析論《左傳》八種不同文體的風格，並舉例詮證。「命」的風格，是「委婉允當」，如《左傳·襄公十四年》：

王使劉定公賜齊侯命曰：「昔伯舅太公，右我先王，股肱周室，師保萬民，世胙太師，以表東海，王室之不壞，繫伯舅是賴。今余命女環，茲率舅氏之典，纂乃祖考，無忝乃舊。敬之哉，無廢朕命。」

這是周靈王封賜齊侯的冊命。「誓」的風格，是「謹愼嚴肅」。如《左傳·哀公二年》：

誓曰：「范氏、中行氏，反易天明，斬艾百姓，欲擅晉國，而滅其君，寡君恃鄭而保焉。今鄭爲不道，棄君助臣。二三子順天明，從君命，經德義，除詬恥，在此行也。克敵者，上大夫受縣，下大夫受郡，士田十萬，庶人工商遂，人臣隸圉免。志父無罪，君實圖之。若其有罪，絞縊以戮，桐棺三寸，不設屬辟，素車樸馬，無入于兆，下卿之罰也。」

這是晉國趙簡子立誓攻打鄭軍的誓辭。「盟」的風格，是「簡要信實」，如《左傳·襄公十一年》：

載書曰：「凡我同盟，毋蘊年，毋壅利，毋保姦，毋留慝，救災患，恤禍亂，同好惡，獎王室。或間茲命，司慎司盟，名山名川，羣神羣祀，先王先公，七姓十二國之祖，明神殛之，俾失其民，隊命亡氏，踣其國家。」

這是晉魯等十二國和鄭國在亳城北邊結盟締約的盟詞。「禱」的風格，是「懇切誠摯」。如《左傳·哀公二年》：

禱曰：「曾孫蒯聵，敢昭告皇祖文王，烈祖康叔，文祖襄公。鄭勝亂從，晉午在難，不能治亂，使鞅討之。蒯聵不敢自佚，備持矛焉。敢告無絕筋，無折骨，無面傷，以集大事，無作三祖羞。大命不敢請，佩玉不敢愛。」

這是衛國太子蒯聵在戰場上向神靈祈禱的文辭。「諫」的風格，是「和諧率直」。如《左傳·桓公二年》：

諫曰：「君人者，將昭德塞違，以臨照百官，猶懼或失之，故昭令德以示子孫。是以清廟茅屋，大路越席，大羹不致，粢食不鑿，昭其儉也；袞冕黻珽，帶裳幅舄，衡紞紘綖，昭其度也；藻率鞞鞛，鞶厲游纓，昭其數也；火龍黼黻，昭其文也；五色比象，昭其物也；錫鸞和鈴，昭其聲也；三辰旂旗，昭其明也。夫德儉而有度，登降有數，文物以紀之，聲明以發之，以臨照百官，百官於是乎戒懼，而不敢易紀律。今滅德立違，而寘其賂器於太廟，以明示百官，百官象之，其又何誅焉？國家之敗，由官邪也；官之失德，寵賂章也。郜鼎在廟，章孰甚焉？武王克商，遷九鼎于雒邑，義士猶或非之，而況將昭違亂之賂器於太廟，其若之何？」

這是臧哀伯勸阻魯桓公的言辭。「讓」的風格，是「雄辯公正」，如《左傳·昭公九年》：

辭曰：「我自夏以后稷，魏、駘、芮、岐、畢，吾西土也；及武王克商，蒲、姑、商、奄，吾東土也；巴、濮、楚、鄧，吾南土也；肅、慎、燕、亳，吾北土也；吾何邇封之有？文、武、成、康之建母弟，以蕃屏周，亦其廢隊是爲，豈如弁髦，而因以敝之。先王居檮杌于四裔，以禦魑魅，故允姓之姦，居于瓜州。伯父惠公歸自秦，而誘以來，使偪我諸姬，入我郊甸，則戎焉取之？戎有中國，誰之咎也？后稷封殖天下，今戎制之，不亦難乎？伯父圖之。我在伯父，猶衣服之有冠冕，木火之有本原，民人之有謀主也；伯父若裂冠毀冕，拔本塞原，專棄謀主，雖戎狄其何有余一人？」

這是周大夫詹桓伯代表周景王譴責晉國率領陰戎進攻周邑潁，責備的言辭。「讓」，是「責備」的意思。「書」的風格，是「暢達規範」，如《左傳·襄公二十四年》：

書曰：「始吾有虞於子，今則已矣。昔先王議事以制，不爲刑辟。懼民之有爭心也，猶不可禁禦，是故閑之以義，糾之以政，行之以禮，守之以信，奉之以仁，制爲祿位，以勸其從，嚴斷刑罰，以威其淫。懼其未也，故誨之以忠，聳之以行，教之以務，使之以和，臨之以莊，涖之以彊，斷之以剛。猶求聖哲之士，明察之官，忠信之長，慈惠之師。民於是乎可任使也，而不生禍亂。民知有辟，則不忌於上，並有爭心，以徵於書，而徼幸以成之，弗可爲矣。夏有亂政，而作〈禹刑〉；商有亂政，而作〈湯刑〉；周有亂政，而作〈九刑〉；三辟之興，皆叔世也。今吾子相鄭國，作封洫，立謗政，制參辟，鑄刑書，將以靖民，不亦難乎？《詩》曰：『儀式刑文王之德，日靖四方。』又曰：『儀刑文王，萬邦作孚。』如是，何辟之有？民知爭端矣，將棄禮而徵於書，錐刀之末，將盡爭之，亂獄滋豐，賄賂並行，終子之世，鄭敗其乎！肸聞之：『國將亡，必多制。』其此之謂乎？」

晉國叔向就鄭國子產鑄刑書一事派人送信給他，這是信中的文辭。「對」的風格，是「優美機敏」，如《左傳·襄公二十五年》：

對曰：「昔虞閼父爲周陶正，以服事我先王。我先王賴其利器用也，與其神明之後也，庸以元女大姬配胡公，而封諸陳，以備三恪。則我周之自出，至于今是賴。桓公之亂，蔡人欲立其出，我先君莊公奉五父而立之，蔡人殺之，我又與蔡人奉戴厲公，至於莊宣皆我之自立。夏氏之亂，成公播蕩，又我之自入；君所知也。今陳忘周之大德，蔑我大惠，棄我姻親，介恃楚衆，以馮陵我敝邑，不可億逞，我是以有往年之告。未獲成命，則有我東門之役。當陳隧者，井堙木刊。敝邑大懼不競，而恥大姬；天誘其衷，啓敝邑心，陳知其罪，授首于我，用敢獻功。晉人曰：『何故侵小？』對曰：『先王之命，唯罪所在，各致其辟。且昔天子之地一圻，列國一同，自是以衰。今大國多數矣，若無侵小，何以至焉？』晉人曰：『何故戎服？』對曰：『我先君武莊爲平桓卿士。城濮之役，文公布命曰：「各復舊職。」命我文公戎服輔王，以授楚捷，不敢廢王命故也。』士莊伯不能詰，復於趙文子。文子曰：「其辭順，犯順不祥。」乃受之。」

鄭國子產回答晉人關於陳國罪行的質問，這是子產回答的言辭。

陳騤認爲一本書可以包含多種風格，《左傳》就是一個範例。這也是就文體，論風格的例子。此種見解在魏朝曹丕《典論·論文》，晉朝陸機《文賦》，梁朝劉勰《文心雕龍·定勢》，都有精闢地闡析，陳氏可能繼承了曹丕、陸機、劉勰的優良傳統，加以論述。正因爲陳騤以爲一本書可以包含各種不同的風格，所以古籍與古籍之間，某些文章風格互相類似，也就司空見慣，不足爲奇。他在《文則·甲一》中說：

《六經》之道，既曰同歸，《六經》之文，容無異體。故《易》文似《詩》，《詩》文似《書》，《書》文似《禮》。〈中孚〉九二曰：「鳴鶴在陰，其子和之；我有好爵，吾與爾靡之。」使入《詩》雅，孰別爻辭？〈抑〉二章曰：「其在于今，興迷亂于政，顚覆厥德，荒湛于酒，女雖湛樂，從弗念厥紹，罔敷求先王，克共明刑。」使入《書》誥，孰別雅語？〈顧命〉曰：「牖間南嚮，敷重蔑席，黼純，華玉仍几。西序東嚮，敷重底席，綴純，文貝仍几。東序西嚮，敷重豐席，畫純，雕玉仍几。西夾南嚮，敷重筍席，玄紛純，漆仍几。」使入〈春官·司几筵〉，孰別〈命〉語？

陳氏認爲《周易·中孚》九二爻辭與《詩經》中的雅詩，有相似的風格；《詩經·大雅·抑》的文辭與《尚書》的文告，有相似的風格；《尚書·顧命》的文辭與《周禮·春官·司几筵》的文章，有相似的風格，並且舉例加以印證。因此，不同的專著，雖然有不同的文體，但專著間有些篇章，可以有相似的風格，這是陳騤的獨特灼見。㉕然而，陳氏也以爲有些專著的風格比較單一㉖，他在《文則·戊五》中說：

《孝經》之文，簡易醇正，蘊聖人之氣象，揭《六經》之表儀。

陳氏認爲《孝經》的文章風格，是「簡易醇正」，並蘊涵聖人的精神氣度，揭示《六經》的規範準則。

綜上所述，陳騤《文則》的風格分類，分爲一篇文章的風格和一本書的風格兩大類。一篇文章的風格，依作品的句子，分爲雄健而雅、宛曲而峻、整齊而醇三種風格。又依整篇文章，分爲言簡不疎、旨深不晦兩種風格。一本書的風格，就全書而言，《左傳》的風格，是「富豔」。就文體而言，分爲委婉允富、謹愼嚴肅、簡要信實、懇切誠摯、和諧率直、雄辯公正、暢達規範、優美機敏八種風格。

陳騤《文則》的風格分類以後，仍有持續的發展，至清朝顧翰《補詩品》分爲二十四種㉗、馬榮祖《文頌》分為四十八種風格㉘，迄今黎運漢《漢語風格探索》以現代語言學的角度，來分析風格的類型，一般分為五大類：民族風格、時代風格、個人風格、語體風格、表現風格㉙；再細分若干小類，加以闡論。蔣伯潛《文體論纂要》以文章的角度，將風格分為具體與抽象兩大類，再細分若干小類，加以論述。㉚或以各門藝術的不同角度，如建築、美術、音樂等，依其性質不同而加以分類。總而言之，風格的分類，隨著時代背景、社會環境、個人思想、作品性質而不斷改變，所以高長江說：「風格是一種不斷變化的語言現象。因為隨著時空的推移，社會經驗的不斷累積，人的個性也是在變化的。」

【附　註】

①此段內容參閱唐松波《語體·修辭·風格》，吉林教育出版社印行，民國七十七年十二月初版，頁三八；黎運漢《漢語風格探索》，北京商務印書館出版，民國七十九年六月初版，頁一。

②詳見王師更生《文心雕龍新論》，文史哲出版社印行，民國八十年五月初版，頁四五至四六。

③參閱陳思苓《文心雕龍臆論》，巴蜀書社印行，民國七十七年六月初版，頁九二。

④此說參閱黎運漢《漢語風格探索·第一章緒論》。《詩》、《書》雅正語言的作用，在於「訓世」。王利器《文心雕龍校證》云：「顧校本、黃丕烈引馮本，「格」作「俗」。」但依上下文意，則以「風格」二字為佳，蓋張立齋《文心雕龍考異》云：「風格承《詩》、《書》雅言，風俗則失其指歸，從「俗」非。」又吳林伯《文心雕龍諸家校注商

兌》亦云：「『風格』是說辭采的法規，猶《文心·章表》曰『風矩』，〈奏啓〉曰『風軌』，劉氏從其論文「宗經」的觀點出發，指出經典中的《詩》、《書》都是雅正的語言，它以辭采的法規訓示世間作者，而『夸飾』即是其中之一。因此下文在論述《詩》的夸飾以後，接言這些夸飾的詩篇是『大聖所錄，以垂憲章』，與上文『風格訓世』一貫。」（見詹鍈《文心雕龍義證》，上海古籍出版社印行，民國七十八年八月初版，頁一三七九。）

⑤參閱同①黎書，頁一至二。

⑥同③。

⑦參閱同①黎書，頁二。

⑧見詹鍈《文心雕龍的風格學》，木鐸出版社印行，民國七十三年十一月初版，頁四引。

⑨見黑格爾著、朱孟實譯《美學》，里仁書局印行，民國七十年五月初版，冊一，頁三九六。

⑩見劉萍《文學概論》，華聯出版社印行，民國五十二年四月初版，頁一九三引。

⑪見①黎書，頁六至七。文學、文章，渾言之則相同，析言之則互異。（詳見拙作《莊子之文學》，文史哲出版社印行，民國七十二年九月初版，頁一至六。）

⑫參閱宗廷虎、李金苓《漢語修辭學史綱》，吉林教育出版社印行，民國七十八年五月初版，頁一三六至一三七。

⑬參閱陶希聖先生《作文的方法——陸士衡「文賦」解說》，中央日報社印行，民國四十六年二月初版、五十六年三月重印再版，頁三八。梁朝劉勰對於陸機《文賦》所謂的：「『說』煒曄以譎誑」，產生質疑，因此他在《文心雕龍·論說》中說：「凡『說』之樞要，必使時利而義貞，進有契於成務，退無阻於榮身；自非譎敵，則唯忠與信。披肝膽以獻主，飛文敏以濟辭，此『說』之本也；而陸氏直稱：『「說」煒曄以譎誑』，何哉？」劉氏以爲「游說

以光采動人的言辭，譎詐誑騙的技巧」，顯然與情理不合，所以提出質疑。

⑭同⑨，頁一三七至一三八。

⑮參閱黃季剛先生《文心雕龍札記》，文史哲出版社印行，民國六十二年六月再版，頁九八至九九；范文瀾《文心雕龍注》，學海出版社印行，民國六十六年八月初版，頁五〇七至五〇八。

⑯見穆克宏《文心雕龍研究》，福建教育出版社印行，民國八十年九月第一版，頁一二八。《文心雕龍·雜文》說：「枚乘〈七發〉，獨拔而偉麗。」《文心雕龍·哀弔》說：「禰衡之〈弔平子〉，縟麗而輕清。」劉勰批評枚乘〈七發〉是「獨拔偉麗」，禰衡〈弔張衡文〉是「縟麗輕清」，即本乎此。

⑰劉勰個別闡述二十二種文體的風格，分散在《文心雕龍》的卷二至卷五，而《文心雕龍·定勢》歸納二十二種文體為六種風格，卻是在《文心雕龍》的卷六，因此以文章體例而言，可以說是先分後總的歸納法。

⑱參閱廖蔚卿《六朝文論》，聯經出版事業公司印行，民國六十七年四月初版，頁一九五。詹鍈《文心雕龍的風格學》依卷二、三、四、五順序，重新排比為「賦、頌、歌、詩」（卷二）、「箴、銘、碑、誄」（卷三）、「連珠、七辭」（卷三）、「史、論、序、注」（卷四）、「符、檄、書、移」（卷四）、「章、表、奏、議」（卷五）。（詳見詹書，木鐸出版社印行，民國七十三年十一月初版，頁一三〇至一五〇。）劉勰不依篇章順序排列，而是依風格內容排列，所以列「典雅」為第一，其來有自，廖氏所言甚是。

⑲詳見王師更生《文心雕龍讀本·下篇》，文史哲出版社印行，民國七十二年十一月初版，頁六七至六八。

⑳王師更生將文體分為一百七十九種，詳見王師《文心雕龍研究》，文史哲出版社印行，民國六十八年五月增訂初版，頁三三五至三三六。蔡宗陽謹遵師訓，將文體分為一百七十六種，詳見《劉勰文心雕龍與經學》，民國七十八

年五月，國立臺灣師範大學國文研究所博士論文，頁一三八。

㉑皎然《詩式》將詩分爲十九種風格：高（風韻切暢曰高。）、逸（體格閒放曰逸。）、貞（放詞正直曰貞。）、忠（臨危不變曰忠。）、節（持操不改曰節。）、志（立性不改曰志。）、氣（風情耿耿曰氣。）、情（緣景不盡曰情。）、思（氣多含蓄曰思。）、德（詞溫而正曰德。）、誡（檢束防閑曰誡。）、閑（情性疏野曰閑。）、達（心迹曠誕曰達。）、悲（傷甚曰悲。）、怨（詞調悽切曰怨。）、意（立言曰意。）、力（體裁勁健曰力。）、靜（非如松風不動，林狖未鳴，乃謂意中之靜。）、遠（非加渺渺望水，杳杳看山，乃謂意中之遠。）。（見皎然《詩式》，臺灣商務印書館印行，民國五十七年六月臺一版，頁九。）這十九種風格，各用一個字作標幟，再加以詮釋。《詩式》的「高」，相當於司空圖《詩品》的「高古」；「逸」、「閑」，相當於《詩品》的「疏野」；「貞」、「忠」、「節」，相當於「典雅」；「志」、「氣」、「力」，相當於「雄渾」；「情」、「思」，相當於「含蓄」；「德」相當於「柔婉」；「達」相當於「曠達」；「悲」、「怨」，相當於「悲慨」；「靜」、「遠」，相當於「超詣」。（參閱周振甫《中國修辭學史》，北京商務印書館印行，民國八十年一月初版，頁一一九。）其中「誡」、「意」，不是講風格，因此皎然《詩式》將風格分爲十九種，其實僅有十七種而已。

㉒參閱①黎書，頁三三五。

㉓詳見⑯。

㉔參閱㉑周書，頁二四五。

㉕同⑫，頁三〇八。

㉖同⑫，頁三〇九。

㉗清朝顧翰《補詩品》依詩文風格，分爲二十四種：古淡、蘊藉、雄渾、清麗、哀怨、激烈、奧折、華貴、疎散、超逸、閒適、奇豔、淒婉、飛動、感慨、雋雅、高潔、精鍊、峭拔、悲壯、明秀、豪邁、眞摯、渾脫。參閱張高評《中國散文之面貌》，中央文物供應社印行，民國七十三年五月初版，頁五一引。見司空圖、袁枚《詩品集解、續詩品注》，河洛圖書出版社印行，民國六十三年九月臺景印初版，頁八一至八七。

㉘清朝馬榮祖《文頌》將風格分爲四十八種：沈雄、峻潔、典雅、清華、淳古、怪豔、沈著、生動、嚴重、疎放、遒媚、超忽、蒼潤、清越、奇險、輕澹、鬱折、洸漾、雄緊、頹暢、奧澀、樸野、蘊藉、恣睢、澹永、跌宕、瘦硬、渾灝、秀拔、排奡、修遠、夭矯、沖寂、鼓舞、停勻、雄挫、閒適、堅深、清新、古拙、妙麗、勁宛、英雅、遒逸、複隱、空靈、神解、飄渺。參閱同㉘。見同㉘書，頁一〇六至一一八。

㉙參閱①黎書，頁八九。表現風格又分爲豪放、柔婉、簡約、繁豐、蘊藉、明快、藻麗、樸實八種風格。（詳見黎書頁一九一至二二六。）將風格分爲五大類，跟黎書相同主張者，係全國外語院系《語法與修辭》編寫組合編的《語法與修辭》，此書係廣西教育出版社印行，民國七十六年三月初版，其內容詳見頁三八三至三九九。宋振華、吳士文、張國慶、王興林《現代漢語修辭學》將表現風格分爲七組十四種：簡繁——簡約和繁豐、曲直——含蓄和明快、樸華——樸實和華麗、莊諧——莊嚴和幽默、雅俗——文雅和通俗、謹疏——謹嚴和疏放、剛柔——豪放和柔婉。（詳見該書頁二六三至二八一，吉林人民出版社印行，民國七十三年九月初版。）

㉚參閱蔣伯潛《文體論纂要》，正中書局印行，民國三十一年六月初版、六十八年五月臺二版，頁二〇二至二一八。文章的風格，分爲具體和抽象兩大類。就具體而言，以文辭論，分爲「繁縟」、「簡約」兩種風格；以筆法論，分爲「隱曲」、「直爽」兩種風格；以章句論，分爲「整齊」、「錯綜」兩種風格；以格律論，分爲「謹嚴」、「疎放」

兩種風格；以意境論，分爲「動蕩」、「恬靜」兩種風格。就抽象而言，以聲調論，分爲「曼聲」、「促節」、「宏壯」、「纖細」四種風格；以色味論，分爲「濃厚」、「平淡」兩種風格；以神態論，分爲「嚴肅」、「輕鬆」兩種風格；以氣象論，分爲「陽剛」、「陰柔」、「正大」、「精巧」四種風格。

㉛見高長江《現代修辭學——人與人的世界對話》，吉林大學出版社印行，民國八十年七月初版，頁四三〇。

第二節　文體的起源與分類

「文體」一詞，義多分歧，同名異實，各有所指，不可不辨。因此，在探討陳騤《文則》論文體的起源之前，首先釐清「文體」的涵義，再闡析文體的起源。

一、文體的涵義

「文體」的「體」字，在我國傳統文論中，有很多不同的詮釋，就以《文心雕龍》一書而言，就有多種不同的意義，而且可以包含其他有關文學方面的典籍或論文所談「體」字的意義，因此就《文心雕龍》的「體」字，加以比較、歸類、詮證。

《文心雕龍》談到「體」字，共出現一八八次，其涵義可分爲專門術語、普通用語兩大類，再分爲若干小類。①

㈠專門術語的涵義

就《文心雕龍》全書而言，含有專門術語性質的「體」字，又分為基本意義、引申意義兩種。

甲、基本意義

《文心雕龍》全書有關專門術語的「體」字，其基本意義有五：

1.指文章的體裁、體制、體例、體式而言

「體」字的意義，指文章的體裁而言，如《文心雕龍·詮賦》：「雖合賦體。」其中「賦體」，是指賦的體裁。〈頌贊〉：「頌體以論辭。」其中「頌體」，是指頌的體裁。〈史傳〉：「創為傳體。」其中「傳體」，是指傳的體裁。〈書記〉：「書之為體。」其中「書體」，是指書的體裁。〈論說〉：「詳觀論體。」其中「論體」，是指論的體裁。這五例句的「體」字，皆指體裁而言。

「體」字，指體制而言，如《文心雕龍·論說》：「善入史體。」其中「史體」，是指史論的體制。〈檄移〉：「檄移為用，……體義大同。」「體義大同」，此言其體制義理，大致相同。其中「體」字，指檄文、移文的體制。這二例句的「體」字，皆指體制而言。

「體」字，指文章的體例而言，如《文心雕龍·辨騷》：「典誥之體也。」其中「體」字，指典誥的體例。〈章句〉：「《詩》頌大體。」其中「體」字，指《詩經》雅頌的體例。這二例句的「體」字，皆指體例而言。

「體」字，指文章的體式而言，如《文心雕龍．徵聖》：「此明理以立體也。」此言從明示事物的道理來建立文章的體式。因此，其中「體」字，是指文章的體式。〈詔策〉：「體憲風流矣。」其中「體」字，指詔制策命的體式。這二例句的「體」字，皆指體式而言。

2. 指文章而言

「體」字，指文章而言，如《文心雕龍．鎔裁》：「極繁之體。」此言極繁縟的文章。〈總術〉：「經傳之體。」此言經傳的文章。這二例句的「體」字，皆指文章而言。

3. 指文章的內容、思想而言

「體」字，指文章的內容而言，如《文心雕龍．章表》：「表體多包。」此言表的內容包羅萬象。其中「體」字，指內容而言。〈鎔裁〉：「規範本體謂之鎔。」此言提鍊文章的主要思想，使之合於規範，叫做鎔意。其中「體」字，是指文章的主要思想，亦即文章的基本內容。前例指文章的內容，後例指文章的思想。其實，文章的內容含有文章的思想，文章的思想在文章的內容中。

4. 指文章的文辭而言

「體」字，指文章的文辭而言，如《文心雕龍．銘箴》：「義正體蕪。」此言文義雖然雅正，文辭卻蕪亂不純。其中「體」字，指文辭而言。〈詔策〉：「詔體浮新。」此言詔策的文辭虛浮駁雜。其中「體」字，亦指文辭而言。〈論說〉：「解散論體。」其中「論體」，指論辨文的文辭。這三例句的「體」字，皆指文辭而言。

5. 指文章的風格而言

「體」字，指文章風格而言，如《文心雕龍．明詩》：「宋初之詠，體有因革。」此言劉宋初年的詩文，風格有了改變。其中「體」字，指風格而言。《體性》：「若八體屢遷，功以學成。」此言作家能寫出八種不同風格的文章，是經過長期下功夫苦學的結果。其中「體」字，亦指風格而言。這二例句的「體」字，皆指文章的風格而言。

乙、引申意義

《文心雕龍》全書有關專門術語的「體」字，其引申意義有二：

1. 指文章的寫作方法而言

「體」字，指文章的寫作方法而言，如《文心雕龍．哀弔》：「夸體爲辭，則雖麗不哀。」此言運用浮誇的指辭來寫作「哀」文的方法，辭采雖美，卻沒有哀悼的感情。其中「體」字，指寫作方法而言。《麗辭》：「麗辭之體，凡有四對。」此言對偶的寫作方法，共有言對、事對、正對、反對四種。其中「體」字，亦指寫作方法。這二例句的「體」字，皆指文章的寫作方法。

2. 指文章的寫作要領而言

「體」字，指文章的寫作要領而言，如《文心雕龍．奏啓》：「夫奏之爲筆，固以明允篤誠爲本，辨析疏通爲首，……此其體也。」此言奏疏的寫作要領，在於明允篤誠，辨析疏通。其中「體」字，指寫作要領而言。《議對》：「事實允當，可謂達議體矣。」此言駁議文的寫作要領，在於事實允當。

其中「體」字，亦指寫作要領而言。這二例句的「體」字，皆指文章的寫作要領而言。

㈡普通用語的涵義

《文心雕龍》全書的「體」字，除了有專門術語的涵義之外，還有普通用語的涵義。普通用語的涵義，約有下列數端：

1. 指字體而言

「體」字，指字體而言，如《文心雕龍·練字》：「漢初草律，明著厥法，太史教試，學童八體。」此言漢朝初年，蕭何創制法律，明定有關文字法令，要太史教學童，練習大篆、小篆、刻符、蟲書、摹印、署書、殳書、隸書等八種字體。其中「體」字，是字體的意思。又如〈練字〉：「異體相資。」此言大篆、小篆、古文、奇字等字體雖異，而相互爲用。」其中「體」字，也是字體的意思。

2. 指身體而言

「體」字，指身體而言，如〈風骨〉：「辭之待骨，如體之樹骸。」此言文章的辭藻，必須以中心題材爲骨幹，才能發揮效果；好比人的身體，必須依靠骨骼的支撐。其中「體」字，是身體的意思。

3. 指體驗而言

「體」字，指體驗而言，如〈情采〉：「體情之製日疎，逐文之篇愈盛。」此言能夠體驗眞情實性的文章愈來愈少，追逐華辭麗句的作品越來越多。其中「體」字，是體驗的意思。

4. 指要領而言

「體」字，指「要領」而言，如〈議對〉：「治體高秉，雅謨遠播。」此言把握治國理民的要領，其雅正的謀議，始可傳播久遠。其中「體」字，是「要領」的意思。

5. 指實體而言

「體」字，指實體而言，如〈樂府〉：「詩爲樂心，聲爲樂體。」此言「詩辭」是音樂的靈魂，「聲律」是音樂的實體。其中「體」字，是實體的意思。

6. 指維護而言

「體」字，指維護而言，如〈奏啓〉：「體國之忠規矣。」此言維護國家制度綱紀的忠誠規諫。其中「體」字，是維護的意思。

《文心雕龍》的「體」字，其普通涵義甚多，茲歸納以上部分闡述，其涵義有字體、身體、體驗、要領、實體、維護六種。

陳騤《文則》論文體起源與分類的「體」字，是指文章的體裁，屬於《文心雕龍》專門術語的基本意義。

二、文體的起源

中國文章體裁，究竟起源於何者？一言以蔽之，文體起源於經典。論文體起源於經典者，在陳騤

《文則》之前，有劉勰《文心雕龍》、顏之推《顏氏家訓》。茲先闡述《文則》以前各家論文體的起源，再叙述陳騤《文則》論文體的起源，最後才比較各家的說法，有何異同？

㈠《文則》以前各家論文體的起源

在陳騤《文則》以前，劉勰《文心雕龍·宗經》、顏之推《顏氏家訓·文章》都一致認爲文體起源於五經。茲先闡述其內容，再比較其異同。劉勰《文心雕龍·宗經》闡析各種文種文體的起源，他說：

> 論說辭序，則《易》統其首；詔策章奏，則《書》發其源；賦頌謌贊，則《詩》立其本；銘誄箴祝，則《禮》總其端；記傳盟檄，則《春秋》爲根。

《文心雕龍·論說》云：「聖哲彝訓曰經，述經叙理謂之論。」由此可見，「論」與經典攸關。又《周易》十翼中的〈繫辭〉上下、〈文言〉、〈說卦〉、〈序卦〉，都是論《周易》的理法，因此「論」起源於《周易》。「論」的範疇，又分爲四流八品，劉勰闡述四流八品都是以「論」爲本，他〈論說〉中說：

> 詳觀論體，條流多品：陳政，則與「議說」合契；釋經，則與「傳注」參體；辨史，則與「贊評」齊行；詮文，則與「敘引」共紀。故「議」者宜言；「說」者說語；「傳」者轉師；「注」者主解；「贊」者明意；「評」者平理；「序」者次事；「引」者胤辭；八名區分，一揆宗論。

劉勰以爲「議、說」是政論，「傳、注」是經論，「贊、評」是史論，「序、引」是文論；「議、說、傳、注、贊、評、序、引」都是以「論」爲根本，因此說：「一揆宗論」。不止「論」起源於《周易》，「議、說、傳、注、贊、評、序、引」亦起源於《周易》。起源於《周易》的文體，共有九類。

詔策章奏起源於《尚書》，是由於《尚書》有「典」、「謨」、「訓」、「誥」、「誓」、「命」六種文體，其「誥」、「誓」兩種文體，多半是君王布告天下的文辭。「誥」是平時詔令，「誓」卻是發於戰時。「命」是君命臣，也是詔令。「訓」是重臣訓導君王，屬於奏議。起源於《尚書》的文體，見於《文心雕龍》者，有〈詔策〉、〈章表〉、〈奏詔〉、〈議對〉等四篇。〈詔策〉有詔、策、命、誥、誓、制、策書、制書、詔書、戒敕、戒、敕、教等十三類，都起源於《尚書》；〈章表〉有上書、章、奏、表、議等五類，也起源於《尚書》；〈奏啓〉有奏、啓、上疏、彈事、表奏、封事等六類，都起源於《尚書》；〈議對〉有議、對、駁議、對策、射策等五類，也起源於《尚書》。③起源於《尚書》的文體，共有二十九類。

賦頌謌贊起源於《詩經》，是由於《詩經》是韻文，又在《詩經》六義中有「頌」。起源於《詩經》的文體，見於《文心雕龍》者，有〈明詩〉、〈樂府〉、〈詮賦〉、〈頌贊〉、〈雜文〉、〈諧讔〉等六篇。④〈明詩〉有詩、四言、五言、三言、六言、雜言、離合、回文、聯句等九類，都起源於《詩經》；〈樂府〉有樂府、平調、清調、瑟調、鼓吹、鐃歌、挽歌等七類，也起源於《詩經》；〈詮賦〉僅有賦一類，起源於《詩經》；〈頌贊〉有頌、贊、風、雅、序、引、評等七類，都起源於《詩經》；

《雜文》有對問、七發、連珠、客難、解嘲、賓戲、達旨、應間、答譏、釋誨、客傲、客問、客咨、七激、七依、七辨、七蘇、七啓、七釋、七說、七諷、七厲、典、誥、誓、問、覽、略、篇、章、曲、操、弄、引、吟、諷、謠、詠、雜文等三十九類，也起源於《詩經》；〈諧讔〉有諧、讔、謎語等三類，都起源於《詩經》。⑤起源於《詩經》的文體，共有六十六類。

銘誄箴祝起源於《禮》，是由於《儀禮·士冠禮》記載有祝辭；《周禮·春官》有「大祝掌六祝之辭，以事鬼神」；《大戴禮·武王踐阼》記載有戶銘、席銘等；又因爲哀誄是喪禮的緣故。起源於《禮》的文體，見於《文心雕龍》者，有〈祝盟〉、〈銘箴〉、〈誄碑〉、〈哀弔〉、〈封禪〉等五篇。⑥〈祝盟〉有祝、盟、祝邪、罵鬼、讉、呪、詰咎、祭文、哀策、詛、誓、歃辭等十二類，都起源於《禮》；〈誄碑〉有誄、碑、碣等三類，都起源於《禮》；〈哀弔〉只有哀、弔二類，也起源於《禮》；〈封禪〉僅有封禪一類，起源於《禮》。⑦起源於《禮》的文體，共有二十類。

記傳盟檄起源於《春秋》，是由於《春秋》是史書；《左傳》中有記人的事蹟，就是「傳」。起源於《春秋》的文體，見於《文心雕龍》者，有〈史傳〉、〈檄移〉、〈書記〉等三篇。⑧〈史傳〉有史、尚書、春秋、傳、策、紀、書、表、志、略、錄等十一類，都起源於《春秋》；〈檄移〉有檄、移、戒誓、令、辭、露布、文移、武移等八篇，也起源於《春秋》；〈書記〉有書、記、表奏、奏書、牋、奏記、奏牒、譜、籍、簿、錄、方、術、占、式、律、令、法、制、符、契、券、疏、關、刺、解、牒、籤、狀、列、辭、諺等三十二類，都起源於《春秋》。⑨起源於《春秋》的文體，共有五十一類。

起源於《周易》的文體有九類，起源於《尚書》的文體有二十九類，起源於《詩經》的文體有六十六類，起源於《禮》的文體有二十類，起源於《春秋》的文體有五十一類，共計一七五類；此外，《諸子》又有諸子一類，起源於五經，總計一七六類。《諸子》說：「諸子者，入道見志之書。……述道言治，枝條五經。」此其證也。

顏之推《顏氏家訓·文章》也論述各類文章的起源，他說：

夫文章者，原出五經：詔、命、策、檄，生於《書》者也；序、述、論、議，生於《易》者也；歌、詠、賦、頌，生於《詩》者也；祭祀、哀誄，生於《禮》者也；書、奏、箴、銘，生於《春秋》者也。

顏之推以爲文章起源於五經，並舉例詮證。「詔、命、策、檄」四種文體，都起源於《尚書》；「序、述、論、議」四種文體，也起源於《周易》；「歌、詠、賦、頌」四種文體，都起源於《詩經》；「祭祀、哀誄」兩種文體，也起源於《禮》；「書、奏、箴、銘」四種文體，都起源於《春秋》。

茲比較劉勰《文心雕龍·宗經》與顏之推《顏氏家訓·文章》析論文體起源於五經的異同：相同點是《周易》都有「論」、「序」兩種文體，《尚書》都有「詔」、「策」兩種文體，《詩經》都有「賦」、「頌」、「歌」三種文體，《禮》都有「誄」這種文體。相異點比較複雜，爲簡明方便起見，茲繪簡表於後：

書名＼文體＼作者書名	劉勰《文心雕龍》	顏之推《顏氏家訓》
《周易》	說、辭	（議）[10]、述
《尚書》	章、表	（命）
《詩經》	贊	（詠）
《禮》	銘、箴、祝	祭祀、（哀）
《春秋》	記、傳、銘、檄	（書）、（奏）、箴、銘

㈡陳騤《文則》論文體的起源

陳騤可能繼承了劉勰《文心雕龍》、顏之推《顏氏家訓》論文體起源的優良傳統，他也論述各種文體的起源。他在《文則·甲九》中說：

> 大抵文士題命篇章，悉有所本。自孔子爲《書》作序，（孔子〈書序〉，總爲一篇，孔安國各分繫之篇首。）文遂有序；自孔子爲《易》說卦，文遂有說；（柳宗元〈天說〉之類。）自有〈曾子問〉、〈哀公問〉之類，文遂有問；（屈原〈天問〉之類。）自有〈考工記〉、〈學記〉之類，文遂有記；自有〈經解〉、〈王言解〉之類，（〈王言解〉見《家語》。）文遂有解；（韓愈〈進學

解〉之類。）自有〈辯政〉、〈辯物〉之類，（二辯見《家語》。）文遂有辯；（宋玉〈九辯〉之類。）自有〈樂論〉、〈禮論〉之類，（二論見《荀子》。）文遂有論；（賈誼〈過秦論〉之類。）自有〈大傳〉、〈間傳〉之類，（二傳見《禮記》。）文遂有傳。

陳騤認爲「序」起源於〈尙書序〉，「說」起源於《周易·說卦》，「問」起源於《禮記·曾子問》、〈哀公問〉，「記」起源於《周禮·考工記》、《禮記·學記》，「解」起源於《禮記·經解》、《孔子家語·王言解》，「辯」起源於《孔子家語·辯政》、〈辯物〉，「論」起源於《荀子·樂論》、〈禮論〉，「傳」起源於《禮記·大傳》、〈間傳〉。陳氏不止繼承了前人文體起源於五經，更發揚光大，旁涉及其他古籍，並舉例詮證。「序」，除了陳騤所舉的〈尙書序〉，尙有漢朝應劭〈風俗通義序〉、劉熙〈釋名序〉、魏朝曹操〈孫子兵法序〉，晉朝郭璞〈爾雅序〉，南朝蕭統〈文選序〉、徐陵〈玉臺新詠序〉，宋朝歐陽修〈江鄰幾文集序〉、蘇軾〈范文正公文集序〉、朱熹〈詩集傳序〉，元朝陳澔〈禮記集說序〉，清朝曾國藩〈歐陽生文集序〉。陳騤所謂的「序」，是指書序。尙有一篇文章前面的序，如晉朝陶淵明〈歸去來辭並序〉、宋朝文天祥〈正氣歌並序〉。序有兩種：一是序跋，二是贈序。陳騤所說的書序，屬於序跋的序，序在書前，跋在書後，但古人序也有在書後，如漢朝司馬遷〈太史公自序〉就在《史記》末篇。陳騤僅論序跋的序，並未論及贈序。贈序在唐朝甚多，尤以韓愈爲最，他有〈送孟東野序〉、〈送殷員外序〉、〈贈崔復州序〉、〈送李愿歸盤谷序〉、〈送高閑上人序〉、〈送董邵南序〉、〈送廖道士序〉、〈送區冊序〉、〈送楊少尹序〉、〈送石處士序〉、〈送溫處士赴河陽軍序〉，尙有柳宗元〈送薛存義序〉、〈送徐從事北遊序〉，宋朝朱熹〈贈郭拱辰序〉、〈贈李堯舉序〉、韓元吉〈送陸務觀序〉，明朝宋濂也有〈送天臺陳庭學序〉、〈送東陽馬生序〉。「說」，除了陳騤所舉的柳宗元〈天說〉之外，尚有唐朝韓愈的〈師說〉、〈雜說〉、柳宗元〈觀八駿圖說〉、〈捕蛇者說〉、來鵠〈儉不至說〉，宋朝周敦頤〈愛蓮說〉、王安石〈進說〉，元朝虞集〈尚志齋說〉。「問」，除了陳騤所舉的〈禮記·曾子問〉、〈哀公問〉、屈原〈天問〉之外，尚有《禮記·服問》、〈三年問〉、宋玉〈對楚王問〉、《孔子家語·郊問》、〈曲禮子夏問〉、〈曲禮子貢問〉、〈曲禮公西赤問〉，南朝何承天〈報應問〉。「記」，除了陳騤所舉的《周禮·考工記》、《禮記·學記》之外，尚有《禮記·樂記》、〈雜記〉、〈表記〉，漢朝陳寔〈異聞記〉、晉朝陶淵明〈桃花源記〉，唐朝韓愈〈新修滕王閣記〉、柳宗元〈始得西山宴遊記〉、〈鈷鉧潭記〉、〈鈷鉧潭西小丘記〉、〈袁家渴記〉、〈小石城山記〉、白居易〈廬山草堂記〉，宋朝王禹偁〈黃岡竹樓記〉、范仲淹〈嚴先生祠堂記〉、〈岳陽樓記〉、歐陽修〈相州晝錦堂記〉、〈豐樂亭記〉、〈醉翁亭記〉、〈樊侯廟災記〉、〈畫舫齋記〉、〈養魚記〉、〈眞州東園記〉、司馬光〈諫院題名記〉、蘇洵〈木假山記〉、〈張益州畫像記〉、蘇軾〈喜雨亭記〉、〈超然臺記〉、〈李白碑陰記〉、〈思堂記〉、〈放鶴亭記〉、〈石鐘山記〉、蘇轍〈黃州快哉亭記〉、王安石〈遊褒禪山記〉、曾鞏〈宜黃縣學記〉、〈墨池記〉、〈廣德軍重修鼓角樓記〉、〈越州趙公救菑記〉、蘇舜欽〈滄浪亭記〉、朱熹〈崇安新置社倉記〉、〈名堂室記〉、韓元吉〈武夷精舍記〉、〈建安縣丞廳壁題名記〉、陸游〈煙艇記〉、錢公輔〈義田記〉、李覯〈袁州學記〉、謝翺〈登西臺慟哭記〉，明朝宋濂〈閱江樓記〉、劉基〈尚節亭記〉、王守仁〈尊經閣記〉、〈象祠記〉、歸有光〈吳山圖記〉、〈滄浪亭記〉、袁宏道〈西湖雜記〉、張溥〈五人墓碑記〉，清朝蔣士銓〈鳴機夜課圖記〉、姚鼐〈登泰山記〉、曾國藩〈聖哲畫像記〉。「解」，除了陳騤所舉的《禮記·經解》、《孔子家語·王言解》、韓愈〈進學解〉之外，尚有《孔子家語·大婚解》、〈儒行解〉、〈五儀解〉、〈五刑解〉、〈冠頌解〉、〈廟制解〉、〈屈節解〉、〈弟子解〉、〈本姓解〉、〈終記解〉、〈正論解〉，唐朝韓愈〈獲麟解〉、李翺〈命解〉。「辯」，除了陳騤所舉的《孔子家語·辯政》、〈辯物〉、宋玉〈九辯〉之外，尚有《孔子家語·辯樂》、韓愈〈諱辯〉。「論」，除了陳騤所舉的《荀子·樂論》、〈禮論〉、賈誼〈過秦論〉之外，尚有《荀子·天論》、〈正論〉，漢朝劉歆〈商君論〉、馮衍〈顯志賦自論〉、班彪〈王命論〉、〈史記論〉、朱穆〈崇厚論〉、蔡邕〈正交論〉，魏朝李康〈運命論〉、曹冏〈六代論〉，吳朝韋曜〈博弈論〉，晉朝嵇康〈養生主〉、陸機〈辨亡論〉、〈五等諸侯論〉，梁朝沈約〈宋書謝靈運傳論〉、〈恩倖傳論〉、〈難范縝神滅論〉、劉峻〈辨命論〉、〈廣絕交論〉，唐朝韓愈〈爭臣論〉、柳宗元〈封建論〉、劉禹錫〈天論〉、皇甫湜〈夷惠清和論〉、歐陽修〈明黨論〉、〈縱囚論〉、〈五代史宦者傳論〉、蘇洵〈管仲論〉、〈諫論〉、〈辨姦論〉、〈春秋論〉、蘇軾〈刑賞忠厚之至論〉、〈范增論〉、〈留侯論〉、〈賈誼論〉、〈鼂錯論〉、蘇轍〈六國論〉、葉適〈財計論〉，明朝方孝孺〈深慮論〉、〈豫讓論〉、唐順之〈信陵君救趙論〉、王世貞〈藺相如完璧歸趙論〉。「傳」，除了陳騤所舉的《禮記·大傳》、〈間傳〉之外，尚有漢朝司馬遷〈伯夷列傳〉、班固〈蘇武傳〉，晉朝何劭〈王弼傳〉、陳壽〈諸葛亮傳〉、葛洪〈李八百傳〉、陶淵明〈五柳先生傳〉、南朝范曄〈班超傳〉、沈約〈郭世道傳〉、唐朝韓愈〈圬者王承福傳〉、柳宗元〈種樹郭橐駞傳〉、〈梓人傳〉、元稹〈鶯鶯傳〉、陳鴻〈長恨歌傳〉、李翺〈楊烈婦傳〉、李商隱〈李賀小傳〉、杜光庭〈虬髯客傳〉，宋朝蘇軾〈方山子傳〉、王安石〈讀孟嘗君傳〉、曾鞏〈書魏鄭公傳〉，明朝宋濂〈謝翺傳〉、袁宏道〈徐文長傳〉，清朝侯方域〈寧南侯傳〉、魏禧〈大鐵椎傳〉、陸次雲〈費宮人傳〉，民國胡適〈差不多先生傳〉。

陳騤闡析「序、說、問、記、解、辯、論、傳」八種文體的起源，並舉例論證後世受其影響之概況，但因陳氏舉例不多，陳氏之後例證缺乏，所以筆者再補充陳氏之前、之後使用以上八種文體的作品，結果發現運用「序、記、論、傳」的文體佔最多。

陳騤不僅析論「序、說、問、記、解、辯、論、傳」八種文體的起源，又闡述箴、贊、銘、歌、謠、謳、誦、祝、謚、頌、禱各種文體的起源，並分別舉例詮證。「箴」的起源，陳騤舉例詮證，他在《文則·壬二》中說：

> 盤庚之戒，無伏攸箴，宣王之詩，〈庭燎〉因箴，箴之爲名，見於經矣。在昔周武，辛甲爲史，爰命百官，各箴王闕，故〈虞人之箴〉，魏絳獨有取焉。今采其文，以備箴體。芒芒禹迹，畫爲九州，經啓九道，民有寢廟，獸有茂草，各有攸處，德用不擾。在帝夷羿，冒于原獸，忘其國恤，而思其麀牡，武不可重，用不恢于夏家。獸臣司原，敢告僕夫。

陳氏以爲「箴」起源於「盤庚之戒，無伏攸箴」，此二句節縮《尚書·盤庚上》：「盤庚斆于民，由乃在位，以常舊服，正法度，曰：『無或敢伏小人之攸箴。』」因此，「箴」這種文體起源於《尚書·盤庚上》。他又論述「箴」的作用，在於進諫君王的過錯，並舉周宣王、辛甲、魏絳加以詮證。周宣王時的〈庭燎〉詩，贊美宣王勤政，旨在規戒百官也要勤政。辛甲叫百官各自作「箴」，以規勸帝王的過失。魏絳引用〈虞人之箴〉，以進諫晉侯。

「贊」的起源，陳騤在《文則·壬二》中，都有詳盡闡述，他說：

益贊于禹，贊起遠矣。後世史官，紀傳有贊，以擬詩體，非古法也。今采《書》文，以備贊體。

惟德動天，無遠弗居。滿招損，謙受益，時乃天道。帝初于歷山，往于田，日號泣于旻天，于父母，負罪引慝，祇載見瞽瞍，夔夔齊慄。瞽亦允若。至誠感神，矧茲有苗。

陳騤認爲「贊」起源於「益贊于禹」，但「贊」的體裁起源於《尙書》，並舉《尙書·大禹謨》作論證。自「益贊于禹」至「矧茲有苗」，是《尙書·大禹謨》的原文。這段文字內容係說明「滿招損，謙受益」的道理，並舉舜謙恭有禮，任勞任怨，精誠感人作詮證。

「銘」的起源，由於沒有固定的體裁，因此起源不一，陳騤在《文則·壬三》中說：

銘文之作，初無定體，量人〈量銘〉，乃類《詩·雅》，孔悝〈鼎銘〉，無異《書》命，成湯〈盤銘〉，考父〈鼎銘〉，體又別矣。四體俱采，古法備焉。

〈量銘〉

時文思索，允臻其極，嘉量旣成，以觀四國，永啓厥後，茲器維則。

〈鼎銘〉（孔悝）

六月丁亥，公假于太廟，公曰：叔舅，乃祖莊叔，左右成公，成公乃命莊叔，隨難于漢陽，即宮于宗周，奔走無射。啓右獻公，獻公乃命成叔，纂乃祖服。乃考文叔，興舊嗜欲，作率慶士，躬恤衛國，其勤公家，夙夜不解，民咸曰休哉！公曰：叔舅，予女銘，若纂乃考服。悝拜稽首，曰：對揚以辟之，勤大命，施于烝彝鼎。

〈盤銘〉（《大戴禮》：「湯几杖之屬皆有銘。」此〈盤銘〉獨見《禮記》。）

德日新，日日新，又日新。

〈鼎銘〉

一命而僂，再命而傴，三命而俯，循牆而走，亦莫余敢侮。饘於是，鬻於是，以餬余口。

陳氏以爲「銘」的起源不一，如〈量銘〉見於《周禮·考工記》，但其文句很類似《詩經》；孔悝的〈鼎銘〉見於《禮記·祭統》，但其文句類似《尙書》；成湯的〈盤銘〉見於《禮記·大學》；正考父〈鼎銘〉見於《左傳·昭公七年》。綜上所述，「銘」的起源不一，或起源於《周禮》，或起源於《禮記》，或起源於《左傳》。

「歌」的起源，也不統一，陳騤在《文則·壬四》中說：

賡載之歌，既煥虞謨，〈五子之歌〉，又昭夏訓，作者蔚起，各自爲體。孔子消搖，接輿佯狂，歌詞玉振，鮮其儷哉？特取二歌，餘在所略。

〈孔子歌〉

泰山其頹乎！梁木其壞乎！哲人其萎乎！

〈接輿歌〉（《莊子》亦載此歌，曰：「鳳兮鳳兮，何如德之衰也！來世不可恃，往世不可追也。」雖小有增損，然氣象與《論語》不同。）

鳳兮鳳兮，何德之衰！往者不可諫，來者猶可追。已而已而！今之從政者殆而！

陳氏認爲「歌」起源於「賡載之歌」、〈五子之歌〉、〈孔子歌〉、〈接輿歌〉，「賡載之歌」、〈五子之歌〉皆見於《尙書》，〈孔子歌〉見於《禮記·檀弓上》，〈接輿歌〉見於《論語·微子》，因此「歌」這種文體起源不一，或起源於《尙書》，或起源於《禮記》，或起源於《論語》。

歌可以分爲謠、謳、誦三種，此三種的起源，陳騤都有舉例論證，他在《文則·壬五》中說：

歌之流也，又別爲三：一曰謠，二曰謳，（齊歌曰謳，獨歌曰謠。）三曰誦。周謠〈鸜鵒〉，晉謠〈龍鶉〉，城者築者，所謳不同，國人輿人，其誦亦異，雖皆芻詞，猶可觀法，備見《左氏》，采其尤乎？

晉謠

丙之晨，龍尾伏辰。均服振振，取虢之旂。鶉之賁賁，天策焞焞，火中成軍，虢公其奔。

築謳

澤門之皙，實興我役；邑中之黔，實慰我心。

輿誦

取我衣冠而褚之，取我田疇而伍之，孰殺子產，吾其與之。我有子弟，子產誨之；我有田疇，子產殖之；子產而死，誰其嗣之？（後漢岑彭爲魏郡太守，與人歌曰：「我有枳棘，岑君伐之；我有蟊賊，岑君遏之。」蓋又法此也。）

劉氏以爲「謠、謳、誦」三種體裁都起源於《左傳》，並舉例論證。〈晉謠〉見於《左傳·僖公五年》、〈筑謳〉見於《左傳·襄公十七年》，〈輿誦〉見於《左傳·襄公三十年》，因此「謠、謳、誦」都起源於《左傳》。

「祝」、「諡」的起源，陳騤都有舉例論證，他在《文則·壬六》中說：

祭有祝嘏，死有誄諡，周公之制備矣。祝嘏尚欽，誄諡宜實。考諸禮籍，有士虞祭祝辭，貞惠文子諡辭，寔作者之儀表也，今取之。

士虞祝辭

哀子某，顯相，夙興夜處不寧，敢用潔牲剛鬣，嘉薦普淖，明齊溲酒，哀薦袷事，適爾皇祖某甫，尚饗。（今之祝文，唯同尚饗二字，餘皆非古法也。）

貞惠文子諡辭

昔者，衛國凶饑，夫子爲粥與國之餓者，是不亦惠乎！昔者，衛國有難，夫子以其死衛寡人，不亦貞乎！夫子聽衛國之政，修其班制，以與四鄰交，衛國之社稷不辱，不亦文乎！故謂夫子貞惠文子。（古無三字諡法，唐李巽謂衛君之亂制也，今取其文，故不復議。）

陳氏認爲「祝」、「諡」在周公時已完備，「祝」以恭敬爲主，「諡」以篤實爲宜。〈士虞祝辭〉見於《儀禮·士虞禮》，〈貞惠文子諡辭〉見於《禮記·檀弓下》，因此「祝」起源於《儀禮》，「諡」起源於《禮記》。

「頌」、「禱」的起源，陳騤舉例詮證，他在《文則·壬七》中說：

傳記所載，古作紛然，未容悉數，且箕子〈麥秀〉之歌，下符〈黍離〉之詠，（箕子朝周，過殷之故城，盡生禾黍，傷之，作〈麥秀〉之詩，其詩曰：「麥秀漸漸兮，禾黍油油，彼狡童兮，不我好仇。」此與〈黍離〉之所作無異。〈黍離序〉曰：「周大夫行役，至于宗周，過故宗廟，宮室盡爲禾黍，閔周室之顚覆，而作是詩。」）越人〈擁楫〉之歌，上體〈綢繆〉之意，（鄂君與越人同舟，越人擁楫而歌曰：「今夕何夕兮，得與搴舟水流，今日何日兮，得與王子同舟。」此與〈綢繆〉詩言「今夕何夕，見此良人」之意同也。）〈迎日〉之辭，與〈洛誥〉文同，（〈迎日〉之辭曰：「維某年某月某日，明光于上下，勤施于四方，旁作穆穆，維予一人某，敬拜迎于郊，以正月朔日，迎日于東郊。」〈洛誥〉成王稱周公曰：「惟公德，明光于上下，勤施于四方，旁作穆穆迓衡。」）冠王之頌，與士禮辭類，（〈成王冠〉，周公作頌曰：「令月吉日，王始加元服，去王幼志，服衮職，欽若昊命，六合是式，率爾祖考，永永無極。」〈士冠禮〉，始加，祝曰：「令月吉日，始加元服，棄爾幼志，順爾成德，壽考惟祺，介爾景福。」）虞舜〈慶雲〉之作，（有虞之時，有慶雲，百工相和而歌，舜乃倡之，曰：「慶雲爛兮，糺縵縵兮，日月光華，且復旦兮。」）成湯旱禱之文，（湯旱而禱曰：「政不節與？使民疾與？何以不雨，致斯極也？宮室榮與？婦謁盛與？何以不雨，至斯極也。讒夫興與？苞苴行與？何以不雨，至斯極也？」）潤色之語，不全典誥之風；作者如欲博觀，於此宜加旌別。

陳騤以爲箕子〈麥秀〉歌與《詩經·黍離》的詠歎相符，越人〈擁楫〉歌依循《詩經·綢繆》的立意，〈迎日〉的詞句與《尚書·洛誥》的文句相同，爲君王舉行冠禮的頌詞與爲士舉行冠禮的祝詞相似，虞舜〈慶雲〉歌與商湯天旱祈禱文都是《尚書》典誥的文風。其中「頌」，是周成王行冠禮時，周公所作頌詞，其文詞載於《大戴禮記·公符》，因此「頌」起源於《大戴禮記》。其中「禱」，是商湯因天旱而禱告，其祈禱文見於《荀子·大略》，因此「禱」起源於《荀子》。

通觀「箴、贊、銘、歌、謠、謳、誦、祝、謚、頌、禱」十一種文體的起源，「箴」起源於《尚書》，「贊」亦起源於《尚書》，「銘」起源於《周禮》、《禮記》、《左傳》，「歌」起源於《尚書》、《禮記》、《論語》，「謠」、「謳」、「誦」皆起源於《左傳》，「祝」起源於《儀禮》，「謚」起源於《禮記》，「頌」起源於《大戴禮記》，「禱」起源於《荀子》；一言以蔽之，十一種文體起源於經書、子書。

茲比較陳騤《文則·甲九》、《文則·壬》與顏之推《顏氏家訓·文章》、劉勰《文心雕龍·宗經》論文體起源的異同，爲簡明、方便起見，繪簡表如下：

書名＼文體＼作者書名	陳騤《文則》	顏之推《顏氏家訓》	劉勰《文心雕龍》
《周易》	（說）	序、述、論、議	論、（說）、辭、序
《尚書》	序、箴、歌	詔、命、策、檄	詔、策、章、奏
《詩經》		歌、詠、賦、頌	賦、頌、歌、贊
《禮》	問、記、解、傳、（銘）、歌、（祝）、謚、頌	祭祀、哀誄	（銘）、誄、箴、（祝）
《春秋》	銘、謠、謳、誦	書、奏、箴、銘	記、傳、盟、檄
《論語》	歌		
《孔子家語》	辯、解		
《荀子》	論、禱		

綜觀前表，陳騤《文則》與劉勰《文心雕龍》論文體起源相同者，僅有「說」、「銘」、「祝」三

種，其他皆迥異，陳騤《文則》與顏之推《顏氏家訓》比較，卻完全不同。至於顏之推《顏氏家訓》與劉勰《文心雕龍》比較，前面已詳述，不復贅及。

三、文體的分類

從曹丕《典論·論文》、陸機〈文賦〉、摯虞〈文章流別〉、李充〈翰林論〉[12]，一直到劉勰《文心雕龍》[13]，皆有論及文體的分類，但各有特點。論文體的分類，可以從體制、性質、作法、時代、地理、作者、風格等七方面來加以分類。[14]本章第一節已論述風格的分類，不復贅及。陳騤《文則》論文體的分類，或從體制上分，或從作法上分。依文章作法，來分文體的類別，這是陳騤獨特的卓見，在他之前是罕見。依體制上，來分文體的類別，一般都以所有文章來歸類，但陳騤《文則》卻以《左傳》爲例，加以分類，這也是他的眞知灼見。因此，不論從體制上或從作法上，來論文體的分類，都是陳騤特有的創見。

陳騤依文章作法，將文體分爲「載事之文」、「載言之文」兩種，這是他在文體分類上的一種創見。所謂「載事之文」，係以記錄和描繪事情爲主的文章。所謂「載言之文」，係以記錄和叙述對話爲主的文章。他在《文則·丁五》中，將「載事之文」又分爲「先斷以起事」、「後斷以盡事」兩小類，並舉例詮證，他說：

> 載事之文，有先事而斷以起事也，有後事而斷以盡事也。如《左氏傳》欲載晉靈公厚斂雕牆，

必先言「晉靈公不君」；《公羊傳》欲載楚靈王作乾谿臺，必先言「靈王爲無道」；《中庸》欲言「舜好問而好察邇言」，亦先言「舜其大知也與」；《孟子》欲言「梁惠王以其所不愛及其所愛」，亦曰「不仁哉，梁惠王也」，若此類，皆先斷以起事也。如《左氏傳》載晉文公教民而用，卒言之曰：「一戰而霸，文之教也。」又載晉悼公賜魏絳和戎樂，卒言之曰：「魏絳於是乎始有金石之樂，禮也。」若此類，皆後斷以盡事也。

陳氏舉《左傳·宣公二年》、《公羊傳·昭公十三年》、《禮記·中庸》、《孟子·盡心下》的例子，就是先提出論斷，後引事實來闡述的「先斷以起事」。他又舉《左傳·僖公二十七年》、《左傳·襄公十一年》的例子，就是先提出事實，後下論斷的「後斷以盡事」。此外，「載事之文」還有「上下同目之法」，就是上下文反復使用同樣詞句，以示強調，即現代修辭學所謂的「反復」，也叫「類疊」。陳騤在《文則·丁三》中說：

載事之文，有上下同目之法，謂其事斷可書，其人斷可美也。如《論語》載孔子之美禹、顏。

所謂「上下同目之法」，就是「反復」，又叫「類疊」。像《論語·泰伯》：「禹吾無間然矣，菲飲食而致孝乎鬼神；惡衣服，而致美乎黻冕；卑宮室，而盡力乎溝洫，禹吾無間然矣。」反復應用「禹吾無間然矣」，這是「類疊」中的「類句」。又如《論語·雍也》：「賢哉回也，一簞食，一瓢飲，在陋室，人不堪其憂，回也不改其樂，賢哉回也。」反復運用「賢哉回也」，這也是「類疊」中的「類句」。「載事之文」，也要「言簡旨深」，誠如《文則·己一》所說：「觀《檀弓》之載事，言簡而不疏，旨深而不晦。」「載事之文」，又要「蓄意」，正如《文則·甲五》所說：「文之作也，以載事爲難；事之載也，以蓄意爲工。」所謂「蓄意」，不但要「含蓄」，又要「精鍊」。

載言之文有「不避重複」與「避重複」，又有「答問」。有關「不避重複」與「避重複」，陳騤在《文則·丁六》中說：

> 載言之文，有不避重複，如《穀梁傳》載麗姬故謂君曰：「吾夜者夢夫人趨而來曰：『吾苦畏，胡不使大夫將衛士而衛冢乎？』」故君謂世子曰：『麗姬夢夫人趨而來曰：「吾苦畏。」女其將衛士而往衛冢乎！』」此不避重複一也。《家語》載魯公索氏將祭，而忘其牲，孔子聞之曰：「公索氏不及二年將亡。」後一年而亡，門人問曰：「昔公索氏亡其祭牲，而夫子曰：『不及二年必亡。』今過朞而亡。」此不避重複二也。《公羊傳》載陽處父諫曰：「射姑民衆不悅，不可使將。」於是廢將。射姑入，君謂射姑曰：「陽處父言曰：『射姑民衆不悅，不可使將。』」此不避重複三也。及觀〈檀弓〉載子游曰：「昔者夫子居於宋，見桓司馬自爲石槨，三年不成，夫子曰：「若是其靡也，死不如速朽之愈也。」死之欲速朽，爲桓司馬言之也。」南宮敬叔反，必載寶而朝。夫子曰：「若是其貨也，喪不如速貧之愈也。」喪之欲速貧，爲敬叔言之也。曾子以子游之言告於有子，然〈檀弓〉但云以子游之言，蓋避重複也。又《左氏傳》載「晉師歸，郤伯見，公曰：「子之力也夫！」」范叔見，勞之如郤伯，欒伯見，公亦如之。」夫三述晉侯之語，固未爲害，而《左氏》兩變其文，蓋避重複也。

陳氏舉例詮證「不避重複」與「避重複」，都是「載言之文」的特點。他舉《穀梁傳》、《孔子家語》、《公羊傳》的例子，闡述「不避重複」的修辭技巧。他又舉《禮記·檀弓》、《左傳》的例子，闡析「避重複」的寫作技巧。「載言之文」有關「答問」的修辭技巧，陳騤在《文則·丁七》中說：

載言之文，又有答問，若止及一事，文固不難，至於數端，文實未易，所問不言問，所對不言對，言雖簡略，意實周贍，讀之續如貫珠，應如答響。

陳氏指出「答問」的特點有三：一是表達形式一問一答，但卻要「所問不言問，所對不言對」；二是形式雖簡略，但意義卻很「同贍」；三是讀起來要「續如貫珠，應如答響」，合乎聲律上的效果。

陳騤依文章體制，將《左傳》分爲八種不同的文體，他在《文則·辛》中說：

考諸《左氏》，摘其英華，別爲八體，各繫本文：一曰命婉而當，二曰誓謹而嚴，三曰盟約而信，四曰禱切而慤，五曰諫和而直，六曰讓辨而正，七曰書達而法，八曰對美而敏。

陳氏將《左傳》分爲命、誓、盟、禱、諫、讓、書、對八種文體，並且每種文體都有要求，命要「婉當」，誓要「謹嚴」，盟要「約信」，禱要「切慤」，諫要「和直」，讓要「辨正」，書要「達法」，對要「美敏」。張高評《左傳之文學價值》將《左傳》分爲論辨、詔令、奏議、書說、傳狀、箴銘頌贊、辭賦、哀祭、敘記、典志等十一種文體。⑮

陳騤在《文則·壬》中，又依文體的起源，將文體分爲箴、贊、銘、歌、謠、謳、誦、祝、謚、頌、禱等十一種。陳氏不止闡述每種文體起源，並且舉例論證，詳見前述。

陳騤《文則》論文體的分類，或從作法分，或從體制分，都有他獨特的見解，尤其從作法分，在《文則》之前，很少人談到。就一書而論文體的分類，也是罕見。

《文則》之後，論文體的分類，仍有持續的發展，元朝蘇元爵《元文類》分爲十五綱、四十三類，明朝程敏政《明文衡》分爲三十八類，吳訥《文章辨體》分爲四十九類，徐師曾《文體明辨》分爲一〇一目，至清朝姚鼐的《古文辭類纂》、曾國藩的《經史百家雜鈔》，可謂分類最精善，可奉爲圭臬者⑯，迄今以現代文學來分文體的類別也有很多⑰。

【附　註】

①參閱陳兆秀《文心雕龍術語探析》，文史哲出版社印行，民國七十五年五月初版，頁九〇至一一六；王金凌《文心雕龍文論術語析論》，華正書局印行，民國七十年六月初版，頁二一七至二四二；龔菱《文心雕龍研究》，文津出版社印行，民國七十一年六月初版，頁一〇五至一〇六。

②參閱王師更生《文心雕龍研究》，文史哲出版社印行，民國六十八年五月增訂初版，頁三三五。

③同②，頁三三六。

④同②。

⑤同③。

⑥同②。

⑦同③。

⑧同②。

⑨同③。

⑩凡是打（）者，表示顏之推的分類，雖然不與《文心雕龍·宗經》相同，但與劉勰《文心雕龍》其他篇章相同，也是同屬一類，詳見前述說明。如顏之推「議」與劉勰《文心雕龍·論說》所述相同，顏之推「命」與劉勰《文心雕龍·詔策》所述相同，顏之推「詠」與劉勰《文心雕龍·雜文》所述相同，顏之推與劉勰《文心雕龍·哀弔》所述相同；顏之推「書」、「奏」與劉勰《文心雕龍·書記》所述相同。

⑪打（）者，表示起源相同的文體。

⑫曹丕《典論·論文》將文體分為四科八種：奏議、書論、銘誄、詩賦。陸機《文賦》將文體分為十種：詩、賦、碑、誄、銘、箴、頌、論、奏、說。摯虞《文章流別》將文體分為八種：銘、誄、詩、賦、碑、箴、頌、祝。李充《翰林論》將文體分為議、書、論、詩、讚、表、駁、盟、檄等九種。參閱舒衷正《文心雕龍與蕭選分體之比較研究》一文，見王師更生《文心雕龍研究論文選粹》，育民出版社印行，民國六十九年九月一日初版，頁四〇一至四〇三。

⑬劉勰《文心雕龍》將文體分為一百七十多類，王師更生《文心雕龍研究》分為一七九類，詳見該書頁三三六，文史哲出版社印行，民國六十八年五月增訂初版。拙作分為一七六類，詳見《劉勰文心雕龍與經學》，民國七十八年五月國立臺灣師範大學國文研究所博士論文，頁一三四至一三八。

⑭詳見張高評《中國散文之面貌》，中央文物供應社印行，民國七十三年五月初版，頁三五至五三。

⑮詳見張高評《左傳之文學價值》，文史哲出版社印行，民國七十一年十月初版、七十九年八月再版，頁九至二一。

⑯姚鼐《古文辭類纂》分文體爲十三類：論辨、序跋、奏議、書說、贈序、詔令、傳狀、碑誌、雜記、箴銘、頌贊、辭賦、哀祭。曾國藩《經史百家雜鈔》分爲三門十一類：一是著述門：論著、詞賦、序跋三類；二是告語門：詔令、奏議、書牘、哀祭四類；三是記載門：傳誌、叙記、典志、雜記。參閱同⑭，頁三六至三七。

⑰現代文學多半分爲散文、新詩、小說、戲劇四大類，又各分爲若干小類。現代散文的分類，有蘇雪林〈近代散文抄序〉分爲九類，董崇選《西洋散文的面貌》分爲七類，楊牧《文學的源流·中國近代散文》也分爲七類，楊師昌年《現代散文新風貌》分爲十一類，邱師燮友、方師祖燊合著《散文結構》分爲六類，簡宗梧《現代文學欣賞與創作》分爲五類，鄭明娳《現代散文縱横論》分爲八類，曾昭旭〈談散文的分類及雜文〉分爲兩類，見仁見智，各有特點。詳見拙作《現代文學講·第一講緒論》，頁二三至三五，中華函授學校印行，民國八十一年九月初版。

第八章　結論

《孟子·萬章下》說：「頌其詩，讀其書，不知其人，可乎？」研究《文則》，必須十分了解作者，因此專立一章闡述陳騤的生平與著作。又研究學問，必須從版本、校勘入手，所以又各闢一章探討。職是之故，第二至四章名之曰：「基礎篇」。但校補後的《文則》全文，也是重要的參考資料，因此將附錄列入「資料篇」。第五至七章係本論文主要的核心，旨在探究修辭的原則、技巧以及文體、風格，所以名之曰：「論述篇」。

陳騤朝溫夕誦，沈浸古籍，勤於札記，條分縷析，撰成一本中國最早修辭學的專著，那就是《文則》①。陳騤《文則》不僅在中國修辭學史上貢獻良多，並且對後世修辭學也有莫大的影響力。因此，結論分爲陳騤在中國修辭學史上的地位、《文則》對後世修辭學影響兩節，加以闡論。

第一節　陳騤在中國修辭學史上的地位

中國修辭學發展到陳騤的《文則》，始具完整體系②，無論消極的修辭原則、積極的修辭技巧，甚至於篇章修辭、語法修辭、文體、風格，都有翔實而深入的探研，在宋朝修辭理論方面，可以說是燦然明備，最有價值的著作，因此陳騤在中國修辭學史上，占有相當重要的地位。正如黎運漢、張維耿《現代漢語修辭學》所說：「宋代在修辭理論方面最有價值的著作要算是陳騤的《文則》。《文則》是中國最早的一部談文法修辭的專書，在漢語修辭學史上有重要的地位。」③胡性初《實用修辭》也說：「在宋代出現的許多價值的修辭學著作中，最值得稱道的是陳騤的《文則》。它是我國最早的一部較爲系統專談文法修辭的專書，在我國修辭學史上占有重要的地位。」④

陳騤不止是國家圖書館官員、目錄學家，也是修辭學專家，他在中國修辭學史上的貢獻，既多且廣，是承先啓後的重要人物。誠如李金苓〈宋代修辭理論的特點〉所說：「南宋乾道六年（公元一一七〇年），陳騤的《文則》一書問世，我國歷史上才開始有了第一部談修辭的專書，在我國修辭學史上樹起了一塊重要的里程碑。它的誕生，標幟著我國修辭研究的一大飛躍，標幟著我國古代修辭學至此初步建立。」⑤張靜、鄭遠漢主編《修辭學教程》也說：「《文則》成書於南宋孝宗孝道六年，即公元一一七〇年，這本著作同《文心雕龍》一樣，是我國修辭學史上的重要里程碑。」⑥

揚雄《法言·吾子》：「觀書者譬諸觀山及水，升東岳而知衆山之峛崺也，況介丘乎？浮滄海而知江河之惡沱也，況枯澤乎？舍舟航而濟乎瀆者末矣，舍《五經》而濟乎道者末矣。」陳騤《文則》在中國修辭史上的重要地位，恰如書中的《五經》，水中的滄海，山中的東岳。捨舟航不能濟滄海，捨

《五經》不能濟大道，若捨《文則》而欲濟中國修辭學的堂奧，實是難如登天。因此，中國修辭學有《文則》，正如衆山有東岳，列星有北斗。有北斗而後衆星拱之，有東岳而後羣山擁之，有《文則》而後中國修辭學的理論體系才逐漸完備。由於《文則》專談修辭，有系統而深入，這在歷史上是空前的，所以陳騤《文則》在中國修辭學史上，可以說是占有相當重要的地位。

【附　註】

①沈謙《修辭學》說：「宋陳騤《文則》，被視爲中國第一部專談修辭而又比較有系統的著作。」（見該書上冊，頁九，國立空中大學印行，民國八十年二月初版、同年十二月再版。）沈氏認爲陳騤《文則》是中國第一部專談修辭又比較有系統的著作，此外，如劉明暉、譚全基、宗廷虎、李金苓、鄭子瑜（詳見第二章第二節附註①）、黎運漢、張維耿、胡性初（詳見本章第一節正文），也有同樣的看法。

②李金苓〈宋代修辭理論的特點〉說：「從內容和系統來看，雖然全書（指《文則》）在體例上係隨筆性質，分列爲十項六十二條，似各不關聯，但實質上是互相聯繫，成爲一個整體的。……中間雖互有交叉，但從總體來看具有一定的系統性。」（見中國華東修辭學會編《修辭學研究》，語文出版社印行，民國七十六年十月初版，頁一四一。）李氏也認爲陳騤《文則》是具有完整體系，並非零星，無系統的書籍。

③見黎運漢、張維耿《現代漢語修辭學》，商務印書館香港分館印行，民國七十五年八月初版，頁三二。

④見胡性初《實用修辭》，華南理工大學出版社印行，民國八十一年十一月初版，頁四五。

⑤見同①書，頁一四〇至一四一。

⑥見張靜、鄭遠漢主編《修辭學教程》，河南教育出版社、香港文化教育出版社印行，民國七十八年十二月初版，頁三一六。

第二節 《文則》對後世修辭學的影響

陳騤《文則》的主旨，在於揭示文章修辭的規則。其目的在於「自則」，不敢「示人以爲則」①，但後世修辭學受其影響，至深且鉅，正如鄭子瑜《中國修辭學史》所說：「他（指陳騤）雖自謙『蓋將所以自則』，其實書中所論，是大可以『示人以爲則』的。」②鄭氏認爲《文則》不僅可以「自則」，也可以「示人以爲則」。

後世修辭學書或論文受陳騤《文則》的影響者，如陳介白《修辭學講話》在第二編第十三節「類字法」，先引陳騤《文則》說：「文有數句用一類字，所以壯文勢，廣文勢也。」來闡述類字法在文辭中的重要性。又批評說：「陳騤《文則》對類字法討論甚詳，今節錄於下。」陳介白所謂「節錄」，係自「用一類字者」至「而上下之意相關」。③陳騤《文則》闡述類字的理論與例證，陳介白多半引述。又如陳望道《修辭學發凡》引用「宋代陳騤稱它爲『病辭』（見《文則》上）」④，來闡述修辭必須倫次通順，切忌「病辭」。又引用「《文則》曾引『𩕄子在頰則好，在顙則醜』的古語，來說明詞句各有所宜，不便任意摘抄，所見極是。」⑤來闡論修辭必須安排穩密。又引用「這（指「複疊」中的「複辭」）就是陳騤所謂『交錯之體』。《文則》卷上丁節第二條說：『文有交錯之體，若糾纏然，主在析理，理盡後已。』」⑥來闡明「交錯之體」，就是「複疊」中的「複辭」，並指出其作用在於「析理」。又引用陳騤《文則‧庚二》有關類字的理論與例證，來闡析「排比」。⑦又引用「從輕小而到重大，如陳騤所謂『上下相接，若繼踵然。』」（《文則》卷上丁）」來論述「層遞」。⑧又如鄭業建《修辭學》引用「陳騤云：『《易》之有象，以盡其意；《詩》之有比，以達其情。文之作也，可無喻乎？』」來闡述作文必須運用「譬喻」。⑨又引用「陳騤《文則》分譬喻之法爲十種：一曰直喻，二曰隱喻，三曰類喻，四曰詰喻，五曰對喻，六曰博喻，七曰簡喻，八曰詳喻，九曰引喻，十曰虛喻。」來闡明「譬喻」的分類。⑩又如傅師隸樸《修辭學》引用陳騤《文則‧甲六》全文，來闡述「曲折」的修辭技巧。⑪又如徐芹庭《修辭學發微》先引用陳騤《文則‧丙二》的「直喻」全文，來闡述「明喻」。⑫又引用陳騤《文則》十種譬喻法作附錄，以供讀者參閱。⑬又引用《文則‧丁二》（僅末二句未引用），來闡析「交錯之體」，即「複辭」的意義，及其作用。⑭又引用《文則‧庚二》大部分原文及例證，來闡論「類字」的作用。⑮又如黃師慶萱《修辭學》引用陳騤《文則‧丙二》的十種譬喻，並加以批評：「嚴格地說，陳騤譬喻十法，其中有些不是譬喻；但分析之詳，卻也令人歎爲觀止了。」⑯黃師所謂「其中有一些不是譬喻」，是指「虛喻」，因爲「虛喻」的「喻詞」貌似明喻，其實並非譬喻。又引用《文則‧庚二》大部分原文及例證，論述「類字」，並加以批評：「陳騤《文則》對類字討論甚詳。」⑰其實，雖然十分詳細，還可以再補充很多，詳見第六章第八節「類字」部分。又如張嚴《修辭論說與方法》引用《文則·丙一》的十種譬喻，並加以批評：「條分縷析，可謂詳盡。」⑱又如董季棠《修辭析論》引用《文則·丙一》的十種譬喻，並加以批評：「詳細，但顯得瑣碎。」⑲又引用陳騤《文則》闡析徐芹庭、黃師慶萱都曾經引用類字，並說明徐氏、黃師的辭格沒有反復格。⑳又趙克勤《古漢語修辭簡論》引用陳騤《文則·丙一》的十種譬喻，並加以批評：「實際上，古代漢語比喻的最基本的形式就是『直喻』和『隱喻』，陳騤所說的其他八種，幾乎都可以包括在『直喻』和『隱喻』中。所謂『直喻』，就是明喻。」㉑陳騤所謂「隱喻」，約相當於現代修辭學的「借喻」；陳騤所謂「簡喻」，約相當於現代修辭學的「隱喻」。因此，趙克勤所謂「古代漢語比喻的最基本的形式就是『直喻』和『隱喻』」，其中「隱喻」應改為「簡喻」。又如季紹德《古漢語修辭》引用陳騤《文則·丙一》的十種譬喻，並加以批評：「實際上，古漢語中比喻最基本的種類還是『明喻』、『隱喻』和『借喻』三大類。」㉒其實，譬喻最基本的形式，還有「略喻」。又如沈謙《修辭學》引用陳騤《文則·丙一》的十種譬喻，不僅與現代修辭學加以比較，也加以批評：「陳氏針對經傳中的譬喻手法，歸納為十類，每類並總結規律，舉例說明，相當難得。」㉓又如成偉鈞、唐仲揚、向宏業主編《修辭通鑒》引用陳騤《文則·丙一》的十種譬喻，並加以批評：「這（指陳騤的十種譬喻）是我國古代對比喻最早的，也是最系統、全面的分類，至今還有一定的指導意義。」㉔又如王松茂《評介陳騤十喻》引用陳騤《文則·丙一》的十種譬喻，「依原文次序，評論其得失，闡發其言外之意」㉕。王松茂認為陳騤對譬喻分類的標準並不統一，這是不妥當的。又如蔡宗陽〈論譬喻的分類〉引用陳騤《文則·丙一》的十種譬喻，不止加以闡析，並加以批評：「陳氏的譬喻十分法，其實只是譬喻的四分法：明喻、隱喻、略喻、借喻而已。」㉖

陳介白《修辭學講話》、陳望道《修辭學發凡》、鄭業建《修辭學》、傅師隸樸《脩辭學》、徐芹庭《修辭學發微》、黃師慶萱《修辭學》、張嚴《修辭論說與方法》、董季棠《修辭析論》、趙克勤《古漢語修辭簡編》、季紹德《古漢語修辭》、沈謙《修辭學》、成偉鈞、唐仲揚、向宏業主編《修辭通鑒》、王松茂〈評介陳騤十喻〉、蔡宗陽〈論譬喻的分類〉，或多或少㉗，都引用陳騤《文則》的內容，或闡述，或評論，無不受其影響，因此陳騤《文則》對後世修辭學的影響，眞是既深又廣且遠。

【附　註】

①陳騤〈文則序〉說：「余曰：『蓋將所以自則也，如示人以爲則，則吾豈敢？』」陳氏在自序中，表明《文則》只是「自則」之用，並非「示人以爲則」。

②見鄭子瑜《中國修辭學史》，文史哲出版社印行，民國七十九年二月初版，頁二一四。

③見陳介白《修辭學講話》，信誼書局印行，民國六十七年七月初版，頁一七九至一八四；早期版本係上海開明書店印行，民國二十年八月初版；啓明書局印行，民國四十八年十一月再版。）

④見陳望道《修辭學發凡》，上海教育出版社印行，民國六十八年九月新一版，頁六一。

⑤見同④書，頁六六至六七。
⑥見同④書，頁一七〇。
⑦見同④書，頁二〇五。
⑧見同④書，頁二〇六。
⑨見鄭業建《修辭學》，上海正中書局印行，民國三十三年五月初版，頁一五〇。
⑩見同⑨書，頁一五一。
⑪見傅師隸樸《脩辭學》，正中書局印行，民國五十八年三月臺初版、六十六年十月臺修一版，頁九二〇；原版書名《中文脩辭學》，友聯出版社印行，民國五十三年六月初版，頁一一六至一一九，論「曲折」，並未引用陳騤《文則》。
⑫見徐芹庭《修辭學發微》，臺灣中華書局印行，民國六十年三月初版、六十三年八月二版，頁五六。
⑬見同⑫書，頁六九至七〇。
⑭見同⑫書，頁一九八。
⑮見同⑫書，頁二〇〇至二〇六。
⑯見黃師慶萱《修辭學》，三民書局印行，民國六十四年一月初版，頁二二八至二二九。
⑰見同⑯書，頁四一四至四二二。
⑱見張嚴《修辭論說與方法》，臺灣商務印書館印行，民國六十四年十月初版，頁九八。
⑲見董季棠《修辭析論》，益智書局印行，民國七十年十月初版、七十七年七月四版，頁三三；增訂版係文史哲出

版社印行，民國八十一年六月初版，頁三五。

⑳見同⑲，原版頁三四五至三四六，增訂版頁三五四。

㉑見趙克勤《古漢語修辭簡論》，（北京）商務印書館印行，民國七十二年三月初版，頁一八。

㉒見季紹德《古漢語修辭》，吉林文史出版社印行，民國七十五年五月，頁三。

㉓見沈謙《修辭學》，國立空中大學印行，民國八十年二月初版、八十年十二月再版，頁九至一一。

㉔見成偉鈞、唐仲揚、向宏業主編《修辭通鑒》，中國青年出版社印行，民國八十年六月初版，頁三五〇。

㉕見劉彥成《文則注譯》，書目文獻出版社印行，民國七十七年二月初版，頁二九六至三〇四。

㉖見《中國學術年刊》，第十三期，國立臺灣師範大學國文研究所印行，民國八十一年四月出版，頁二七〇至二七一。

㉗引用陳騤《文則》的內容，最多的是《文則·丙一》的十種譬喻，其次是《文則·庚一》的類字，其他像病辭、曲折、交錯之體，引用比較少。

附錄

校補後的《文則》全文

蔡宗陽

校補後的《文則》全文，係筆者考稽各本，互通有無，加以校勘補正《文則》的內容，旨在方便研究，易於查閱。

甲　凡九條

一

《六經》之道，既曰同歸，《六經》之文，容無異體。故《易》文似《詩》，《詩》文似《書》，《書》文似《禮》。〈中孚〉九二曰：「鳴鶴在陰，其子和之；我有好爵，吾與爾靡之。」使入《詩》雅，孰別爻辭？〈抑〉二章曰：「其在于今，興迷亂于政，顛覆厥德，荒湛于酒，女雖湛樂，從弗念厥紹，罔敷求先王，克共明刑。」使入《書》誥，孰別雅語？〈顧命〉曰：「牖間南嚮，敷重蔑席，黼純，華玉仍几。西序東嚮，敷重底席，綴純，文貝仍几。東序西嚮，敷重豐席，畫純，雕玉仍几。

西夾南嚮，敷重筍席，玄紛純，漆仍几。」使入〈春官·司几筵〉，孰別〈命〉語？

二

或曰：「《六經》創意，皆不相師。」試探精微，足明詭說。〈洪範〉曰：「恭作肅，從作乂，明作哲，聰作謀，睿作聖。」〈小旻〉五章曰：「國雖靡止，或聖或否，民雖靡膴，或哲或謀，或肅或艾。」此《詩》創意師於《書》也。（鄭康成箋曰：「詩人之意，欲王敬用五事，以明天道。」）《儀禮》曰：「皇尸命工祝，承致多福無疆，于女孝孫，來女孝孫，使女受祿于天，宜稼于田，眉壽萬年，勿替引之。」（此〈少牢〉嘏辭。）〈楚茨〉四章曰：「工祝致告，徂賚孝孫，苾芬孝祀，神嗜飲食，卜爾百福，如幾如式。」此《詩》創意師於《禮》也。（鄭康成箋云：「此皆嘏辭之意。」）

三

夫樂奏而不和，樂不可聞，文作而不協，文不可誦。文協尚矣，是以古人之文，發於自然，其協也亦自然；後世之文，出於有意，其協也亦有意。《書》曰：「任賢勿貳，去邪勿疑，疑謀勿成，百志惟熙。」《易》曰：「乾剛坤柔，比樂師憂，臨觀之義，或與或求。」《禮記》曰：「玄酒在室，醴醆在戶，粢醍在堂，澄酒在下，陳其犧牲，備其鼎俎，列其琴瑟，管磬鐘鼓。脩其祝嘏，以降上神，與其先祖，以正君臣，以篤父子，以睦兄弟，以齊上下，夫婦有所，是謂承天之祜。」若此等語，自然協也。《書》曰：「無偏無黨，王道蕩蕩；無黨無偏，王道平平。」《詩》曰：「不明爾德，時無背無側，爾德不明，以無陪無卿。」二者皆倒上句，又協之一體。（揚雄《法言》曰：「堯舜之道皇兮，夏般周之道將兮，而以延其光兮。」讀之雖協，而典誥之氣索然矣。）

四

且事以簡爲上，言以簡爲當。言以載事，文以著言，則文貴其簡也。文簡而理周，斯得其簡也。讀之疑有闕焉，非簡也，踈也。《春秋》書曰：「隕石于宋五。」《公羊傳》曰：「聞其磌然，視之則石，察之則五。」《公羊》之義，經以五字盡之，是簡之難者也。劉向載泄冶之言曰：「夫上之化下，猶風靡草，東風則草靡而西，西風則草靡而東，在風所由，而草爲之靡。」此用三十有二言而意方顯；及觀《論語》曰：「君子之德風，小人之德草，草上之風必偃。」此減泄冶之言半，而意亦顯。又觀《書》曰：「爾惟風，下民惟草。」此復減《論語》九言而意愈顯。吾故曰：是簡之難者也。《書》曰：「能自得師者王，謂人莫己若者亡。」劉向載楚莊王之言曰：「其君賢者也，而又有師者王；其君下君也，而羣臣又莫若君者亡。」語意煩簡殊迴，不如是，何以別經傳之文？

五

文之作也，以載事爲難；事之載也，以蓄意爲工。觀《左氏傳》載晉敗於邲之事，但云：「中軍下軍爭舟，舟中之指可掬。」則攀舟亂刀斷指之意，自蓄其中。又載楚師寒拊勉之事，但云：「三軍之士皆如挾纊。」則軍情愉悅之意，自蓄其中。《公羊傳》載秦敗於殽之事，但云：「匹馬隻輪無反者。」則要擊之意，自蓄其中。若《公羊傳》載齊使人迓郤克臧孫之事，則曰：「客或跛或眇，齊使跛者迓跛者，眇者迓眇者。」《孟子》載天下歸舜之事，則曰：「天下諸侯朝覲者，不之堯之子而之舜，訟獄者不之堯之子而之舜，謳歌者不謳歌堯之子而謳歌舜。」凡此則意隨語竭，不容致思。

六

《詩》、《書》之文，有若重複而意實曲折者。《詩》曰：「云誰之思？西方美人。彼美人兮，西方之人兮！」此思賢之意，自曲折也。又曰：「自古在昔，先民有作。」此考古之意，自曲折也。《書》曰：「眇眇予未小子。」此謙托之意，自曲折也。又曰：「孺子其朋，孺子其朋，其往。」此告戒之意，自曲折也。

七

文有意相屬而對偶者，如「發彼小豝，殪此大兕。」「誨爾諄諄，聽我藐藐。」「故謀用是作，而兵由此起。」有事相類而對偶者，如「威侮五行，怠棄三正。」「佑賢輔德，顯忠遂良。」此皆渾然而成，初非有意媲配。凡文之對偶者，如此，則工矣。

八

古人之文，用古人之言也。古人之言，後世不能盡識，非得訓切，殆不可讀。如登峭險，一步九歎。既而強學焉，搜摘古語，撰叙今事，殆如昔人所謂大家婢學夫人，舉止羞澁，終不似眞也。今取在當時爲常語，而後人視爲艱苦之文，如《周禮》曰：「犬赤股而躁，臊；鳥皫色而沙，鳴貍；豕盲眡而交睫，腥；馬黑脊而般臂，螻。」《詩》曰：「游環脅驅，陰靷鋈續。」又曰：「鉤膺鏤鍚，鞹鞃淺幭。」《莊子》曰：「乃始臠卷傖囊而亂天下也。」《荀子》曰：「按角鹿埵隴種東籠而退耳。」

（《詩》、《禮》之義，先儒注解備見，若《莊子》言。臠卷，不申舒之貌。傖囊，猶搶攘也。《荀子》所言，皆兵摧敗披靡之貌也。）

九

大抵文士題命篇章，悉有所本。自孔子爲《書》作序，（孔子〈書序〉，總爲一篇，孔安國各分繫之篇首。）文遂有序；自孔子爲《易》說卦，文遂有說；（柳宗元〈天說〉之類。）自有〈曾子問〉、〈哀公問〉之類，文遂有問；（屈原〈天問〉之類）自有〈考工記〉、〈學記〉之類，文遂有記；自有〈經解〉、〈王言解〉之類，（〈王言解〉見《家語》。）文遂有解；（韓愈〈進學解〉之類。）自有〈辯政〉、〈辯物〉之類，（二辯見《家語》。）文遂有辯；（宋玉〈九辯〉之類。）自有〈樂論〉、〈禮論〉之類，（二論見《荀子》。）文遂有論；（賈誼〈過秦論〉之類。）自有〈大傳〉、〈間傳〉之類，（二傳見《禮記》。）文遂有傳。

乙　凡六條

一

文有助辭，猶禮之有儐，樂之有相也。禮無儐則不行，樂無相則不諧，文無助則不順。（唐有杜溫夫者，爲文不識助辭，疑之之辭如「耶」、「乎」之類，決之之辭如「耳」、「矣」之類，皆一用之，柳宗元所以深言其病，可不知哉？」）〈檀弓〉曰：「勿之有悔焉耳矣。」《孟子》曰：「寡人盡心焉耳矣。」〈檀弓〉曰：「我弔也與哉？」《左氏傳》曰：「獨吾君也乎哉！」凡此一句而三字連助，不嫌其多也。《左氏傳》曰：「其有以知之矣。」又曰：「其無乃是也乎？」此二者，六字成句，而四字爲助，亦不嫌其多也。〈檀弓〉曰：「南宮縚之妻之姑之喪。」〈樂記〉曰：「不知手之舞之足之蹈之也。」凡此不嫌用之字爲多。《禮記》曰：「言則大矣美矣盛矣。」此不嫌用矣字爲多。〈檀弓〉曰：「美哉奐焉！」《論語》曰：「富哉言乎！」凡此四字成句，而助辭半之，不如是文不健也。（司馬長卿〈封禪文〉曰：「遐哉邈乎！」此雖知助辭，而「遐」、「邈」同義，又失矣。）《左氏》曰：「美哉泱泱乎，大風也哉！表東海者，其太公乎！國未可量也。」此文每句終用助，讀之殊無齟齬艱辛之態。《左氏傳》曰：「以三軍軍其前。」欲見下軍字有陳列之意，則當用其字爲有力。《公羊傳》曰：「入其大門，則無人門焉者。」欲見下門字有守禦之意，則當用焉者字爲有力。

二

倒言而不失其言者，言之妙也，倒文而不失其文者，文之妙也。文有倒語之法，知者罕矣。《春秋》書曰：「吳子遏伐楚，門于巢，卒。」《公羊傳》曰：「門于巢卒者何？入門乎巢而卒也。」然夫子先言門，後言于巢者，於文雖倒，而寓意深矣。（何休曰：「吳子欲伐楚，過巢，不假塗，卒暴入巢門，門者以爲欲犯巢而射殺之，故與巢得殺之，若吳爲自死文，所以彊守禦也。」）仲山甫誠歸于謝，《詩》則曰：「謝于誠歸。」隱，盜所得器，《左氏傳》則曰：「盜所隱器。」於義皆不害也。〈禹貢〉曰：「厥篚玄纖縞。」又曰：「雲土夢作乂。」用纖字不在玄上，土字不在夢下，亦一倒法也。（司馬遷作〈夏本紀〉改曰：「雲夢土作乂。」烏足與知此？）

三

字有偏旁，故文有取偏旁以成句；字有音韻，故文有取音韻以成句；皆所以明其義也。《周禮》曰：「五人爲伍。」〈中庸〉曰：「誠者自成也。」《孟子》曰：「征之爲言正也。」《莊子》曰：「庸也者，用也。」〈檀弓〉曰：「夫祖者，且也。」〈祭統〉曰：「銘者，自名也。」〈表記〉曰：「仁者，人也。」凡此皆取偏旁者也。〈鄉飲酒義〉曰：「秋之爲言愁也。」又曰：「冬者，中也。」《易》曰：「嗑者，合也。」〈樂記〉曰：「樂者，樂也。」《孟子》曰：「校者，教也。」揚子曰：「禮以體之。」凡此皆取音韻者也。

四

夫文有病辭，有疑辭。病辭者，讀其辭則病，究其意則安，如〈曲禮〉曰：「猩猩能言，不離禽獸。」〈繫辭〉曰：「潤之以風雨。」蓋禽字於猩猩爲病，潤字於風爲病也。（說者曰：「凡可擒者，皆謂之禽。〈大宗伯〉以禽作六摯，而羔在其中。凡物氣和則潤生，言潤則風之和可知矣。」）疑辭者，讀其辭則疑，究其意則斷，如〈何彼穠矣〉曰：「平王之孫。」〈檀弓〉曰：「容居魯人也。」蓋平王疑爲東遷之平王，魯人疑爲魯國之人也。（毛萇傳云：「平，正也，指文王，言能正天下之王也。」鄭康成云：「魯，鈍也。」）凡觀此文，可不深考？

子賤君子哉若人。」則其辭重。

五

辭以意為主，故辭有緩有急，有輕有重，皆生乎意也。韓宣子曰：「吾淺之為丈夫也。」則其辭緩。景春曰：「公孫衍、張儀豈不誠大丈夫哉？」則其辭急。「狼瞫於是乎君子。」則其辭輕。「子謂

六

文有雖成一家，而有已經雕斲與其否者。且《左氏傳》前載辛伯諫曰：「並后匹嫡，兩政耦國。」後載狐突諫曰：「昔辛伯諗周桓公云：『內寵並后，外寵二政，嬖子配適，大都耦國。』」則知前載已雕斲，而後載否矣。《內傳》曰：「所謂生死而肉骨也。」《外傳》曰：「緊起死人而肉白骨也。」則知《內傳》雕斲，而《外傳》否矣。

丙

凡四條

一

《易》之有象，以盡其意；《詩》之有比，以達其情。文之作也，可無喻乎？博采經傳，約而論之，取喻之法，大槩有十，略條于後：

一曰直喻：或言猶，或言若，或言如，或言似，灼然可見。《孟子》曰：「猶緣木而求魚也。」《書》曰：「若朽索之馭六馬。」《論語》曰：「譬如北辰。」《莊子》曰：「淒然似秋。」此類是也。

二曰隱喩：其文雖晦，義則可尋。《禮記》曰：「諸侯不下漁色。」（謂國君内取國中，象捕魚然，中網取之，是無所擇。）《國語》曰：「殁平公軍無秕政。」（秕，穀之不成者，以喻政。）又曰：「雖蝎譖焉避之。」（蝎，木蟲，譖從中起，如蝎食木，木不能避也。）《左氏傳》曰：「是豢吳也夫。」（若人養犧牲。）《公羊傳》曰：「其諸爲其雙雙而俱至者與？」（言齊高固及子叔姬來，其雙行匹至似獸。《山海經》有獸名雙雙。）此類是也。

三曰類喩：取其一類，以次喩之。《書》曰：「王省惟歲，卿士惟月，師尹惟日。」歲月日一類也。賈誼《新書》曰：「天子如堂，羣臣如陛，衆庶如地。」堂陛地一類也。此類是也。

四曰詰喩：雖爲喩文，似成詰難。《論語》曰：「虎兕出於柙，龜玉毁於櫝中，是誰之過歟？」《左氏傳》曰：「人之有牆，以蔽惡也，牆之隙壞，誰之咎也？」此類是也。

五曰對喩：先比後證，上下相符。《莊子》曰：「魚相忘乎江湖，人相忘乎道術。」《荀子》曰：「流丸止於甌臾，流言止於智者。」此類是也。

六曰博喩：取以爲喩，不一而足。《書》曰：「若金，用汝作礪；若濟巨川，用汝作舟楫；若歲大，旱用汝作霖雨。」《荀子》曰：「猶以指測河也，猶以戈舂黍也，猶以錐食壺也。」此類是也。

七曰簡喩：其文雖略，其意甚明。《左氏傳》曰：「名，德之輿也。」揚子曰：「仁，宅也。」此類是也。

八曰詳喩：須假多辭，然後義顯。《荀子》曰：「夫耀蟬者，務在乎明其火，振其樹而已，火不明，雖振其樹，無益也；今人主有能明其德，則天下歸之，若蟬之歸明火也。」此類是也。

九曰引喻：援取前言，以證其事。《左氏傳》曰：「諺所謂『庇焉而縱尋斧焉』者也。」《禮記》曰：「蛾子時術之，其此之謂乎？」此類是也。

十曰虛喻：既不指物，亦不指事。《論語》曰：「其言似不足者。」《老子》曰：「飂兮似無所止。」此類是也。

二

凡伯刺厲之詩，而曰：「先民有言。」（〈板〉三章曰：「先民有言，詢于芻蕘。」鄭康成云：「此古賢者有言也。」）吉甫美宣之詩，而曰：「人亦有言。」（〈烝民〉五章曰：「人亦有言，柔則茹之，剛則吐之。」此亦謂前人有言如此。）胤侯之征，乃舉《政典》。（《政典》曰：「先時者殺無赦，不及時者殺無赦。」孔安國云：「《政典》，夏后爲政之典籍。」）盤庚之告，亦載遲任。（遲任有言曰：「人惟求舊，器非求舊惟新。」孔安國云：「遲任，古賢人。」）或稱古人言，（〈泰誓〉曰：「古人有言曰：「撫我則后，虐我則讎。」此類是也。）或稱我聞曰，（〈康誥〉曰：「我聞曰：「怨不在大，亦不在小。」此類是也）是皆有所援引也。《詩》、《書》而降，傳記籍籍，援引之言，不可具載。且左氏采諸國之事以爲經傳，戴氏集諸儒之篇以成禮志，援引《詩》、《書》，莫不有法。推而論之，蓋有二端：一以斷行事，二以證立言。二者又各分三體，略條于後：

《左氏傳》載「《詩》曰：『自詒伊戚。』其子臧之謂矣。」此獨引《詩》以斷之，是一體也。（此體多矣。）

《左氏傳》載「《詩》曰：『于以采蘩，于沼于沚；于以用之，公侯之事。』秦穆有焉。『夙夜匪懈，以事一人。』孟明有焉。『詒厥孫謀，以燕翼子。』子桑有焉。」此各引《詩》以合斷之，是二體也。（〈表記〉載「《詩》曰：『莫莫葛藟，施于條枚，豈弟君子，求福不回。』其舜、禹、文王、周公之謂與？」此又一詩總斷之體也。）

《國語》載「《詩》曰：『其類維何？室家之壼，君子萬年，永錫祚胤。』類也者，不忝前哲之謂也；壼也者，廣裕民人之謂也；萬年也者，令聞不忘之謂也；胤也者，子孫蕃育之謂也。單子朝夕不忘成王之德，可謂不忝前哲矣；膺保明德，以佐王室，可謂廣裕民人矣。若能類善物以混厚民人者，必有章譽蕃育之祚，則單子必當之矣。」此既引《詩》文，又釋其義以斷之，是三體也。

〈大學〉載「〈康誥〉曰：『克明德。』〈太甲〉曰：『顧諟天之明命。』〈帝典〉曰：『克明峻德。』皆自明也。湯之〈盤銘〉曰：『苟日新，日日新，又日新。』〈康誥〉曰：『作新民。』《詩》曰：『周雖舊邦，其命維新。』是故君子無所不用其極。」此則采總羣言，以盡其義，是一體也。

〈緇衣〉曰：「好賢如〈緇衣〉，惡惡如〈巷伯〉，則爵不瀆而民作愿，刑不試而民咸服。〈大雅〉曰：『儀刑文王，萬邦作孚。』」此則言終引證，是二體也。（《孝經》諸篇，悉用此體。）

《左氏傳》曰：「〈周書〉所謂『庸庸祗祗』者，謂此物也夫。」又「〈泰誓〉所謂『商兆民離，周十人同』者，衆也。」此乃斷析本文，以成其言，是三體也。

三

夫取《詩》即云《詩》，取《書》即云《書》，蓋常體也。觀以〈湯誥〉爲先王之令，（《國語》稱「先王之令曰：『天道賞善而罰淫。』故凡我造國，無從非彝。」此引〈湯誥〉文。）以〈周書〉爲西方之書，（《國語》稱西方之書，蓋《逸周書》。韋昭云：「《詩》言『西方之人兮』，則西方謂周也。」）以〈咸有一德〉爲〈尹告〉，（《禮記》稱〈尹告〉曰：「惟尹躬暨湯，咸有一德。」康成云：「〈尹告〉，伊尹之誥。」）以〈大禹謨〉爲《道經》，（《荀子》稱《道經》曰：「人心惟危，道心惟微。」楊倞云：「此在〈虞書〉，曰《道經》者，言有道之經也。」）不曰〈仲虺之誥〉，而曰〈仲虺之志〉，（《左氏傳》曰：「〈仲虺之志〉云：『亂者取之，亡者侮之。』」）不曰〈五子之歌〉，而曰〈夏訓〉有之，（《左氏傳》曰：「〈夏訓〉有之：『有窮后羿。』」）直言〈鄭詩〉、〈曹詩〉，（《國語》稱〈鄭詩〉曰：「仲可懷也。」又稱〈曹詩〉曰：「彼其之子，不遂其媾。」）止稱〈汋〉曰，〈武〉曰，（《左氏傳》：「〈汋〉曰：『於鑠王師。』〈武〉曰：『無競維烈。』」）或稱芮良夫，（《左氏傳》曰：「周芮良夫之詩曰：『大風有隧，貪人敗類。』」）或稱周文公，（《國語》：「周文公之頌曰：『載戢干戈，載櫜弓矢。』」）指〈那〉頌卒章爲亂辭，（《國語》曰：「其輯之亂曰：『自古在昔，先民有作。』」韋昭云：「凡作篇章義既成，撮其大要，以爲亂辭。」）摘〈小宛〉首章爲篇目，（《國語》曰：「秦伯賦〈鳩飛〉。」韋昭云：「〈小宛〉之首章，『宛彼鳴鳩，翰飛戾天』是也。」）數章之末章，既謂之卒章，（《左氏傳》曰：「賦〈綠衣〉之卒章。」此類是也。）一章之末句，亦謂之卒章；（《左氏傳》曰：

「作〈武員〉卒章曰：『耆定爾功。』」）凡此似亦略施雕琢，少變雷同，作者考焉，毋誚無補。

四

《左氏傳》載諸國燕饗賦《詩》之事，但云賦某《詩》，或云賦某《詩》之卒章，皆不載《詩》文，而意自具。其曰：「賦〈棠棣〉之七章以卒。」則知賦七章以卒盡八章也。其曰「在〈揚水〉卒章之四言矣。」則知取「我聞有命」也。《左氏》於此等文，最爲得體。

丁　凡八條

一

文有上下相接，若繼踵然，其體有三：其一曰叙積小至大，如〈中庸〉曰：「能盡其性，則能盡人之性，能盡人之性，則能盡物之性，能盡物之性，則可以贊天地之化育，可以贊天地之化育，則可以與天地參矣。」此類是也。其二曰叙由精及粗，如《莊子》曰：「古之明大道者，先明天，而道德次之；道德已明，而仁義次之；仁義已明，而分守次之；分守已明，而形名次之；形名已明，而因任次之；因任已明，而原省次之；原省已明，而是非次之；是非已明，而賞罰次之。」此類是也。其三叙自流極原，如〈大學〉曰：「古之欲明明德於天下者，先治其國；欲治其國者，先齊其家；欲齊其家者，先脩其身；欲脩其身者，先正其心；欲正其心者，先誠其意；欲誠其意者，先致其知。」此類是也。

二

文有交錯之體，若纏糾然，主在析理，理盡後已。《書》曰：「念茲在茲，釋茲在茲，名言茲在茲，允出茲在茲。」《莊子》曰：「有始也者，有未始有始也者，有未始有夫未始有始也者。」又曰：「以指喻指之非指，不若以非指喻指之非指也。」《荀子》曰：「不利而利之，不如利而後利之之利也；不愛而用之，不如愛而後用之之功也；利而後利之，不如利而不利者之利也。」《國語》曰：「成人在始與善，始與善，善進善，不善蔑由至矣，始與不善，不善進不善，善亦蔑由至矣。」《穀梁》曰：「人之所以爲人者，言也。人而不能言，何以爲人？言之所以爲言者，信也。言而不信，何以爲言？信之所以爲信者，道也。信而不道，何以爲道？」此類多矣，不可悉舉，然取《莊子》而法之，則文斯邃矣。

三

載事之文，有上下同目之法，謂其事斷可書，其人斷可美也。如《論語》載孔子之美禹顏，（子曰：「禹吾無間然矣，菲飲食而致孝乎鬼神；惡衣服，而致美乎黻冕；卑宮，而盡力乎溝洫，禹吾無間然矣。」又曰：「賢哉回也，一簞食，一瓢飲，在陋巷，人不堪其憂，回也不改其樂，賢哉回也。」）《戴禮》之記文王、周公，（〈文王世子篇〉曰：「文王之爲世子，朝於王季日三，雞初鳴而衣服，至於寢門外，問內豎之御者曰：『今日安否何如？』內豎曰：『安！』文王乃喜，及日中又至，亦如之；及莫又至，亦如之。其有不安節，則內豎以告文王，文王色憂，行不能正履。王季復膳，然後亦復初，食上，必在視寒煖之節，食下，問所膳，命膳宰曰：『末有原。』應曰：『諾！』然後退。武王帥而行之，不敢有加焉。文王有疾，武王不說，冠帶而養，文王一飯亦一飯，文王再飯亦再飯，旬有二日乃閒。文王謂武王曰：『女何夢矣？』武王曰：『夢帝與我九齡。』文王曰：『女以爲何也？』武王曰：『西方有九國焉，君王其終撫諸？』文王曰：『非也。古者謂年齡，齒亦齡也。我百爾九十，吾與爾三焉。』文王九十七乃終，武王九十三而終。成王幼，不能涖阼，周公相，踐阼而治，抗世子法於伯禽，欲令成王之知父子君臣長幼之道也。成王有過，則撻伯禽，所以示成王世子之道也，文王之爲世子也。」又曰：「昔者，周公攝政踐祚而治，抗世子法於伯禽，所以善成王也。聞之曰：『爲人臣者，殺其身有益於君則爲之，況于其身以善其君乎？』周公優爲之。是故知爲人子，然後可以爲人父；知爲人臣，然後可以爲人君；知事人，然後能使人。成王幼不能涖阼，以爲世子，則無爲也，是故抗世子法於伯禽，使之與成王居，欲令成王之知父子君臣長幼之義也。君之於世子也，親則父也，尊則君也。有父之親，有君之尊，然後兼天下而有之，是故養世子不可不愼也。行一物而三善皆得者，唯世子而已。其齒於學之謂也，故世子齒於學，國人觀之曰：『將君我而與我齒讓，何也？』曰：『有父在則禮然，然而衆知父子之道矣。』其二曰：『將君我而與我齒讓，何也？』曰：『有君在則禮然，然而衆著於君臣之義也。』其三曰：『將君我而與我齒讓，何也？』曰：『長長也，然而衆知長幼之節矣。故父在斯爲子，君在斯謂之臣。居子與臣之節，所以尊君親親也，故學之爲父子焉，學之爲君臣焉，學之爲長幼焉，父子君臣長幼之道得而國治。語曰：「樂正司業，父師司成，一有元良，萬國以貞，世子之謂也。」』周公踐祚。」）《公羊》之傳孔父、仇牧、荀息，（《公羊傳》曰：「孔父可謂義形於色矣。其義形於色何？督將弒殤公，孔父生而存，則殤公不可得而弒也。故於是先攻孔父之家，殤公知孔父死，己必死，趨而救之，皆死焉。孔父正色而立於朝，則人莫敢過而致難於其君者，孔父可謂義形於色矣。」又曰：「仇牧可謂不畏彊禦奈何？萬嘗與莊公戰，獲乎莊公。莊公歸，散舍諸宮中，數月然後歸之，歸反爲大夫於宋，與閔公博，婦人皆在側。萬曰：『甚矣！魯侯之淑，魯侯之美也。天下諸侯宜爲君者，唯魯侯爾！』閔公矜此婦人，妒其言，顧曰：『此虜也。爾虜焉故，魯侯之美惡乎至？』萬怒，搏閔公，絕其脰。仇牧聞君弒，趨而至，遇之于門，手劍而叱之。萬臂摋仇牧，碎其首，齒著乎門闔。」仇牧可謂不畏彊禦矣。」又曰：「荀息可謂不食其言矣。其不食其言奈何？奚齊卓子者，驪姬之子也，荀息傅焉。驪姬者，國色也。獻公愛之甚，欲立其子，於是殺世子申生。申生者，里克傅之。獻公病將死，謂荀息曰：『士何如則可謂之信矣？』荀息對曰：『使死者反生，生者不愧乎其言，則可謂信矣。』獻公死，奚齊立。里克謂荀息曰：『君殺正而立不正，廢長而立幼，如之何？願與子慮之。』荀息曰：『君嘗訊臣矣。臣對曰：「使死者反生，生者不愧乎其言，則可謂信矣。」』里克知其不可與謀，退弒奚齊。荀息立卓子，里克弒卓子，荀息死之。荀息可謂不食其言矣。」）皆其法也。

數（音所）人行事，其體有三：或先總而後數之，如孔子謂「子產有君子之道四焉：其行己也恭，其事上也敬，其養民也惠，其使民也義。」此類是也。或先數之而後總之，如子產數鄭公孫黑曰：「爾有亂心無厭，國不女堪，專伐自有，而罪一也；昆弟爭室，而罪二也；董隧之盟，女矯君位，而罪三也。有死罪三，何以堪之？」此類是也。或先既總之而後復總之，如孔子言「臧文仲其不仁者三，不知者三：下展禽，廢六關，妾織蒲，三不仁也；作虛器，縱逆祀，祀爰居，三不知也。」此類是也。

五

載事之文，有先事而斷以起事也，有後事而斷以盡事也。如《左氏傳》欲載晉靈公厚斂雕牆，必先言「晉靈公不君」；《公羊傳》欲載楚靈王作乾谿臺，必先言「靈王爲無道」；〈中庸〉欲言「舜好問而好察邇言」，亦先言「舜其大知也與」；《孟子》欲言「梁惠王以其所不愛及其所愛」，亦曰「不仁哉，梁惠王也」，若此類，皆先斷以起事也。如《左氏傳》載晉文公教民而用，卒言之曰：「一戰而霸，文之教也。」又載晉悼公賜魏絳和戎樂，卒言之曰：「魏絳於是乎始有金石之樂，禮也。」若此類，皆後斷以盡事也。

六

載言之文，有不避重複，如《穀梁傳》載麗姬故謂君曰：「吾夜者夢夫人趨而來曰：『吾苦畏，胡不使大夫將衛士而衛冢乎？』」故君謂世子曰：「麗姬夢夫人趨而來曰：『吾苦畏。』女其將衛士而往衛冢乎！』」此不避重複一也。《家語》載魯公索氏將祭，而忘其牲，孔子聞之曰：「公索氏不及二年將亡。」後一年而亡，門人問曰：「昔公索氏亡其祭牲，而夫子曰：『不及二年必亡。』今過朞而亡。」此不避重複二也。《公羊傳》載陽處父諫曰：「射姑民衆不悅，不可使將。」於是廢將。射姑入，君謂射姑曰：「陽處父言曰：『射姑民衆不悅，不可使將。』」此不避重複三也。及觀《檀弓》載子游曰：「昔者夫子居於宋，見桓司馬自爲石椁，三年不成，夫子曰：『若是其靡也，死不如速朽之愈也。』死之欲速朽，爲桓司馬言之也。」南宮敬叔反，必載寶而朝。夫子曰：『若是其貨也，喪不如速貧之愈也。』喪之欲速貧，爲敬叔言之也。」曾子以子游之言告於有子，然《檀弓》但云以子游之言，蓋避重複也。又《左氏傳》載「晉師歸，郤伯見，公曰：「子之力也夫！」」范叔見，勞之如郤伯，欒伯見，公亦如之。夫三述晉侯之語，固未爲害，而《左氏》兩變其文，蓋避重複也。

七

載言之文，又有答問，若止及一事，文固不難，至於數端，文實未易，所問不言問，所對不言對，言雖簡略，意實周贍，讀之續如貫珠，應如答響。若《左氏傳》載楚望晉軍問伯犁，蓋得此也。至於問則屢稱「何也」，答則屢稱「對曰」，其文與意，有異《左氏》，若《樂記》載賓牟賈與孔子言樂，皆拘此也。二文具載，則可考矣。

王曰：「騁而左右，何也？」曰：「召軍吏也。」「皆聚於中軍矣。」曰：「合謀也。」「張幕矣。」曰：「虔卜於先君也。」「撤幕矣。」曰：「將發命也。」「甚囂，且塵上矣。」曰：「將塞井夷竈而爲行也。」「皆乘矣，左右執兵而下矣。」曰：「聽誓也。」「戰乎？」曰：「未可知也。」「乘而左右皆下矣。」曰：「戰禱也。」

曰：「夫武之備戒之已久，何也？」對曰：「病不得其衆也。」「咏歎之，淫夜之，何也？」對曰：「恐不逮事也。」「發揚蹈厲之已蚤，何也？」對曰：「及時事也。」「武坐致右憲左，何也？」對曰：「非武坐也。」「聲淫及商，何也？」對曰：「非武音也。」子曰：「若非武音，則何音也？」對曰：「有司失其傳也。」（觀孟子與陳相答問許子之事曰：「許子必種粟而後食乎？」曰：「然。」「許子必織布而後衣乎？」曰：「否。」「許子衣褐，許子冠乎？」曰：「冠。」曰：「奚冠？」曰：「冠素。」曰：「自織之與？」曰：「否，以粟易之。」曰：「害於耕。」曰：「許子以釜甑爨，以鐵耘乎？」曰：「然。」「自爲之與？」曰：「否，以粟易之。」此文但存「曰許子」，以下「許子」字皆可除，信乎答問之文爲難也。）

八

文有目人之體，有列氏之體。《論語》曰：「德行：顏淵、閔子騫、冉伯牛、仲弓。言語：宰我、子貢。政事：冉有、季路。文學：子游、子夏。」此目人之體也。而揚雄、班固得之。（揚子《法言》曰：「美行：園公、綺里季、夏黃公、角里先生。言辭：婁敬、陸賈。執正：王陵、申屠嘉。折節：周昌、汲黯。守儒：轅固、申公。災異：董相、夏侯勝、京房。」班固作《公孫弘傳贊》曰：「儒雅則公孫弘、董仲舒、兒寬，篤行則石建、石慶，質直則汲黯、卜式，推賢則韓安國、鄭當時，定令則趙禹、張湯，文章則司馬遷、相如，滑稽則東方朔、枚皐，應對則嚴助、朱買臣、歷數則唐都、洛下閎，協律則李延年，運籌則桑弘羊，奉使則張騫、蘇武，將率則衛青、霍去病，受遺則霍光、金日磾，其餘不可勝紀。」）《左氏傳》曰：「殷民六族：條氏、徐氏、蕭氏、索氏、長勺氏、尾勺式。」此列氏之體也。而莊周、司馬遷得之。（《莊子》曰：「子獨不知至德之世乎？昔者，容成氏、大庭氏、伯皇氏、中央氏、栗陸氏、驪畜氏、軒轅氏、赫胥氏、尊盧氏、祝融氏、伏戲氏、神農氏」。司馬遷作《夏本紀贊》曰：「其後分封，用國爲姓，故有夏后氏、有扈氏、有男氏、斟尋氏、彤城氏、褒氏、費氏、杞氏、繒氏、辛氏、冥氏、斟戈氏。」）

戊

凡十條

一

《禮記》之文，始自后倉，成于戴聖，非純格言，間有淺語。如「掩口而對」，「毋投與狗骨」，「羹之有菜者用挾」，「男女相答拜也」，「癢不敢搔」，「衣裳綻裂」，「年未滿五十」，「取婦之家」，「嫂不撫叔，叔不撫嫂」，若此等語，雖在曲防人情，然少施斲削。

二

《商盤》告民，民何以曉？然在當時，用民間之通語，非若後世待訓詁而後明。且「顛木之有由蘖」，使晉衛間人讀之，則蘖知爲餘也。「不能胥匡以生」，使東齊間人讀之，則胥知爲皆也。「欽念以忱」，使燕、岱間人讀之，則忱知爲誠也。由此考之，當時豈不然乎？

三

詩文待訓明者，亦本風土所宜。且「王室如燬」，使齊人讀之，則燬爲常語。「六日不詹」，使楚人讀之，則詹爲常語。（燬，火也；齊人以火爲燬。詹，至也；楚人以詹爲至。）

四

《儀禮》，周家之制也，事涉威儀，文苦而難讀。〈鄉黨〉，孔門之記也，言關訓則，文婉而易觀。今略摘《儀禮》之文，證以〈鄉黨〉，昭然辨矣。

「執圭，入門，鞠躬焉，如恐失之。」（〈鄉黨〉曰：「執圭，鞠躬如也，如不勝。」）「下階，發氣，怡焉，再三舉足，又趨。」（〈鄉黨〉曰：「出，降一等，逞顏色，怡怡如也，沒階趨，進，翼如也。」）「及享，發氣焉，盈容。」（〈鄉黨〉曰：「享禮，有容色。」）「賓出，公再拜送，賓不顧。」（〈鄉黨〉曰：「賓退，必復命曰，賓不顧矣。」）「若君賜之食，君祭先飯。」（〈鄉黨〉曰：「侍食於君，君祭先飯。」）

五

《孝經》之文，簡易醇正，蘊聖人之氣象，揭《六經》之表儀。夷考其文，有所未諭，〈三才章〉首，似摭子產言禮之辭，（子太叔對趙簡子曰：「聞諸先大夫子產曰：『夫禮，天之經也，地之義也，民之行也，天地之經，而民實則之，則天之明，因地之性。』」《孝經》止三字不同。）〈聖治章〉末似刪《文子》論儀之語，（北宮文子對衛襄侯曰：「故君子在位可畏，施舍可愛，進退可度，周旋可則，容止可觀，作事可法，德行可象，聲氣可樂。」《孝經》則曰：「君子則不然，言思可道，行思可樂，德義可尊，作事可法，容止可觀，進退可度。」）〈事君章〉曰：「進思盡忠，退思補過。」此乃士貞子諫晉景公之辭。〈聖治章〉曰：「以順則逆，民無則焉，不在於善，而皆在於凶德。」此乃季文子對魯宣公之辭，（《左氏傳》作「訓昏」，三字不同。）聖人雖遠稽格言，不應雷同如此。豈作傳者，反竊經與？

六

《爾雅》之作，主在訓言；〈謚法〉之作，用以定謚；皆周公之文也。戴聖之釋〈淇澳〉，備采《爾雅》之辭，（《禮記》曰：「『如切如磋』者，道學也；『如琢如磨』者，自修也；『瑟兮僩兮』者，恂慄也；『赫兮喧兮』者，威儀也；『有斐君子，終不可諠兮』者，道盛德至善，民之不能忘也。」此乃《爾雅·釋訓》文。）成鱄之釋〈皇矣〉，端倣〈謚法〉之體，（《左傳》曰：「心能制義曰度，德正應和曰莫，照臨四方曰明，勤施無私曰類，教誨不倦曰長，賞慶刑威曰君，慈和徧服曰順，經天緯地曰文。」〈謚法〉體如此，文亦有同者。）孰謂類皆後人之補緝，無補作者之監觀。

七

夫《論語》、《家語》，皆夫子與當時公卿大夫及羣弟子答問之文。然《家語》頗有浮辭衍說，蓋出於羣弟子共相叙述，加之潤色，其才或有優劣，故使然也。若《論語》雖亦出於羣弟子所記，疑若已經聖人之手。今略考焉。子曰：「爲命裨諶草創之，世叔討論之，行人子羽脩飾之，東里子産潤色之。」質之《左氏》，則此文簡而整。（《左氏傳》曰：「裨諶能謀，謀於野則獲，謀於邑則否。鄭國將有諸侯之事，子産乃問四國之爲於子羽，且使多爲辭令，與裨諶乘以適野，使謀可否，而告馮簡子，使斷之，事成，乃授子太叔使行之，以應對賓客。」）子曰：「孟之反不伐，奔而殿，將入門，策其馬，曰：『非敢後也，馬不進也。』」質之《左氏》，則此文緩而周。（《左氏傳》曰：「孟之側後入，以爲殿，抽矢策其馬曰：『馬不進也。』」）「南容三復白圭」，司馬遷則曰：「三復白圭之玷。」辭雖備，而其意竭矣。「在邦必達，在家必達」，司馬遷則曰：「在邦及家必達。」辭雖約，而其意踈矣。彼揚雄《法言》、王通《中説》，模儗此書，未免畫虎類狗之譏。（《法言》曰：「如其智，如其智。」「雖有民，焉得而塗諸？」「三年不目日，視必盲；三年不目月，精必矇。」「魯仲連傷而不制，藺相如制而不傷。」「請條，曰：『非正不視，非正不聽，非正不言，非正不行。』」「若張子房之智，陳平之無悞，絳侯勃之果，霍將軍之勇，終之以禮樂，則可謂社稷之臣矣。」《法言》之模儗《論語》，皆此類也。《中説》曰：「可與共樂，未可與共憂；可與共憂，未可與共樂。」「我未見勤者矣，蓋有焉，我未之見也。」「焉知來者之不如昔也。」「是故惡夫異端者。」「小不忍，致大災。」「知之者不如行之者，行之者不如安之者。」《中説》之模儗《論語》，皆此類也。）王充〈問孔〉之篇，而於此書多所指擿，亦未免桀犬吠堯之罪歟？

八

詩人《庭燎》之詠，文雖美之，意則箴之；張老輪奐之辭，文雖頌之，意則譏矣。（晉獻文子成室，張老曰：「美哉輪焉，美哉奐焉，歌於斯，哭於斯，聚國族於斯。」）自漢以來，靡麗之賦，勸百諷一，烏足知此？

九

文出於己，作之固難，語借於古，用亦不易。觀歷代雕蟲小技之士，借古語以成篇章者，紛紛藉藉，試陳一二，以鑒後來。張茂先《勵志詩》曰：「德輶如羽。」又曰：「熠燿宵流。」雖變二字，以協音韻，而不知詩人言「行」有綏飛之意，言「毛」有至輕之喻。應吉甫《華林集詩》有曰：「文武之道，厥猷未墜。」既言「之道」，復綴「厥猷」，此所謂屋下架屋者歟？陸倕《石闕銘》曰：「惟王建國，正位辨方。」遂令「辨方」後於「正方」，所謂轉衣爲裳者歟？

一〇

古語曰：「黶子在頰則好，在顙則醜。」言有宜也。自晉以降，操觚含毫之士，喜學經語者多矣。且如孫盛著史，書曰：「某年春帝正月。」（謂盛作《魏晉陽秋》也。且《春秋》書「王正月」，示魯侯用周天子正朔，曹、馬躬有天下，不當書「帝正月」。）謝惠連作賦，迺曰：「雪之時義遠矣哉！」（謂惠連作《雪賦》也。按《易》卦義深者，以此語贊之。大抵文士雪月之詠，非所當也。）此蓋不知黶子在顙之爲醜也。

己　凡七條

一

觀〈檀弓〉之載事，言簡而不諳，旨深而不晦，雖《左氏》之富豔，敢奮飛於前乎？略舉二事以見。

世子申生爲驪姬所譖，或令辨之。《左氏》載其事，則曰：「或謂太子：『子辭，君必辨焉。』太子曰：『君非姬氏，居不安，食不飽。我辭，姬必有罪。君老矣，吾又不樂。』」〈檀弓〉則曰：「『子盍言子之志於公乎？』世子曰：『不可。君安驪姬，是我傷公之心也。』」考此，則〈檀弓〉爲優。（《穀梁傳》載其事曰：「世子之傅里克謂世子曰：『入自明。入自明，則可以生；不入自明，則不可以生。』世子曰：『吾君老矣，已昏矣，吾若此而入自明，則驪姬必死，驪姬死，則吾君不安。』」若此文，非唯不及〈檀弓〉，亦不及《左氏》矣）

二

智悼子未葬，晉平公飲以樂，杜蕢謂大臣之喪，重於疾日不樂。《左氏》言其事，則曰：「辰在子卯，謂之疾日，君撤宴樂，學人舍業，爲疾故也。君之卿佐，是謂股肱，股肱或虧，何痛如之？」〈檀弓〉則曰：「『子卯不樂。知悼子在堂，斯其爲子卯也大矣。』」考此，則〈檀弓〉爲優。

鶴脛雖長，斷之則悲；凫脛雖短，續之則憂。〈檀弓〉文句，長短有法，不可增損，其類是哉？

長句法

「毋乃使人疑夫不以情居瘠者乎哉？」「孰有執親之喪而沐浴佩玉者乎？」「蕢尙不如杞梁之妻之知禮也。」「苟無禮義忠信誠愨之心以涖之。」

短句法

「華而睆」，「立孫」，「畏」，「厭」，「溺」。

三

鼓瑟不難，難於調弦；作文不難，難於鍊句。〈檀弓〉之文，鍊句益工，參之《家語》，其妙覩矣。

「遇負杖入保者息。」（《家語》曰：「遇人入保負杖者息。」）「皆死焉。」（《家語》曰：「命敵死焉。」）「比御而不入。」（《家語》曰：「可御而處內。」）「南宮縚之妻之姑之喪。」（《家語》曰：「南宮縚之妻，孔子之兄女，喪其姑。」）「予惡乎涕之無從也。」（《家語》曰：「吾惡乎涕而無以將之。」）「仲子亦猶行古之道也。」（《家語》曰：「仲子亦猶行古人之道。」）「夫子爲弗聞也者而過之。」（《家語》曰：「夫子爲之隱佯不聞以過之。」）「遂命覆醢。」（《家語》曰：「遂令左右皆覆醢。」）「死不如速朽之愈也。」（《家語》曰：「死不如朽之速愈。」）「若魂氣，則無不之也。」（《家語》曰：「若魂氣，則無所不之。」）

四

《考工記》之文，權而論之，蓋有三美：一曰雄健而雅，二曰宛曲而峻，三曰整齊而醇。略條于後：

雄健而雅

「鄭之刀，宋之斤，魯之削，吳粵之劍，遷乎其地而弗能爲良。」「凡爲弓，方其峻而高其柎，長其畏而薄其敝。」（《左氏傳》曰：「恤其患而補其闕，正其違而治其煩。」亦此法也。）

宛曲而峻

「凡攫閷援簭之類，必深其爪，出其目，作其鱗之而。深其爪，出其目，作其鱗之而，則於眡必撥爾而怒。苟頯爾如委，則加任焉，則必如將廢措，其匪色必似不鳴矣。」（此文說筍簴之獸也。）「引而信之，欲其直也。信之而直，則取材正也；信之而枉，則是一方緩、一方急也。若苟一方緩、一方急，則及其用之也，必自其急者先裂。若苟自急者先裂，則是以博爲帴也。」（此文說制韋革。）

整齊而醇

「爍金以爲刃，凝土以爲器。」「棧車欲弇，飾車欲侈。」「鍾大而短，則其聲疾而短聞；鍾小而長，則其聲舒而遠聞。」「已上則摩其旁，已下則摩其耑。」

五

《春秋》文句，長者踰三十餘言，短者止於一言。（如「季孫行父、臧孫許、叔孫僑如、公孫嬰齊帥師會晉郤克、衛孫良父、曹公子首，及齊侯戰于鞌」之類，是長句也。如「螽」之類，是短句也。）《詩》之文句，長不踰八言，短者不減二言。（八言者，如「我不敢效我友自逸」之類是也。摯虞云：「《詩》有九言，『洞酌彼行潦挹彼注茲』是也。」然此當爲二句，其說非也。二言者，若「肇禋」之類。）《春秋》主於褒貶，《詩》本於美刺，立言之間，莫不有法。

六

詩人之用助辭，辭必多用韻。有用「也」辭，若「何其處也，必有與也。」（「處」、「與」爲韻。）有用「而」辭，若「俟我于著乎而，充耳以素乎而。」（「著」、「素」爲韻。）有用「矣」辭，若「陟彼砠矣，我馬瘏矣。」（「砠」、「瘏」爲韻。）有用「忌」辭，若「抑磬控忌，抑縱送忌。」（「控」、「送」爲韻。）有用「兮」辭，若「其實七兮，迨其吉兮。」（「七」、「吉」爲韻。）有用「之」辭，若「知子之順之，雜佩以問之。」（「順」、「問」爲韻。）有用「止」辭，如「既曰庸止，曷又從止。」（「庸」、「從」爲韻，止即只，〈鄘·柏舟〉詩亦用「只」辭，〈離騷〉有〈大招〉用「只」辭，蓋法乎此。）有用「且」辭，若「椒聊且，遠條且。」（「聊」、「條」爲韻。）如四句六句者多矣，今不備載。又《禮記》非詩人之文，助辭之上，亦有韻協。如曰：「禮行於郊，而百神受職焉；禮行於社，而百貨可極焉；禮行於祖廟，而孝慈服焉；禮行於五祀，而正法則焉。」此則用「焉」辭，而「職」、「極」、「服」、「則」爲協。

七

孔穎達曰：「詩章之法，不常厥體，或重章共述一事，（〈采蘋〉之類。）或一事疊爲數章，（〈甘棠〉之類。）或初同而末異，（〈東山〉之類。）或首異而末同，（〈漢廣〉之類。）或事訖而更申，（〈既醉〉之類。）或章重而事別，（〈鴟鴞〉之類。）或隨時而改色，（〈何草不黃〉也。）或因事而變文，（〈文王有聲〉也。）或一章而再言，（〈采采芣苢〉。）或三章而一發，（〈賓之初筵〉。）篇有數章，章句衆寡不等，章有數句，句字多少不同。」句括詩體，孰踰此說，故特取焉。

庚

凡二條

一

文有數句用一類字，所以壯文勢，廣文義，然皆有法。韓退之爲古文霸，於此法尤加意焉。如〈賀冊尊號表〉用「之謂」字，蓋取《易·繫辭》，〈書記〉用「者」字，蓋取〈考工記〉，〈南山詩〉用「或」字，蓋取〈詩北山〉，悉注于後，孰謂退之自作古哉？（觀退之〈畫記〉云：「騎而立者五人，騎而被甲載兵立者十人，騎且負者二人，騎執器者二人。」自此以下，凡記人數者，蓋取《書·顧命》：「二人雀弁執惠，四人綦弁，執戈上刃，一人冕執劉，一人冕執鉞，一人冕執戣，一人冕執瞿，一人冕執銳」之法也。此與用字一類不同，姑附于此，示退之之文不妄作也。）用一類字者，不可偏舉，采經子通用者志之，可觸類而長矣。

或法。（《詩·北山》曰：「或燕燕居息，或盡瘁事國；或息偃在牀，或不已于行；或不知叫號，或慘慘劬勞；或棲遲偃仰，或王事鞅掌；或湛樂飲酒，或慘慘畏咎；或出入風議，或靡事不爲。」退之〈南山詩〉云：「或連若相從，或蹙若相鬥，或妥若弭伏，或竦若驚雊，或散若瓦解，或赴若輻輳，或翩若船遊，或決若馬驟。」此句稍多不能備載，皆廣〈北山〉「或」字法而用之也。《老子》曰：「故物或行或隨，或歔或吹，或強或羸，或載或隳。」又一法也。）

者法。（〈考工記〉曰：「脂者，膏者，羸者，羽者，鱗者。」又曰：「以脰鳴者，以注鳴者，以旁鳴者，以翼鳴者，以股鳴者，以胸鳴者。」《莊子》曰：「激者，謞者，叱者，吸者，叫者，譹者，宎者，咬者。」韓退之〈畫記〉云：「行者，牽者，奔者，涉者，陸者，翹者，顧者，鳴者，寢者，訛者，立者，齕者，飲者，溲者，陟者，降者。」凡此用「者」字，其原出於〈考工記〉，因用《莊子》法也。）

之謂法。（〈繫辭〉曰：「富有之謂大業，日新之謂盛德，生生之謂易，成象之謂乾，效法之謂坤，極數知來之謂占，通變之謂事，陰陽不測之謂神。」韓退之〈賀册尊號表〉云：「臣聞體仁以長人之謂元，發而中節之謂和，無所不通之謂聖，妙而無方之謂神，經緯天地之謂文，戡定禍亂之謂武，先天不違之謂法天，道濟天下之謂應道。」蓋取《易·繫辭》也。）

謂之法。（《易·繫辭》曰：「闔戶謂之坤，闢戶謂之乾，一闔一闢謂之變，往來不窮謂之通，見乃謂之象，形乃謂之器，制而用之謂之法，利用出入，民咸用之謂之神。」凡經子傳記用此多矣，故不悉載。）

之法。（《孟子》曰：「勞之來之，正之直之，輔之翼之。」《老子》曰：「故道生之，德畜之，長之育之，成之熟之，養之覆之。」故《易·說卦》曰：「雷以動之，風以散之，雨以潤之，日以烜之，艮以止之，兑以説之，乾以君之，坤以藏之。」此又一法也。）

可法。（《考工記》曰：「故可規可萬，可水可縣，可量可權。」《表記》曰：「事君可貴可賤，可富可貧，可生可殺。」）

可以法。（《論語》曰：「《詩》，可以興，可以觀，可以羣，可以怨。」《月令》曰：「可以登高明，可以遠眺望，可以升山陵，可以處臺榭。」《莊子》曰：「可以保身，可以全生，可以養親，可以盡年。」）

爲法。（《易·説卦》曰：「乾爲天爲圜，爲君爲父，爲玉爲金，爲寒爲冰，爲大赤，爲良馬，爲老馬，爲瘠馬，爲駁馬，爲木果。」《莊子》曰：「形就而入，且爲顛爲滅，爲崩爲蹶，心和而出，且爲聲爲名，爲妖爲孽。」此又一法也。）

必法。（《考工記》曰：「容轂必直，陳篆必正，施膠必厚，施筋必數。」《月令》曰：「秫稻必齊，麴蘖必時，湛熾必潔，水泉必香，陶器必良，火齊必得。」）

不以法。（《左氏傳》曰：「不以國，不以官，不以山川，不以隱疾，不以畜牲，不以器幣。」）

無法。（《左氏傳》曰：「無始亂，無怙富，無恃寵，無違同，無敖禮，無驕能，無復怨，無謀非德，無犯非義。」)

而不法。(《左氏傳》曰：「直而不倨，曲而不屈，邇而不偪，遠而不攜，遷而不淫，復而不厭，哀而不愁，樂而不荒，用而不匱，廣而不宣，施而不費，取而不貪，處而不底，行而不流。」)

其法。(《易・繫辭》曰：「其稱名也小，其取類也大，其旨遠，其辭文，其言曲而中，其事肆而隱。」《樂記》曰：「其哀心感者，其聲噍以殺；其樂心感者，其聲嘽以緩；其喜心感者，其聲發以散；其怒心感者，其聲粗以厲；其敬心感者，其聲直以廉；其愛心感者，其聲和以柔。」此雖每句用「其」字，而二句以見意，又一法也。)

焉法。(〈祭統〉曰：「見事鬼神之道焉，見君臣之義焉，見父子之倫焉，見貴賤之等焉，見親疎之殺焉，見爵賞之施焉，見夫婦之別焉，見政事之均焉，見長幼之序焉，見上下之際焉。」〈學記〉曰：「藏焉脩焉，息焉游焉。」〈三年問〉曰：「翔回焉，鳴號焉，蹢躅焉，踟躕焉。」又一法也。)

于時法。(《詩》曰：「于時處處，于時廬旅，于時言言，于時語語。」鄭康成云：「時，是也。」)

實法。(《詩》曰：「實方實苞，實種實褎，實發實秀，實堅實好，實穎實栗。」)

曾是法。(《詩》曰：「曾是彊禦，曾是掊克，曾是在位，曾是在服。」)

侯法。(《詩》曰：「侯主侯伯，侯亞侯旅，侯彊侯以。」)

有若法。(《書》曰：「有若虢叔，有若閎夭，有若散宜生，有若泰顛，有若南宮括。」)

未嘗法。(《家語》曰：「未嘗知哀，未嘗知憂，未嘗知懼，未嘗知危。」)

斯法。（〈檀弓〉曰：「人喜則斯陶，陶斯咏，咏斯猶，猶斯舞，舞斯慍，慍斯戚，戚斯歎，歎斯辟，辟斯踊矣。」）

於是乎法。（《國語》曰：「上帝之粢盛於是乎出，民之蕃庶於是乎生，事之供給於是乎在，和協輯睦於是乎興，財用蕃殖於是乎始，敦龐純固於是乎成。」）

有法。（〈禮器〉曰：「有直而行也，有曲而殺也，有經而等也，有順而討也，有摲而播也，有推而進也，有放而文也，有放而不致也，有順而摭也。」〈樂師〉曰：「有帗舞，有羽舞，有皇舞，有旄舞，有干舞，有人舞。」《左氏傳》曰：「名有五：有信，有義，有象，有假，有類。」又一法也。《孟子》曰：「父子有親，君臣有義，夫婦有別，長幼有序，朋友有信。」此又一法也。）

兮法。（《荀子》曰：「井井兮其有條理也，嚴嚴兮其能敬己也，分分兮其有終始也，猒猒兮其能長久也，樂樂兮其執道不殆也，炤炤兮其用之明也，修修兮其用統類之行也，綏綏兮其有文章也，熙熙兮其樂人之臧也，隱隱兮其恐人不當也。」）

則法。（〈中庸〉曰：「誠則形，形則著，著則明，明則動，動則變，變則化。」）

然法。（《荀子》曰：「儼然壯然，祺然蕼然，恢恢然，廣廣然，昭昭然，蕩蕩然。」）

奚法。（《莊子》曰：「奚爲奚據？奚避奚處？奚就奚去？奚樂奚惡？」）

而法。（《莊子》曰：「而容崖然，而目衝然，而顙頯然，而口闞然，而狀義然。」又一法也。〈考工記〉曰：「清其灰而盝之，而揮之，而沃之，而盝之，而塗之，而宿之。」）

方且法。(《莊子》曰：「方且本身而異形，方且尊知而火馳，方且為緒使，方且為物絯，方且四顧而物應，方且應眾宜，方且與物化。」)

似法。(《莊子》曰：「似鼻，似目，似耳，似枅，似圈，似臼，似洼者，似污者。」此言風吹竅穴動作之貌。)

乎法。(《莊子》曰：「與乎其觚而不堅也，張乎其虛而不華也；邴邴乎其似喜乎！崔乎其不得已乎！滀乎進我色也，與乎止我德也；厲乎其似世乎！謷乎其未可制也；連乎其似好閉也，悗乎忘其言也。」《祭義》曰：「洞洞乎其敬也，屬屬乎其忠也，勿勿乎其欲其饗之也。」《莊子》蓋廣此法而用之。)

迺法。(《詩》曰：「迺慰迺止，迺左迺右，迺疆迺理，迺宣迺畝。」)

以之法。(《仲尼燕居》曰：「以之居處有禮，故長幼辨也；以之閨門之內有禮，故三族和也；以之朝廷有禮，故官爵序也；以之田獵有禮，故戎事閑也；以之軍旅有禮，故武功成也。」)

足以法。(《易》曰：「體仁足以長人，嘉會足以合禮，利物足以和義，貞固足以幹事。」《中庸》曰：「聰明睿智，足以有臨也；寬裕溫柔，足以有容也；發強剛毅，足以有執也；齊莊中正，足以有敬也；文理密察，足以有別也。」此一法也。)

也法。(《中庸》曰：「脩身也，尊賢也，親親也，敬大臣也，體羣臣也，子庶民也，來百工也，柔遠人也，懷諸侯也。若《周易·雜卦》一篇，全用「也」字，又不可盡法。)

得其法。(〈仲尼燕居〉曰:「宮室得其度,量鼎得其象,味得其時,樂得其節,車得其式,鬼神得其饗,喪紀得其哀,辨説得其黨,官得其體,政事得其施。」)

以法。(〈大可樂〉曰:「以致鬼神,以和邦國,以諧萬民,以安賓客,以説遠人,以作動物。」《周禮》此法極多,今不備載。)

曰法。(〈洪範〉曰:「一曰水,二曰火,三曰木,四曰金,五曰土。」《周禮》凡所次序,其事皆類,此一法也。《周禮・大師》:「曰風,曰賦,曰比,曰興,曰雅,曰頌。」〈洪範〉:「曰雨,曰霽,曰蒙,曰驛,曰克,曰貞,曰悔。」凡此類不言數,又一法也。〈大宗伯〉曰:「春見曰朝,夏見曰宗,秋見曰覲,冬見曰遇,時見曰會,殷見曰同。」《易・繫辭》曰:「天地之大德曰生,聖人之大寶曰位,何以守位曰仁,何以聚人曰財,理財正辭禁民爲非曰義。」凡此類,又一法也。)

得之法。(《莊子》曰:「豨韋氏得之,以挈天地;伏羲得之,以襲氣母;維斗得之,終古不忒;日月得之,終古不息;堪坏得之,以襲崐崘;馮夷得之,以游大川;肩吾得之,以處大山;黄帝得之,以登雲天;顓頊得之,以處玄宮;禺強得之,立乎北極;彭祖得之,上及有虞,不及五伯;傅説得之,以相武丁,奄有天下,乘東維,騎箕尾,而比於列星。」)

之以法。(《禮記》曰:「慮之以大,愛之以敬,行之以禮,脩之以孝養,紀之以義,終之以仁。」)

所以法。(〈禮運〉曰:「祭帝於郊,所以定天位也;祀社於國,所以列地利也;祖廟,所以本仁也；山川，所以儐鬼神也；五祀，所以本事也。」）

存乎法。（《易·繫辭》曰：「列貴賤者存乎位，齊大小者存乎卦，辨吉凶者存乎辭，憂悔吝者存乎介，震无咎者存乎悔。」）

莫大乎法。（《易·繫辭》曰：「法象莫大乎天地，變通莫大乎四時，懸象著明，莫大乎日月，崇高莫大乎富貴，備物致用，立成器以爲天下利，莫大乎聖人。探賾索隱，鈎深致遠，以定天下之吉凶，成天下之亹亹者，莫大乎蓍龜。」）

知所以法。（〈中庸〉曰：「子曰：好學近乎知，力行近乎仁，知恥近乎勇，斯三者，則知所以脩身；知所以脩身，則知所以治人；知所以治人，則知所以治天下國家矣。」）

矣法。（〈六月詩序〉曰：「〈鹿鳴〉廢，則和樂缺矣；〈四牡〉廢，則君臣缺矣；〈皇皇者華〉廢，則忠信缺矣；〈棠棣〉廢，則兄弟缺矣。」下皆類此，不能悉載。〈板〉詩曰：「辭之輯矣，民之治矣，辭之懌矣，民之莫矣。」此雖每句用「矣」字，而上下之意相關。）

二

大抵經傳之文，有相類者，非固出於蹈襲，實理之所在，不約而同也。略條于後，則可推矣。

《詩》曰：「禮義不衍，何恤於人言？」（此逸詩，《荀子》引兮云：「禮義之不愆兮，何恤人之言兮？」）《左氏傳》載士蔿稱諺曰：「心苟無瑕，何恤乎無家？」《詩》曰：「謂予不信，有如皦日。」《左氏傳》載公子重耳曰：「所不與舅氏同心者，有如白水。」（凡指物爲誓，語多類如此。）

《詩》曰：「不憖遺一老，俾守我王。」《右氏傳》魯哀公誄孔丘曰：「不憖遺一老，俾屏予一人以在位。」此不約而同，一也。

《左氏傳》曰：「晉韓起聘魯，觀書於太史氏，見《易》象與《魯春秋》，曰：『周禮盡在魯矣。吾乃今知周公之德與周之所以王也。』」《家語》曰：「孔子適周，歷郊社之所，考明堂之則，察廟朝之度，於是喟然曰：『吾乃今知周公之聖與周之所以王也。』」此不約而同，二也。

《左氏傳》曰：「晉侯疾病，求醫于秦，秦伯使醫緩為之，醫至，曰：『疾不可為也，在肓之上，膏之下。』」《戰國策》曰：「扁鵲見秦武王，武王示之病，扁鵲請除左右，曰：『君之病在耳之前，目之下。』」此不約而同，三也。

《左氏傳》載周子曰：「二三子用我，今日，否，亦今日。」《國語》載吳王曰：「孤之事君，在今日，不得事君，亦在今日。」此不約而同，四也。

《國語》載觀射父曰：「先王之祀也，以一純、二精、三牲、四時、五色、六律、七事、八種、九祭、十日、十二辰以致之。」《左氏傳》載晏子曰：「先王之濟五味，和五聲，以平其心，成其政也。聲亦如味，一氣、二體、三類、四物、五聲、六律、七音、八風、九歌，以相成也。」（**此文既於物協數，又於數協序，亦文之工者。**）此不約而同，五也。

〈考工記〉曰：「柘為上，檍次之，檿桑次之，橘次之，木瓜次之，荊次之。」〈禮器〉曰：「禮，時為大，順次之，體次之，宜次之，稱次之。」此不約而同，六也。

辛　凡八條

春秋之時，王道雖微，文風未殄，森羅辭翰，備括規摹。考諸《左氏》，摘其英華，別爲八體，各繫本文：一曰命婉而當，（《尚書》有命十八篇。）二曰誓謹而嚴，（《尚書》有誓八篇。）三曰盟約而信，四曰禱切而愨，（《尚書·武成》有武王伐紂禱辭，自「惟有道曾孫周王發，將有大正于商。今商王受無道，暴殄天物，害虐烝民，爲天下逋逃主，萃淵藪。予小子既獲仁人，敢祗承上帝，以遏亂略。華夏蠻貊，罔不率俾，恭王成命。肆予東征，綏厥士女。惟其士女，篚厥玄黃，昭我周王，天休震動，用附我大邑周。惟爾有神，尚克相予，以濟兆民，無作神羞。」是其文也。）五曰諫和而直，六曰讓辨而正，七曰書達而法，八曰對美而敏。作者觀之，庶知古人之大全也。

一、命

周靈王命齊侯。（如周襄王命晉重耳，其體亦可法。）

王使劉定公賜齊侯命曰：「昔伯舅太公，右我先王，股肱周室，師保萬民，世胙太師，以表東海，王室之不壞，緊伯舅是賴。今余命女環，茲率舅氏之典，纂乃祖考，無忝乃舊。敬之哉，無廢朕命。」

二、誓

晉趙簡子誓伐鄭。

誓曰：「范氏、中行氏，反易天明，斬艾百姓，欲擅晉國，而滅其君，寡君恃鄭而保焉。今鄭爲不道，棄君助臣。二三子順天明，從君命，經德義，除詬恥，在此行也。克敵者，上大夫受縣，下大夫受郡，士田十萬，庶人工商遂，人臣隸圉免。志父無罪，君實圖之。若其有罪，絞縊以戮，桐棺三寸，不設屬辟，素車樸馬，無入于兆，下卿之罰也。」

三、盟

亳城北之盟。（如《孟子》載葵邱盟辭，覲《三傳》則詳略異同，今所不取。）

載書曰：「凡我同盟，毋蘊年，毋壅利，毋保姦，毋留慝，救災患，恤禍亂，同好惡，獎王室。或間茲命，司慎司盟，名山名川，羣神群羣，先王先公，七姓十二國之祖，明神殛之，俾失其民，隊命亡氏，踣其國家。」

四、禱

衛蒯聵戰禱于鐵。（荀偃禱河，其體亦法此。）

禱曰：「曾孫蒯聵，敢昭告皇祖文王，烈祖康叔，文祖襄公。鄭勝亂從，晉午在難，不能治亂，使鞅討之。蒯聵不敢自佚，備持矛焉。敢告無絕筋，無折骨，無面傷，以集大事，無作三祖羞。大命不敢請，佩玉不敢愛。」

五、諫

臧哀伯諫魯桓公納鼎。（諫文多矣，今取此爲體。）

諫曰：「君人者，將昭德塞違，以臨照百官，猶懼或失之，故昭令德以示子孫。是以清廟茅屋，大路越席，大羹不致，粢食不鑿，昭其儉也；袞冕黻珽，帶裳幅舄，衡紞紘綖，昭其度也；藻率鞞鞛，鞶厲游纓，昭其數也；火龍黼黻，昭其文也；五色比象，昭其物也；鍚鸞和鈴，昭其聲也；三辰旂旗，昭其明也。夫德儉而有度，登降有數，文物以紀之，聲明以發之，以臨照百官，百官於是乎戒懼，而不敢易紀律。今滅德立違，而寘其賂器於太廟，以明示百官，百官象之，其又何誅焉？國家之敗，由官邪也；官之失德，寵賂章也。郜鼎在廟，章孰甚焉？武王克商，遷九鼎于雒邑，義士猶或非之，而況將昭違亂之賂器於太廟，其若之何？」

六、讓（責也。）

周詹桓伯責晉率陰戎伐穎。

辭曰：「我自夏以后稷，魏、駘、芮、岐、畢，吾西土也；及武王克商，蒲、姑、商、奄，吾東土也；巴、濮、楚、鄧，吾南土也；肅、愼、燕、亳，吾北土也；吾何邇封之有？文、武、成、康之建母弟，以蕃屛周，亦其廢隊是爲，豈如弁髦，而因以敝之。先王居檮杌于四裔，以禦魑魅，故允姓之姦，居于瓜州。伯父惠公歸自秦，而誘以來，使偪我諸姬，入我郊甸，則戎焉取之？戎有中國，誰之咎也？后稷封殖天下，今戎制之，不亦難乎？伯父圖之。我在伯父，猶衣服之有冠冕，木火之有本原，民人之有謀主也；伯父若裂冠毀冕，拔本塞原，專棄謀主，雖戎狄其何有余一人？」

七、書

晉叔向詒鄭子產鑄刑書書。（子產與范宣子書，其體可法。）

書曰：「始吾有虞於子，今則已矣。昔先王議事以制，不爲刑辟。懼民之有爭心也，猶不可禁禦，是故閑之以義，糾之以政，行之以禮，守之以信，奉之以仁，制爲祿位，以勸其從，嚴斷刑罰，以威其淫。懼其未也，故誨之以忠，聳之以行，敎之以務，使之以和，臨之以莊，涖之以彊，斷之以剛。猶求聖哲之士，明察之官，忠信之長，慈惠之師。民於是乎可任使也，而不生禍亂。民知有辟，則不忌於上，並有爭心，以徵於書，而徼幸以成之，弗可爲矣。夏有亂政，而作〈禹刑〉；商有亂政，而作〈湯刑〉；周有亂政，而作〈九刑〉：三辟之興，皆叔世也。今吾子相鄭國，作封洫，立謗政，制參辟，鑄刑書，將以靖民，不亦難乎？《詩》曰：『儀式刑文王之德，日靖四方。』又曰：『儀刑文王，萬邦作孚。』如是，何辟之有？民知爭端矣，將棄禮而徵於書，錐刀之末，將盡爭之，亂獄滋豐，賄賂並行，終子之世，鄭敗其乎！肸聞之：『國將亡，必多制。』其此之謂乎？」

八、對

鄭子產對晉人問陳罪。（對文多矣，今取此爲體。）

對曰：「昔虞閼父爲周陶正，以服事我先王。我先王賴其利器用也，與其神明之後也，庸以元女大姬配胡公，而封諸陳，以備三恪。則我周之自出，至于今是賴。桓公之亂，蔡人欲立其出，我先君莊公奉五父而立之，蔡人殺之，我又與蔡人奉戴厲公，至於莊宣皆我之自立。夏氏之亂，成公播蕩，又我之自入，君所知也。今陳忘周之大德，蔑我大惠，棄我姻親，介恃楚衆，以馮陵我敝邑，不可億逞，我是以有往年之告。未獲成命，則有我東門之役。當陳隧者，井堙木刊。敝邑大懼不競，而恥大姬；天誘其衷，啓敝邑心，陳知其罪，授首于我，用敢獻功。晉人曰：『何故侵小？』對曰：『先王之命，唯罪所在，各致其辟。且昔天子之地一圻，列國一同，自是以衰。今大國多數矣，若無侵小，何以至焉？』晉人曰：『何故戎服？』對曰：『我先君武莊爲平桓卿士。城濮之役，文公布命曰：「各復舊職。」命我文公戎服輔王，以授楚捷，不敢廢王命故也。』士莊伯不能詰，復於趙文子。文子曰：「其辭順，犯順不祥。」乃受之。』

壬　凡七條

一

盤庚之戒，無伏攸箴，宣王之詩，〈庭燎〉因箴，箴之爲名，見於經矣。在昔周武，辛甲爲史，爰命百官，各箴王闕，故〈虞人之箴〉，魏絳獨有取焉。今采其文，以備箴體。

芒芒禹迹，畫爲九州，經啓九道，民有寢廟，獸有茂草，各有攸處，德用不擾。在帝夷羿，冒于原獸，忘其國恤，而思其麀牡，武不可重，用不恢于夏家。獸臣司原，敢告僕夫。

二

益贊于禹，贊起遠矣。後世史官，紀傳有贊，以擬詩體，非古法也。今采《書》文，以備贊體。

惟德動天，無遠弗屆。滿招損，謙受益，時乃天道。帝初于歷山，往于田，日號泣于旻天，于父母，負罪引慝，祇載見瞽瞍，夔夔齊慄。瞽亦允若。至誠感神，矧茲有苗。

三

銘文之作，初無定體，量人〈量銘〉，乃類《詩·雅》，孔悝〈鼎銘〉，無異《書》命，成湯〈盤銘〉，考父〈鼎銘〉，體又別矣。四體俱采，古法備焉。

〈量銘〉

時文思索，允臻其極，嘉量既成，以觀四國，永啓厥後，茲器維則。

〈鼎銘〉（孔悝）

六月丁亥，公假于太廟，公曰：叔舅，乃祖莊叔，左右成公，成公乃命莊叔，隨難于漢陽，即宮于宗周，奔走無射。啓右獻公，獻公乃命成叔，纂乃祖服。乃考文叔，興舊嗜欲，作率慶士，躬恤衛國，其勤公家，夙夜不解，民咸曰休哉！公曰：叔舅，予女銘，若纂乃考服。悝拜稽首，曰：對揚以辟之，勤大命，施于烝彝鼎。

〈盤銘〉（《大戴禮》：「湯几杖之屬皆有銘。」此〈盤銘〉獨見《禮記》。）

德日新，日日新，又日新。

〈鼎銘〉

一命而僂，再命而傴，三命而俯，循牆而走，亦莫余敢侮。饘於是，鬻於是，以餬余口。

四

賡載之歌，既煥虞謨，〈五子之歌〉，又昭夏訓，作者蔚起，各自爲體。孔子消搖，接輿佯狂，歌詞玉振，鮮其儷哉？特取二歌，餘在所略。

〈孔子歌〉

泰山其頹乎！梁木其壞乎！哲人其萎乎！

〈接輿歌〉（《莊子》亦載此歌，曰：「鳳兮鳳兮，何如德之衰也！來世不可恃，往世不可追也。」雖小有增損，然氣象與《論語》不同。）

鳳兮鳳兮，何德之衰！往者不可諫，來者猶可追。已而已而！今之從政者殆而！

五

歌之流也，又別爲三：一曰謠，二曰謳，（齊歌曰謳，獨歌曰謠。）三曰誦。周謠〈鸜鵒〉，晉謠〈龍鶉〉，城者築者，所謳不同，國人輿人，其誦亦異，雖皆芻詞，猶可觀法，備見《左氏》，采其尤乎？

晉謠

丙之晨，龍尾伏辰。均服振振，取虢之旂。鶉之賁賁，天策焞焞，火中成軍，虢公其奔。

築謳

澤門之晳，實興我役；邑中之黔，實慰我心。

輿誦

取我衣冠而褚之，取我田疇而伍之，孰殺子產，吾其與之。我有子弟，子產誨之；我有田疇，子產殖之；子產而死，誰其嗣之？（後漢岑彭爲魏郡太守，輿人歌曰：「我有枳棘，岑君伐之；我有蟊賊，岑君遏之。」蓋又法此也。）

六

祭有祝嘏，死有誄謚，周公之制備矣。祝嘏尙欽，誄謚宜實。考諸禮籍，有士虞祭祝辭，貞惠文子謚辭，寔作者之儀表也，今取之。

士虞祝辭

哀子某，顯相，夙興夜處不寧，敢用潔牲剛鬣，嘉薦普淖，明齊溲酒，哀薦袷事，適爾皇祖某甫，尙饗。（今之祝文，唯同尙饗二字，餘皆非古法也。）

貞惠文子謚辭

昔者，衛國凶饑，夫子爲粥與國之餓者，是不亦惠乎！昔者，衛國有難，夫子以其死衛寡人，不亦貞乎！夫子聽衛國之政，修其班制，以與四鄰交，衛國之社稷不辱，不亦文乎！故謂夫子貞惠文子。（古無三字謚法，唐李巽謂衛君之亂制也，今取其文，故不復議。）

七

傳記所載，古作紛然，未容悉數，且箕子〈麥秀〉之歌，下符〈黍離〉之詠，（箕子朝周，過殷之故城，盡生禾黍，傷之，作〈麥秀〉之詩，其詩曰：「麥秀漸漸兮，禾黍油油，彼狡童兮，不我好仇。」此與〈黍離〉之所作無異。〈黍離序〉曰：「周大夫行役，至于宗周，過故宗廟，宮室盡爲禾黍，閔周室之顛覆，而作是詩。」）越人〈擁楫〉之歌，上體〈綢繆〉之意，（鄂君與越人同舟，越人擁楫而歌曰：「今夕何夕兮，得與搴舟水流，今日何日兮，得與王子同舟。」此與〈綢繆〉詩言「今夕何夕，見此良人」之意同也。）〈迎日〉之辭，與〈洛誥〉文同，（〈迎日〉之辭曰：「維某年某月某日，明光于上下，勤施于四方，旁作穆穆，維予一人某，敬拜迎于郊，以正月朔日，迎日于東郊。」〈洛誥〉成王稱周公曰：「惟公德，明光于上下，勤施于四方，旁作穆穆迓衡。」）冠王之頌，與士禮辭類，（成王冠，周公作頌曰：「令月吉日，王始加元服，去王幼志，服袞職，欽若昊命，六合是式，率爾祖考，永永無極。」〈士冠禮〉，始加，祝曰：「令月吉日，始加元服，棄爾幼志，順爾成德，壽考惟祺，介爾景福。」）虞舜〈慶雲〉之作，（有虞之時，有慶雲，百工相和而歌，舜乃倡之，曰：「慶雲爛兮，糺縵縵兮，日月光華，且復旦兮。」）成湯旱禱之文，（湯旱而禱曰：「政不節與？使民疾與？何以不雨，致斯極也？宮室榮與？婦謁盛與？何以不雨，至斯極也。讒夫興與？苞苴行與？何以不雨，至斯極也？」）潤色之語，不全典誥之風；作者如欲博觀，於此宜加旌別。

癸　凡一條

唐、虞、三代，君臣之間，告戒答問之言，雍容溫潤，自然成文。降及春秋，名卿才大夫，尤重詞命，婉麗華藻，咸有古義。秦、漢而來，上之詔命，皆出親製。（是故第五倫見光武詔書，歎曰：「此聖王也，一見決矣。」）自後不然，凡有王言，悉責成臣下，而臣下又自有章表。是以束帶立朝之士，相尚博洽，肆其筆端，徒盈篇牘，甚至於騈儷其文，俳諧其語，所謂代言，與夫奏上之體，俱失之矣。今采摭《尚書》及《左氏內外傳》之語，可以代言奏上者錄之，庶使古人之美，昭然可法。如漢武帝初作誥，以立三王，各以土俗伸戒，文辭氣象，未遠於古，併附于後。

舜命禹作司空語。（「咨禹，汝平水土，惟時懋哉！」）

舜命棄作后稷語。（「棄，黎民阻飢，汝后稷播時百穀。」）

舜命契作司徒語。（「契，百姓不親，五品不遜，汝作司徒，敬敷五教，在寬。」）

命皐陶作士語。（「臯陶，蠻夷猾夏，寇賊姦宄，汝作士，五刑有服，五服三就，五流有宅，五宅三居，惟明克允。」）

命伯夷作秩宗語。（「咨伯，汝作秩宗，夙夜惟寅，直哉惟清。」）

命夔典樂語。（「夔，命汝典樂，教胄子：直而溫，寬而栗，剛而無虐，簡而無傲，詩言志，歌永言，聲依永，律和聲，八音克諧，無相奪倫，神人以和。」）

命龍作納言語。（「龍，朕堲讒說殄行，震驚朕師，命汝作納言，夙夜出納朕命惟允。」）

美禹陳九功語。（地平天成，六府三事允治，萬世永賴，時乃功。」）

勉皐陶作士語。（「皐陶，惟茲臣庶，罔或于予正，汝作士，明于五刑，以弼五教，期于予治，刑期于無刑，民協于中，時乃功，懋哉！」）

又美皐陶語。（「俾予從欲以治，四方風動，惟乃之休。」）

舜又命禹語。（「臣作朕股肱耳目，予欲左右有民，汝翼，予欲宣力四方，汝爲，予欲觀古人之象，日月星辰，山龍華蟲，作會宗彝，藻火粉米，黼黻絺繡，以五彩彰施于五色作服，汝明，予欲聞六律、五聲、八音，在治忽，以出納五言，汝聽。予違汝弼，汝無面從，退有後言。」）

湯制官制，儆戒百官語。（「敢有恆舞于官，酣歌于室，時謂巫風，敢有殉于貨色，恆于游畋，時謂淫風；敢有侮聖言，逆忠直，遠耆德，比頑童，時謂亂風：惟茲三風、十愆，卿士有一于身，家必喪，邦君有一于身，家必喪，邦君有一于身，國必亡，臣下不匡，其刑墨，具訓于蒙士。」）

高宗命傅說語。（「朝夕納誨，以輔台德。若金，用汝作礪，若濟巨川，用汝作舟楫；若歲大旱，用汝作霖雨。啓乃心，沃朕心。若藥弗瞑眩，厥疾不瘳；若跣弗視地，厥足用傷。惟暨乃僚，罔不同心，以匡乃辟，俾率先王，迪我高后，以康兆民。嗚呼，欽予時命，其惟有終。」）

美傅說進戒語。（王曰：「旨哉！說乃言惟服，乃不良于言，予罔聞于行。」）

又命傅說語。（「說，四海之內，咸仰朕德，時乃風。股肱惟人，良臣惟聖。昔先正保衡，作我先王，乃曰：『予弗克俾厥后惟堯、舜，其心愧恥，若撻于市。一夫不獲，則曰時予以辜。』佑我烈祖，格于皇天。爾尚明保予，罔俾阿衡，專美有商。」）

成王命微子代商後語。（「乃祖成湯，克齊聖廣淵，皇天眷佑，誕受厥命，撫民以寬，除其邪虐，功加于時，德垂後裔。爾惟踐修厥猷，舊有令聞，恪慎克孝，肅恭神人。予嘉乃德，曰篤不忘，上帝時歆，下民祇協，庸德爾于上公，尹茲東夏。欽哉！往敷乃訓，慎乃服命，率由典常，以蕃王室，弘乃烈祖，律乃有民，永綏厥位，毗予一人，世世享德，萬邦作式。俾我有周無斁。嗚呼！往哉惟休，無替朕命。」）

封康叔語。（「王曰：嗚呼！封，敬哉！無作怨，勿用非謀非彝，蔽時忱，丕則敏德，用康乃心，顧乃德，遠乃猷，裕乃以民寧，不汝瑕殄。王曰：嗚呼！肆汝小子封，惟命不于常，汝念哉！無我殄，享明乃服命，高乃聽，用康乂民。」）

命蔡仲爲侯語。（「小子胡，惟爾率德改行，克慎厥猷，肆予命爾侯于東土，往即乃封，敬哉！爾尚蓋前人之愆，惟忠惟孝，爾乃邁迹自身，克勤無怠，以垂憲乃後。率乃祖文王之彝訓，無若爾考之違王命。皇天無親，惟德是輔，民心無常，惟惠之懷，爲善不同，同歸于治，爲惡不同，同歸于亂，爾其戒哉！慎厥初，惟厥終，終以不困，不惟厥終，終以困窮。懋乃修績，睦乃四鄰，以蕃王室，以和兄弟，康濟小民。率自中，無作聰明，亂舊章。詳乃視聽，罔以側言改厥度，則予一人汝嘉。王曰：嗚呼！小子胡，汝往哉！無荒棄朕命。」）

董正百官語。（「今予小子，祗勤于德，夙夜不逮，仰惟前代時若，訓迪厥官，立太師、太傅、太保，茲惟三公，論道經邦，燮理陰陽。官不必備，惟其人。少師、少傅、少保，曰三孤，貳公弘化，寅亮天地，弼予一人。冢宰掌邦治，統百官，均四海。司徒掌邦教，敷五典，擾兆民。宗伯掌邦禮，治神人，和上下。司馬掌邦政，統六師，平邦國。司寇掌邦禁，詰姦慝，刑暴亂。司空掌邦土，居四民，時地利。六卿分職，各率其屬，以倡九牧，阜成兆民。六年五服一朝。又六年，王乃時巡；考制度于四岳，諸侯各朝于方岳，大明黜陟。王曰：嗚呼！凡我有官君子，欽乃攸司，愼乃出令，令出惟行，弗惟反。以公滅私，民其允懷。學古入官，議事以制，政乃不迷。其爾典常作之師，無以利口亂厥官。蓄疑敗謀，怠忽荒政，不學牆面，莅事惟煩。戒爾卿士，功崇惟志，業廣惟勤，惟克果斷，乃罔後艱。位不期驕，祿不期侈。恭儉惟德，無載爾僞。作德，心逸日休；作僞，心勞日拙。居寵思危，罔不惟畏，弗畏入畏。推賢讓能，庶官乃和；不和，政厖，舉能其官，惟爾之能；稱匪其人，惟爾不任。王曰：嗚呼！三事暨大夫，敬爾有官，亂爾有政，以佑乃辟，永康兆民，萬邦惟無斁。」）

命君陳尹茲東郊時。（「君陳！惟爾令德孝恭。惟孝，友于兄弟，克施有政。命汝尹茲東郊，敬哉！昔周公師保萬民，民懷其德。往愼乃司，茲率厥常，懋昭周公之訓，惟民其乂。我聞曰：至治馨香，感于神明。黍稷非馨，明德惟馨。爾尚式時周公之猷訓，惟日孜孜，無敢逸豫。凡人未見聖，若不克；既見聖，亦不克由聖。爾其戒哉！爾惟風，下民惟草。圖厥政，莫或不艱。有廢有興，出入自爾師虞，庶言同則繹。爾有嘉謀嘉猷，則入告爾后于內，爾乃順之于外。曰：斯謀斯猷，惟我后之德。嗚呼！臣人咸若時，惟良顯哉！」）

康王告諸侯語。（「昔君文武，丕平富，不務咎，厎至齊信，用昭明于天下。則亦有熊羆之士、不二心之臣，保乂王家，用端命于上帝；皇天用訓厥道，付畀四方。乃命建侯樹屏，在我後之人。今予一二伯父，尚胥暨顧，綏爾先公之臣服于先王。雖爾身在外，乃心罔不在王室。用奉恤厥若，無遺鞠子羞。」）

命畢公保釐東郊語。（「惟周公左右先王，綏定厥家。毖殷頑民，遷于洛邑，密爾王室，式化厥訓。既歷三紀，世變風移，四方無虞，予一人以寧。道有升降，政由俗革，不臧厥臧，民罔攸勸。惟公懋德，克勤小物，弼亮四世，正色率下，罔不祗師言，嘉績多于先王，予小子垂拱仰成。王曰：嗚呼！父師！今予祗命公以周公之事。往哉！旌別淑慝，表厥宅里，彰善癉惡，樹之風聲。弗率訓典，殊厥井疆，俾克畏慕。申畫郊圻，愼固封守，以康四海。政貴有恆，辭尚體要，不惟好異。商俗靡靡，利口惟賢，餘風未殄。公其念哉！我聞曰：世祿之家，鮮克由禮。以蕩陵德，實悖天道。敝化奢麗，萬世同流，茲殷庶士，席寵惟舊，怙多滅義，服美于人。驕淫矜侉，將由惡終；雖收放心，閑之惟艱。資富能訓，惟以永年。惟德惟義，時乃大訓。不由古訓，于何其訓？王曰：嗚呼！父師！邦之安危，惟茲殷士；不剛不柔，厥德允修。惟周公克愼厥始，惟君陳克和厥中，惟公克成厥終。三后協心，同厎于道。道洽政治，澤潤生民。四夷左衽，罔不咸賴。予小子永膺多福。公其惟時成周建無窮之基，亦有無窮之聞。子孫訓其成式惟乂。嗚呼！罔曰弗克，惟既厥心；罔曰民寡，惟愼厥事。欽若先王成烈，以休于前政。」）

穆王命君牙爲大司徒語。（「君牙，惟乃祖乃父，世篤忠貞，服勞王家，厥有成績，紀于太常。惟予小子，嗣守文、武、成、康遺緒，亦惟先王之臣，克左右亂四方。心之憂危，若蹈虎尾，涉于春冰。今命爾予翼，作股肱心膂，纘乃舊服，無忝祖考，弘敷五典，式和民則。爾身克正，罔敢弗正，民心罔中，惟爾之中。夏暑雨，小民惟曰怨咨；冬祁寒，小民亦惟曰怨咨。厥惟艱哉！思其艱以圖其易，民乃寧。嗚呼！丕顯哉！文王謨；丕承哉！武王烈。啓佑我後人。咸以正罔缺。爾惟敬明乃訓，用奉若于先生。對揚文武之光命，追配于前人。王若曰：君牙！乃惟由先正舊典時式，民之治亂在茲。率乃祖考之攸行，昭乃辟之有乂。」）

命伯冏爲大僕正語。（「伯冏！惟予弗克于德，嗣先人宅丕后。怵惕惟厲，中夜以興，思免厥愆。昔在文武，聰明齊聖，小大之臣，咸懷忠良。其侍御僕從，罔匪正人。以旦夕承弼厥辟，出入起居，罔有不欽。發號施令，罔有不臧。不民祇若，萬邦咸休。惟予一人無良，實賴左右前後有位之士，匡其不及，繩愆糾謬，格其非心，俾克紹先烈。今予命汝作大正，正于羣僕侍御之臣。懋乃后德交修不逮。愼簡乃僚，無以巧言令色，便辟側媚，其惟吉士。僕臣正，厥后克正；僕臣諛，厥后自聖。后德惟臣，不德惟臣。爾無昵于憸人，充耳目之官，迪上以非先王之典。非人其吉，惟貨其吉。若時，衆厥官，惟爾大弗克祇厥辟，惟予汝辜。王曰：嗚呼！欽哉！永弼乃后于彝憲。」）

平王錫晉文侯語。（父義和！汝克紹乃顯祖；汝肇刑文、武，用會紹乃辟，追孝于前文人。汝多修，扞我于艱；若汝，予嘉。王曰：父義和！其歸視爾師，寧爾邦。用賚爾秬鬯一卣；彤弓一，彤矢百；盧弓一，盧矢百；馬四匹。父往哉！柔遠能邇，惠康小民，無荒寧，簡恤爾都，用成爾顯德。」）

晉悼公賜魏絳樂語。（「子教寡人和諸戎狄，以正諸華。八年之中，九合諸侯，如樂之和，無所不諧，請與子樂之。」）

魏絳辭樂語。（「夫和戎狄，國之福也，八年之中，九合諸侯，諸侯無慝，君之靈也，二三子之勞也，臣何力之有焉？抑臣願君安其樂而思其終也？《詩》曰：『樂只君子，殿天子之邦。樂只君子，福祿攸同。便蕃左右，亦是帥從。』夫樂以安德，義以處之，禮以行之，信以守之，仁以厲之，而後可以殿邦國，同福祿，來遠人，所謂樂也。《書》曰：『居安思危。』思則有備，有備無患，敢以此規。」）

晉張老辭卿語。（「臣不如魏絳。夫絳之智，能治大官，其仁，可以利公室不忘；其勇，不疚于刑；其學，不廢其先人之職。若在卿位，外內必平。」）

衛太叔文子謝罪語。（「臣知罪矣：臣不佞，不能負羈絏，以從扞牧圉，臣之罪一也；有出者，有居者，臣不能貳，通內外之言以事君，臣之罪二也。有二罪，敢忘其死。」）

鄭子產辭邑語。（「自上以下，降殺以兩，禮也。臣之位在四，且子展之功也，臣不敢及賞禮，請辭邑。」）

衛公孫免餘辭邑語。（「惟卿備百邑，臣六十矣，下有上祿，亂也，臣弗敢聞。且甯子惟多邑故死，臣懼死之速及也。」）

齊晏子辭更宅語。（「君之先臣容焉，臣不足以嗣之，於臣侈矣。且小人近市，朝夕得所求，小人之利也，敢煩里旅。」）

衛子魚辭從會語。（「臣展四體，以率舊職，猶懼不給，而煩刑書；若又共二，徼大罪也。且夫祝，社稷之常隸也，社稷不動，祝不出境，官之制也。若嘉好之事，臣無事焉。」）

陳敬仲辭卿語。（「羈旅之臣，幸若獲宥，及於寬政，赦其不閑於教訓，而免於罪戾，弛於負擔，君之惠也，所獲多矣。敢辱高位，以速官謗。請以死告。」）

齊桓公對賜胙無下拜語。（「天威不違顏咫尺，小白余敢貪天子之命無下拜，恐隕越于下，以遺天子羞，敢不下拜。」）

齊管仲辭莊王以上卿禮饗語。（「臣賤有司也，有天子之二守國高在，若節春秋，來承王命，何以禮焉？陪臣敢辭。」）

莊王命管仲語。（「舅氏，余嘉乃勳，應乃懿德，謂篤不忘，往踐乃職，無逆朕命。」）

鄭燭之武辭文公使見秦穆公語。（「臣之壯也，猶不如人，今老矣，無能爲也已。」）

楚子西辭爲商公語。（臣免於死，又有讒言，謂臣將逃，臣歸死於司敗也。」）

晉平公策命鄭公孫段語。（「子豐有勞於晉國，余聞而弗忘，賜女州田，以胙乃舊勳。」）

晉祁奚薦子爲軍尉語。（「人有言曰：「擇臣莫若君，擇子莫若父。」午之少也，婉以從令，遊有鄉，處有所，好學而不戲，其壯也，彊志而用命，守業而不淫；其冠也，和安而好敬，柔惠小物，而鎭定大事，有直質而無流心，非義不變，非上下擧，若臨大事，其可以賢於臣也。臣請薦所能擇，而君比義焉。」）

晉狐偃辭卿語。（「毛之智賢於臣，其齒又長，毛也不在位，不敢聞命。」注：「毛，偃之兄。」）

韓獻子爲子無忌辭公族大夫語。（「厲公之亂，無忌備公族，不能死，臣聞之，曰：『無功庸者不敢居高位。』今無忌智不能匡君，使至於難，仁不能救，勇不能死，敢辱君朝，以忝韓宗，請退也。」）

晉趙衰辭卿語。（「欒枝貞愼，先軫有謀，胥臣多聞，皆可以爲輔，臣弗若也。」）

齊鮑叔辭宰語。（「臣，君之庸臣也，君加惠於臣，使臣不凍餒，則是君之賜也；若必治國家者，則非臣之所能也。若必治國家者，則管夷吾乎？臣之所不若夷吾者五：寬惠柔民，弗若也；治國家不失其柄，弗若也；忠信可結於百姓，弗若也；制禮義可結於四方，弗若也；執枹鼓立於軍門，使百姓加勇焉，弗若也。」）

漢齊王閎封策語。（「於戲！小子閎，受茲青社。朕承天序，維稽古，建爾國家，封于東土，世爲漢藩輔。於戲！念哉？恭朕之詔。惟命不于常，人之好德，克明顯光，義之不圖，俾君子怠，悉爾心。允執其中，天祿永終，厥有愆不臧，乃凶于乃國，害於爾躬。於戲！保國乂民，可不敬與！王其戒之。」）

燕王旦封策語。（「於戲！小子旦，受茲元社，建爾國家，封于北土，世爲漢藩輔。於戲！薰鬻氏虐老獸心，以姦巧邊甿，朕命將率，徂征厥罪，萬夫長，千夫長，三十有二帥，降旗走師，薰鬻徙域，北州以安，悉爾心，毋作怨，毋作棐德，毋乃廢備，非教士，不得以徵，王其戒之。」）

廣陵王胥封策語。（「於戲！小子胥，受茲赤社，建爾國家，封于南土，世世爲漢藩輔。古人有言曰，大江之南，五湖之間，其人輕心，揚州保疆，三代要服，不及以政。於戲！悉爾心，祗祗兢兢，迺惠迺順，毋桐好逸，毋邇宵人，惟法惟則。《書》云：『臣不作福，不作威，靡有後羞。』王其戒之。」）

主要引用及參考書目

一、經部

十三經注疏　嘉陵南昌府學刻本　藝文印書館影印
十三經引得　南嶽出版社
周易集解纂疏　李鼎祚集解　李道平纂疏　廣文書局
周易讀本　黃師慶萱　三民書局
易經研究論文集　林師景伊等　黎明文化事業公司
尙書釋義　屈萬里　中華文化出版事業社
新譯尙書讀本　吳師璵　三民書局
尙書研究論文集　劉德漢等　黎明文化事業公司
詩集傳　朱熹　臺灣中華書局
詩經釋義　屈萬里　華岡出版部
詩經通釋　王靜芝　輔仁大學文學院

詩經今注　高亨　里仁書局
詩經新譯注　袁愈荌譯、唐莫堯注　木鐸出版社
詩經研究論集　熊公哲等　黎明文化事業公司
韓詩外傳今註今譯　賴炎元　臺灣商務印書館
周禮今註今譯　林師景伊　臺灣商務印書館
大戴禮記今註今譯　高師仲華　臺灣商務印書館
三禮研究論集　李師曰剛等　黎明文化事業公司
大戴禮記解詁　王聘珍　世界書局
春秋三傳研究論集　戴君仁等　黎明文化事業公司
春秋左傳注　楊伯峻注　源流出版社
左傳之文學價值　張高評　文史哲出版社
論孟研究論集　錢穆等　黎明文化事業公司
論語通釋　王師熙元　臺灣學生書局
論語譯注　楊伯峻譯注　河洛圖書出版社
孟子譯注　楊伯峻譯注　河洛圖書出版社
學庸研究論集　吳康等　黎明文化事業公司

新譯四書讀本　謝冰瑩、李鍌、劉正浩、邱燮友、賴炎元、陳滿銘等六位老師　三民書局
十三經概論　蔣伯潛　學海出版社
逸周書集訓校釋　朱右曾　世界書局
經學研究論集　王靜芝等　黎明文化事業公司
說文解字注　許愼著、段玉裁注　蘭臺書局
訓詁學概要　林師景伊　正中書局
訓詁學　郭在貽　湖南人民出版社

二、史部

國語　左丘明　九思出版有限公司
史記　司馬遷　藝文印書館景印武英殿本
漢書　班固　藝文印書館景印虛受堂本
宋史　脫脫　鼎文書局
宋史新編　柯維騏　新文豐出版公司
南宋書　蔣超伯　聯經出版事業公司
宋史藝文志廣編　脫脫等修、黃虞稷、倪燦等撰　世界書局
宋人傳記資料索引　楊家駱主編　鼎文書局

史通通釋　劉知幾撰、浦起龍釋　世界書局

三、子部

諸子引得　南嶽出版社

老子校釋　朱情牽　里仁書局

新譯老子讀本　余師培林　三民書局

老子今註今譯　陳鼓應　臺灣商務印書館

墨子閒詁　孫詒讓　河洛圖書出版社

墨子今註今譯　李漁叔　臺灣商務印書館

墨學新探　王師冬珍　世界書局

莊子因　林雲銘　蘭臺書局

莊子集釋　郭慶藩　河洛圖書出版社

莊子集解　王先謙　蘭臺書局

莊子新釋　張默生　綠州書店

莊子及其文學　黃師錦鋐　東大圖書公司

新譯莊子讀本　黃師錦鋐　三民書局

莊學新探　陳師品卿　文史哲出版社

莊子今註今譯　陳鼓應　臺灣商務印書館
莊子之文學　蔡宗陽　文史哲出版社
管子纂詁　安井衡　河洛圖書出版社
孫子十一家註　曹操等註　中國子學名著集成編印基金會
荀子集解　王先謙　藝文印書館
新譯荀子讀本　王師忠林　三民書局
荀子文論研究　楊鴻銘　文史哲出版社
韓非子集釋　陳奇猷　世界書局
韓非子校釋　陳啓天　臺灣商務印書館
說苑今註今譯　盧元駿　臺灣商務印書館
淮南鴻烈集解　劉文典　粹文堂書局
法言　揚雄　臺灣中華書局
論衡　王充　臺灣商務印書館
抱朴子　葛洪　臺灣商務印書館
孔子家語疏證　陳士珂輯　臺灣商務印書館
顏氏家訓　顏之推　臺灣中華書局

日知錄集釋　顧炎武撰、黃汝成集釋　世界書局
世說新語校箋　楊勇　文光圖書公司

四、集部

韓昌黎集　韓愈　河洛圖書出版社
文心雕龍研究　王師更生　文史哲出版社
文心雕龍讀本　王師更生　文史哲出版社
文心雕龍新論　王師更生　文史哲出版社
文心雕龍國際學術研討會論文集　日本九州大學中國文學會主編　文史哲出版社
文心雕龍文論術語析論　王金凌　華正書局
文心雕龍術語探析　陳兆秀　文史哲出版社
文心雕龍研究　龔菱　文津出版社
文心雕龍新書附通檢　巴黎大學北京漢學研究所　成文出版社
文心雕龍文術論詮　張嚴　臺灣商務印書館
文心雕龍之創作論　沈謙　聯經出版事業公司
文心雕龍註訂　張立齋　正中書局
文心雕龍考異　張立齋　正中書局

文心雕龍譯註十八篇　郭晉稀（香港）中流出版社
文心雕龍研究　日本戶田浩曉著、曹旭譯　上海古籍出版社
文心雕龍新探　張少康　文史哲出版社
文心雕龍講疏　王元化　上海古籍出版社
文心雕龍譯注　趙仲邑　廣西教育出版社
文心雕龍選析　祖保泉　安徽教育出版社
文心雕龍論集　陳耀南　現代教育出版社
文心雕龍研究　穆克宏　福建教育出版社
文心雕龍義證　詹鍈　上海胡籍出版社
文心雕龍的風格學　詹鍈　木鐸出版社
文心雕龍范注駁正　王師更生　華正書局
文心雕龍論文集　黃師錦鋐　學海出版社
文心雕龍研究論文選粹　王師更生　育民出版社
日本研究文心雕龍論文集　王元化　齊魯書社
文心雕龍臆論　陳思苓　巴蜀書社
文心雕龍札記　黃侃　文史哲出版社

文心雕龍通解　王禮卿　黎明文化事業股份有限公司
文心雕龍與詩品之詩論比較　馮吉權　文史哲出版社
文心雕龍講義　程兆熊　（香港）鵝湖學社
文心雕龍之文學理論與批評　沈謙　華正書局
文心雕龍與現代修辭學　沈謙　益智書局
文心雕龍綜論　中國古典文學研究會主編　臺灣學生書局
文心雕龍校證　王利器　明文書局
文心雕龍斠詮　李師曰剛　中華叢書編審委員會
文心雕龍通詮　張仁青　明文書局
文心雕龍今譯　周振甫　（北京）中華書局
劉勰文心雕龍研究論著目錄　王國良　中國古典文學研究會
文心雕龍校釋　劉永濟　華正書局
文心雕龍校注拾遺　楊明照　上海古籍出版社
詩品注　汪師中　正中書局
詩品校注　楊祖聿　文史哲出版社
詩品研究　李道顯　華岡出版部

詩品注　陳延傑　臺灣開明書店
詩品集解　郭紹虞　河洛圖書出版社
詩式　皎然　臺灣商務印書館
增補六臣註文選　李善等注　華正書局
文鏡秘府論　日僧遍照金剛　蘭臺書局
文鏡秘府論探源　王晉江　（香港）天地圖書有限公司
文章緣起注　任昉撰、陳懋仁注　廣文書局
詩人玉屑　魏慶之　九思出版有限公司
梁谿漫志　費袞　廣文書局
鶴林玉露　羅大經　臺灣開明書店
冷齋詩話　惠洪　商務景印文淵閣四庫全書
螢雪叢說　俞成　商務叢書集成初編、簡編
珸溪詩話　黃徹　商務景印文淵閣四庫全書
學齋佔畢　史繩祖　商務叢書集成初編、簡編
滹南詩話　王若虛　商務叢書集初編
滹南遺老集　王若虛　商務叢刊初編縮本

震澤長語　王鏊　商務叢書集成初編、簡編
歷代詩話　何文煥　本鐸出版社
百種詩話類編　臺靜農　藝文印書館
滄浪詩話校釋　嚴羽著、郭紹虞校釋　東昇出版事業公司
文章軌範　謝疊山批選　廣文書局
文章辨體　吳訥　華世出版社
文章明辨　徐師曾　華文出版社
文章指南　歸有光評選　廣文書局
古文關鍵　呂祖謙　廣文書局
文則　陳騤　元至正十二年海岱劉庭幹金陵刊本（中央圖書館）
文則　陳騤　明萬曆年間陳繼儒寶顏堂秘笈本（中央圖書館）
文則　陳騤　日本享保十三年刊本（臺大研究圖書館）
文則　陳騤　清文淵閣四庫全書本（故宮博物院）
文則　陳騤　清金長春詒經堂本（中研院史語所）
文則　陳騤　清宋世犖台州叢書本（中研院史語所）
文則　陳騤　民國五年周鍾游文學津梁本（中央圖書館）

文則　陳騤　民國十一年覆刊明萬曆年間寶顏堂秘笈本（中研院史語所）
文則（點校本）　陳騤撰、劉明暉點校　（北京）人民出版社
文則注譯　陳騤著、劉彥成注譯　書目文獻出版社
文則研究　譚全基　（香港）問學社
文章精義　李塗　（北京）人民出版社
修辭鑑衡　王構　臺灣商務印書館
文章一貫　高琦　日本刊本（中研院史語所）
續錦機　劉青芝　乾隆八年刊本（中研院史語所）
修辭格　唐鉞　上海商務印書館
修辭學講話　陳介白　上海開明書店
修辭學發凡　陳望道　上海開明書店
中國修辭學　楊樹達　上海世界書局
修辭學　鄭業建　上海正中書局
修辭新例　譚正璧　棠棣出版社
修辭概要　張志公　中國青年出版社
中國修辭學　楊樹達　（北京）科學出版社

中文脩辭學　傅師隸樸　友聯出版社有限公司
中國修辭學的變遷　鄭子瑜　日本早稻田大學語學教育研究所
修辭學大綱　夏志衆　北平師大講義
脩辭學　傅師隸樸　正中書局
中國修辭學　楊樹達　臺灣世界書局
字句鍛鍊法　黃永武　臺灣商務印書館
修辭學發微　徐芹庭　臺灣中華書局
字句鍛鍊法（增訂本）　黃永武　洪範書店
國文修辭學　宋文翰　新陸書局
現代漢語修辭知識　華中師範學院中文系現代漢語教研組編　湖北人民出版社
修辭學　黃師慶萱　三民書局
修辭論說與方法　張嚴　臺灣商務印書館
古書修辭例　張文治　臺灣中華書局
修辭學發凡　陳望道　上海教育出版社
修辭　上海師範學院中文系漢語教研室編　上海教育出版社
修辭　倪寶元　浙江人民出版社

漢文文言修辭學　楊樹達　（北京）中華書局

語法修辭六講　高葆泰　寧夏人民出版社

演講修辭學　蔣金龍　黎明文化事業公司

修辭析論　董季棠　益智書局

辭格辨異　鄭遠漢　湖北人民出版社

第一流的修辭法　高登偉　金陵圖書股份有限公司

比較修辭　鄭頤壽　福建人民出版社

古漢語修辭簡論　趙克勤　（北京）商務印書館

修辭漫議　黃漢生　書目文獻出版社

漢語修辭學　王希杰　北京出版社

修辭知識十八講　錢覺民、李延祐　甘肅少年兒童出版社

辭格匯編　黃民裕　湖南人民出版社

活用修辭　吳正吉　（高雄）復文書局

修辭學新編　程希嵐　吉林人民出版社

現代漢語修辭學　宋振華、吳士文、張國慶、王興林　吉林人民出版社

古漢語修辭學資料彙編　鄭奠、譚全基編　明文書局

作文津梁　曾師忠華　學人文教出版社
古漢語修辭　季紹德　吉林文史出版社
現代漢語修辭學　黎運漢、張維耿　商務印書館香港分館
修辭格論析　吳士文　上海教育出版社
修辭學　李維琦　湖南人民出版社
修辭學詞典　王德春　浙江教育出版社
實用漢語修辭　姚殿芳、潘兆明　北京大學出版社
語文基礎知識　湖北省天門師範語文教研組　華中工學院出版社
古詩文修辭例話　路燈照、成九田　臺灣商務印書館
新編修辭學　鄭頤壽、林承璋　鷺江出版社
修辭學研究　中國華東修辭學會編　語文出版社
修辭淺說　蔣希文　貴州人民出版社
修辭文薈　王希志、季世昌　江蘇教育出版社
漢語修辭學史綱　宗廷虎、李金苓　吉林教育出版社
語法修辭新編　吳桂海、鮑慶林　中共中央黨校出版社
現代漢語　程祥徽、田小琳　香港三聯書店

修辭學教程　張靜、鄭遠漢　河南教育出版社、香港文化教育出版社
漢語修辭格大辭典　唐松波、黃建霖主編　中國國際廣播出版社
中國修辭學史　鄭子瑜　文史哲出版社
修辭的理論與實踐　中國修辭學會　語文出版社
修辭方式例解詞典　浙江省修辭研究會編、浙江教育出版社
常用辭格通論　武占坤主編　河北教育出版社
中國修辭學史　周振甫　北京商務印書館
修辭學　沈謙　國立空中大學
修辭學綱要　劉煥輝　百花洲文藝出版社
現代漢語語法修辭　周靖　中國經濟出版社
修辭通鑒　成偉鈞、唐仲揚、向宏業主編　中國青年出版社
篇章修辭學　鄭文貞　廈門大學出版社
修辭散步　張春榮　東大圖書公司
修辭方法析論　沈謙　宏翰文化事業有限公司
修辭析論（重校增訂）　董季棠　文史哲出版社
稱謂修辭學　馬鳴春　陝西人民出版社

實用修辭 胡性初 華南理工大學出版社
修辭新探 吳士文 遼寧人民出版社
現代修辭學 王德春、陳晨 江西教育出版社
修辭學的理論與方法 童山東 河南人民出版社
當代漢語修辭藝術 吳家珍 北京師範學院出版社
語法與修辭 全國外語院系《語法與修辭》編寫組 廣西教育出版社
語法修辭講話 呂叔湘、朱德熙 中國青年出版社
語法修辭闡微 吳新華 江蘇教育出版社
修辭學探索 王德春 北京出版社
現代修辭學 高長江 吉林大學出版社
變異修辭學 馮廣藝 湖北教育出版社
漢語修辭新篇章 倪寶元 （北京）商務印書館
模糊修辭淺說 蔣有經 光明日報出版社
語體·修辭·風格 唐松波 吉林教育出版社
鄭子瑜修辭學論文集 鄭子瑜 中華書局香港分局
杜詩修辭藝術 劉明華 中州古籍出版社

古今名作修辭賞析　陸文蔚　江蘇教育出版社
實用國文修辭學　金兆梓　文史哲出版社
修辭學論叢　七大教授執筆　樂天出版社
古漢語修辭學資料彙編　鄭奠、譚全基　明文書局
文法與修辭　黃師慶萱　國立編譯館
陳望道修辭論集　復旦大學語言研究室編　安徽教育出版社
語法修辭方法論　復旦大學語法修辭研究室　復旦大學出版社
修辭和修辭教學　中國修辭學會編　上海教育出版社
論修辭　顏元叔主譯　黎明文化事業公司
語法邏輯修辭正誤例話　張理明　江蘇教育出版社
修辭趣談　李洛楓、鄒光椿　學林書店
名家論學　宗廷虎編　復旦大學出版社
中國修辭學會會員論著目錄　中國修辭學會秘書處編　中國修辭學會
修辭學研究　中國華東修辭學會編　廈門大學出版社
修辭學論文集　中國修辭學會編　福建人民出版社
辭章學概論　鄭頤壽　福建教育出版社

文學理論資料匯編　華諾文學編譯組　華諾文化事業有限公司
鍥不舍齋論學集　陳師新雄　臺灣學生書局
美學　黑格爾著、朱孟實譯　里仁書局
古典文學論探索　王夢鷗　正中書局
六朝文論　廖蔚卿　聯經出版事業公司
詩學箋註　亞里斯多德原著、姚一葦譯註　中華書局
美學原理　克羅齊　正中書局
中國詩律研究　王力　文津出版社
近體詩發凡　張夢機　中華書局
中國詩學　黃永武　巨流圖書公司
中國詩學　劉若愚　幼獅文化公司
王漁洋詩論之研究　黃景進　文史哲出版社
中國文學理論　劉若愚　聯經出版事業公司
蘇東坡的文學理論　游信利　臺灣學生書局
章實齋文學理論研究　羅思美　臺灣學生書局
涵芬樓文談　吳曾祺　臺灣商務印書館

期待批評時代的來臨　沈謙　時報出版公司
中國古代美學史研究　復旦學報·社會科學版編輯部編　復旦大學出版社
談美　朱光潛　臺灣開明書店
中國美學思想史　敏澤　齊魯書社
文藝心理學　朱光潛　臺灣開明書店
文學概論　王夢鷗　帕朱爾書店
文學概論　劉萍　華聯出版社
文學概論　涂公遂　華正書局
高明文輯　高師仲華　黎明文化事業公司
文藝美學　王夢鷗　遠行出版社
中國文學批評史　郭紹虞　文史哲出版社
中國文學批評史　羅根澤　學海出版社
中國文學批評史　劉大杰、王運熙　上海古籍出版社
中國文學批評通論　傅庚生　華正書局
中國文學批評　張健　五南圖書公司
中國文學欣賞舉隅　傅庚生　地平線出版社

中國文學鑑賞舉隅　黃師慶萱、許家鸞　東大圖書公司
現代散文欣賞　鄭明娳　東大圖書公司
文學研究法　姚永樸　廣文書局
文學研究法　郭象升　正中書局
中國文學批評論文集　王煥鑣編註　正中書局
現代文學講義　郭鶴鳴、蔡宗陽合撰　中華函授學校
兩漢散文選　吳契寧編註　正中書局
三國晉南北朝文選　陸維釗編註　正中書局
文論講疏　許文雨　正中書局
駢文學　張仁青　文史哲出版社
唐宋散文選　查猛濟編註　正中書局
散文結構　方師祖燊、邱師燮友　福記文化圖書有限公司
現代散文新風貌　楊師昌年　東大圖書公司
散文研究　季薇　益智書局
現代散文類型論　鄭明娳　大安出版社
中國散文之面貌　張高評等　中央文物供應社

中國古代文學創作論　張少康　文史哲出版社
文史探微　周勛初　上海古籍出版社
文法津梁　宋文蔚　蘭臺書局
人境廬詩草箋注　黃遵憲著、錢萼孫箋注　臺灣商務印書館
漢語風格探索　黎運漢　（北京）商務印書館
從作文原則談作文方法　蔣建文　臺灣商務印書館
古書疑義舉例　俞樾　泰順書局
詞詮　楊樹達　（北京）中華書局
詩詞例話　周振甫　南琪書局
文章例話　周振甫　蒲公英出版社
禪宗與中國文化　葛兆光　上海人民出版社
文學手冊　傅東華主編　喜美出版社
四庫全書總目　清乾隆敕撰　漢京文化事業有限公司
文心雕龍對後世文論之影響　陳素英　東吳大學中研所碩士論文
文心雕龍「道沿聖以垂文」之研究　張秀烈　臺灣師大國研所博士論文
文學的心靈及其藝術的表現—文心雕龍的美學　金民那　臺灣師大國研所博士論文

文心雕龍風格論探究　鄭根亨　東吳大學中研所碩士論文
劉勰文心雕龍與經學　蔡宗陽　臺灣師大國研所博士論文
王構修辭鑑衡研究　王妙櫻　東吳大學中研所碩士論文
司空圖詩品運用莊子思想之研究　閔丙三　臺灣師大國研所博士論文
左傳學之新評價　張高評　臺灣師大國研所博士論文
左傳賦詩引詩之研究　奚敏芳　臺灣師大國研所碩士論文
孟子散文研究　王基倫　臺灣師大國研所碩士論文
我如何編寫香港小學語文課本的範文目錄　方師祖燊　中國修辭學會
關漢卿散曲的修辭技巧　黃師麗貞　中國修辭學會
音節與修辭　董季棠　中國修辭學會
修辭學與古籍解讀─以老子書爲例　周學武　中國修辭學會
《論語》的修辭技巧　蔡宗陽　中國修辭學會
中國修辭學研究　高師仲華　中國語文第三十七卷第二期
論譬喻的分類　蔡宗陽　中國學術年刊第十三期
修辭學習（雙月刊）　復旦大學中國語言文學研究所、中國修辭學會華東分會編輯　復旦大學出版社